치과진료 후 발생하는

골치 아픈 증례들

TOUGH CASES

김영균 · 김은영

vol. 2 구강안면통증

치과진료 후 발생하는

골치 아픈 증례들 TOUGH CASES

Vol. 2 구강안면통증

첫째판 1쇄 인쇄 2021년 08월 02일
첫째판 1쇄 발행 2021년 08월 16일

지 은 이 김영균 김일형
발 행 인 장주연
출 판 기 획 한수인
책 임 편 집 이경은
편집디자인 양란희
표지디자인 양란희
발 행 처 군자출판사
등록 제 4-139호(1991. 6. 24)
본사 (10881) 경기도 파주시 회동길 338(서패동 474-1)
Tel. (031) 943-1888 Fax. (031) 955-9545
홈페이지 | www.koonja.co.kr

* 파본은 교환하여 드립니다.
* 검인은 저자와의 합의 하에 생략합니다.

ISBN 979-11-5955-744-6
979-11-5955-674-6 (세트)

정가 90,000원

치과진료 후 발생하는

골치 아픈 증례들

TOUGH CASES

저자 소개

김영균

1986	서울대학교 치과대학 졸업
1986 - 1989	서울대학교병원 치과진료부 구강악안면외과 수련
1989 - 1992	육군 치과군의관
1992 - 1997	조선대학교 치과대학 전임강사 및 조교수
1998 - 2003	대진의료재단 분당제생병원 치과 구강악안면외과장
현재	분당서울대학교병원 치과 구강악안면외과 교수
	서울대학교 치의학대학원 치의학과 교수
	대한민국의학한림원 정회원
	대한구강악안면외과학회지 편집장
	대한검도 공인 4단
	SCI(E) 논문 137편, KCI 등재 논문 275편, 기타 국내학술지 251편, 기타국제학술지 31편
저역서	"턱관절장애와 수술교정" 외 77편

P R O F I L E

김일형

2010 조선대학교 약학대학 졸업

2014 조선대학교 치의학전문대학원 졸업

2014 - 2015 국군수도치과병원 인턴

2015 - 2018 서울대학교 치과병원
구강악안면외과 수련

2018 - 2020 국군수도치과병원 진료지원실장

2018 - 2019 대한악안면성형재건외과학회 이사

2020 - 2021 분당서울대학교병원 치과
구강악안면외과 임상강사 및
턱얼굴외상클리닉 팀장

현재 국군수도치과병원 진료부장
대한구강악안면외과학회 평의원
외상술기교육연구학회 ESPIT
(Essential Surgical Procedures in
Trauma) Provider (치과의사 최초)

TOUGH CASES

전체 머리말

약 35년간 치과의사, 구강악안면외과 전문의로서 수많은 환자들을 진료하였습니다. 한때는 내가 치과의 특정 분야에서 최고라는 자만감에 빠져 환자 및 동료들에게 거만한 자세를 취한 적도 있었습니다. 그러나 아무리 열심히 연구하고, 양질의 진료를 하려고 노력하여도 합병증과 다양한 문제점들을 끊임없이 경험하면서 좌절감과 죄책감을 느낀 적도 많았습니다. 물론 지금까지도 계속 경험하고 있습니다. 치과의사는 치아만 치료하는 기술자가 아닌, 환자의 몸을 치료하는 의료인입니다. 사람의 몸은 매우 복잡해서 개인마다 치료에 대한 다른 반응을 보이기도 하고, 다양한 의학적 전신질환들이 동반된 경우엔 치료하는 것이 더욱 어려울 수밖에 없습니다. 이제는 과거의 나를 버리고 겸손한 자세로 환자를 대하고, 선후배 및 동료 치과의사들로부터 많은 것을 배우면서 최선의 진료를 하는 치과의사가 되고자 하는 마음으로 금년부터 제가 경험한 많은 문제점들을 솔직하게 책으로 엮어서 출판할 예정입니다. 저와 동일한 길을 걷고 있는 많은 치과의사 선생님들에게 도움이 되길 간절히 바라면서 약 2년간 총 11권의 소책자로 출판하기로 결심하였습니다.

저서는 논문이 아니기 때문에 집필자들의 사적 의견들이 많이 제시될 수 있습니다. 따라서 독자들은 책자의 내용을 전적으로 신뢰해서는 안 되며, 비판적인 시각을 갖고 필독하시면 제가 경험했던 골치 아픈 증례들을 통해 많은 교훈을 얻을 것을 확신합니다. 가급적 참고문헌들을 기반으로 근거 있게 집필하도록 노력하였지만, 저의 의견이 잘못 기술된 부분도 많이 발견될 것입니다. 본 책자는 독자들에게 현란한 술식들과 성공적인 치료 증례들을 자랑하는 것이 목적이 아닙니다. 골치 아픈 증례들을 소개하면서 문제 목록 및 해결한 과정, 참고문헌 고찰을 통한 각각의 증례들에 대한 필자의 의견들을 작성하였고, 예상하지 못한 합병증과 다양한 문제들이 발생한 사례들을 솔직하게 제시하고 제 나름대로의 의견과 잘못된 치료에 대한 반성 등을 기록하였습니다.

명의? 실력 있고 논문을 많이 쓰고 학회에서 발표를 많이 하고 강연, 연수회를 많이 개최하는 치과의사, 의사가 명의일까요? 이들의 실력을 누가 검증할 수 있을까요? 학식이 많고 경력이 뛰어나며 봉사를 많이 하고 진료하는 환자 수가 많을수록 명의인가요? 저도 치과과장, 학회장을 역임한 바 있지만 병원장, 과장, 학장 등 주요 보직을 했다고 해서 명의가 될 수 있을까요? 명의라고 해서 합병증 없이 모든 환자들을 잘 치료하고 그들이 치료하면 모든 환자들이 다 성공적으로 치유될 수 있을까요? 모든 치과의사, 의사들은 명의가 되고 싶은 꿈과 욕망이 있을 것이고, 필자 본인도 마찬가지입니다. 그러나 35년간 임상진료를 해 오는 가운데 많은 문제

P R E F A C E

가 발생하였고 지금도 계속 발생하고 있습니다. 교과서, 문헌들에 나와있는 대로 치료되지 않는 증례들도 매우 많습니다. 사람의 몸은 매우 복잡하고 이해하기 어려운 것이 너무 많습니다. 원칙에 입각한 양질의 치료를 수행하는 것이 기본이지만, 가장 중요한 것은 환자와 치과의사, 의사의 상호 신뢰감과 좋은 유대관계라고 생각됩니다. 환자가 의료인을 신뢰하면 치료 결과가 좋고, 설사 문제가 발생하더라도 의료분쟁이 발생하는 경우는 거의 없습니다.

저는 열심히 공부하면서 진료하고 있는 모든 치과의사들에게 다음을 강조하고자 합니다. **1)** 유명한 연자의 강의, 논문, 기타 학술대회 강연 내용은 참고만 해야 합니다. 저자가 언급하는 내용들도 100% 옳은 것이 아닙니다. **2)** 임상가들은 스스로 공부하면서 자신의 확고한 치료 개념을 정립하고, 최대한 근거 기반의 윤리적인 진료를 수행해야 합니다. **3)** 치과분야에서 행해지는 많은 연수회는 본인의 술기를 향상시키는 데 큰 도움이 됩니다. 그러나 합병증이나 문제점들에 대한 강의나 해결방안을 제시하지 않고 술기 위주로 진행하는 연수 프로그램은 가급적 피하시는 것이 좋습니다. **4)** 치과의사들은 사람(환자)을 치료하는 것이지 멋있고 현란한 술식을 자랑하는 것이 아닙니다. 치과진료뿐만 아니라 의과 분야에서도 100% 완벽한 진료를 수행할 수 없습니다. 환자들도 100% 완벽 진료를 원하는 것이 아닙니다. 최근 치과의사협회에서 발간한 "Issue report"에서 치과대학에서 학생들을 대상으로 완벽 위주의 술기와 치료를 지나치게 강조하는 교육을 문제 삼은 바 있습니다. 완벽한 치과치료를 수행하려고 노력하는 것은 당연하지만, 더욱 중요한 것은 환자-치과의사의 유대관계를 돈독하게 하면서 환자들이 치과의사를 신뢰할 수 있도록 진료하는 자세입니다.

치과 전문의들이 일반의들에 비해 실력이 월등히 우수하다고 단정할 수 있을까요? 제 생각으로는 전문의는 자신의 분야에 한해서 일반의들보다 좀 더 많이 알고 진료할 수 있지만, 전공 외 타 분야에서는 일반의들의 실력에 훨씬 미치지 못할 수도 있습니다. 오히려 포괄적 지식은 더 모자라고 다른 학자들의 의견을 수용하지 않으면서 편견에 치우친 생각을 더 많이 가질 수도 있습니다. 특히 치과의 특성상 턱관절질환, 임플란트와 같은 진료 분야는 아주 특수한 경우를 제외하곤 일반의들이 더 잘 진료할 수 있습니다.

필자는 구강악안면외과 전문의로서 턱관절장애, 턱교정수술, 골절, 감염, 임플란트 수술 등의 진료를 수행하고 있고, 타 전문의나 일반의들에 비해 합병증에 대한 경험이 좀 더 많을 수밖에 없습니다. 그렇기에 본책에는 제가 35년간 진료하면서 경험했던 다양한 합병증과 문제점들을 증례와 함께 제시하였고, comment에는 저의 개인적 의견들을 작성하였습니다. 일부러 일반의 관점에서 문제를 살펴보는 것이 중요하다고 생각하여 보철과, 치주과, 교정과, 구강내과 전문의들의 자문을 구하지 않고 집필하였습니다. 제시된 증례들을 필독하면서 나름대로의 문제점을 생각해 보고, 궁금한 부분은 문헌고찰 파트에서 찾아보시거나 관련 참고문헌들을 구해서 필독하시면 큰 도움이 될 것이라고 생각합니다.

"모르는 것은 죄가 아니다"라는 말이 있는데, 치의학(의학) 분야에서는 *"모르면 죄가 된다"*가 맞는 것 같습니다. 치과의사들은 은퇴하기 전까지는 끊임없이 공부해야 하며, 국가에서도 의료인 보수교육을 필수사항으로 정하고 있는 것은 계속 공부하면서 최신 의술을 습득하고, 환자들에게 현시점에서 최선의 진료를 하라는 의미인 것 같습니다. 이 책을 집필한 주 목적 중 하나는 "원인 불명"이거나 "분명히 치과의사의 잘못이 아님" 에도 불구하고 환자나 보호자, 법조인들에게 잘 설명하지 못하고, 적절히 대처하지 못함으로 인해 모든 책임을 지게 되는 일들을 최소화하기 위함입니다. 중대한 잘못으로 문제가 발생하였을 경우엔 전적으로 의료진이 책임을 져야 하지만, 불가항력적이거나 원인 불명으로 인해 문제가 발생한 경우 의료진은 책임에서 벗어나야 합니다.

아직 필자가 열정과 힘이 남아 있는 기간 동안에 35년간의 치과 임상분야에서 경험하였던 "골치 아픈 증례들"을 최대한 많이 정리하여 문헌고찰과 함께 필자 본인의 의견과 반성을 솔직하게 제시하면서 총 11권의 책을 마무리하고자 합니다.

P R E F A C E

본 책자의 구성은 다음과 같이 계획되어 있습니다.

1. 신경손상
2. 구강안면통증
3. 턱관절 관련 질환
4. 구강 및 턱얼굴 감염
5. 상악동 관련 문제점
6. 임플란트 실패
7. 임플란트 주위질환
8. 골치 아픈 임플란트 관련 합병증 및 문제점
9. 턱교정수술 및 안면골 골절관련 문제점
10. 구강병소 및 기타 특이 질환
11. 기타 치과진료 관련 합병증 및 문제점

본 책자의 특성상 환자들의 개인정보 노출 등을 피하기 위해 일부 내용들은 사실과 다르게 수정되기도 하였습니다. 독자들이 책을 읽다 보면 "어떻게 저런 식으로 진료를 했을까? 대학교수로서 어떻게 저런 잘못된 개념을 가지고 있을까?" 등의 문제들도 발견될 것입니다. 그러나 독자들은 책을 필독하면서 문제점을 발견하고, 저자들의 치료 내용 및 기술한 의견을 비판하거나 비난하면서 자신의 생각과 비교하는 것 자체가 공부에 큰 도움이 될 것임을 확신합니다. 총 11권으로 구성된 책을 읽으면서 잘못된 치료가 이루어지지 않도록 예방하고, 유사한 사례를 경험하였을 때 해결할 능력을 갖출 수 있길 희망합니다.

본 책자를 작성하는 데 가이드라인과 많은 조언을 해주신 군자출판사 한수인 팀장님과 임직원들, 원고의 편집과 일러스트 작업을 해 주신 담당자분들께 깊은 감사의 말씀을 드립니다.

2021년 2월

대표 저자 **김 영 균**

TOUGH CASES

머리말

통증은 치과의사들이 해결해야 할 가장 큰 도전과제 중 하나입니다. 치과를 찾는 환자들의 대부분은 치아, 잇몸 및 구강 주위 조직의 통증을 주소로 내원하는 경우가 많습니다. 아마 많은 치과의사들이 치아 및 치주조직 기원의 통증에 대해서는 익숙하고 치료도 자신 있게 할 수 있을 것입니다. 그러나 진료실에서 환자들이 실제로 호소하는 통증은 원인이 불분명하거나 치과질환과의 연관성이 발견되지 않는 경우가 많으며, 근관치료, 발치, 임플란트 식립, 다양한 구강악안면 부위 수술이 합병증 없이 정상적으로 시행되었음에도 불구하고 발생하는 경우가 많습니다. 이때 환자를 정신질환이나 꾀병 환자로 몰거나 원인불명의 통증에 대해 적절히 설명하지 못하고 부적절하게 대처할 경우 환자는 잘못된 치과치료로 인해 통증이 발생한 것으로 생각할 수밖에 없습니다. 그러므로 치과의사들은 구강 및 안면부의 다양한 통증에 대한 포괄적인 이해를 통해 적절한 진단과 치료를 시행할 능력을 배양하는 것이 필요하며, 이에 대한 배경 지식이 부족할 경우 불가피한 의료분쟁을 감수해야 할 것입니다.

혹자는 구강안면통증(orofacial pain)을 너무 복잡한 것으로 여기며, 진단과 치료가 너무 어렵다고 말하기도 합니다. 이러한 배경에는 구강안면통증에 대한 정의와 분류에 대한 기준이 애매모호하고 자주 바뀌는 경향을 보이며, 확실한 치료법도 확립되어 있지 않기 때문인 것으로 생각됩니다. 구강안면통증은 치아와 치주조직뿐만 아니라 저작근, 얼굴표정근, 턱관절, 여러 뇌신경 등과 같은 근골격계 및 신경계의 문제와 연관되어 있으므로 진단과 치료 방식에 있어 치아와 치주조직에서 발생하는 통증과 다른 방식으로 접근해야 합니다.

필자는 오랜 기간 동안 구강안면통증 환자를 진료하며 얻은 임상경험을 바탕으로 전문의가 아닌 일반 치과의사들의 입장에서 구강안면통증을 다루는 방법을 제시하고자 합니다. 지나치게 학술적인 내용에만 치중하여 복잡하게 설명하는 것을 지양하였으며 되도록 쉬운 내용과 용어로 서술하려고 노력하였습니다. 또한 여러 가지 복잡한 증례들을 접하면서 시도한 검사와 치료 과정을 있는 그대로 제시하고, 각 증례들의 해설을 덧붙여 치과 임상의들이 진료실에서 유용하게 활용할 수 있도록 구성하려고 노력하였습니다. 본책에서 제시된 증례들의 진단과 치료방법은 각 전문의들의 개념에 따라 많은 차이를 보일 수 있습니다. 혹시 필자의 통증 치료에 대한 개념이 독자들과 다르더라도 나름대로 문제점을 찾아내서 여러 문헌들과 책자들을 참고하여 공부한다면 독자들의 임상 진료에 큰 도움이 될 것을 자신합니다. 통증 치료 시 유념해야 할 자세는 "Rescue fantasy"에 빠지지 말라는 것입니다. 임상경험이 많아지고 자신의 학문적인 고집이 센 학자들일수록 "남이 치

P R E F A C E

료하지 못하는 증례들을 자신은 잘 치료할 수 있다"라는 자만감에 빠질 수 있습니다. 명의라 하더라도 모든 환자들을 완벽하게 치료할 수는 없습니다. 자신의 능력으로 진단 및 치료가 어렵다고 판단될 경우에는 환자에게 솔직하게 설명하고 다른 전문의에게 의뢰하는 것이 적절하다고 생각합니다. 통증 치료는 매우 다양하고 근거가 확립된 치료법은 거의 없습니다. 문헌 및 교과서에 기술된 치료법들도 대부분 경험적 이론에 불과하기 때문에 임상가들 스스로 공부하면서 각 증례들에 따라 맞춤형 치료를 시행해야 합니다.

통증 관련 서적은 매우 어렵고 지루하기 때문에 많은 임상가들이 필독하는 경우는 매우 드뭅니다. 그러나 본 책자는 필자의 임상 증례를 솔직하게 가감 없이 제시하였으며 본문의 내용들도 가급적 이해하기 쉽도록 구성하려고 노력하였습니다. 그러나 여전히 미흡한 부분이 매우 많습니다. 본 책자가 통증을 다루는 치과의사 및 의사들에게 조금이라도 도움이 될 수 있기를 희망하며, 본 책자의 편집과 출판에 큰 도움을 주신 군자출판사 임직원분들께 깊은 감사의 말씀을 드립니다.

2021년 8월

대표 저자 **김 영 균**

TOUGH CASES

목차

C O N T E N T S

치과적인 원인이 없는데도 지속적인 치아 혹은 주변조직 통증을 호소하는 경우 ····· 049

삼차신경통 증례 ····· 075

외상 후 삼차신경병성 통증 ····· 083

C O N T E N T S

CHAPTER 

외상 후 발생한 신경병성 통증 후유장애 진단서 사례 ···· 225

CHAPTER 11

약물 정리 ···· 229

CHAPTER 12

김영균 통증 관련 논문 ···· 273

구강안면통증(Orofacial Pain)

치과의사들은 구강안면통증 환자들을 많이 접하게 되며, 모든 치과치료들이 통증과 연관되어 있다. 우식증, 치주질환, 턱관절장애 등 치과에서 빈발하는 질환들은 다양한 통증을 유발한다. 치과치료 시 거의 필수적으로 시행되는 국소마취는 통증 없이 치료하기 위한 가장 기본적인 진료 행위이다. 환자들도 치과 진료라고 하면 "통증"을 연상하고 두려움을 갖는다. 따라서 환자들이 통증 관리를 잘 하고 아프지 않게 치료하는 치과에 대해 큰 호감을 가지는 것은 당연하다.

치과 질환들과 관련이 있는 통증들은 원인을 제거하고 일반적인 진통제를 처방하면 쉽게 완화된다. 그러나 치과 진료 시 예상하지 못한 이상 통증들을 빈번히 접하게 되며, 이런 경우 원인을 확실히 찾기 어렵고 일반적인 진통제를 사용하여도 통증이 해소되지 않는다. 이런 부류의 통증들을 비치성 통증(non-odontogenic pain), 신경병성 통증(neuropathic pain), 정신적 통증(psychogenic pain) 등으로 분류하기도 한다. 통증은 주관적 증상이다. 따라서 환자가 호소하는 임상증상들과 병력 청취 및 신체검사(physical examination) 등을 통해 진단할 수밖에 없다. 방사선 검사 혹은 특수기능검사들은 치성 혹은 비치성 질환을 감별하고 통증의 원인을 찾기 위한 보조적인 방법으로만 사용된다. 전문가들은 원인이 불명확한 통증들을 세부적으로 분류하고 있다. 그러나 임상에서 치과의사들이 통증의 종류를 엄격하게 구분하는 것은 매우 어렵고 불가능한 경우가 많으며 전문가들조차도 통증을 완벽하게 진단하지 못할 수 있다. 따라서 임상에서 원인을 잘 모르는 이상 통증들을 "특발성 통증(idiopathic pain)" 또는 "비정형 통증(atypical pain)"으로 칭하는 경우가 많다.

통증의 치료 원칙은 가능하면 신속히 통증을 완화시키고 만성화되지 않도록 함으로써 환자의 삶의 질을 향상시키는 것이다. 진통제들 외에도 항경련제, 항우울제, 스테로이드, 마취제, 비타민 등이 단독 혹은 복합적으로 사용되기 때문에 이들 약물들의 처방에 익숙해져야 할 것이다.

1. 치성 통증과 비치성 통증을 잘 감별함으로써 오진으로 인한 불필요한 치과치료가 시행되지 않도록 해야 한다.
2. 비치성 통증의 경우 종양, 낭종, 턱관절장애, 외상, 감염 등에 의해 발생하는 통증과 원인을 잘 알 수 없는 특발성 구강안면통증, 심혈관질환 관련 통증, 삼차신경통, 외상성 삼차신경병성 통증, 정신적 통증 등에 대한 지식을 갖춰야 한다.
3. 진통제 외에도 항경련제, 항우울제, 스테로이드, 마취제 등에 대한 지식을 갖춰야 한다.
4. 통증은 가능하면 조기에 완화시켜야 한다. 만성통증으로 진행되면 치료가 매우 어렵고 신체화증 및 정신적 문제가 동반되는 경우가 많다.
5. 통증 완화를 목적으로 처음 약물을 처방할 경우엔 1주 이내로 소량 처방하고 통증 조절 효과와 부작용 여부를 평가해야 한다. 이후 약물을 변경하거나 증량하는 것을 결정한다. 장기간 투여하던 약물을 중단할 때에는 서서히 감량하면서 끊어야 한다.
6. 환자의 통증을 가장 잘 조절할 수 있는 약물을 찾는 것이 중요하다. 통증 조절이 잘 안될 경우 특정 약물에만 집착하지 말고 다른 약으로 변경하거나 2가지 이상의 약을 복합 처방하는 것도 고려할 필요가 있다. 스테로이드, 보툴리눔독소, 리도카인, 성상신경차단술 등의 주사 치료를 병행하는 것도 좋다.
7. 레이저, 온찜질, 전기자극치료와 같은 물리치료가 통증을 완화시킨다는 보장은 없지만 시도해서 나쁠 것은 없다.
8. 외상 후 삼차신경병성 통증 조절을 위해 약물치료가 우선적으로 선택된다. 모든 약물 및 주사치료에도 불구하고 개선되지 않을 경우엔 외과적 치료를 고려할 수 있다. 그러나 외과적 치료를 하더라도 절대로 통증이 완전히 소멸되지 않는다.
9. 삼차신경통의 일차 치료는 약물요법이다. 약물요법에 반응을 보이지 않을 경우 외과적 처치 혹은 신경외과 진료를 고려할 수 있다.
10. 치과질환이나 치과 치료 자체가 현재의 통증과 관련성이 없는 경우엔 환자에게 확실하게 설명하고 통증 치료와 무관하게 치과 치료를 진행하는 것이 좋다.
11. 통증이 만성화되면서 신체화증상들이 동반될 경우엔 환자에게 잘 설명하고 정신건강의학과 진료를 받도록 권유하는 것이 좋다.
12. 심혈관질환 관련 통증이 의심된다면 심장내과 진료를 받도록 적극 권유해야 한다.
13. 모든 노력을 기울여도 환자의 통증을 완전히 해소시키지 못하는 경우가 많다. 이런 경우엔 환자에게 자신의 통증에 잘 적응하면서 지내도록 설명하고 치과에 주기적으로 내원하여 정기검진을 받도록 권유한다.
14. 치과질환 혹은 치료와 무관한 통증을 완전히 소멸시킬 수 없음을 이해하고 환자에게 잘 설명해야 한다. 통증은 계속 남아 있을 수 있으며 신경은 쓰이지만 고통스럽지 않은 정도까지 감소시키는 것을 목표로 한다.

CHAPTER

1

통증 일반론

TOUGH CASES 치과진료 후 발생하는 골치 아픈 증례들

CHAPTER

1 통증 일반론

1 통증의 정의

통증(pain)이란 무엇인가? 국제통증학회(International Association for the Study of Pain, IASP)에서는 '실제적인 조직 손상이나 잠재적인 조직 손상과 관련된, 또는 그와 유사한 불쾌한 감각 및 정서적 경험'으로 정의하고 있다(Raja SN, et al; 2020). 이처럼 통증은 개인의 정서와 경험 등 주관적인 요소들을 포함하고 있다.

통증이 통각과 그와 관련한 주관적인 반응을 합한 개념이라면 고통(suffering)은 더욱 넓은 범위의 개념으로 이해될 수 있다. 고통은 통증뿐만 아니라 두려움, 불안감, 스트레스, 여타 심리적 상태 등에 의해 영향을 받고 개인의 삶의 질에 작용할 수 있는 모든 음성적 느낌(negative feeling)을 포함한 것이다. 그리고 통증 행동(pain behavior)은 통증과 고통의 결과로 나타나는 것으로 끙끙 앓는 소리를 내는가 하면, 얼굴을 찡그리거나, 일을 거부하는 등 다양한 방식으로 표현될 수 있다(이양균; 2002)**(Fig 1)**. 통증은 신체에 가해진 유해자극으로부터 몸을 보호하기 위한 경고 신호이며, 염증반응과 마찬가지로 신체를 보호하려는 방어적 반응이다. 그러나 말초 또는 중추 신경계 자체의 기능 이상에 의한 병적 통증이 생기는 경우도 있고 뚜렷한 신체적 원인 없이 심리사회적인 인자가 관여하는 통증도 있다(Wajima K; 2019).

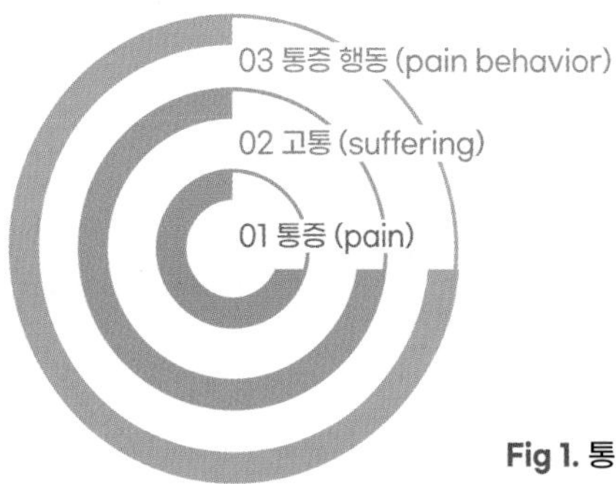

Fig 1. 통증과 고통, 통증 행동의 개념

2 통증 치료를 위해 알아야 할 중요한 개념과 용어들

1) 중추감작(central sensitization)

통각수용체가 지속적으로 자극을 받으면 중추 신경계 척수 후각의 뉴런의 흥분성이 증가하는 중추감작(central sensitization)이 발생하게 된다. 이로 인해 작은 자극이라 할지라도 대뇌로 전달되는 과정에서 통증 신호가 증폭되어 환자는 강한 통증을 느끼게 된다. 자발통, 무해자극통증, 통각과민 등을 설명할 수 있는 개념이며, 연관통(referred pain)과도 관련되어 있다.

2) 원발성 통증(primary pain)과 이소성 통증(heterotopic pain)

일반적인 경우 통증의 원인이 되는 부위에서 통증이 나타나고, 이를 원발성 통증(primary pain)이라고 한다. 그리고 통증을 느끼는 부위와 통증의 원인 부위가 일치하지 않는 경우를 이소성 통증(heterotopic pain)으로 명명한다. 연관통은 이소성 통증의 임상적인 표현에 해당한다. 이소성 통증의 예로써 심근허혈에 의한 하악, 어깨, 팔에서 통증이 발생하는 경우나 목 부위의 통증이 턱관절의 통증으로 나타나는 경우 등이 있다. 이소성 통증은 구강안면통증에서 흔히 관찰되므로 중요하게 취급되어야 한다(Box 1).

Box 1 이소성 통증(heterotopic pain)(Wajima K; 2019)

1. **연관통**(referred pain)
   구강안면 부위에서 대표적으로 많이 발생하는 연관통은 근육 근막성 통증이 두통, 귀 통증, 치통 혹은 안면통을 유발하는 것이다.
2. **신경병성 통증**
   말초에서 중추에 이르는 통각 경로에 어떤 장애가 발생하면서 그 통증이 치아나 치은에서 느껴질 수 있다.
3. **중추에서 신경전달물질 등의 변화나 정보처리 과정의 변조로 인해 발생하는 통증**
   정신질환 또는 심리사회적 요인들에 의해 원인불명의 치통이 발생하는 경우를 예로 들 수 있다.

3) 신체화(somatization), 신체화장애(somatization disorder)

"심리적 배경을 기본으로 신체증상을 호소하거나, 신체에 대한 과도한 집착을 가진 병태의 총칭"으로 정의한다. 신체 질환을 모방하는 현상으로서 적절한 임상 검사를 실시해도 증상을 설명할 수 있는 소견이 없을 때 진단되는 정신질환의 일종이다. 치과 치료 후 환자가 지속적으로 호소하는 교합 시 이질감, 어떠한 치료에도 반응하지 않는 턱관절 관련 증상들, 현기증, 혀 통증 등은 대부분 신체화장애의 징후들로 볼 수 있다. 의학 논문에서 'unexplained physical symptoms'으로 표현하는 경우도 있다. 치과 치료 중 혹은 치료 후에 발생한 심리적인 충격이 중추신경계의 정보 처리 과정에 변조를 일으켜 top down 방식으로 신체 감각에 이상(마비, 현기증 등)을 유발하게 된다. 즉 신경손상이 일어날 만한 외과적 처치가 없었음에도 불구하고 증상이 수개월 이상 하루 종일 끊임없이 지속되는 경향을 보일 수도 있다. 우리가 일반적으로 생각하는 것보다 환자들의 유병률이 매우 높다. 종합병원 수진 환자들의 20%, 구강악안면외과 수진 환자들의 8% 이상에서 신체화증상들이 나타날 수 있다고 한다. 이런 환자들은 치과적 치료만으로는 한계가 있으며, 정신건강의학과 협진이 반드시 필요하지만 환자들이 잘 협조하지 않는 경향을 보인다.

4) 유발검사(provocation test) 및 진단용 마취(diagnostic anesthesia)

임상의는 환자가 통증을 호소하는 부위와 실제 통증의 원인 부위가 일치하지 않는 경우가 많다는 것을 잘 이해하고 있어야 한다. 통증의 진단 과정에서 다음과 같은 방법을 사용하면 도움이 된다. 환자가 통증을 호소하는 부위를 자극했을 때 통증이 증가되지 않는다면, 자극을 가한 그 부위는 통증의 원인 부위가 아님을 알 수 있다. 이 경우 통증의 원인 부위를 자극한다면, 해당 부위뿐만 아니라 다른 부위에서도 통증이 증가될 것이다. 이러한 검사법을 '유발검사(provocation test)'라고 한다(Okeson JP; 2005).

통증 부위에 국소마취를 하는 방법도 통증을 진단하는 데 매우 유용하게 사용될 수 있다. 환자가 통증을 호소하는 부위에 국소마취를 했을 때 통증이 사라지지 않는다면, 그 부위는 통증의 진정한 원인이 아니며 다른 부위에서 통증의 원인을 찾아야 할 것이다. 만약 통증을 느끼는 부위에 마취를 한 후 통증이 사라졌다면, 마취한 그 부위가 바로 통증의 원인일 것이다. 이러한 개념을 '진단용 마취(diagnostic anesthesia)'라고 부른다(Gross SG; 1991).

5) 생물심리사회모델(biopsychosocial model)

통증의 평가에 있어 생물심리사회모델을 도입하는 것이 필요하다. Engel GL(1980)이 제시한 생물심리사회모델에서는 생물학적(biological), 심리적(psychological), 사회적(social) 요인의 복합적인 상호작용을 통해 이상행동과 정신 장애를 설명하고 있다(**Fig 2**). 모든 질병은 단일 요인만으로는 충분히 설명될 수 없으므로 정신적, 신체적, 사회적 요소들이 통합적으로 고려되어야 하며, 이는 만성 통증의 이해와 평가 과정에서도 적용된다.

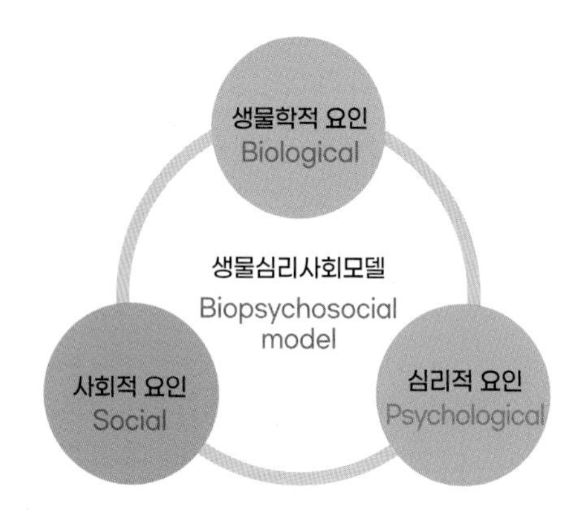

Fig 2. Engel(1980)이 제시한 생물심리사회모델
구강안면통증의 평가 시 생물학적, 심리적, 사회적 요인을 복합적으로 고려하는 것이 필요하다.

(1) 생물학적 요인

유전, 신경생리학적 요인, 질병, 감염, 약물 및 영양 섭취 등 모든 생물학적 요인을 말한다.

(2) 심리적 요인

인지적 요인, 정서 및 동기적 요인, 행동적 요인 및 발달적 요인 등을 포함한다.

(3) 사회적 요인

개인적 환경 요인(결혼, 가족 구성, 직업, 거주지 등), 사회문화적 요인(성, 인종, 문화 등), 사회경제적 요인(가난, 채무 증가, 파산 등) 등을 포함한다.

6) 통증 진단 및 치료 시 많이 사용되는 용어들

문헌들에서 언급되고 있는 다양한 통증 관련 용어들은 Box 2와 같다.

Box 2 통증 관련 용어

1. **원발성 통증**: 통증이 느껴지는 부위와 원인 부위가 동일한 경우이다.
2. **속발성 통증**(secondary pain): 통증이 느껴지는 부위와 원인 부위가 다른 경우로서 *연관통(referred pain)*, *이소성 통증(ectopic pain)*과 동일한 용어이다.
3. **이질통**(allodynia): 정상적으로는 통증을 유발하지 않는 자극에 의해 발생하는 통증이다.
4. **통각과민**(hyperalgesia): 통증을 유발하는 자극에 대한 반응이 증가한 것으로 이에 대한 반대 의미의 용어는 *통각감퇴(hypoalgesia)*이다.
5. **원발성 통각과민**: 손상 부위에서의 유해한 자극에 대한 과민증이다.
6. **속발성 통각과민**: 반복적인 유해자극에 의해서 원발성 통각과민 부위의 가장자리에 정상적인 통각자극에 대한 민감성이 증가하는 것으로 *감작(sensitization)*과 같은 의미이다.
7. **감각이상**(dysesthesia, paresthesia): 자발적이거나 유발된 비정상적인 감각이다.
8. **이소성 통증**: 통증 발생원과 통증을 느끼는 부위가 다른 통증을 의미한다.
9. **무감각부위 통증**(anesthesia dolorosa): 감각신경이 완전히 절단되었음에도 불구하고 감각이 없는 부위에서 통증을 느끼는 경우이다.
10. **진통, 무통증**(analgesia): 통증을 전혀 느끼지 못하는 경우이다.
11. **작열통**(causalgia): 화끈거리는 통증으로 표현되며 신경이 부분적으로 손상된 후 이질통과 통각과민증이 동반된다.
12. Tingling(**저림증**): 저리는 듯한 통증 혹은 얼얼한 느낌이라고 표현하는 경우가 많다.
13. Itching(**가려움, 소양증**): 가렵거나 벌레가 기어가는 듯한 느낌이라고 표현하는 경우가 많다.
14. Burning sensation(**작열감**): 화끈거리는 느낌이라고 표현하는 경우가 많다.
15. Pricking(**따끔거림**): 따끔따끔 쑤시는 느낌이라고 표현하는 경우가 많다.

3 통증의 분류(이양균: 2002, 권태동: 2011)

통증을 분류하는 기준들이 많이 제시되었지만 통증이 지속되는 기간과 신경생리학적 기전에 따른 분류가 가장 많이 사용된다.

1) 기간에 따른 분류

(1) 급성 통증(acute pain)

자율신경계 활동에 변화를 주면서 심박수와 혈압 증가, 근육 긴장도를 증가시키며 일반적으로 치료하기 쉽다. 염증, 감염, 외상 등에 의해 발생하는 통증들이 이에 해당되며 치성 통증들은 대부분 급성 양상을 띤다.

통증이 지속되는 기간이 3개월 미만인 경우 급성 통증으로 분류한다. 질병이나 외상에 의해 발생하는 통증은 대개 3개월 안에 충분히 치유되며, 이 기간 동안의 통증은 암성 통증을 제외하고는 대부분 유해자극의 강도에 비례하여 통증의 강도도 영향을 받으며 대개 날카로운 통증 양상을 보인다. 급성 통증은 조직 손상에 대한 신체 방어기전으로 설명될 수 있다. 원인이 되는 국소 부위를 적절히 치료하면 일반적으로 통증이 사라진다. 급성 통증이 조기에 적절히 관리되지 않을 경우 만성 통증으로 이행될 가능성이 있으므로, 초기에 통증 치료를 적극적으로 시행해야 한다.

(2) 만성 통증(chronic pain)

정상적인 치유 과정이 지연되거나 손상된 조직이 정상적으로 치유된 이후에도 발생할 수 있으며, 만성 통증 자체가 하나의 질병으로 간주된다. 국소적인 요인뿐 아니라 환자 개인의 정서적, 사회적 요인이 복합적으로 관여되어 있다. 통증은 둔하고 깊은 양상을 보이며, 통증이 나타나는 부위가 불명확할 뿐 아니라 장기간 지속되는 통증으로 우울, 불안 등의 정신적 문제가 동반되는 경우가 많다. 치료를 위해 종종 다학제적 접근(multidisciplinary approach)이 요구된다.

자율신경계가 적응하는 경향을 보이며 수면장애, 식욕부진, 성욕 감퇴, 일상 생활의 불편감 등을 유발하고 치료가 잘 안되기 때문에 환자들은 여러 병의원들을 옮겨 다니면서 치료받는 경향을 보인다. 과도한 걱정이나 우울증과 연관이 있기 때문에 정신건강의학과 전문의들이 만성 통증 환자들을 진단하고 치료하는 데 중요한 역할을 한다. 신경병성 통증, 턱관절 관련 통증들은 대부분 만성화되는 경향을 보이기 때문에 치과의사들이 치료에 많은 어려움을 겪게 된다. 조직이 손상을 받으면 조직 손상의 신호를 담당하는 유해수용기에 변화가 생긴다. 이런 신호가 장기간 지속되면 중추신경계에 변화가 생길 수 있다. 이로 인해 아무런 쓸모 없는 비보호성 만성 통증(외관상으로는 완전히 회복된 듯 보이는 경우에도 몇 개월 또는 수년 이상 통증이 지속되는 형태)이 생기며 이와 같은 경우를 치과에서 빈번하게 접할 수 있다. 가령 근관치료와 발치 등은 치료의 성격상 구강내 조직에 손상을 유발할 수밖에 없으며, 통증을 없애려고 시도한 치료로 인해 오히려 치료 후 이상 통증이 지속되거나 더 심해지는 경우도 있다. 만성 통증은 생리적, 심리적 및 사회적으로 복잡한 문제를 유발하기 때문에 환자의 통증을 잘 이해하고 더 나은 치료를 위해서는 환자의 삶의 질과 심리적 상태에 대한 평가를 고려해야 한다. 가령 삼차신경통, 만성안면통증, 신경병성 통증 환자들은 통증이 매우 심하고 불안과 우울증 척도가 높은 양상을 보인다. 만성 통증을 가진 환자들에 대해서는 psychosocial support를 통하여 환자들이 스스로

의 통증을 더 잘 이해하고 통증을 대처하는 방법을 배우도록 도와주는 방법을 적극 강구할 필요가 있다(Kniffin TC, et al; 2015).

2) 신경생리학적 기전에 따른 분류

(1) 통각수용성 통증(nociceptive pain)

조직이 기계적, 화학적으로 자극을 받아 손상되었을 때 통각수용체가 활성화되는 신경전달 과정을 통해 통증이 발생된다. 통각수용성 통증은 몸통증(somatic pain)과 내장통증(visceral pain)으로 나눌 수 있다. 치수염, 치주염, 근육, 근막 자극, 관절염, 감염, 외상 등으로 인해 발생하는 통증들이 이에 해당된다. 통증 조절을 위해 기본적으로 비스테로이드성 소염진통제가 일차적으로 사용된다.

몸통증은 피부, 점막, 근육, 척추, 인대, 관절 등에서 발생하는 통증을 말하며 보통 날카롭거나 쑤시는 듯한 통증 양상을 보인다. 움직이면 통증이 악화되고 휴식에 의해 통증이 완화되며, 조직 손상 부위와 통증 유발 부위가 비교적 일치한다. 수술 후의 통증, 근골격계 통증, 관절염 등이 몸통증에 해당된다.

내장통증은 속이 빈 장기(hollow organ)에서 발생하는 것으로 일반적으로 깊고 쥐어짜는 듯한 경련성 통증 양상을 보이며 통증 부위를 명확히 특정하기 어렵다. 자율신경과 연관되어 있어 오심, 구토, 발한 등의 동반 증상이 나타나기도 한다. 이러한 내장통증의 예로 복막염, 충수염, 장폐색 통증 등이 있다.

(2) 비통각수용성 통증(non-nociceptive pain)

비통각수용성 통증은 신경계통의 손상이나 정신심리학적 요소에 의해 발생하는 통증을 말한다. 신경병성 통증(neuropathic pain)과 심인성 통증(psychogenic pain)으로 구분할 수 있다.

① 신경병성 통증

신경병성 통증은 신경계의 손상이나 질병으로 인해 발생하며, 통증이 악화되고 완화되는 양상이 통각수용성 통증과는 다르다. 지속적, 자발성 또는 발작성 통증을 보이며 "화끈거린다", "전기가 오는 것 같다" 등과 같은 증상을 호소하기도 한다. 불쾌감각(dysesthesia), 무해자극통증(allodynia), 통각과민(hyperalgesia) 등과 같은 비정상적 감각 인지 소견을 보이기도 한다.

A. 발작성

삼차신경통, 설인신경통 등이 있으며 일차적으로 Carbamazepine으로 통증을 조절한다.

B. 지속성

대상포진후 신경통, 외상성 신경병성 통증, 당뇨병성 신경병변증 등이 해당되며 통증 조절을 위해 Gabapentin, Pregabalin이 유용하게 사용될 수 있다.

② 심인성 통증

심인성 통증은 통각수용성 통증과 신경병성 통증의 증거가 없으며 우울, 불안, 신체형장애(somatoform disorder) 등의 정신적, 심리적 증상에 의해 신경계가 작동하여 통증이 발생하는 경우이다. 명백한 신체적 원인이 없고, 그 발생에 사회심리학적 인자가 관여하는 통증을 의미한다. 심인성 통증의 대부분은 생물학적, 심리적, 사회적 및 행동 요인들이 복잡하게 관여하고 있으며 과도한 통증을 호소하는 '통증행동'이 흔히 나타난다. 구강안면통증장애와 정신의학적 장애가 뚜렷하게 동반되어 나타난다. 이 환자들은 의학적 치료를 통해 자신들의 통증이나 고통이 해결되지 못할 것이라고 추측한다. 치료하지 않고 방치할 경우 정신심리학적 요인들은 적극적인 치료에도 불구하고 개선되지 않으면서 삶의 질을 저하시킬 수 있다 (대한안면통구강내과학회 편저; 2012).

A. **통증행동의 강화**

담당의사가 여러 가지 치료를 시행해도 통증조절이 잘되지 않고, 여러 차례 수술적 치료가 시행되거나 의료진으로부터 특별한 취급을 받게 되면서 환자의 '통증행동'이 강화될 수 있다.

B. **의료진-환자의 신뢰관계 상실**

환자의 호소를 정신적 문제로 단정 짓고 치과적 치료를 소홀히 함으로써 환자는 치과 의료진에 대한 불신감이 증폭된다. 결국 잘못된 치과치료로 인해 이와 같은 통증이 발생하였다고 단정해 버리는 경우도 많다.

CHAPTER

2

구강안면통증 개론

CHAPTER 2

구강안면통증 개론

1 정의 및 특성

구강안면통증(orofacial pain)은 만성적이면서 복합적인 안면부 통증으로 두개내 및 두개의 구조물과 연관된 병소나 장애, 신경혈관성 장애, 신경병성 장애, 그리고 심인성 통증으로 인한 장애와 연관되어 나타나는 구강안면 및 목 부위의 통증을 의미한다(American Academy of Orofacial Pain; 1995).

구강안면부는 치아치조 부위, 저작근 및 안면표정근, 뇌신경 및 혈관 등 다양한 해부학적 구조물이 복잡하고 조밀하게 모여있으며 얼굴 표정, 저작, 발음 등의 섬세한 기능이 이루어지는 부위이다. 신체의 다른 부위에 비해 예민하여 신체 및 심리적 조건에 따라 영향을 받아 구강안면통증이 발생할 경우 임상 증상이 매우 다양하고 복잡한 양상으로 나타날 수 있다. 같은 질병이라 할지라도 개인이 호소하는 증상의 정도는 매우 다를 수 있으며, 환자가 통증을 호소하지만 일반적인 검사 소견에서는 이상을 발견하기 어려운 경우가 있어 진단 및 치료를 어렵게 만들기도 한다(Kim SY, et al; 2018, Kang DW, et al; 2018).

2 국제구강안면통증분류

구강안면통증을 분류하기 위해 여러 기준들이 제시되어 왔으나 최근까지 통증별 분류 체계나 각 분류별 진단 기준에 대한 국제적인 기준은 미흡한 실정이었다. 그러나 2020년에 국제적인 기준인 International Classification of Orofacial Pain, 1st edition (ICOP)이 발간되었고, Box 3에서 그 분류를 간략히 소개한다. 아래에 소개한 분류 외에도 추가적인 세부 분류가 있으며, 각 분류별 진단 기준이나 감별 진단 등에 대한 내용은 ICOP 2020 본문을 참고하길 권고한다.

1) 치아치조부 및 주변 해부학적 구조물의 장애로 인한 구강안면통증

치통(치수, 치주조직, 치은 통증), 구강점막, 타액선 및 악골 통증으로 구분된다.

2) 구강안면근육근막통증

원발성(일차성) 및 속발성(이차성)으로 구분된다. 속발성 구강안면근막통증은 각각 건염, 근염 및 근육연축으로부터 기인한 것으로 세부 분류하였다.

3) 턱관절통증

원발성(일차성) 및 속발성(이차성)으로 구분된다. 속발성 턱관절통증은 관절염, 관절원판전위, 퇴행성관절질환, 턱관절아탈구로부터 기인한 것으로 세부 분류하였다.

4) 뇌신경 병변이나 질환에 의한 구강안면통증

삼차신경 및 설인신경의 뇌신경 병변이나 신경병성 질환에 의한 통증으로 구분된다. 삼차신경통(trigeminal neuralgia) 및 설인신경통(glossopharyngeal neuralgia)과 삼차신경의 신경병성 통증(trigeminal neuropathic pain) 및 설인신경의 신경병성 통증(glossopharyngeal neuropathic pain)으로 하위 분류가 나뉜다.

5) 원발성 두통과 유사한 구강안면통증

크게 구강안면 편두통, 긴장형 구강안면통증, 삼차자율신경구강안면통증, 신경혈관구강안면통증으로 구분된다.

6) 특발성구강안면통증

크게 구강작열감증후군, 지속적인 특발성 안면통증, 지속적인 특발성치아치조통증, 발작을 동반한 지속적인 편측성안면통으로 구분된다.

Box 3 **국제구강안면통증 분류**(International Classification of Orofacial Pain, 1st edition, 2020)

1. Orofacial pain attributed to disorders of dentoalveolar and anatomically related structures
   - 1.1 Dental pain
     - 1.1.1 Pulpal pain
     - 1.1.2 Periodontal pain
     - 1.1.3 Gingival pain
   - 1.2 Oral mucosal, salivary gland and jaw bone pains
     - 1.2.1 Oral mucosal pain
     - 1.2.2 Salivary gland pain
     - 1.2.3 Jaw bone pain
2. Myofascial orofacial pain
   - 2.1 Primary myofascial orofacial pain
     - 2.1.1 Acute primary myofascial orofacial pain
     - 2.1.2 Chronic primary myofascial orofacial pain

2.2 Secondary myofascial orofacial pain

2.2.1 Myofascial orofacial pain attributed to tendonitis

2.2.2 Myofascial orofacial pain attributed to myositis

2.2.3 Myofascial orofacial pain attributed to muscle spasm

3. Temporomandibular joint (TMJ) pain

3.1 Primary temporomandibular joint pain

3.1.1 Acute primary temporomandibular joint pain

3.1.2 Chronic primary temporomandibular joint pain

3.2 Secondary temporomandibular joint pain

3.2.1 Temporomandibular joint pain attributed to arthritis

3.2.2 Temporomandibular joint pain attributed to disc displacement

3.2.3 Temporomandibular joint pain attributed to degenerative joint disease

3.2.4 Temporomandibular joint pain attributed to subluxation

4. Orofacial pain attributed to lesion or disease of the cranial nerves

4.1 Pain attributed to lesion or disease of the trigeminal nerve

4.1.1 Trigeminal neuralgia

4.1.2 Other trigeminal neuropathic pain

4.2 Pain attributed to lesion or disease of the glossopharyngeal nerve

4.2.1 Glossopharyngeal neuralgia

4.2.2 Glossopharyngeal neuropathic pain

5. Orofacial pains resembling presentations of primary headaches

5.1 Orofacial migraine

5.1.1 Episodic orofacial migraine

5.1.2 Chronic orofacial migraine

5.2 Tension-type orofacial pain

5.3 Trigeminal autonomic orofacial pain

5.3.1 Orofacial cluster attacks

5.3.2 Paroxysmal hemifacial pain

5.3.3 Short-lasting unilateral neuralgiform facial pain attacks with cranial autonomic symptoms (SUNFA)

5.3.4 Hemifacial continuous pain with autonomic symptoms

5.4 Neurovascular orofacial pain

5.4.1 Short-lasting neurovascular orofacial pain

5.4.2 Long-lasting neurovascular orofacial pain

6. Idiopathic orofacial pain

6.1 Burning mouth syndrome (BMS)

6.1.1 Burning mouth syndrome without somatosensory changes

6.1.2 Burning mouth syndrome with somatosensory changes

6.1.3 Probable burning mouth syndrome

6.2 Persistent idiopathic facial pain (PIFP)
6.2.1 Persistent idiopathic facial pain without somatosensory changes
6.2.2 Persistent idiopathic facial pain with somatosensory changes
6.2.3 Probable persistent idiopathic facial pain
6.3 Persistent idiopathic dentoalveolar pain
6.3.1 Persistent idiopathic dentoalveolar pain without somatosensory changes
6.3.2 Persistent idiopathic dentoalveolar pain with somatosensory changes
6.3.3 Probable persistent idiopathic dentoalveolar pain
6.4 Constant unilateral facial pain with additional attacks (CUFPA)

3 진단

1) 통증 관련 임상평가 및 의무기록 작성

치료를 시작하기 전에 환자가 호소하는 통증과 관련된 표현들을 잘 이해하여야 하고 의무기록지에 환자가 언급하는 말 그대로 작성하는 것이 좋다. 환자의 표현을 억지로 의학용어로 바꿔서 기록하는 습관은 완전히 버려야 한다. 오히려 잘못된 의학용어로 대체됨으로 인해 통증의 진단 및 치료가 잘못된 방향으로 갈 수도 있다.

2) 임상에서 많이 접하는 통증 관련 표현(조상훈; 2020)

(1) 화끈거리는 통증(burning sensation, 작열감)

구강작열감증후군의 전형적인 증상으로 혀에서 가장 많이 발생한다. "매운 음식을 먹은 느낌", "얼얼하면서 따가운 느낌"이라는 형태로 표현하기도 한다.

(2) 전기가 오는 듯한 느낌(electric pain)

발작성 신경병성 통증장애(paroxysmal neuropathic pain disorder)에서 많이 발현되는 양상으로서 대표적으로 삼차신경통의 전형적인 통증이다.

(3) 욱신거린다(pulsating, throbbing, shooting pain)

심장의 박동 리듬에 따라 혹은 그와 비슷한 주기로 나타나는 통증을 의미한다. 대개 염증성 통증이나 편두통과 같은 신경혈관성 통증의 전형적인 유형이다.

3) 통증의 양태(behavior of pain)

(1) 자극에 의해 발생하거나 저절로 발생하는 통증

특정 자극에 의해서 통증이 발생하는 경우를 '자극-유발 통증(stimulus-evoked pain)'이라 부르며 통증유발 자극검사(provocation test)를 통해 진단할 수 있다. 즉 타진, 냉온자극검사, 촉진 등에 의해 통증이 유발되는지 평가한다. 이 검사법은 턱관절장애 진단 시 많이 사용된다.

(2) 자발통

대개 심한 염증성 통증을 의미하며 턱관절 및 주변조직에서 자발통을 호소할 경우 염증성 관절질환을 의심할 수 있다.

(3) 통증의 소실기

통증이 지속될 때는 염증성 통증의 일종인 경우가 많다. 신경병성 통증은 대개 간헐적으로 나타난다.

(4) 통증의 지속시간

삼차신경통의 경우 수초에서 수분까지 지속되는 양상을 보이지만 급성치성 통증이나 염증성 통증들은 원인이 없어질 때까지 지속되는 양상을 보인다.

(5) 수면 중 통증

삼차신경통은 전형적으로 수면 중에는 통증이 발생하지 않는다. 수면 중에 발생하는 통증은 염증성 통증의 존재를 의미한다.

4) 심리사회적 평가도구(psychosocial assessment)

잘 조절되지 않는 만성적인 구강안면통증은 심리사회적 요소가 충분히 평가되어야 하고, 이를 위해 다음과 같은 평가도구가 사용될 수 있으며 자세한 내용들은 ICOP 2020 본문을 참고하길 바란다(ICOP 2020)(**Box 4**).

5) 통증에 대한 파국적 사고(pain catastrophizing)

통증의 감각이나 경험을 부정적으로 파악하는 경향을 보이고, 통증의 강도로 인해 일상생활에 큰 지장을 받고 있으며, 심리적으로 심한 고통을 받게 된다. 또한 통증에 대한 공포와 무력감이 더욱 증가하게 된다. 통증을 평가하는 척도로서 visual analogue scale (VAS) 혹은 numerical rating scale (NRS)이 많이 사용되고 있다. 그러나 만성 턱관절장애, 구강작열감증후군, 신경병성 통증 등은 pain catastrophizing scale (PCS)와 상관관계가 높고, 파국적 사고가 높은 환자는 정상인들에 비해 훨씬 통증을 강하게 느끼는 경향이 있다. 따라서 구강안면통증 환자들의 평가 시 PCS를 도입하면 진단 및 치료에 매우 유용할 수 있다.

치과에서 자주 만나는 원인불명의 통증, 신체 증상에 맞지 않는 강한 통증, 합리적인 치료를 시행해도 지속되는 통증, 치과치료 혹은 교통사고와 연관된 통증, 심리사회적 요인이 관여된 통증을 호소하는 환자를 진찰할 때는 PCS를 사용하여 파국적 사고를 평가하는 것이 좋다(**Box 5**).

Box 4 **구강안면통증의 심리사회적 평가도구**

1. Pain drawing
2. Graded chronic pain scale (GCPS) ver 2.0
3. Jaw functional limitation scale (JFLS)
4. Patient health questionnaire (PHQ)-15
5. Patient health questionnaire (PHQ)-9
6. Patient health questionnaire (PHQ)-4
7. Generalized anxiety disorder scale (GAD)-7
8. Pain catastrophizing scale
9. Tamapa scale for Kinesiophobia (TSK)
10. Oral behavior checklist (OBC)

Box 5 **만성통증 환자의 평가**(통증 파국화 척도: pain catastrophizing scale, PCS)(Burri A, et al; 2020)

1. 나는 통증이 멎지 않을까 봐 항상 걱정하게 된다. (　　)
2. 나는 일상적인 생활을 더 이상 견딜 수 없을 것 같다고 느낀다. (　　)
3. 나는 통증이 너무 고통스러워서 절대로 나아지지 않을 거라는 생각이 든다. (　　)
4. 너무 괴롭고 내가 감당할 수 없을 것 같다고 느낀다. (　　)
5. 나는 더 이상 통증을 견딜 수 없을 것 같다. (　　)
6. 나는 통증이 점점 심해질 것 같아 걱정이 된다. (　　)
7. 나는 과거에 유사한 통증이 있었던 때를 자꾸 생각하게 된다. (　　)
8. 나는 통증이 사라지길 간절히 바라게 된다. (　　)
9. 나는 통증에 대한 생각을 떨칠 수가 없다. (　　)
10. 나는 얼마나 아픈지 계속 생각하게 된다. (　　)
11. 나는 통증이 이젠 제발 멈췄으면 하는 생각을 계속하게 된다. (　　)
12. 나는 통증을 감소시키기 위해 내가 할 수 있는 일이 아무것도 없다고 느낀다. (　　)
13. 나는 '뭔가 심각한 일이 일어나지 않을까'하는 걱정을 하게 된다. (　　)

★ 13가지 질문으로 구성되어 있으며, 통증을 느끼는 정도를 5점 척도로 평가한다.
(0: 전혀 그렇지 않다, 1: 별로 그렇지 않다, 2: 어느 정도라고 말할 수 없다, 3: 조금 그렇다, 4: 매우 그렇다)

- 되새김, 반추(rumination): 통증과 관련된 생각에 과도하게 주의를 기울이는 상태
- 무력감(helplessness): 통증에 대해 자신은 아무것도 할 수 없다고 믿는 상태
- 과장(magnification): 통증의 강도나 통증으로 생기는 장애를 과대평가하는 경향
- 평소에 통증을 느낄 때 자신의 상태가 어떠한지 0~4점 사이의 점수를 매긴다.
- 되새김, 반추(rumination): 1+8+9+10+11, 무력감: 2+3+4+5+12, 과장: 6+7+13

4 구강안면통증의 치료 원칙

만성 통증 환자들은 심리정신적인 문제들이 동반되는 경우가 많다. 특히 통증에 유독 '민감한' 환자들은 치료에 반응을 잘 보이지 않고 치료하는 의료진들에 대해 불신감을 가진 경우가 매우 많다. 강지인 교수의 강의에서 이들에 대한 진료 원칙을 다음과 같이 제시한 바 있으며, 필자는 이에 대해 적극 공감한다(Box 6)(정연태; 2016).

Box 6 통증에 민감한 환자들에 대한 대응 원칙

1. 통증으로 인한 환자의 고통에 적극적으로 공감(empathy)을 표시한다.
2. 환자와 좋은 유대관계(rapport)를 형성한다.
3. 증상의 완화보다는 기능 호전 및 재활에 초점을 둔다.
4. 통증의 원인을 섣불리 정신적 문제로 단정해선 안 된다. 감정과 관련된 여러 뇌의 부위, 자율신경계 등이 통증 감각에 어떻게 영향을 미치는지 설명한다.
5. 치과적 문제는 정기적으로 관리해 줄 것임을 표명하고, "적극적인 통증 관리를 위해 정신건강의학과에서 검사나 진료를 받아보는 것도 도움이 될 수 있다"라고 설명한다.
6. 통증에 매우 예민한 환자들을 진료할 때 시간을 미리 제한해 놓고 상담에 들어가야 해당 환자에게 과도한 시간을 쏟지 않을 수 있다. 친절하지만 단호하고 권위 있는 모습으로 진료해야 한다.

말초 및 중추신경계의 신경 생리 해부학적인 변화를 저지하기 위해서 가능하면 통증 치료를 빨리 시작해야 한다. 통증을 장기간 방치하게 되면 감작(sensitization)과 같은 새로운 장애를 유발하게 된다. 치과치료 혹은 수술 후 "아프면 진통제를 드세요"라고 해선 안 된다. 즉 국소마취 효과가 떨어지기 전에 미리 진통제를 복용시켜 통증 발현을 억제해야 한다. 선행진통(preemptive analgesia)이라는 개념을 적용하여 치료 전 미리 진통제를 복용시킴으로써 구심성 임펄스를 차단하여 치료 후 통증을 경감시킬 수 있다. 의학적 근거가 아직 확립되지는 않았지만 적극적인 통증 조절 측면에서 치료 전에 진통제를 미리 복용시키는 것이 해로울 것은 없다고 본다.

1) 치성 및 비치성 통증의 감별

우선 환자가 호소하는 구강안면통증이 치성 통증인지 비치성 통증인지 감별하고, 치성 통증이라고 판단되는 경우 우식증 치료, 근관치료, 치주치료, 교합검사 및 치료 등을 시행하여 증상의 경감 유무를 알아보아야 한다(Kang DW, et al; 2018). 만약 일반적인 치과 치료에도 반응이 없다면 비치성 통증을 의심해야 하며 치성 통증에 준하는 치료나 투약을 지속해서는 안 된다.

2) 약물치료

만성 구강안면통증 치료 시 상담 및 약물치료가 일차적으로 선택되어야 한다(Feinmann C; 1986). 약물은 초기에는 저용량을 사용하고 부작용과 효과를 관찰하면서 서서히 증량하는 방법으로 처방한다. 각 환자들에게 맞는 적절한 약물의 용량을 찾아서 지속적으로 복용시켜야 한다. 70대 이상 고령 환자들이나 심혈관질환을 가진 환자들에서는 마약성 진통제, 항경련제, 항우울제 등을 사용할 때 주의를 요한다. 비스테로이드성 소염

진통제, 국소마취제, 코티코스테로이드, 근이완제, 항히스타민제, 보툴리눔톡신 주사, 항우울제 등을 이용한 약물치료 및 주사치료를 적절히 사용할 경우 효과적인 치료 결과를 보일 수 있다고 보고되었다(Gangarosa LP, et al; 1982, Fromm GH, et al; 1984, Song PC, et al; 2007, Zakrzewska JM; 2010, Kim SY, et al; 2018).

(1) 비마약성 진통제

통증 치료 시 비마약성 진통제를 초기 치료에 도입해야 하며 마약성 진통제의 일상적 사용은 자제해야 한다. Zuniga 등은 통증 치료를 위한 약물 요법을 다음과 같이 정리하였다(Benoliel R, et al; 1994, Zuniga JR; 1998) (Box 7).

Box 7 통증치료를 위한 약물 요법

Step 1. Mild to moderate pain

Acetaminophen, Ibuprofen, Naproxen, Diflunisal, Indomethacin, Propoxyphene napsylate with acetaminophen

Step 2. Acute exacerbation of chronic pain: moderate to severe, 외상 이후에 나타나는 통증

Acetaminophen + Codein, Acetaminophen + Oxycodone, Acetaminophen + Hydrocodone

Step 3. Step 1 치료 후에도 지속되는 통증

Clonazepam, Baclofen, Gabapentin, Imipramine, Amitriptyline, Nortriptyline, Tramadol 추가 처방

① NSAIDs

Cyclooxygenase (COX)를 차단하여 prostaglandin E_2의 생성을 억제하면서 진통, 소염 및 해열 작용을 발휘한다. COX-1은 위점막 보호 작용 등의 생체항상성에 관여하고, COX-2는 염증과 통증을 유발한다. 대부분의 NSAIDs는 COX-1, 2 모두 억제하기 때문에 위장장애를 많이 일으킨다. 한편 COX-2 선택적 억제제는 소화관과 신장애 위험성을 현저히 감소시켰으며 대표적인 약제는 Celecoxib가 있다. 비스테로이드성 소염진통제는 특정 용량 이상에서 진통효과는 증가하지 않고 오히려 부작용만 증가하는 천장효과(ceiling effect)를 가지고 있다. 따라서 처방한 진통제가 잘 듣지 않을 경우 다른 종류의 진통제로 교체하는 것이 좋다(Fukuda K; 2019). 일반적으로 많이 사용되는 NSAIDs는 신경병성 통증 조절에는 큰 효과가 없다(전양현; 2011).

② Acetaminophen

진통 및 해열 작용을 가지고 있으며 위장장애를 거의 유발하지 않는다. 그러나 간독성을 유발할 수 있기 때문에 간질환 환자에 대한 장기 고용량 투여는 주의를 요한다.

③ Tramadol

의존성이 매우 낮고 강력한 진통작용을 발휘하지만 구토, 졸음(drowsiness)과 같은 부작용이 심하다. 그

래서 Acetaminophen과의 혼합제가 임상에서 많이 사용된다. 진통 작용이 강력하기 때문에 수술 후 통증, 감염 등으로 인한 급성 통증에 대해 prn으로 처방하는 경우가 많다. 그러나 만성 통증에 대해서는 2-3일 정도 소량으로 투여하면서 부작용을 관찰하고 특별한 문제가 없으면 서서히 증량하여 처방한다.

④ Acetaminophen 325 mg + Tramadol hydrochloride 37.5 mg (Ultracet, Ultracet ER Semi)

용량은 환자의 통증 정도 및 치료 반응에 따라 조절한다. 초회 용량으로 2정 투여를 권장하며, 그 이후 투여 간격은 Ultracet은 최소 6시간 이상, Ultracet ER Semi는 최소 12시간 이상으로 하되, 1일 8정을 초과하지 않도록 한다. 유효한 최저 용량을 가능하면 짧은 기간 동안 투여한다. 이 약을 필요 이상 장기간 투여하지 않도록 하며, 질병의 특성 및 심한 정도로 인해 장기간 투여가 필요한 경우, 정기적인 모니터링을 실시하여 약의 지속 투여 여부를 결정한다. 투여 시 구역, 구토, 가려움증, 변비, 어지러움, 졸음 등이 나타날 수 있으므로 환자의 반응을 면밀히 관찰하고 적절히 조절한다. 12세 미만과 임산부에서는 사용금기이다.

(2) 마약성 진통제

마약성 진통제는 다른 치료법들에 반응을 보이지 않을 경우에 고려해야 하며, 다음과 같은 원칙을 준수하고 치료에 임해야 한다(Swift JQ & Roszkowski MT; 1998)(**Box 8**).

Box 8 마약성 진통제 처방 시 고려 사항

1. 투약 전 환자의 통증과 정신사회력을 잘 평가해야 한다.
2. 환자와 "opioid contract"를 체결해야 한다.
   (https://www.health.qld.gov.au/__data/assets/pdf_file/0032/444488/opioid-contract.pdf)
3. 계획된 일정에 맞춰서 투여해야 한다.
4. 투여 초기에는 2주 간격으로 관찰한다.
5. 마약 치료의 목적은 통증을 완전히 없애는 것이 아니고 환자가 기능적으로 잘 견딜 수 있는 통증 수준을 만드는 것이다.

(3) 항경련제(Anticonvulsant), 항간질제(Antiepileptic)

신경병성 통증(삼차신경통, 당뇨성신경병증, 외상성신경병증 등) 간질 치료제로 사용되며 고령자, 신장 및 간기능 장애 환자들에서는 감량해서 투여해야 한다. 항경련제의 공통적인 부작용들은 졸음, 두통, 어지러움, 복시, 구역, 구토, 구내염, 피로감 등이다. 그 외에도 장기 투여할 경우 전해질 이상, 재생불량성 빈혈, 무과립구증, 혈소판감소증, 백혈구 감소증, 과혈당증, 간기능장애, SIADH 등을 유발할 수 있기 때문에 3개월마다 주기적인 혈액검사와 간기능 검사가 필요하다. 모든 항경련제들은 자살 충동을 증가시킬 위험성이 있기 때문에 주의해서 사용해야 한다. 자세한 부작용은 약품 설명서를 참조하기 바란다(Sharav Y & Benoliel R; 2015, Sato H; 2019).

① Carbamazepine, Oxcarbazepine: Tegretol, Trileptal

삼차신경통과 같은 발작성 신경통에 매우 유효한 약물이다. 그러나 피부발진, 혈액장애, 갑상선, 간장 및 신장장애 등의 부작용이 많이 발생하기 때문에 처음에는 소량 투여하면서 부작용 발현 여부를 관찰하고, 이상이 없으면 증량한다. 특히 피부발진이 심각해지면 Stevens-Johnson 증후군으로 이행될 수 있기 때문에 피부발진이 나타나는 즉시 복용을 중지해야 한다. 약물 효과를 향상시키기 위해 전기침자극요법이나 저수준레이저 조사 등의 보조적 치료가 병행될 수 있다. 임산부, 방실차단 환자, 현저한 서맥 환자, 중증의 혈액장애 환자, 골수억제 환자, MAO 억제제를 투여하고 있는 환자들에서는 사용을 금해야 한다.

② Diphenylhydantoin: Phenytoin

Carbamazepine 계열 약물에 효과가 없을 경우 두 번째로 선택할 수 있는 약물이다. 100 mg tid로 투여하며 하루 최대 용량은 600 mg이다. 빈발하는 부작용은 소양증, 발적, 변비, 오심, 구토, 간독성, 운동실조, 불수의운동, 현기증, 두통, 불면증 등이다. 중증 혈액 및 골수장애, 2, 3도의 방실블록 환자, 3개월 이내 심근경색이 있었던 환자에서는 사용 금기이다.

③ Gabapentin: Neurontin, Gabatin

신경병성 통증(삼차신경통, 당뇨병성 통증, 대상포진 후 통증, reflex sympathetic dystrophy 등), 만성 근골격계 통증, 염증성 통증 치료에 효과적이며 수술 전에 처방할 경우 술후 통증을 감소시키는 효과도 있다고 알려져 있다. 빈발하는 부작용은 어지럼증(dizziness), 운동실조(ataxia), 졸음증(somnolence)이 있고 장기간 복용하면 체중이 증가할 수 있다. 신장에서 100% 배설되기 때문에 신부전증 환자, 혈액투석 환자들에서는 감량해야 한다. 다른 약물과 상호작용이 거의 없기 때문에 전신질환으로 인해 여러 약물들을 복용하고 있는 환자들과 고령자에서도 안전하게 처방할 수 있다(Block F; 2001, Guerrero-Figueroa R, et al; 1999). 임산부, 급성췌장염, 전신 소발작(absence seizure) 환자들에서는 사용을 금해야 한다.

④ Pregabalin: Lyrica, Newrica, Prebalin

뇌전증(간질, epilepsy) 치료제로 개발되었으나 지금은 신경병성 통증(neuropathic pain), 섬유근육통 치료약으로 더 많이 사용되고 있다. 말초에서 중추로 전해지는 통증 신호를 약화시키는 작용을 하며 지속형 신경병변증의 치료에 유효하다. 신장에서 배설되는 약이기 때문에 약물 상호작용이 비교적 적은 약제이다. 신기능이 저하된 환자들에서는 감량해서 투여하고 투석 중인 환자는 1일 1회가 아니라 투석과 투석 사이에 적당량을 1회만 복용한다. 초기에 하루 150 mg으로 시작하며 하루 600 gm까지 증량이 가능하다. 약물의 빠른 증량에 따른 부작용(현기증, 졸음 등)이 적고 Gabapentin에 비해 빠른 적정화가 가능하며 계속 사용할 경우 축적 효과가 우수한 장점이 있다(Humming W, et al; 2014).

⑤ Antianxiety drug: Clonazepam (Rivotril), Diazepam (Valium)

공통적인 부작용들은 의존성, 금단증상, 기침, 졸음, 휘청거림, 어지러움, 운동실조, 신경과민, 무기력, 근긴장 저하, 두통, 불면, 주의력 저하, 몽롱함, 천명, 식욕부진, 구역, 구토, 간기능수치 상승, 권태감 등이다. 소량으로 시작하여 서서히 증량하고 기계조작 작업, 집중을 요하는 작업, 운전 시 주의를 요한다(Smirne S; 1977). 6개월 이하 영아, 급성 협우각형 녹내장, 중증 근무력증, 중증 호흡부전, 수면무호흡증후군, 알코올 또는 약물의존성 환자, 중증의 간장질환 환자들에서는 사용을 금해야 한다.

⑥ Lamotrigine: Lamiart, Lamictal

하루 25-50 mg을 1-2회 투여한다. 저용량 Gabapentine과 복합 적용 시 효과적이라는 보고가 있다(Solaro C, et al; 2000).

(4) 항우울제(Antidepressants)

저용량으로 사용할 경우엔 약물 관련 부작용이 거의 없으며 만성 통증 조절에 유용하다. 불안감과 긴장을 완화시켜 잠이 잘 오게 함으로써 통증 완화에 간접적으로 기여한다. 항우울제를 처방할 때 환자에게 사용 목적을 분명하게 설명해야 한다. 그렇지 않을 경우 일부 약사들이 환자에게 "우울증 치료제가 치과에서 처방되었는데 뭔가 잘못되었다"라고 함으로써 환자에게 혼란을 줄 수 있다. 빈발하는 부작용은 항콜린 작용으로 인한 구강건조증, 흐려 보이는 시력, 메스꺼움, 구토, 졸린 느낌, 어지럼증, 악몽, 변비, 요정체(urinary distension), 기립성저혈압, 심실부정맥, 성욕 감소, 손발 통증 등이 있으며 25세 이하 환자들에서 자살 충동을 유발할 수 있다는 보고가 있기 때문에 18세 이하의 청소년들에게는 사용하지 않는 것이 좋다. 항히스타민제, 베타차단제, 항경련제와 같은 약물과 함께 사용할 때 심각한 부작용이 초래될 수 있으니 주의하여야 한다(김영균 등; 2018, 대한안면통증 구강내과학회; 2012).

① 삼환계 항우울제(Tricyclic antidepressant, TCA)

A. Amitriptyline (Elavil, Etravil)

초기 10 mg으로 시작하며 하루 최대 사용량은 100 mg이다. 취침 전 10 mg의 저용량을 복용하면 몇 주 후 만성통증에 대한 진통효과가 나타난다고 보고되기도 하였다.

B. Nortriptyline (Sensival)

초기 25 mg으로 시작하여 하루 최대 150 mg까지 증량할 수 있다. Amitryptyline에 비해 부작용이 훨씬 적으며, 수면 진정 효과를 발휘하는 부가적인 장점이 있다. 그러나 고령자와 심혈관질환이 있는 환자들, 40대 이상 비만 혹은 흡연 중인 환자들에게 처방 시 주의를 요한다.

② Serotonin-norepinephrine reuptake inhibitor (SNRI)

TCA에 비해 부작용이 훨씬 적지만 위장장애가 심한 편이다. 약물의 빠른 증량이 가능하고 당뇨성 신경병성 통증, 만성요통, 골관절염, 섬유근육통(fibromyalgia) 치료에 효과적이다.

A. Venlafaxine (Effexor)

초기 37.5 mg으로 시작하며 혈압 상승 가능성이 있기 때문에 고혈압 환자에게 사용 시 주의를 요한다. 37.5 mg qd or bid로 처방하면서 하루 최대 225 mg까지 증량이 가능하다. 투약을 중단할 때에는 금단 증상이 있기 때문에 서서히 중단해야 한다.

B. Duloxetine (Cymbalta)

초기 20-40 mg으로 시작하며 하루 30 mg qd-60 mg bid 투여한다. 간독성이 있기 때문에 간질환 환자에게는 사용을 금해야 한다.

③ Selective serotonin-reuptake inhibitors (SSRI)

TCA 부작용을 경감시키기 위해 개발되었지만 만성통증 조절에 대해서는 효과가 약하다. 위장장애가 심한편이며 고령자나 불안감이 강한 환자에게 사용을 고려해 볼 만하다.

A. Fluoxetine (Prozac dispersible)

하루 1회, 20 mg을 물이나 음료에 타서 복용한다.

B. Paroxetine (Parox)

하루 20 mg을 식사 중에 씹지 말고 음식과 함께 삼켜서 복용한다. 최대 50 mg까지 증량이 가능하다.

(5) Baclofen

근골격근 이완제로서 Carbamazepine보다 더 효과적이지는 못하지만 혈액 부작용이 적은 장점이 있으며 Carbamazepine, Phenytoin 등으로 통증이 잘 조절되지 않을 경우 투여해 볼 수 있다. 초회 5-15 mg/day, 이후 2-3일에 5-10 mg/day씩 증량한다. 부작용은 쇠약, 졸음, 현훈, 어지러움, 정신장애, 불면, 운동실조 등이 있으며 CNS억제제, 알코올과 병용, 항고혈압제와 병용 시 주의해야 한다. 구토, 복부경련통(cramping)과 같은 위장관 부작용이 심한 편이다.

(6) Vitamin

Vol. 1 신경손상에서 기술된 내용을 참조하기 바란다.

(7) Imotun (Avocado-soya unsaponifiables)

골관절염 통증의 보조요법과 치주염에 의한 출혈 및 통증의 보조요법으로 사용된다. 다른 약물들의 투여 필요성을 감소시키며 환자의 삶의 질을 현저히 개선시키는 것으로 알려져 있다. 부작용이 거의 없어서 노인 환자들도 안전하게 장기 복용할 수 있다. 약물 투여를 중단한 경우에도 효과가 2개월 정도 유지된다고 한다 (김영균 등; 2018).

(8) 국소 적용 약물

① Capsaicin

매운 칠레 후추, 청양 고추와 같은 음식에서 매운 맛을 내는 성분이다. 통증 전달 역할을 하는 Substance P의 양을 감소시킴으로써 국소적인 염증과 통증을 감소시킨다. 대상포진 환자의 신경통, 관절염, 염좌(sprain), 타박상(bruising) 등을 완화시키기 위해 사용된다. 0.025%, 0.075% 농도의 제품들(Zostrix, Dipental Cream)이 있으며 통증 부위에 하루 3-4회씩 7-10일간 도포한다.

구강 내 도포 시 작열감을 느낄 수 있고 타액에 약제가 씻길 우려가 있기 때문에 neurosensory stent를 제작하여 도포하는 것이 권유된다. 구강안면 부위에서 털이 없는 입술, 혀에서는 다른 반응을 유발할 수 있다. 즉 혈류와 온도가 많이 증가할수록 혀에 비해 입술에서 작열감성 통증(burning pain)이 좀 더 심해지고 통증을 인지하는 범위가 넓은 양상을 보였다는 보고가 있기 때문에 환자의 증상을 살피면서 신중하게 사용해야 한다. 한편 Russel Vickers 등(1998)은 atypical odontalgia의 치료에 효과적이라고 보고하기도 하였다.

② Lidocaine

Spray, gel 혹은 patch형으로 공급되는 것을 부위에 따라 적절히 선택해서 사용한다. 2% viscous lidocaine을 신경병성 통증 부위에 국소적으로 적용할 경우 효과적이라는 보고가 있었다.

(9) 약물 복합처방

일반적으로 특정 치료법이나 약물이 완벽한 통증 완화 효과를 보이는 경우는 거의 없다. 어떤 환자들에서 잘 반응하는 약물이나 치료법이 다른 환자들에서는 효과가 없는 경우가 많다. 반대로 어떤 약물에 효과가 없는 환자들은 다른 약물을 선택하거나 2가지 이상의 약물을 복합 사용할 경우 효과가 있을 수도 있다. Clonazepam과 Nortriptyline, Gabapentin과 Nortriptyline, Morphine과 Gabapentin 이외에도 여러가지 복합투여법이 소개되었다. 복합투여는 신경병성 통증 치료에 효과가 좋고 개별적으로 약물을 투여할 경우 고용량으로 인한 부작용 발생을 현저히 줄일 수 있는 장점이 있다는 보고가 많이 발표되었다(Block F; 2001, Gilron I, et al; 2009, Guerrero-Figueroa R; 1999, Hughes J; 2010, Miranda HF, et al; 2013, Queral-Godoy E, et al; 2006, Sharav & Benoliel R; 2008)(**Box 9**).

Box 9 신경병성 통증 치료를 위해 처방될 수 있는 복합투여법

1. *Pregabalin + Ultracet*
2. *Clonazepam (0.5 mg ⇨ qd bid) + Nortriptyline (25 mg ⇨ 50 mg ⇨ 75 mg)*
3. *Trileptal + Gabapentin*
4. *Carbamazepine + Phenytoin*
5. *Carbamazepine + Gabapentin*
6. *Gabapentin + Morphin*
7. *Gabapentin + Lamotrigine*
8. *Gabapentin + Venlafaxine*
9. *Gabapentin + Nortriptyline*

3) Botulinum toxin A (BTXA)

BTXA는 신경근육연결부(neuromuscular junction)에서 acetylcholine 방출을 억제한다. 통증 부위에 주입할 경우 glutamate 혹은 substance P와 같은 신경전달물질의 방출을 억제하고 peripheral and central sensitization을 차단하면서 진통 효과를 촉진시킨다. Peripheral painful traumatic trigeminal neuropathy (PPTTN)에 대한 최신 치료법으로 통증 부위에 25-50 U를 주사하는데, 여러 번 나누어서 주입할 수도 있는 방법이 소개되었다. 주입 시 통증을 완화시키고 BTXA 부작용을 감소시키기 위해 lidocaine과 함께 서서히 주입해야 한다. 독소의 확산을 방지하기 위해 혈관수축제가 함유된 치과용 2% lidocaine HCl (1:10만 에피네프린 함유)을 사용하는 것이 추천된다(Moreau N, et al; 2017). Yang 등(2016)은 BTXA는 삼차신경손상과 관련된 구강안면영역의 신경병성 통증을 포함하여 만성 통증의 치료를 위한 새로운 약물로 간주할 수 있다고 하였다. 주사방법은 적정량의 BTXA를 통증 발생 부위 피부나 점막 하방에 주사한다(Turk U, et al; 2005). Kim 등(2018)은 비치성 신경병성 구강안면통증의 치료 시 BTXA의 유용성에 대해 언급하였다.

4) 고농도의 국소마취제

박성욱 등은 5% Lidocaine 1 mL를 주사할 경우 4주–6개월까지 통증 완화 효과가 지속될 수 있다고 보고한 바 있다. 국소화된 말초신경 병변에 따른 만성 통증들과 난치성 암성 통증 치료를 위해 적용할 수 있다. 리도카인을 주사하면 신경내막 부종과 Schwann 세포 손상에 따른 Wallerian 변성과 축삭의 위축을 유발하면서 통증이 완화된다(박성욱 등; 2003). 일부 학자들은 리도카인을 단독으로 1주 간격으로 5회 주사하는 것도 유용한 치료법이라고 하였다(Stajcic Z, et al; 1990).

5) 물리치료

환자에게 온열찜질 또는 냉각요법을 적용하거나 두 가지 치료법을 번갈아 가며 적절히 사용한다면 진통 및 근이완 효과를 통한 안면 운동 기능 향상으로 구강안면통증 개선에 효과를 기대할 수 있다(Danzig WN, et al; 1983, De Leeuw R, et al; 2008). TENS 혹은 전기침자극요법은 말초신경손상으로 인한 신경병성 통증의 75%를 감소시킬 수 있다고 보고되었다. 적절한 물리치료기로 집에서 매일 자극요법을 수행한다면 더욱 좋은 효과를 보일 수 있다(Melzack R; 1975). LLLT (low-level laser therapy)는 생자극, 항염증 및 진통 효과를 가지며 특별한 부작용 없이 재생을 촉진시키는 것으로 알려져 있다. Arduino 등(2016)은 국소적으로 적용하는 Clonazepam과 1주 2회씩 총 5주간 LLLT를 적용한 비교임상연구를 시행하였다. 연구 결과 LLLT가 작열감성 통증을 감소시키는 데 더 효과적이었으나 불안감이나 우울증과 같은 심리정신적 증상을 완화시키는 데는 효과가 없었다고 보고하였다.

6) 외과적 치료

만성 구강안면통증 환자들은 오진으로 잘못된 치료를 받은 경우가 많고 다양한 치료 실패 경험을 가지고 있다. 또한 다양한 진단과 여러 가지 치료법들이 시행되었을 가능성이 있다. 간혹 드물지만 적응증이 되는 경우엔 신경감압술이나 자율신경차단술과 같은 외과적 치료가 필요할 수도 있다. 만성 통증이 더욱 악화되고 각종 치료에 반응을 보이지 않을 경우 외과적 치료를 신중하게 생각해 볼 필요가 있다(Israel HA e al; 2003).

외과적 치료는 주로 삼차신경통에서 고려될 수 있으며 대부분의 신경병성 통증 치료에서 외과적 치료는 거의 적용되지 않는다. 냉동요법(cryotherapy), 신경절제술(neurectomy), 레이저 절제술, 열응고(thermocoagulation), 감마나이프, 미세혈관 감압술 등을 이용한 외과적 치료를 통해 효과적인 통증 개선을 보일 수 있다고 보고되었다. 그 중 미세혈관 감압술이 가장 긴 통증 완화 기간을 보인다고 하나 여러 수술방법들의 효과를 비교하는 양질의 연구는 부족한 실정이다(Cruccu G, et al; 2008, Gronseth G, et al; 2008, Ghurye S, et al; 2017).

CHAPTER

3

지각과민증

TOUGH CASES 치과진료 후 발생하는 골치 아픈 증례들

CHAPTER

3 지각과민증

TOUGH CASES

치과에 내원한 환자들 중 상당수가 치아가 시리다는 것을 주소로 하고 있으며 시린 증상은 통증과 직접적인 연관성이 있다. 지각과민증은 치과의사들이 빈번하게 접하게 될 질환이며 다양한 치아 치료 이후에도 발생할 수 있으므로, 질환의 발생 원인 및 치료법에 대한 체계적인 이해가 필요하다. ICOP 2020 분류에서 1.1.1 pulpal pain 범주에 속하는 구강안면 치성통증의 일종이다. 한편 치아균열(tooth crack)에 의한 과민증 및 통증도 치과에서 많이 접하는 통증의 일종이며 상아질과 법랑질이 외력에 의해 순간적으로 또는 점진적으로 갈라지거나 분리되는 형상을 말한다(Box 10). 치아균열에 대해서는 보존학 관련 전문 서적을 참조하길 바란다.

Box 10 **균열치증후군(crack tooth syndrome)**(김신영; 2019, 조웅래 등; 2011)

치아의 불완전 파절에 대한 추정적 진단명으로서 저작 시 통증과 온도자극, 특히 냉자극에 민감한 것이 특징이다.

1. **원인**
   저작 과정 중의 갑작스러운 사고가 가장 흔한 원인이며, 나이가 들면서 기존 수복물 또는 의원성 응력 집중과 같은 기여요인이 관여한다.
2. **진단 및 치료**
   치아균열은 진단과 예후를 예측하기 어려우며 막상 치료를 시작해도 뚜렷한 개선효과를 보이지 않는 경우가 많기 때문에 치과의사와 환자들을 매우 괴롭히는 질환의 일종이다.
   1) 조기 진단하여 적절히 치료하는 것이 중요하다. 그 이유는 균열이 진행되어 치아가 분할되는 것을 예방하기 위함이다.
   2) 만약 환자가 증상이 없어서 치료를 연기하고자 한다면 주기적인 경과관찰을 시행하여 균열의 진행 여부를 평가해야 한다.
   3) 초기 진단 시 균열선이 이미 치근까지 연장되어 있고 깊은 치주낭이 존재한다면, 임상기록을 정확히 남기고 사진을 찍어서 보관해 두어야 한다. 그리고 환자에게 균열치의 예후는 좋지 않음을 주지시키고 치료가 잘 되어도 추후에 발치 가능성이 있음을 설명해 두어야 한다.
   4) 통증 완화를 위한 교합조정이나 파절편 고정이 필요할 수 있으며 증상이 심할 경우 근관치료 후 치관수복이 필요하다.

1 상아질 지각과민증(Dentin hypersensitivity)

노출된 상아질에 외부 자극이 가해짐으로써 발생하는 짧고, 예리한 통증을 말한다. 발생기전은 유체역학 이론(hydrodynamic theory)으로 설명 가능한데, 노출된 상아질에 자극이 가해지면 상아세관 내의 액체가 압력 수용기(baroreceptor)를 자극하면서 신경 신호 전달을 통해 통증을 유발하게 되는 것이다. 3-7%의 빈도로 발생하며 20-40대 연령층과 여성에서 호발한다. 소구치 및 절치부에서 빈번하게 관찰된다. 어떤 문헌에서는 성인의 57%가 상아질 지각과민증을 경험하며 치주질환을 가진 경우는 60-98%에서 지각과민증이 존재한다고 언급하고 있다. 특히 사회가 고령화되어가면서 나이가 들어도 생활치가 많이 남기 때문에 치은퇴축으로 인한 치근면 노출, 교모 혹은 마모에 의한 상아질 노출로 인해 지각과민증도 급격히 증가하고 있다. 또한 탄산음료 섭취, 스트레스 등이 과민증을 증가시키기 때문에 일종의 생활습관병으로 파악해야 하고 이에 대한 대처는 대증적인 치료뿐만 아니라 환자교육이나 생활습관 개선 등도 함께 이루어져야 한다고 언급하고 있다(한금동 & 최진 역; 2019). 치료는 노출된 상아세관을 차단하거나 통증 자극의 원인이 되는 신경반응을 차단하는 방법이 적용되고 있다(Box 11).

Box 11 상악질 지각과민증의 치료법

1. *Tubule plug*로 작용하는 *potassium*
2. *Dentin sealer* 역할을 하는 *glass ionomer, composite resin, dentin adhesive*
3. *Laser*
4. *Mucogingival surgery*
5. *Desensitizing toothpaste*

2 레진 수복 후 지각과민증(김용서: 2003)

1) 치과에서 흔히 시행되는 레진치료와 같은 수복치료 후 지각과민증이 발생할 수 있다.

2) 치경부 레진 수복 시 접착 과정의 오류 또는 복합레진의 중합수축에 의해 상아질과 접착제 사이에 부분적인 틈이 형성됨에 따라 상아세관액의 유동이 증가하여 과민증이 발생할 수 있다. 이를 예방하기 위해 치경부 변연부는 절삭기구의 사용을 최소화한 후 충전과정을 진행해야 하며, #12 blade를 이용하여 수복물 변연을 잘 정리해야 한다.

3) 접착 실패에 의한 과민증

한 번에 충전하여 중합하거나(bulk curing), 중합응력이 강한 복합레진을 선택한 경우, 고광도의 중합기를 사용하는 경우에 발생한다. 시간이 지나도 증상이 지속되기 때문에 반드시 제거하고 재수복해야 한다. 접착 환경이 불리하거나 접착에 대한 확신과 기술이 부족한 경우, RMGI 시멘트를 사용하는 것도 대안이 될 수 있다.

4) 간접수복에 의한 과민증

복합레진 인레이 수복은 이미 중합이 완료된 수복물을 레진시멘트로 수복하기 때문에 직접수복과는 달리 복합레진의 중합수축에 따른 문제점을 배제할 수 있다. 그러나 이와 같은 간접 수복 후에도 과민증은 빈발하며 초기에 발생한다. 즉 접착 과정과 두꺼운 레진시멘트의 중합수축으로 인해, 수복물과 치수벽 사이에 간극이 발생하면 과민증이 발생한다. 교합이상이 없음에도 불구하고 과민증이 지속되고, 방치할 경우 치수병변을 초래할 수 있으므로 지체 없이 수복물을 제거해야 한다.

레진 수복 후 지각과민증 발생을 예방하는 방법

1. **정확한 치아삭제:** 충분한 이개도를 확보하고 변연부가 치은연상에 위치되어야 한다.
2. **정확한 기공물 제작:** 내부의 과도한 삭제(relief) 금지
3. **삭제 즉시 상아질 밀폐 술식을 적용**
4. **이중중합 레진 시멘트의 충분한 광중합:** 각 면당 40초 이상
5. **유지형태가 충분한 경우 자가접착형 레진시멘트를 사용**
6. **접착 과정에서 러버댐을 사용**
7. **변연에 Oxyguard를 도포 후 중합**

3 보철물 장착 후 치아과민증

1) 원인

① 치아 삭제량이 많거나 삭제 중 과열이 발생하는 경우
② 삭제 표면의 오염
③ 상아질의 과도한 건조
④ 국소 지혈제 사용
⑤ 도말층의 제거(removal of smear layer)
⑥ 시멘트의 산도(acidity)
⑦ 보철물 시적 시 과도한 압력(heavy pressure for seating the restoration)

2) 대책

① 충분한 물을 뿌리면서 최소의 치아를 삭제한다.
② 삭제 후 즉시 상아질 밀폐술식을 적용하여 상아세관을 봉쇄한다. 또는 삭제 후 Chlorhexidine 제제 또는 Benzalkonium이 함유된 cavity cleaner를 이용하여 치질을 소독한다.
③ 상아질의 과도한 건조를 예방하기 위해 접착 전 상아질을 충분히 수화시킨 후(2분) 솜이나 약한 바람으로 건조시킨다.
④ 치은측 변연에 묻은 지혈제는 시멘트의 경화와 치질적합성을 방해하므로 충분히 씻어낸다.

⑤ 도말층의 제거를 방지하기 위해 불필요한 산부식은 삼가고 산부식이 시행된 경우에는 반드시 접착제 등으로 상아질을 봉쇄한다.

⑥ 대부분의 시멘트는 혼합 직후 산성을 띠지만 경화 후 중화된다. 분말/액체 또는 paste/paste 혼합 시 정확한 비율로 혼합한다. 묽게 혼합되거나 불충분한 혼합시간으로 인해 산도가 높아질 수 있다.

⑦ 보철물 시적 시 치수에 과도한 압력이 가해지지 않도록 서서히 시행해야 한다. 작업시간을 지키고 크라운 내면에는 시멘트를 꽉 채우지 않는다.

⑧ 경화 과정에서 변연부 시멘트가 타액 또는 수분에 의해 오염되지 않도록 표면에 varnish를 도포한다 (GIcement). 시멘트가 완전히 경화되기 전(10분)에 교합조정을 해선 안 된다.

4 다양한 지각과민처치제

상아세관을 폐쇄하여 과민증을 치료하는 다양한 제품들이 공급되고 있다. 수복치료를 직접 시행하지 않는 치과의사들도 통증 치료를 위해 일부 지각과민처치제를 비치해 두는 것이 좋다.

1) 치과 진료실에서 많이 사용되는 제품들

Fluor Protector (Ivoclar-Vivadent, Liechtenstein), Cervitec (Ivoclar-Vivadent, Liechtenstein), Seal & Protect (Dentsply, USA), Cervical Cement (GC Corporation, Japan), Gluma Desensitizer (Heraeus Kulzer, Germany), MS-COAT (Sun Medical, Japan), Microprime (Danville Material Inc., USA), All Bond DS (Bisco, USA), Admira Protect (Voco GmbH, Germany), Super Seal (Phoenix Dental Inc., USA) 등

2) 지각과민 완화 치약(이수영; 2011)

지각과민 완화 치약은 마모제에 의한 치질 손상을 줄이기 위해 고운 입자의 연마제를 최적량 함유하고 있다. 대부분의 지각과민 완화 치약은 약 2주에서 5주 정도 사용할 경우 효과를 보이기 시작한다.

(1) 종류

① 센소다인

염화 스트론튬(strontium chloride)과 탄산칼슘(calcium carbonate) 또는 질산 칼륨(potassium nitrate)과 불화나트륨(sodium fluoride)의 활성 성분 조합으로 노출된 상아질 내의 상아세관에 작용하여 시린이 증상을 완화시킨다.

② 시린메드

유효성분으로 19% 제3인산칼슘(calcium phosphate)을 함유하고 있다.

③ 덴티가드

유효성분으로 20% 제3인산칼슘을 함유하고 있다.

(2) 효과

치약에 함유된 여러 유효성분들의 지각과민 완화 효과는 연구별로 다양하게 보고되고 있다. 따라서 치과의사들의 적절한 판단하에 환자의 선호도를 고려하여 사용을 권유하는 것이 좋다.

① 10% 염화 스트론튬의 상아질 지각과민 처치 효과는 75.5%라고 보고되었다(Uchida A et al; 1980)

② Strontium acetate을 함유하는 치약들이 상아세관을 폐쇄시키는 효과가 좋으며 지속시간이 연장되는 경향을 보였다(Daview M et al; 2011).

③ Potassium, Stannous fluoride, Potassium and stannous fluoride, Calcium sodium phosphosilicate, Arginine을 함유하는 Desensitizing toothpaste는 과민증 완화에 효과적이었다. 그러나 strontium을 함유하는 과민방지용 치약은 효과가 없었다(Bae JH et al; 2015).

④ 상아질 지각과민증 감소에 Calcium sodium phosphosilicate가 Patassium nitrate보다 더 효과적이었다(Liu Y et al; 2018).

⑤ 질산칼륨과 제3인산칼슘이 주성분인 지각과민 완화 치약은 단기간 내 상아세관 폐쇄효과가 뛰어나다. 지각과민 환자들이 자가관리법으로 치료하고자 할 때 이러한 성분이 함유된 지각과민 완화 치약을 초기에 사용하고, 지각과민증상이 완화되면 마모력이 적절한 일반치약으로 전환하여 사용하는 것이 지각과민 치료에 효과적이라는 보고가 있다(이수영; 2011).

CHAPTER

4

치과적인 원인이 없는데도 지속적인 치아 혹은 주변조직 통증을 호소하는 경우

TOUGH CASES 치과진료 후 발생하는 골치 아픈 증례들

CHAPTER 4

치과적인 원인이 없는데도 지속적인 치아 혹은 주변조직 통증을 호소하는 경우

우식증, 치주질환, 치수질환이 없음에도 불구하고 치통, 잇몸 및 안면 통증이 발생할 수 있다. 이 경우엔 비치성 통증을 의심하고 세심한 진찰을 시행해야 하며 환자의 증상만 믿고 근관치료, 발치 등과 같은 비가역적인 치료를 시행하는 것은 절대 피해야 한다. 비가역적인 치과 치료를 했음에도 불구하고 통증이 지속되면 환자는 구강내과, 구강악안면외과, 신경과, 통증클리닉 등을 방문하게 되며, 이곳에서 비치성 통증으로 진단받게 되면 처음 치료받았던 치과의사와 의료분쟁으로 진행될 가능성이 크다(김진 등; 2005).

신경병성 통증(neuropathic pain)이란 신경계의 원발성 병소나 이상기능에 의해 야기되는 통증으로서 주로 말초신경손상 후 발생하는 경우가 많다. 감각신경이 손상받으면 감각의 변화 및 이차적인 만성 통증이 발생한다(Rentol T; 2010). 삼차신경분지가 손상받은 후 만성통증 발생률은 3–5%로 알려져 있다. 즉 발치, 치수절단, 치주수술, 치근단절제술, 임플란트 식립수술 자체가 골조직에 분포하는 말초신경을 손상시키는 술식이기 때문에 치료 이후 신경병성 통증이 발생할 가능성은 충분히 있다(Polycarpou N, et al; 2005, Benoliel R, et al; 2005, Jaaskelainen SK, et al; 2004). 근관치료 후 약 3–13%에서 신경병성 통증이 발생한다는 보고가 있으며(Campbell RL, et al; 1990, Polycarpou N, et al; 2005, Klasser GD, et al; 2011, Nixdorf DR, et al; 2010), 임플란트 식립 후 혀나 입술의 감각이상 및 신경병성 통증이 발생할 경우 의료분쟁의 씨앗이 될 것이다(Eliav E; 2011, Rodriguez–Lozano FJ, et al; 2010). 신경병성 통증은 주관적인 증상으로 객관적인 병적 원인을 찾을 수 없는 경우가 많기 때문에 환자가 호소하는 증상들을 의료진이 잘 이해하지 못한다면, "심리적인 것", "꾀병" 등으로 간주하여 별 다른 조치를 취하지 않고 방치하는 경우가 많다. 그러나 많은 시간이 경과한 후에도 증상의 호전이 없으면 의료분쟁으로 진행될 가능성이 커진다(최재갑; 2002).

아래 분류법들은 2020년 ICOP에서 정리한 분류법과 많이 다른 것 같이 보이지만 오래전부터 임상에서 많이 사용되었고, 현재까지도 많은 서적과 문헌들에서 언급되고 있다.

1 구강악안면 영역의 이상 통증(김진 등; 2005, 구윤성; 2012)

1) 구강악안면 영역은 감각신경의 분포 밀도가 매우 높으며 혈행이 풍부하여 혈관벽에 분포된 자율신경(교감신경 및 부교감신경)이 많다. 따라서 고령 환자, 전신질환, 과도한 스트레스에 노출된 환자들에서는 경미한 국소적 질병이라도 치아 주위 신경에 자극을 주면서 예민한 증상들을 나타낼 수 있다.

2) 신경 주위 조직의 변화로 신경에 급성 가역성 자극이 가해지면 신경염(neuritis)이 발생하면서 예민한 반응을 보이게 된다. 통증의 역치가 낮아지고 뇌간(brain stem)의 시냅스 부위를 감작(sensitizing)시키는 효과가 나타나면서 통증 자극에 더욱 민감하게 된다. 이런 현상이 지속되면 퇴행성 및 비가역성 신경병변증(degenerative and irreversible neuropathy)으로 진행될 수 있다.

3) 당뇨병, 홍반성낭창, 류마티스관절염 등과 같은 전신질환이 존재하는 경우 감각이상이 가중될 수 있다. 특히 삼차신경의 분지들은 수초가 발달된 신경섬유(myelinated axons)들로 구성되어 있으며, 수초의 유지에 중요한 Schwann cells은 허혈(ischemia)에 큰 영향을 받는다. 따라서 혈행장애를 보이는 전신질환은 신경장애를 유발할 소지가 높고 치통의 양상도 정상인과 다르다는 점을 이해하여야 한다.

4) 통증이 잘 치료되지 않고 6개월 이상 지속되면 통증의 말초감작(peripheral sensitization)과 중추감작(central sensitization)이 일어나면서 쉽게 만성 통증으로 발전한다. 중추감작은 신경섬유의 변성에 기인되는 것으로 생각되며 지속적인 통증(persistent pain)을 유발한다.

2 비치성 통증

치아 및 치주조직 병변과 전혀 무관한 통증으로서 구강안면 부위에서 다양한 양상으로 발생하며 대개 만성적이면서 심리적으로 환자를 많이 괴롭히는 경향을 보인다. 만성 구강안면통증 환자들은 다양한 진단과 여러 가지 치료들이 시행되었으며 다양한 치료 실패 경험을 가지고 있다. 만성 구강안면통증의 진단 및 치료에 치과의사들이 적극 관여해야 하며 여러 진료과와의 협진이 중요하다. 미국에서 빈발하는 5가지 유형의 통증은 치통, 구강 통증(oral sores), 턱관절 통증, 안면 통증과 구강작열감(burning mouth)이라고 보고되었다(Lipton JA, et al; 1993).

1) 비치성 통증을 암시하는 징후와 증상들(한경수; 2002)

① 통증의 국소적, 치과적 원인이 불충분하다.
② 자극적이며 작열성, 비박동성의 치통
③ 지속적이며 완화되지 않는 변하지 않는 치통
④ 수개월 또는 수년 이상 지속되면서 재발하는 치통

⑤ 다수 치아들의 자발적 치통

⑥ 의심되는 치아의 국소마취로 통증이 사라지지 않는다.

⑦ 치아 및 잇몸치료에 반응을 보이지 않는다.

2) 비치성 통증의 종류

치아 또는 잇몸, 구강내 특정 부위가 심하게 아프다고 내원하였는데 전혀 연관성이 없는 경우가 많으며, 이런 경우 치과의사들을 상당히 당혹하게 한다. 김성택 교수는 환자들은 치아가 아프다고 주장하는데 치아가 원인이 아닌 대표적인 10가지 경우를 다음과 같이 분류하였다(Box 12).

Box 12 치아가 아프다고 하는데 치아가 원인이 아닌 경우(김성택; 2004)

1. 신경병성 통증
2. 근막통증
3. 구강 악습관
4. 상악동염
5. 정신신경성 통증
6. 타석증
7. 편두통
8. 중이염
9. 심장질환
10. 구강 종양

3 상악동 질환으로 인한 통증

상악 견치와 어금니 부위 통증을 호소하는 경우가 많다. 환자들은 머리를 감거나 고개를 움직일 때 통증을 호소하고 항생제 치료로 잘 완화되는 경향을 보인다.

1) 임상적 특징 및 진단

① 상악 소구치 및 대구치 부위의 지속적인 둔한 통증 및 불편감이 나타날 수 있다.

② 관련 부위 치아들은 타진, 저작, 차가운 자극에 민감한 반응을 보인다.

③ 상악동 상부 촉진 시 압통

④ 고개를 숙일 때 통증 증가

⑤ 방사선 사진에서 상악동 병변이 관찰된다.

⑥ 주변에 침윤마취를 시행하면 통증이 감소된다.

2) 치료

원인 제거 및 상악동 질환의 처치

4 저작근막 기원성 통증

1) 임상적 특징 및 진단

① 교근, 측두근, 악이복근 전복(anterior belly of digastric muscle)의 발통점으로부터 통증이 전이될 수 있다.
② 다양하고 주기적인 통증
③ 비박동성 통증
④ 스트레스와 저작근 사용 시 통증 증가
⑤ 치아 주변 국소마취를 시행하였을 때 통증 변화가 없으나 발통점에 국소마취를 시행하면 통증이 완화된다.

2) 치료

근육 마사지 및 스트레칭, 물리치료, 발통점 주사

5 정신적 치통(psychogenic toothache) 및 안면통증

1) 임상적 특징 및 진단

① 정신과 치료 병력
② 양측성 통증 및 다수 치아들로 통증이 전이된다.
③ 통증이 해부학적 및 생리학적 양상과 부합되지 않는다. 통증 부위와 특성이 시간에 따라 변하고 환자조차 정확히 설명하기 어려운 경우가 많다.
④ 치과적 치료 후 반응이 거의 없거나 부적절한 반응이 나타난다.
⑤ 스트레스와 같은 심리적 요인이 통증을 더욱 악화시킨다.
⑥ DC/TMD Axis II 설문지와 다양한 평가법들을 이용하면 환자의 정신적 상태(통증의 정도 및 범위, 기능적장애, 불안증 및 우울증, 신체화증 등)를 간접적으로 평가할 수 있다. : Graded Chronic Pain Scale (GCPS), Jaw Functional Limitation Scale (JFLS), Oral Behavior Checklist (OBC), Pain Health Questionnaire (PHQ), Pain Catastrophizing Scale, Tampa Scale for Kinesiophobia (TSK)

정신적 문제와 연관된 구강악안면 이상증상과 통증들을 언급하는 다양한 용어들이 문헌에 소개되었다.

교합관련장애(occlusion-related disorder)

교합과 연관성이 있는 턱관절장애를 포함한 전신증상을 "교합관련장애"라 칭한다. 병적증상을 유발하는 교합인자들은 교두간섭이나 조기접촉(occlusal interference), 교합중심의 부조화(imbalancve of contact point at power centric bite), 하악의 삼차원적 위치이상 등을 들 수 있다. 여기에 여러 가지의 다양한 원인들(불량한 자세, 척추장애, 전신질환 등)이 합쳐져서 치아, 턱관절을 포함한 안면, 두개, 경부에 영향을 미쳐 증상이 전신에 나타날 수 있다.

구강 이상감각증(oral paresthesia, oral dysesthesia)

구강 주변에 이상 감각이 존재하지만 명확한 신체질환이 발견되지 않는 증상들을 의미한다. 치은, 혀, 협점막, 악골 등의 통증, 마비감, 소양감, 작열감, 촉각 이상, 지각과민증, 이물감, 교합의 이상감각 등이 나타난다. 환자의 50% 이상이 정신건강의학과 진료 경험이 있다. 뇌 기능의 불균형이 이상감각을 유발하는 것으로 추정된다.

환자가 호소하는 증상들

① 입안이 끈적끈적하거나 무엇인가 이물이 붙어 있다는 이상한 느낌을 호소한다.
② 설명하기 힘든 기분 나쁜 불쾌감을 지속적으로 호소한다.
③ 미각 감퇴, 미각 이상을 호소한다.
④ 불쾌감 때문에 티슈로 항상 입을 닦고 가글을 빈번하게 한다.
⑤ 이물질이 나온다고 호소하며, 타액을 모아둔 병이나 사용한 티슈 등을 지참하는 경우가 있다.

교합위화감, 교합이상감각(occlusal dysesthesia)

많은 문헌들에서 Occlusal discomfort syndrome (Tamaki I, et al; 2016), Occlusal Habit Nerosi (Tishler, 1928), Positive Occlusal Sense (Posselt, 1962), Occlusal neurosis (Ramfjord, 1961), Phantom Bite Syndrome (Marbach, 1976), Positive Occlusal Awaress (Okeson, 1985), Persistent uncomfortable Occlusion (Harris et al, 1985), Proprioception Dysfunction (Green, Gelb, 1994)이라는 용어들이 사용되기도 하였다. 치수질환, 치주질환, 저작근 및 턱관절 질환이 없고 임상적으로 교합 이상이 인정되지 않음에도 불구하고 6개월 이상 지속되는 교두감압위의 불쾌감이 존재하는 경우를 의미한다. 교합 이상감각을 호소하는 환자들의 84%가 정신질환이 동반되어 있다고 한다(Clark G & Simmons M; 2003, Tamaki K, et al. 2011).

정서적 문제와 함께 교합 이상 및 불편감을 호소하며 환자들은 특별한 이상이 없음에도 불구하고 치과적 처치가 필요하다는 생각을 강하게 갖고 있다. 치과의사가 어떠한 치료를 시행해도 개선되지 않으며 환자는 자신의 교합에 더욱 집중하고 이상감각을 더욱 심하게 호소하게 된다. 모든 치과치료를 시행하는 도중에 발생할 수 있지만 광범위한 수복 및 보철치료를 시행한 경우에 좀 더 많이 발생하는 경향을 보인다. 원인은 명확히 밝혀지지 않았지만 교합감각에 대한 '뇌 내부 정보처리 과정의 장애' 가능성이 제시되고 있다(신영민 역; 2019, Hollins M & Walters S; 2016, Jagger RG & Korszun A; 2004, Michelotti A & Iodice G; 2010, Reeves JL 2nd, Merrill RL; 2007).

환자들이 호소하는 증상들

① 맞물림이 불쾌하다.
② 위아래 치아들이 잘 물리지 않는다.
③ 어디로 씹어야 할지 알 수 없다.
④ 맞물림이 벗어난 느낌이다.
⑤ 맞물림이 뒤틀린 느낌이다.
⑥ 위아래 치아를 맞게 하는 것이 불가능하다.
⑦ 미끄러지면서 이가 맞물린다.
⑧ 좌우에서 닿는 방식이 다르다.
⑨ 이가 닿는 부위가 이상하다.
⑩ 이가 닿으면 불쾌하고 아프다.
⑪ 입을 다물 때 깊고 강하게 물린다.
⑫ 이 맞물림이 낮고 닿지 않는다.
⑬ 이가 맞물리는 부위의 폭이 넓거나 좁게 느껴진다.
⑭ 치아가 내측 혹은 외측으로 경사져 있다.

교합이상감각을 호소하는 환자들의 특징

① 자신이 내린 진단에 기초한 치과 치료를 강하게 요구한다.
② 보철치료 혹은 교정 치료 완성 직전에 발생하는 경우가 많다.
③ 치과적인 이상 소견을 전혀 찾을 수 없다.
④ 다른 치과에서 교합조정을 받은 치아들이 존재한다.
⑤ 전신적 증상(머리 무거움, 어지럼증, 어깨 결림, 요통, 권태감 등)이 동반된다.
⑥ 교합과 치아이상이 전신증상과 연관이 있다고 호소한다.
⑦ 과거의 사진이나 치열모형 또는 임시의치 등을 지참하고 다닌다.
⑧ 자신의 혀가 너무 크다고 호소한다.
⑨ 잇몸 불쾌감도 호소한다.
⑩ 정신적 문제들이 관여하는 경우가 많다.
⑪ 환상통증(Phantom pain), 말초신경의 외상성 병변(peripheral painful traumatic neuropathy)이 동반될 수 있다.
⑫ 턱관절장애가 동반될 수 있다.

2) 치료

정신건강의학과의 협진 치료가 필요하다. 심인성 요인은 모든 주관적인 통증 경험에 영향을 미치고, 통증이 아주 심하거나 장기간 지속됨으로써 발생되는 정서적 스트레스에 의하여 정상적인 통증 인식을 가진 환자라도 통증 인식이 흐려지거나 악화될 수 있다(서봉직; 1998). 적극적인 인지행동요법, 약물 치료 및 안정위 스플린트 치료가 도움이 될 수 있다.

정신적 통증에 대한 치료 원칙은 다음과 같으니 잘 참고하길 바란다(신영민 역; 2017).

① 왜곡된 구강감각과 환자가 잘못 인지하고 있다는 점을 설명하고 이해시켜야 한다. 그러나 설득하는 것이 매우 어렵다.

② 정기적인 검진으로 구강 내를 관리하면서 '같이 걱정해 주는 자세'가 중요하지만 현실적으로 불가능한 경우가 대부분이다.

③ '잠깐 남는 시간에 진료'하고 '바쁜 시간대에 예약'한다. 환자 상담 시간은 3분 이내로 하며 환자에게 끝없이 얘기할 시간을 줘서는 안 된다.

④ 강한 부정적 표현을 하지 않는다. 즉 환자가 말하는 것을 하나하나 부정하지 말고 "환자의 고통을 충분히 이해는 하겠지만, 현재 상태는 치과적 문제와 거의 관련이 없으며 치과적 처치를 해 드릴 것이 없습니다"라고 단호하게 말해야 한다.

⑤ 비가역적인 교합조정, 수복치료, 교정치료는 전혀 환자의 증상을 개선시키지 못하고 더욱 악화시키며 환자로부터 극심한 고통을 당할 수 있다.

⑥ 구강장치 치료도 큰 효과를 보이지 못하는 경우가 많다.

⑦ TCA, SNRI, SSRI와 같은 약물치료를 시도해 볼 수 있지만 효과가 없는 경우가 많다.

⑧ 정신건강의학과 협진이 잘 이루어진다면 70% 양호한 예후를 보인다고 한다.

정신건강의학과에서 제시하는 치료 원칙들은 다음과 같다(허규형; 2020).

① 고통은 실제로 존재한다: 꾀병으로 쉽게 단정해선 안 된다.

② 꾀병도 병이다.

③ 환자에게 공감(empathy)을 표시한다.

④ 환자 스스로 인지 및 행동방식을 변화시킬 수 있도록 유도한다.

⑤ 복식 호흡, 심호흡은 스트레스 완화 및 통증 치료에 도움을 준다.

⑥ 환자를 힘들게 하는 상황들이 소멸될 수 있도록 배려한다.

정신건강의학과 진료의뢰가 매우 필요하지만 환자들이 강한 거부감을 표명하고 응하지 않는 경우가 많다. 다음과 같은 방식으로 설명하고 진료를 적극 권유한다.

"치과적 문제는 없습니다. 또는 치과적 문제가 ○○○이긴 하지만 현재의 환자 증상과는 관련성이 거의 없습니다. 정신질환이 있어서 정신건강의학과에 의뢰하는 것이 아닙니다. 정신건강의학과에서는 스트레스, 만성통증과 관련된 심리적 변화, 만성통증의 진단 및 치료를 담당하며 치과와 협진할 경우 좋은 결과를 얻을 수 있습니다."

6 심장 원인의 두개안면통증

치과의사들은 심장으로부터 전이된 두개안면통증에 대해 잘 알고 있어야 한다. 가령 운동할 때 통증이 심해지고, 쉬면 통증이 완화되는 경우 심장 원인의 구강안면통증을 의심해 볼 필요가 있다. 허혈성 심장질환으로 입원 치료를 받았던 248명의 환자들 중 34.2%에서 두개안면부 통증이 발생하였고 남자보다 여자에서 빈도가 높았다. 심근경색에 의해 유발된 두개안면부 통증 분포는 좌측 하악골 14.6%, 우측 하악골 15.5%, 좌측 턱관절, 귀 9%, 우측 턱관절과 귀 7.8%였다. 심근경색이나 협심증과 같은 심장질환에 의해서 치아나 아래 턱의 통증이 발생할 수 있고, 통증은 좌측에서 호발하는 경향을 보이며 심작발작의 전조증상으로 발생하는 경우도 있다. 심장질환자가 원인 모르는 치통이나 턱의 통증이 있을 경우 치과보다는 먼저 응급실에 내원하여 심장의 진단을 받아야 치명적인 결과를 피할 수 있다(Danesh-Sani SH et al; 2012).

허혈성 심장질환(협심증, 심근경색)을 보유한 환자들은 종종 팔, 어깨, 목, 두개안면부 및 치아들로 파급되는 통증을 경험한다. 두개안면통증은 치성 통증과 감별이 필요하며 압박감, 작열감 및 숨이 막히는 듯한 통증으로 나타나고 치성 통증에 비해 덜한 양상을 보인다. 운동이나 스트레스에 의해 통증이 악화되며 Nitroglycerin 복용 시 흉통과 연관통이 사라지는 양상을 보인다(Falace DA; 1995, Kreiner M, et al; 2010).

허혈성심장질환(ischemic heart disease)은 흉통을 유발하면서 좌측 팔, 어깨, 목까지 통증이 파급되며 이와 같은 증상을 협심증(angina pectoris)이라고 칭한다. 협심증은 종종 치아, 턱, 구강안면 부위로 연관통을 유발하기도 한다(Eslick GD; 2005, Kosuge M, et al; 2006). 협십증은 증상에 따라 다음과 같이 3가지 유형으로 분류한다(Therous P; 2004).

① Stable angina: 운동으로 악화되고 쉬면 완화된다.
② Unstable angina: 휴식이나 가벼운 운동에 의해서도 증상이 발생한다.
③ Atypical angina (microvascular angina): 취침 혹은 휴식 중에도 통증이 발생할 수 있고 관상동맥질환이 발견되지 않는 경우도 많이 있다.

협심증 환자들은 대부분 발한(sweating), 쇠약(weakness), 구역질(nausea), 호흡곤란(dyspnea), 구토(vomiting) 증상들이 동반되는 경우가 많다(Kosuge M, et al; 2006). 협심증 혹은 심근경색증이 존재할 때 구강안면 부위에 통증이 존재하는 빈도는 약 4-18%로 보고되었다(Culic V, et al; 2001, Kosuge M, et al; 2006). 간혹 허혈성 흉통과 함께 두통이 존재하는 경우도 있으며 심장성 두통(cardiac cephalalgia)이라고 칭한다. 운동에 의해 두통이 악화되고 구역질이 동반되는 경우가 많으며 심근경색 환자들 중 심장성 두통이 존재하는 빈도는 약 3.4-5.2%, 턱 통증 3.6%, 목 통증 8.4%로 보고되었다(Culic V, et al; 2001). 심혈관질환으로 인해 목, 턱, 머리에 발생하는 연관통은 운동에 의해 심해지지만 휴식하거나 심장치료가 잘 이루어지면 없어지는 경향을 보인다(Gutierrez-Morlote J & Pascual J;2002). 편두통과 심장질환 간의 연관성이 있으며 두통 환자들에서 심혈관질환 발생 위험이 증가된다는 보고도 있었다.

7 이글 증후군(Eagle' syndrome)

경상돌기(styloid process)의 증식 및 석회화로 인해 두개안면부와 경부에 통증이 발생하는 질환으로서 턱관절장애 혹은 치성 통증과 혼동되기도 한다. 연하 시 통증 및 연하 장애, 귀까지 통증이 파급되고, 인후부 이물감, 비정형 설인신경통이 동반되기도 한다. 머리 위치를 바꿀 때 통증이 심해지며 어깨 통증, 구강내 통증, 저작 곤란 등의 증상이 발생하기도 한다. 편도선 부위 촉진 시 통증이 발생하고 리도카인 침윤마취와 파노라마 방사선 사진을 통해 쉽게 진단이 가능하다. 치료는 외과적으로 경상돌기를 골절시키거나 제거하는 것이다(김인숙 등; 1996, Badhey A, et al; 2017).

8 신경병성 통증(Neuropathic pain)

확실한 기전을 알 수 없지만 손상받은 말초감각신경과 교감신경의 신경가소성변화(neuroplastic change)와 관련이 있을 것으로 생각되고 있다. 즉 유해자극이 연속적으로 가해지면 뇌간의 삼차신경핵 기저부(trigeminal subcaudalis)에 중추감작이 발생한다. 중추감작에 의해 야기된 신경섬유의 변화는 악안면 근육의 과활성화를 유발하고 다시 신경섬유들을 자극하여 중추감작을 더욱 악화시키면서 신경병성 통증이 나타나게 된다. 자극을 전달하는 신경섬유(afferent nerve)가 손상되어 변성되면 신경섬유는 중추 쪽으로 지속적으로 비정상적인 신호를 보내게 된다. 손상된 신경섬유에서 인근 조직으로 신경눈(nerve sprouting)을 만들거나 말초신경 말단에 신경종(neuroma)을 만든다. 근처에 존재하는 교감신경과의 사이에 기능적인 연결망을 만들고, 중추 쪽에서도 신경 말단에 구조적인 변화를 유발하고, 이러한 신경섬유들의 변성이 신경병성 통증을 유발하는 것이다. 통증 유발 원인이 해소된 후에도 통증이 지속될 수 있으며 이상감각, 이질통, 통각과민, 지각소실, 교감신경 기능이상 등의 증상이 동반될 수 있다. 대개 "화끈거린다", "저린다", "조인다". 쥐어짜는 듯하다", "가렵다", "전기가 통하는 듯하다", "타는 듯이 혹은 찌르는 듯한 통증" 등의 이상증상을 호소한다(구윤성; 2012). 한편 Botulinum toxin A가 신경병성 통증 조절 목적으로 사용될 수 있다. 즉 통증이 존재하는 부위의 주변 점막 혹은 피부에 주사하면 중추신경계 및 이차 뉴런(secondary neuron)으로 통증이 전달되는 것을 억제할 수 있다는 가설이 제기된 바 있다(Matsuka Y; 2013).

중추로 지속적인 유해자극이 가해지면 중추는 이를 통증으로 해석하고 교감신경계가 활성화된다. 더 많은 norepinephrine이 분비되면서 신경말단의 α1 receptor는 더 많은 유해자극을 유발하게 된다. 그러면 말초, 중추, 교감신경으로 이어지는 일종의 악순환의 고리가 형성되어 통증이 만성적으로 유지되는데 이를 교감신경성지속통증(sympathetically maintained pain, SMP)이라고 한다. 이 상태에서는 유해자극을 전달하는 감각신경을 국소마취 하여도 통증이 사라지지 않기 때문에 통증 조절을 위해 성상신경절 차단(stellate ganglion block, SGB)과 같은 교감신경차단술을 시행해야 한다.

1) 통증의 발현 양상에 따른 분류(고명연; 2002, 대한구강안면통증 및 측두하악장애학회; 2006, 안종모; 2011, 정성창; 2002, Sharav Y & Benoliel R; 2008)

(1) 발작성

삼차신경통, 설인신경통, 상후두신경통(superior laryngeal neuralgia)

(2) 지속성

포진후 신경통(postherpetic neuralgia), 외상/수술 후 신경통과 같은 구심로차단통증 증후군(deafferentiation pain syndrome), 작열통(causalgia)과 반사 교감신경성 위축(reflex sympathetic dystrophy)을 포함한 교감신경성 지속통증(sympathetically maintained pain), 기타 비정형 치통/비정형 안면통증(atypical toothache/atypical facial pain), 지속적인 특발성 안면통증(persistent idiopathic facial pain), 구강작열감 증후군(burning mouth syndrome), 환상통증 증후군(phantom pain syndrome) 등의 용어들이 혼용되어 사용되고 있다.

2) 삼차신경통(trigeminal neuralgia, tic douloureux)

삼차신경통의 확실한 원인에 대해서는 밝혀진 것이 없지만 다양한 병인론이 제시되기도 하였다. Eisenberg E(2016)는 81세 여자 환자가 맵고 신 음식을 먹을 때 심한 삼차신경통이 유발되는 증례를 보고하였다. 따라서 transient receptor potential vanilloid 1 receptors (TRPV1)와 상호작용하면서 삼차신경의 C-fiber afferents의 직접적인 활성화로 인해 통증이 발생할 수 있다는 의견이 제시되었다. 한편 외상을 유발하는 치과치료에 의한 신경손상과 비정상적인 자극이 삼차신경통의 원인 요소로 관여할 수 있다는 의견도 제시된 바 있다(민병일 등; 1993).

(1) 임상적 특징 및 진단

① 수초-수분간 통증이 지속되다가 사라지는 휴지기가 존재한다.
② 주로 편측성으로 발생한다.
③ 전기쇼크와 같은 발작성 통증 양상을 보인다.
④ 발통점 부위를 건드리거나, 양치질, 저작운동 시 통증이 시작되지만 저절로 통증이 발생하기도 한다.
⑤ 관련 신경을 국소마취하면 통증이 소멸된다.
⑥ 삼차신경의 1개 이상 분지에 발생하며, 삼차신경의 분포를 넘어서 퍼지지 않는다.
⑦ 심한 통증으로 인해 이환측 안면근의 수축을 촉발하는 경우가 있어서 tic douloureux라는 용어가 사용되기도 하였다.
⑧ 이환측에서 눈충혈, 눈물분비(lacrimation)와 같은 자율신경 관련 증상들이 나타나기도 한다.
⑨ Blink reflex test, QST, EMG와 같은 신경생리학적 검사가 보조적으로 시행될 수 있다.

(2) 치료

삼차신경통 치료 시 가장 효과적이고 검증된 약물 치료는 Carbamazepine 계열의 항경련제이지만 체계적 문헌고찰 연구에서 높은 수준의 근거를 가진 효과적인 약물은 거의 없었다(Chole R, et al; 2007). 과거부터 다양한 치료법들이 제시되어 왔지만 신경병성 통증의 일종이기 때문에 앞에서 언급된 물리치료, 약물치료, 주사치료 등을 복합적으로 적용하면서 환자에게 부작용이 적으면서 가장 효과가 좋은 방법을 찾아내는 것이 중요하다. 모든 치료에 효과가 없을 경우 외과적 치료를 고려해 볼 수 있지만 수술이 매우 침습적이기 때문에 확실한 적응증에 해당되는 경우에 시도해야 한다.

① **저용량의 항경련제**(Anticonvulsants)

현행 대한민국 건강보험에서는 삼차신경통 치료 약물로 Carbamazepine만 인정하고 있다. 부작용이 적고 효과가 있는 Oxcarbamazepine, Gabapentin 등과 다른 약물들을 처방할 경우 보험으로 인정받지 못하는 경우가 많다. 부득이 환자에게 비급여 약제임을 설명하고 처방해야 하지만 임의 비급여로 추후 문제가 될 수도 있으니 주의해야 할 것이다. Sharav & Benoliel(2015)는 1차로 Carbamazepine 계열의 약물을 투여하고 효과가 없으면 Baclofen 혹은 Lamotrigine을 추가해서 처방한다. 그래도 효과가 없으면 Gabapentin을 투여해 볼 것을 추천하였다.

A. Carbamazepine, Carbamazepine controlled release, Oxcarbazepine, Baclofen, Lamotrigine, Gabapentin, Topiramate, Pregabalin, Clonazepam, Dilantin sodium

B. Gabapentin은 다른 약물과 상호작용이 거의 없고 부작용도 매우 적은 것으로 알려져 있다(Huang D, et al; 2011).

② 주사 치료

A. **신경 말단부에 글리세롤 주사**(peripheral glycerol injection, PGI)

글리세롤을 안와하부에 0.5 cc, 이신경 주변에 0.5 cc, 하치조신경 주변에 1.5 cc 1회 주사하고 통상적인 약물요법을 계속 시행하면서 재발되면 재주사한다. 1983–1996년 사이에 157명의 삼차신경통 환자에게 주사하여 98%의 높은 초기 성공률을 보였고 4년까지 관찰한 결과 154명의 환자들에서는 거의 통증이 완전히 소멸되었다는 논문이 발표된 바 있다. 합병증이 적으면서 높은 성공률을 보이고 술식이 간단하여 유용한 술식이지만 최근에는 거의 사용되지 않는다. 아마도 글리세롤 관련 독성 때문인 것으로 추정된다(Erdem E & Alkan A; 2001, Fardy MJ & Patton DW; 1994).

B. **신경 말단부에 알코올 주사**(alcohol injection)

하악골 내측으로 들어가는 하치조신경 주변에 무수 알코올(absolute alcohol)을 0.5 mL 정도 주사한다. 첫 주사 후 통증 완화 효과가 11–13개월까지 지속된다는 보고가 있으며 약물치료에 반응을 보이지 않을 경우와 외과적 치료를 하기 전에 시도해 볼 수 있는 치료법이다(Fardy MJ, et al; 1994, Litter BO; 1984, Niall MH & Patton DW; 2007).

C. **Streptomycin sulfate 1.0 gm dissolved in 2% lidocaine HCl 2–3 mL**

1주 간격으로 5회 신경 주위에 주사한다. 하치조신경 2 mL, 이신경 1 mL, 안와하신경 1 mL, 설인신경 1–2 mL 주사 후 레이저 치료를 병행하면 효과가 좋다고 한다. 통증조절 기전은 주사 후 신경 세포막이 안정되고 신경 말단부에서 acetylcholine 방출을 억제한다. 유해 수용기의 통증 감각 인지 능력이 감소되면서 통증이 완화된다(Kreiner M; 1996, Stajcic Z, et al; 2002). Streptomycin이 피부괴사가 동반된 tuberculous laryngitis 치료 시 국소적으로 사용한 결과 통증 조절에 효과적인 것이 우연하게 관찰되었다. 즉, 목 통증이 줄어드는 것이 관찰되었으며 이후 치과영역에서 안면통증을 치료할 목적으로 Halasz and Zappe (1963)에 의해 처음 사용되었다(Bittar GI & Graff-Radford SB; 1993, Stajcic Z, et al; 1990). Sokolovic 등(1986)은 20명의 삼차신경통 환자들에게 1 g streptomycin dissolved in 1-2 ml of lidocaine을 3-7일 간격으로 5회 주사한 결과, 14명의 환자들이 12-18개월 동안 통증이 없었고 4명의 환자들은 2-5년 동안 통증이 없었다고 보고하였다. 포진 후 신경통 치료에도 효과적으로 사용할 수 있으며 수반된 신경의 말단 분지에 1주 간격으로 6주간 주사하고 통증이 남아있으면 2주 후 1회 더 주사하였다. 모든 환자들을 1년간 관찰한 결과 현저한 통증 완화 효과를 확인하였다(Waghray S, et al; 2013). Stajcic 등(1990)은 특발성 삼차신경통 치료에 적용한 결과 초기 통증 완화는 효과적이었지만 장기적 관점에서는 그다지 효과가 좋지 못했다고 보고하였다.

D. Adriamycin

신경 말단부에 주사할 경우 전신 부작용이 없이 뉴론(neurons)을 변성시킨다. Hu는 42명의 삼차신경통 환자들에게 Adrimycin 주사 후 24시간 내에 통증이 경감되는 것을 관찰하였으며 이 치료법은 안전하며 신뢰성이 있고 합병증이 없는 유용한 치료법이라고 언급하였다(Hu YS; 1993, Saiki M, et al; 1995).

③ 외과적 치료

말초신경 절단술이 가장 간단하면서도 효과적인 수술 방법이지만 절단된 신경 부위의 영구적인 감각 마비가 있고 술후 6개월에서 2년 사이에 재발하는 경우가 많다. 말초신경 절단술 후 효과가 없거나 재발하는 경우엔 신경외과적 수술(하행 삼차신경로 절단술, 삼차신경근의 미세혈관 감압술, 삼차신경절의 경피적 풍선 압박술)이 필요할 수도 있다.

A. 말초신경 절제술(peripheral neurectomy)

삼차신경의 말초 부분을 절제하는 방법이다. 재발률이 높지만 침습적 대수술에 견디기 힘든 70세 이상 고령 환자에서 선택적으로 시행될 수 있다. 말초신경절제술과 Carbamazepine 투여를 함께 할 경우 장기간의 통증 완화에 효과적이라는 보고도 있었다(Aling CC & Van Alstine RS; 1995, Mason DA; 1972, Mruthyunjaya B & Raju CG; 1981).

B. 미세혈관감압술(microvascular decompression)

Retromastoid craniectomy with intracranial rhizotomy가 신경혈관 감압효과를 가장 잘 얻을 수 있으며 삼차신경통의 외과적 치료 중 가장 효과적인 방법으로 알려져 있다. peripheral ablative procedures (PAP) & percutaneous rhizotomy (PR)는 intracranial rhizotomy에 비해 높은 재발률을 보인다고 보고되었다.

C. 감마나이프 방사선 치료

통증 재발은 미세혈관감압술에 비해 다소 많은 듯하지만 치료에 따르는 합병증이나 사망률은 월등히 낮거나 거의 없어서 최근 삼차신경통에 대한 효과적인 치료법의 하나로 인식되고 있다. 이 수술이 실패할 경우 미세혈관감압술이나 글리세롤 신경절 파괴술을 시행한다.

D. Cryosurgery

가역적이며 반복적으로 적용할 수 있고 치료 후 영구적인 감각둔화가 발생하지 않는 장점이 있다(Zakrzewska JM; 1986).

(3) 삼차신경통 환자들이 많이 하는 질문들은 다음과 같으며, 숙지하고 있으면 진료에 큰 도움이 될 것이다(이정교; 2006).

① 검사법은?

임상검사와 다른 질환 감별을 위한 정밀검사 시행 후 쉽게 진단할 수 있다. 삼차신경통 증상을 보이는 40세 이하 환자들은 brain MRI 촬영을 적극적으로 고려하는 것이 좋다고 한다. 그러나 치명적인 뇌종양이 존재할 수도 있다는 가능성을 고려하면 삼차신경통 환자 모두에게 brain MRI 촬영의 필요성이 추천되기도 한다(고홍섭; 2015). 간혹 삼차신경과 관련된 종양이나 혈관 병소를 찾기 위해서 혹은 수술적 치료를 위한 전검사를 위해 MRI, 핵의학 검사를 하기도 한다.

② 삼차신경통은 저절로 없어질 수도 있는가?

간혹 그럴 수도 있지만 매우 드물다. 통증이 지속되다가 통증이 없는 시기가 수개월, 길게는 수년이 될 수도 있고 다시 재발하는 경향을 보인다.

③ 유전과 관련이 있는가?

유전성 질환은 아니다. 그러나 5%의 환자들에서는 가족력이 있다고 보고되고 있다.

④ 계절과의 연관성

확실한 근거는 없지만 봄, 가을에 심해질 수 있다는 보고가 있었다.

⑤ 치과 치료가 삼차신경통의 원인이 될 수 있는가?

그렇지 않다. 대부분 잠재적인 삼차신경통 환자가 치과 치료 후 스트레스 등으로 인해 증상이 촉발되는 경우가 많다.

⑥ 치료를 늦게 시작하면 치료가 더 어려운가?

통증이 계속 진행되고 시간이 갈수록 치료에 반응을 안 하는 경우가 많아지고 있다. 이런 경우 수술적 치료를 초기에 시행하는 것이 효과가 좋을 수도 있다.

2) 비정형 치통(atypical toothache, atypical odontalgia) 혹은 비정형 안면통(atypical facial pain)

이 용어들은 phantom toothache 등과 함께 과거에 주로 사용되던 용어이며, 최근 발표된 국제구강안면통증분류로는 persistent idiopathic facial pain, persistent idiopathic dentoalveolar pain에 해당한다(Box 13).

Box 13 **비정형 안면통(치통)과 의미가 동일한 용어들**

- *Atypical odontalgia (toothache)*
- *Phantom toothache*
- *Atypical Facial Pain (AFP)*
- *Persistent Idiopathic Facial Pain (PIFP)*
- *Persistent Idiopathic Dentoalveolar Pain (PIDP)*

(1) 임상적 특징 및 진단

환자들에게는 이해가 쉽도록 원인 불명의 치아 및 안면 신경통이라고 설명한다. 근관치료나 발치 치료를 받은 환자의 1.6%에서 발생하며 30–50세 여성에서 빈발한다. 50% 이상의 환자들이 두통을 호소하고 구치부에서 호발한다. 3개월 이상 증상이 지속되며 하루 중에 증상이 자주 변하고 통증 부위가 바뀐다. 둔한 통증, 쑤시는 듯한 통증, 무거운 느낌으로 표현하는 경우가 많다. 각종 검사에서 이상이 없으며 냉각과 온열 자극에 영향을 받지 않고 타진통이나 교합통도 없다. 식사에도 거의 지장이 없으며 진통제나 국소마취제로 통증이 소멸되지 않는다. Durhan 등(2013)은 Box 14와 같이 10가지 특징을 제시하였다.

Box 14 **Patient's self-reported items for the diagnosis of persistent dentoalveolar pain (Durhan J, et al; 2013)**

1. *This pain never stops; it seems to always be there.*
2. *This pain is generally a dull ache.*
3. *There can be times when the pain intensity increases (pain attack) and then it returns to its usual level.*
4. *This pain gets worse with changes of atmospheric pressure, for example during bad weather, scuba diving, airplane travel.*
5. *I feel I am able to locate the pain accurately, for example to a particular tooth or small area in my mouth.*
6. *This pain feels like it is deep within the tooth or jawbone.*
7. *This pain feels like a pressure within the tooth or jawbone.*
8. *This pain is difficult for me to describe to others.*
9. *Some words that might help describe my pain include peculiar itchy, tingling, or prickling feelings.*
10. *This pain feels different than the toothache I had previously.*

(2) 치료

물리치료는 부작용이 없으면서 통증을 경감시킬 수 있고 환자의 심리적 측면에서도 긍정적 반응을 유도할 수 있다(Melzack R; 1975). 중요한 것은 개별 환자들에게 가장 적합한 치료법을 찾아내는 것이다. 일차로 선택되는 약물들은 Tricycline antidepressants (TCA: amitriptyline, nortriptyline), Selective serotonin-norephinephrine reuptake inhibitor (SSNRI: duloxetine, venlafaxine), Gabapentin, Pregabalin이다(Okeson JP; 2014).

(3) 경과

Pigg 등(2013)은 비정형 치통을 가진 46명의 환자들을 장기간 관찰한 결과 37명의 환자들만 데이터 분석이 가능하였다. 35%의 환자들은 통증이 현저히 개선되었고 60%의 환자들은 약간 호전되거나 변화가 없었으며 5%의 환자들은 더욱 악화되었다. 임상적 관점에서 볼 때 비정형 치통은 시간이 경과하면서 약간 증상이 호전될 수 있다. 그러나 처음 발생한 통증의 정도가 경미하거나 중등도일 경우엔 환자들의 대다수에서 통증이 지속되는 경향을 보인다고 보고하였다.

3) 외상후 신경병성 통증(post-traumatic neuropathic pain)

(1) 원인 및 진단

외상, 감염, 신생물, 아교질증(collagenosis), 아밀로이드증, 당뇨성 다발신경근병증, 다발성경화증, 겸상적혈구성 빈혈, 양성림프육아종증 등이 관여하는 것으로 알려져 있다. 그러나 원인 불명의 통증이 발생하는 경우도 매우 많다(임현태; 2011). 임플란트, 발치 등과 같은 치과 수술, 턱교정 수술, 근관치료, 안면부 외상 등과 같은 명백한 외상 경험이 있은 후 지속적으로 화끈거리는 통증을 호소하는 경우가 많다. 조직이나 신경에 가해진 외상은 염증을 유발하며, 초기 염증 반응이 신경병성 통증의 시작에 아주 중요한 역할을 하게 된다. 특히 삼차신경계의 구조물들은 폐쇄된 공간 속에 놓여 있어서 염증으로 인한 압력이 증가하면서 신경손상을 일으킬 수 있다. 어떤 학자들은 직간접적인 외상으로 인해 발생한 삼차신경병변(trigeminal neuropathy)을 peripheral painful traumatic trigeminal neuropathy (PPTTN)이라 명명하였고 96%에서 이질통(allodynia), 통각과민증(hyperalgesia) 혹은 통각저하증(hypoalgesia)과 같은 감각이상이 동반되며 오직 1%만이 마비(anesthesia) 증상을 보였다고 보고하였다(Benoliel R, et al; 2012, Renton T; 2010). 한편 삼차신경 분지가 직접 손상받았을 경우 만성통증 발생률은 3-5%라고 보고되었다(Benoliel R, et al; 2005, Jaaskelainen SK, et al; 2004, Polycarpou N, et al; 2005). 어떤 학자들은 전통적인 근관치료 후 만성 신경병성 통증 발생률은 3-13%, 외과적 근관치료 후에는 약 5%라고 보고하였다(Campbell RL, et al; 1990, Eliav E & Gracely RH; 1998, Klasser GD, et al; 2011, Lobb WK, et al; 1996, Nixdorf DR, et al; 2010, Polycarpou N, et al; 2005). 관골복합체 골절 후 안와하신경의 경미한 감각 저하는 일반적으로 많이 발생하는 증상이지만 간혹 3.3%의 비율로 만성 신경병성 통증이 발생하기도 한다(Benoliel R, et al; 2005). 치과 임플란트 수술 후 1-8%, 턱교정 수술 후 5-30%에서 영구적인 감각이상이 발생하지만 만성통증의 발생 빈도는 불분명하다(Cheung LK & Lo J; 2002, Greeg JM; 2000, Walton JN; 2000). 근관치료 후에 지속적인 통증을 유발하는 요소들은 **Box 15**와 같다.

Box 15 **근관치료 후 지속적인 통증을 유발하는 요소들(Polycarpou N, et al; 2005)**

1. 치료 전 치아 증상이 매우 심했던 경우
2. 술전 통증이 매우 오랜 기간 존재했던 경우
3. 이전에 만성통증 문제를 경험한 환자
4. 구강안면 부위에 통증이 심한 치료를 받은 병력
5. 여자 환자

신경손상은 신경병성장애(neuropathic disorder)의 하나로 볼 수 있다. 특히 화끈거리거나 쏘는 듯한 통증이 존재할 경우에는 외상성 신경종(traumatic neuroma)과 같은 병변으로 진행될 수 있으며 예후가 좋지 않다. 외상과 연관되어 발생하는 경우가 많기 때문에 painful traumatic trigeminal neuropathy (PTTN) 혹은 painful posttraumatic trigeminal neuropathy (PPTTN)라고 명명하는 경우가 많으며 전통적인 삼차신경통과 많이 다르다(Haviv Y, et al; 2014). 삼차신경손상에 의해 발생하는 안면 통증은 deafferentiation pain, phantom tooth pain, atypical odontalgia, atypical facial pain, anesthesia dolorosa, posttraumatic neuralgia, persistent idiopathic facial pain과 같은 다양한 용어로 표현되어 왔었다(Benoliel R, et al; 2012). PTTN 환자들의 11%만 약물치료 후 50% 이상의 통증 감소를 보였다. 반면 classical trigeminal neuralgia 환자들(대조군)은 약물 치료 후 74.1%에서 통증의 현저한 감소를 보였다고 보고되었다.

외상 후 삼차신경 신경병성통증의 진단기준은 다음과 같다.

① 외상(역학적, 온도, 방사선, 화학적 손상)과 연관되어 발생하며 편측 혹은 양측으로 모두 나타날 수 있다.
② 외상 후 6개월 이내에 증상이 발생하여 3개월 이상 지속된다.
③ 삼차신경의 분포 범위 내에서 통증이 발생한다.
④ 감각이상이 동반되는 경우가 많다.

(2) 치료

치료 전에 국소마취를 시행하고 치료 중에도 국소적인 침윤 혹은 전달마취를 추가로 시행함으로써 말초 신경에 지속적으로 가해지는 유해자극으로 인해 중추성 감작이 발생하는 것을 방지하는 예방 효과를 얻을 수 있다(Kelly DG, et al; 2001). 물리치료, 약물치료, 주사치료 등이 단독 혹은 복합적으로 사용되며 약물치료도 단독으로 사용하는 것보다 2가지 이상의 복합 요법이 많이 사용된다. Kraut & Chahal(2002)는 초기에 5–7일간 스테로이드를 테이퍼링 요법으로 투여한 후 3주간 NSAIDs를 투여하면 효과가 좋다고 보고하였다. 만성화되면서 신체화증상이 나타나고 환자에게 심한 정신적 고통을 유발하는 경우에는 정신건강의학과 협진 치료를 고려하는 것이 좋다. 오래전부터 원인 불명의 구강안면통증을 호소하는 환자들에게 시행하는 약물치료 및 물리 치료의 예후는 대체로 효과적인 것으로 나타났다. 환자가 호소하는 증상들을 잘 파악하고 적절한 임상검사와 부가적인 검사들을 적절히 시행하여 감별진단을 정확히 수행한 후 적절한 처치가 시행되면 우수한 치료 경과를 보일 수 있다(Melzack R; 1975).

(3) 사례

① 임플란트 식립 후 발생한 신경병성 통증

Leckel 등(2009)은 드릴링 과정 중 하치조관 상방에 경미한 천공이 발생한 후 지속적인 신경병성 통증이 발생한 증례를 보고하였다. 원인이 되는 임플란트를 제거한 후 1년에 걸쳐 서서히 통증이 경감되었으며, 간헐적으로 짧은 주기의 통증이 발생하는 경우엔 0.025% Capsaicin cream을 통증 부위에 cotton swab으로 국소 적용하여 잘 조절하였다고 보고하였다.

② 임플란트 식립 후 지속적인 특발성 안면통증(persistent idiopathic facial pain)이 발생한 증례

Queral-Godoy 등(2006)은 55세 여자 환자에서 하악 전치부에 임플란트 2개를 식립한 후 지속적인 통증이 발생한 증례를 보고하였다. 15개월간 VAS 9-10 수준의 심한 통증이 지속되었고 임플란트를 2개 모두 제거하였으나 통증이 해소되지 않았다. Carbamazepine, Oxcarbazepine, Gabapentine, Amitriptyline과 같은 약물에도 전혀 효과가 없었다. 정신건강의학과 치료가 병행되었는데 현재의 병적 상태에 대해 환자에게 잘 설명하고 통증을 자가 조절하는 요법에 대한 교육이 이루어졌으며, 25 mg Nortriptyline + 0.5 mg Clonazepam을 2주간 투여한 후 통증이 약 50% 감소되었다. 50 mg Nortriptyline + 0.5 mg Clonazepam을 취침 전에 계속 복용하면서 75 mg Nortriptyline, 1 mg Clonazepam 까지 용량을 서서히 증가시킨 결과 치료 2개월 후 통증이 75%까지 경감되었다. 치료 7개월 후 통증이 거의 소멸(0/10 VAS)되었으나 촉진 시 약간의 과민반응은 남아 있었다.

4) 대상포진후신경통(postherpetic neuralgia)

대상포진이 해소된 이후, 3개월 이상 지속되는 통증으로 정의된다. 50세 이상의 노년층에서 호발하며 몸통, 삼차신경, 안면신경, 설인신경, 미주신경 등과 연관된 통증이 주로 발생한다. 접촉 시 과민성 통증과 조직 심부에서 느껴지는 작열감을 호소한다. 미각변화, 타액과 눈물분비 감소, 안면표정근 이상 혹은 안면신경 마비 증상이 동반되기도 한다. 치료는 통증을 경감시키기 위한 증상치료에 국한된다. Gabapentin, Pregabalin, Divalproex sodium과 같은 항경련제가 단기간의 통증 강도를 감소시키는 데 효과가 있지만 확실한 효과를 입증하기 위해선 양질의 방법론을 도입한 임상연구들이 필요하다(이정교; 2006, Alling CC & van Alstine RS; 1955, Salah S, et al; 2016, Saler G; 1986, Zakrzewska JM; 1980). Capsaicin patch, 삼환계 항우울제, 마약성 진통제, 리도카인 연고 등이 사용될 수 있다.

5) 구심로차단통증(deafferentation pain), 무감각부위 통증(anesthesia dolorosa)

말초신경이 절단되거나 손상받으면 구심성 자극(afferent impulses)이 차단되면서 마비증상이 나타난다. 감각이 마비되었음에도 불구하고 통증과 같은 이상 증상이 발현될 수 있는데 이것을 "무감각부위 통증"이라고 부른다. 신경섬유가 절단되면 세포말단에서 외부로부터의 자극을 수용하는 수용체들이 흘러나오게 된다. 이들은 주변의 화학 및 물리적 자극에 매우 민감하여 이 현상 자체가 유해자극을 일으키는 원인이 되면서 신경 절단 그 자체만으로도 만성 통증의 원인이 될 수 있다(근관치료, 발치 등). 통증 감각은 지속적으로 자극이 가해질수록 자극에 더욱 민감해지는 경향을 보인다. 지속적인 유해자극의 유입은 중추신경의 과흥분 상태(중추의 민감화: 중추감작, central sensitization)를 일으키게 된다. 중추감작은 시간이 지나면서 더욱 증대되고, 방치하면 교

감신경계가 관여하는 복잡한 통증으로 발전하게 된다.

마비된 부위뿐만 아니라 다른 부위에서 이상 통증이 나타날 수도 있다. 미세신경수술을 통한 외과적 감압술(surgical decompression), 캡사이신이나 리도카인 연고 국소도포, 삼환계 항우울제 투여 등을 고려할 수 있으나 안면통증 전문가와 협진하는 것이 가장 바람직하다.

6) 반사 교감신경성 위축 증후군(reflex sympathetic dystrophy syndrome, RSDS)

복합부위 통증증후군(complex regional pain syndrome), 작열통(causalgia), 교감신경성 지속 통증(sympathetically maintained pain)이라는 용어들로 사용되고 있다. 유발 요인들은 외상, 전신질환, 약물, 신경손상, 외과적 수술 등이며 심혈관질환과 관련성이 없고 원인을 모르는 경우도 약 10%를 차지한다.

Markoff & Farole (1986)는 20세 여자 환자의 매복지치 발치 후 RSDS 증상이 악화되었던 증례를 보고하였다. Jaeger 등(1986)은 악안면 악성종양 수술, 총상과 같은 관통상, 두부 손상, 어려운 치과수술 후에 안면부에 반사 교감신경성 위축이 발생할 수 있으며 지속적인 작열감, 저림증(tingling) 혹은 찌르는 듯한 통증(stabbing pain)이 존재하고 접촉, 열, 차가운 것 혹은 정서적 스트레스에 의해 악화되는 경향을 보인다고 언급하였다.

(1) 임상증상

① 감각이상을 동반한 화끈거리거나 따끔거리는 통증(burning or pricking pain)을 호소한다.

② 환자들의 3/4에선 휴식 시에도 통증이 발생하며 움직임이나 관절 압박이 통증을 더욱 악화시킨다.

③ 온도 및 기계적 자극에 대한 민감성이 저하되며 통각과민증과 이질통이 동반되는 경우가 많다.

④ 쇠약(weakness), 수축(contraction), 섬유화(fibrosis), 떨림(tremor)과 같은 운동관련 증상이 수반되고 자율신경계 증상들이 나타나는 경우가 많다. 즉 급성기에는 피부 혈관확장으로 인한 피부 발적과 부종이 나타나지만 만성기에는 혈관이 수축되면서 차갑고 푸른색의 피부(cold bluish skin)와 발한(sweat, diaphoresis)이 증가된 양상을 보인다(Markoff M & Farole A; 1986, Schutzer SF & Gossling HR; 1984).

⑤ 전형적인 RSDS의 증상들은 팔다리 통증 및 종창, 보호성 부동(protective immobility), 동측 팔다리의 영양성 피부 변화(trophic skin changes in the same limb), 털과다증(hypertrichosis), 팔다리의 골다공증, 팔다리의 영구적인 수축이다.

(2) 치료

일차적으로 물리치료를 시도한다. 물리치료에 반응을 보이지 않는 경우 Analgesics, β-Adrenergic blockade, Calcitonin, Localized intravenous reserpine, Guanethidine, Corticosteroids 등의 약물들이 사용되고 교감신경차단술(sympathetic blockade) 혹은 교감신경절제술(sympathectomy)이 시행될 수도 있다. 구강안면통증 전문가, 신경과, 신경외과, 정신건강의학과 등 다학제적 치료 접근이 필요하다.

7) 구강작열감증후군(burning mouth syndrome, BMS)

점막질환이나 다른 기타 질환의 임상적 징후를 보이지 않지만 원인 불명의 작열감성 불편감 혹은 통증이 지속적으로 존재하는 만성적인 구강안면통증 질환의 하나이다. 이 질환은 뒤이어 설명할 특발성 구강안면통증(idiopathic orofacial pain)에 속하며, 국제통증연구회(International Association for the Study of Pain)에서는 임상

검사, 실험실 검사 등에서 이상 소견이 나타나지 않는 혀 또는 구강 점막 부위에서 4-6개월간 지속되는 통증이라고 정의하였다. 폐경기 이후의 여성에서, 나이는 50-60세 사이에 빈발하며 일반인의 1-15%에서 발생한다고 알려져 있다. 남녀 비율은 1:3-1:5 정도이다. 증상은 갑자기 시작되며 지속되는 기간은 3개월부터 12년까지였고 평균 지속 기간은 4개월-3년이다. 주관적인 건조증(subjective dryness) 66%, 어떤 약물을 복용하고 있는 경우 64%, 다른 전신질환을 보유한 경우 57%, 변화된 미각을 호소하는 경우가 약 11% 정도로 보고된 바 있다(Park HJ & Ahn M; 2016, Shivpuri A, et al; 2011). 구강 내 이상소견이 발견되지 않기 때문에 대부분의 환자들이 치과에서 증상을 호소하여도 치과의사들이 증상을 무시하거나 환자들의 불편감을 공감해 주지 않는 데서 많은 불만을 가지게 되며 의료 분쟁으로 비화되고 있다.

(1) 영어 동의어

Glossodynia, glossopyrosis, stomatodynia, stomatopyrosis, sore tongue, oral dysesthesia

(2) 병인론 및 위험요소

확실한 원인은 알려져 있지 않지만 폐경기와 관련된 호르몬 변화, 정신적 소인, 신경병변(neuropathy), 미세순환장애 등이 관여할 수 있다고 한다(강기호 등; 2001). 환자들의 17-33%는 상기도 감염, 치과치료, 약물 복용 혹은 스트레스와 관련하여 질환이 발생하는 경향을 보인다(Klasser GD, et al; 2011).

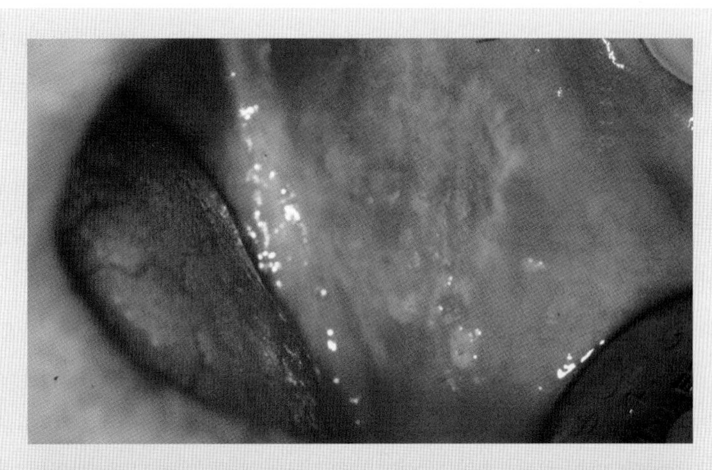

Fig 3. 68세 여자 환자의 좌측 뺨에 발생한 편평태선

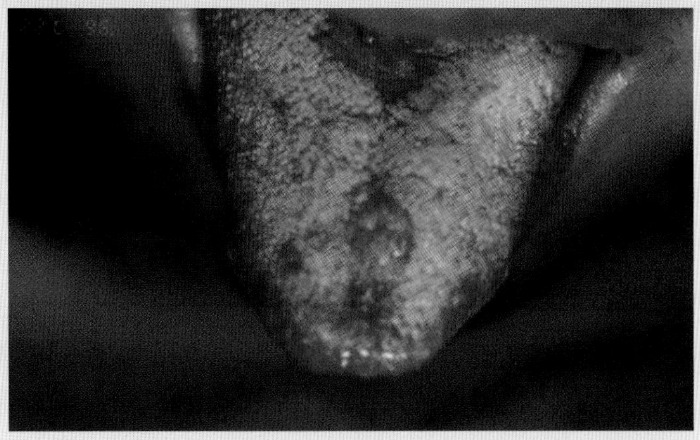

Fig 4. 45세 남자 환자에서 발생한 지도설

Fig 5. 16세 남자 환자의 교정치료 기간 중에 발생한 구강 캔디다증

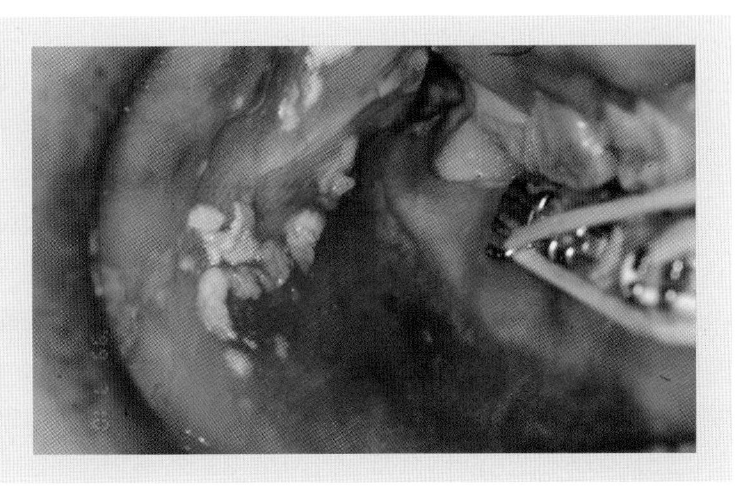

① 국소적 요인

치과치료, 감염, 알러지 반응, 구강악습관, 구강편평태선(oral lichen planus)**(Fig 3)**, 지도설(geographic tongue)**(Fig 4)**, 캔디다증(candidiasis)**(Fig 5)**, 중추신경 혹은 말초신경계 병변

② 전신적 요인

A. 영양결핍, 호르몬 변화, 면역질환, 당뇨병, 구강건조증, 약물 장기 복용(항고혈압제 등)

B. Yoshida 등(2010)은 설통을 주소로 내원한 311명의 환자들을 평가한 결과 10%의 환자들이 아연 결핍이었고, Vitamin B12 결핍 2%, folic acid 결핍 0.6%, 구리 결핍 0.3%였다고 보고하였다.

C. Yoshida 등(2010)은 설통을 호소하는 많은 환자들이 한 가지 이상의 전신질환을 보유하고 있으며 여러 종류의 약물을 복용하고 있었다고 보고하였다. 가장 일반적인 전신질환은 hyperlipidemia 17%, gastritis or gastric ulcer 16%, angina pectoris 13%, diabetes mellitus 10%, thyroid disease 10%, mild mental disorder 9%, hypertension 6%, cerebral infarction 6%, leiomyoma 5%, anemia 5%였다.

③ 심리적 요인

지속적인 불안감, 흥분 상태, 우울증, 암 공포증 등이 BMS의 흔한 원인으로 제시되고 있다(정성희; 2017, Yoo HS, et al; 2017).

④ 기타 원인 요소

역류성 식도염, 골수세포증후군, 전이된 근막 통증 등

(3) 진단

대부분 병력과 임상증상들을 기반으로 진단하게 된다. 간혹 다른 질환들과의 감별진단을 위해 실험실 검사를 필요로 하는 경우가 있다.

① 임상 증상

A. 뚜렷한 구강 내 병소가 존재하지 않음에도 불구하고 혀, 경구개, 구순 등 구강점막의 화끈거리는 듯한 통증이 나타난다. 전방의 혀에만 국한된 경우를 설작열감(glossopyrosis), 혀, 입술, 구개, 잇몸, 뺨 등 다양한 점막을 수반한 경우를 구강작열감(oropyrosis)으로 칭하기도 한다. 환자들은 "쑤신다. 얼얼하

다. 따갑다. 쓰리다, 따끔거린다. 맵다. 화끈거린다. 갑갑하다" 등으로 많이 표현한다.

B. 저절로 증상이 발생하지만 치과치료와 같은 어떤 사건 이후 나타나기도 한다. 환자들의 상당 수는 발병 시기와 원인을 잘 모른다. 그러나 일부 환자들은 치과 치료 후(의치제작, 임플란트, 발치 등), 약물, 출산, 폐경, 입원 치료 후부터 증상이 시작되었다고 호소하기도 한다.

C. 구강건조증, 불쾌감각(dysesthesia), 미각이상(dysgeusia), 갈증 등이 동반된다. BMS 환자의 34-39%가 구강건조증을 가지고 있는 것으로 알려져 있다. 종종 다른 만성통증질환들(이동 홍반, 캔디다증, 편평태선 또는 빈혈성 설염)과 동시에 발생하기도 한다. 근육통, 두통, 어지럼증 등 전신적인 불편감을 호소하기도 한다(김진 등; 2005).

D. 아침에 일어났을 때보다 오후 또는 저녁에 통증이 더 악화된다.

E. 식사에는 지장이 없거나 오히려 통증이 덜 해질 수 있다.

F. 뜨겁거나 맵고 짠 자극성 음식에 의해 불편감이 더욱 심해진다.

② **임상 증상들에 따른 BMS의 분류**(Lopez-Jornet P, et al; 2009)

A. Type I

진행성 통증을 보인다. 아침에 통증 없이 기상하여 시간이 지날수록 통증이 심해지는 양상을 보인다. 전체 BMS 환자의 약 35%를 차지한다. Vit.B12, Vit.B6, Vit.C, 엽산, 아연 등의 영양결핍과 같은 전신 질환과 관련이 있다고 생각된다.

B. Type II

증상이 지속적이며 환자는 작열감으로 인하여 수면 장애를 호소한다. 전체 BMS 환자의 약 55%를 차지한다. 정신적 요인과 많은 관련이 있다고 생각된다.

C. Type III

증상이 간헐적이며 전체 BMS 환자의 약 10%를 차지한다. 특정 allergen과 관련이 있을 것으로 추정되고 있다.

③ Scala 등(2003)은 다음과 같은 임상 소견들을 보일 경우 BMS로 진단한다는 기준을 제시하였다(Box 16).

Box 16 Scala's criteria for BMS diagnosis

Fundamental inclusion criteria

1. *Daily and deep burning sensation of the oral mucosa (bilateral)*
2. *Burning sensation for at least 4-6 months*
3. *Constant intensity, or increasing intensity during the day*
4. *No worsening on eating or drinking. The symptoms may improve.*
5. *No interference with sleep*

Additional inclusion criteria

1. *Dysgeusia and/or xerostomia*
2. *Sensory or chemosensory alterations*
3. *Mood changes or psychopathological alterations*

④ 실험실 검사

진균배양, 공복 시 혈당, 혈액검사, vitamin B1, B2, B6, B12, folic acid, iron, magnesium, zinc, folic acid 알러지 검사 등을 보조적으로 시행할 수 있다. Henkin RI 등(2012)은 혀작열감을 보이는 환자들이 정상인이나 다른 종류의 구강작열감증후군 환자들에 비해 타액에 magnesium 레벨이 현저히 낮은 양상을 보였음을 확인하였다. 따라서 magnesium의 결핍이 작열감이나 구강의 이상감각을 유발할 가능성이 있다고 하였다.

⑤ QST

Aα and Aβ afferent fibers의 자극에 의해 나타나는 기계적 감각과 Aδ and C 자극에 의한 열감각의 변화를 통해 BMS와 다른 신경병변증을 감별할 수 있다는 의견들이 제시되었다(Yilmaz Z, et al; 2016).

⑥ 감별진단

쉐그렌증후군, 당뇨, 캔디다증, 철분이나 비타민 결핍증과 같은 유사한 증상을 보이는 전신질환들과 감별해야 한다.

(4) 치료

일차적으로 환자가 호소하는 증상을 경감시키는 데 주 목적을 둔다. 그리고 기저질환을 치료하는 데 중점을 두어야 한다(Klasser GD, et al; 2011). BMS에 적용 가능한 일관적인 치료법은 없으며 환자들에 따라 증상과 통증의 정도가 다양하기 때문에 환자에게 적절한 정보를 제공하고 교육시키면서 개인별 맞춤형 치료를 시행하는 것이 바람직하다(Forssell H, et al; 2012). BMS는 중병이 아니라는 점을 설명하면서 안심시키고 적절한 약물과 정신과적인 치료를 병행하는 것이 가장 효과적이다(Shivpuri A, wt al; 2011).

그러나 환자에게 병이나 치료에 대한 설명을 초진부터 너무 많이 하지 않는 것이 좋다. 쉽고 빠르게 치료되는 질환이 아니기 때문에 서둘러서 급하게 치료해 나갈 필요가 없다. 통증이 경감되더라도 환자는 '아직 통증이 남아 있다'고 계속 호소할 것이다. 통증은 완전히 소멸되지 않고 일정 부분은 계속 남을 것이며 잘 적응하면서 지내는 것이 최선의 방법임을 설명한다.

① Education and reassurance

환자들에게 BMS는 악성 종양과 같은 생명을 위협하는 심각한 질환이 아니며 증상을 완화시킬 수 있는 다양한 치료법들이 있지만 완치시킬 수 있는 방법은 없음을 잘 설명한다. 즉 환자들이 자신의 삶의 질을 개선시키려는 데 지나치게 집중하지 말고 BMS의 원인 및 치료법을 찾으려고 애쓰는 것으로부터 멀리할 수 있도록 교육시키고 이런 상황들을 환자 자신들이 잘 이해하는 것이 매우 중요하다(Brailo V, et al; 2016).

A. 나이가 들면서 많이 발생하는 질환이다.
B. 병인론은 명확하게 밝혀지지 않았다.
C. 침습적인 치과 치료(구강악안면외과 수술, 임플란트 수술, 보철치료 등)가 증상을 악화시킬 수 있다.
D. 악성종양, 감염, 알레르기와 전혀 관련성이 없다.
E. 완치시킬 수 있는 확실한 치료법이 없다.

F. 증상 완화를 위해 사용할 수 있는 다양한 치료법의 종류와 부작용에 대해 설명한다.

G. 질환에 순응하면서 정상적인 생활을 하는 데 집중하는 것이 중요하다.

② 질환에 관여할 수 있는 잠재적인 국소 및 전신적 요소들을 제거한다.

A. 금연

B. 기저질환 치료

C. 알코올이 포함된 구강청정제 사용 중단

D. 구강건조증을 유발하는 약물 복용 중단

E. 보철물 상태 평가 및 재치료

F. 구강악습관 조절

③ 차가운 사과 주스를 입안에 머금고 있으면 효과적이라는 보고도 있다.

④ 약물치료(Shivpuri A, et al; 2011)

BMS는 신경병변(neuropathy)의 일종이기 때문에 항우울제나 항경련제, 국소도포용 약물들을 사용할 수 있다. 일반적으로 다양한 약물들의 복합치료가 많이 사용된다(정성희; 2017, Boychuk DG, et al; 2015, Grushka M, et al; 2002, Humming W, et al; Kuten-Shorrer M, et al; 2017, 2014, Park HJ & Ahn M; 2016, Tan SN, et al; 2014).

최근 문헌에서 Clonazepam이 효과가 좋기 때문에 1차로 선택하고 만약 효과가 없을 경우 2차 선택 약물로 TCA (Amitriptyline, Nortriptyline), SSRI (Paroxetine, Sertraline), Anticonvulsants (Pregabalin, Gabapentin)를 추천하고 있다(deMorales M, et al; 2012, Heckmann SM, et al; 2012, Thoppay JR, et al, 2013).

A. **삼환계 항우울제:** Nortriptyline, Amitriptyline

B. Chlordiazepoxide

취침 직전 혹은 저녁 식사 1시간 후에 5 mg을 복용하고 구강작열감이 완화될 때까지 4–7일 간격으로 5 mg씩 증량하여 투여할 수 있다. 하루 최대 용량이 30 mg을 초과해선 안 된다. 하루 1회 혹은 3회까지 분할하여 투여하기도 한다.

C. Clonazepam 0.5–4 mg/day가 BMS 환자들의 50%에서 증상 완화 효과를 보인다는 보고가 있다(Klasser GD, et al; 2011). 최근 Clonazopam의 국소적인 사용(a: 1 mg을 하루 3회 입안에 녹여서 머금고 있다가 삼키는 방법. b: 하루 2–4회 정도 5분간 격렬하게 가글링하고 평균 7주 동안 사용하는 방법)이 비용–효과적인 측면에서 가장 유용하다고 보고된 바 있다(Cui Y, et al; 2016, Hens MJ, et al; 2012, Klasser GD, et al; 2011). 15%에서 증상의 완전한 소실, 52%에서는 증상의 호전이 나타났다는 보고가 있다.

D. Gabapentin 300–1,600 mg/day

취침 전에 100 mg을 투여하고 증상이 완화될 때까지 4–7일 간격으로 100 mg씩 증량한다. 하루 1회 혹은 3회로 분할하여 투여할 수 있다.

E. Pregabalin

상기 약물들에 전혀 효과가 없을 경우 사용해 볼 수 있다. 계속 사용할 경우 축적 효과가 우수하다고 알려져 있다.

F. Cannabinoids

Crude extracts of plants of the genus Cannabis (marijuana, marihuana)로서 다른 치료법들에 효과가 없을 경우 사용을 고려해 볼 수 있다. 수면의 질을 향상시키고 불안감을 감소시키는 효과가 우수하다고 알려져 있다.

G. 약물 국소 적용

작열감성 통증이 매우 심한 부위에 Capsaicin을 국소적으로 도포하여 사용하기도 한다. 5% Doxepin cream, 2% Viscous lidocaine, Topical steroid hormones and anti-inflammatory rinses, 70% 알코올과 7% 살리실산을 포함한 용액을 작은 솜뭉치에 적셔서 약 10초간 작열감 부위에 도포하는 방법, 캔디다균이 관여한 것으로 확인되면 항진균제를 4주간 도포하는 방법들이 문헌에서 소개된 바 있다 (강기호 등; 2001, Heckmann SM, et al; 2012, Thoppay JR, et al; 2013).

H. 타액분비 촉진제

구강건조증이 동반될 경우 Pilocarpine, Sailor, Cevimeline, Bethanechol과 같은 타액분비 촉진제를 사용할 수 있다(Klasser GD, et al; 2011).

I. **항진균제:** 캔디다가 BMS의 주원인 요소로 관여할 경우 항진균제를 투여한다.

⑤ 영양요법

A. Vitamin B1 300 mg/day, Vitamin B6 50 mg tid, 4주 처방

B. **Alpha-lipoic acid:** 600 mg/day for 20 days, followed by 200 mg/day for 10 days

C. **아연 치료**(zinc treatment)

Yoshida 등(2010)은 설통을 호소하는 환자들에서 아연의 혈청농도를 측정한 후 결핍 소견이 관찰된 경우 아연을 공급해 주면 설통 완화 효과가 있다고 보고하였다.

⑥ 저출력 레이저 치료

BMS 환자들의 약 47.6%에서 증상 완화 효과가 있다고 보고되었다(Kato IT, et al; 2010).

⑦ 정신과 치료

정신과 치료를 병행하면 70.8%의 증상 개선 효과를 얻을 수 있다는 보고가 있다(Miziara ID, et al; 2009). 정신건강의학과와 협진을 통해 행동조절 및 스트레스 관련 치료를 시행하면 좋은 효과를 보일 수도 있다(Klasser GD, et al; 2011).

⑧ 침술(acupuncture)

Scardina 등(2010)은 침술 치료가 미세순환장애를 개선시킴으로써 좋은 치료효과를 얻을 수 있다고 보고하였다.

⑨ **성상신경절차단**(Stellate Ganglion Block, SGB)

Walega (2014) 등은 SGB (1-2주 간격으로 주사)가 BMS 치료법으로 사용될 수 있으나 양측으로 주사할 경우에는 각별한 주의가 필요하다고 하였다. 잘못 주사하여 양측의 recurrent laryngeal nerve가 마취될 경우 일시적인 laryngeal reflex가 소실되면서 흡인 혹은 기도폐쇄 위험성이 증가할 수 있다.

(5) 예후

50%의 환자들에서는 시간이 경과하면서 자연적으로 부분적인 증상 감소가 있을 수 있다. 치료받지 않은 환자들 중 자연적으로 완전히 증상이 해소된 경우는 11%였으며, 치료 유무에 상관없이 30%의 환자들에서 중등도의 증상 개선 효과가 있었다고 보고되었다(Sardella A, et al; 2006). Park & Ahn (2016)은 치료 후 환자들의 1/2-1/3 정도가 증상이 경감되거나 소멸되며 치료 후 6개월 이내에 증상이 경감되거나 소멸된 환자들은 약 86%였다고 보고하였다. 그러나 증상이 평생 지속되더라도 대부분의 환자들은 증상에 적응하여 더 이상 치료받는 것을 포기한다. 따라서 치과의사가 환자를 따뜻하게 대하고 관심을 가져주는 것이 중요하다(강기호 등; 2001).

CHAPTER

5

삼차신경통 증례

TOUGH CASES 치과진료 후 발생하는 골치 아픈 증례들

CHAPTER 5

Table 1 삼차신경통 증례

Case 1 > 삼차신경통이 약물 치료를 통해 단기간 내에 조절된 증례

2020년 7월 24일 59세 여자 환자가 상악 우측 치아들 주변 통증을 주소로 내원하였다. 4개월 전부터 통증이 시작되었고 아침과 저녁에 세수할 때 찌르는 듯한 통증이 수초간 발생한다고 하였다. 우측 코 측면과 #11-15 치아 및 주변 잇몸 통증이 존재하면서 주변으로 파급되는 양상을 보였다. 특이 전신질환은 없었으나 폐경기증후군 치료를 위해 여성 호르몬제를 복용하고 있었다. 파노라마 방사선 사진에서는 #25가 소실된 상태였고 #48 매복 및 지치주위염 소견을 보였으나 상악 우측 치아들과 주변 치주조직에서는 통증을 유발할 만한 병적 소견이 관찰되지 않았다**(Fig 6)**. 삼차신경통으로 진단하고 Trileptal (Oxcarbazepine 300 mg bid), Sensival (Nortriptyline 10 mg qd)을 2주 처방하였다. **2020년 8월 13일** 내원 시 통증이 잘 조절되면서 특이 부작용은 없었다. 동일한 약물을 4주 처방하였으며 **2020년 9월 17일** 내원 시 통증이 거의 소멸된 상태였다. Sensival 투약은 중단하고 Trileptal을 150 mg bid로 감량하여 4주 처방한 후 치료를 종료하였다.

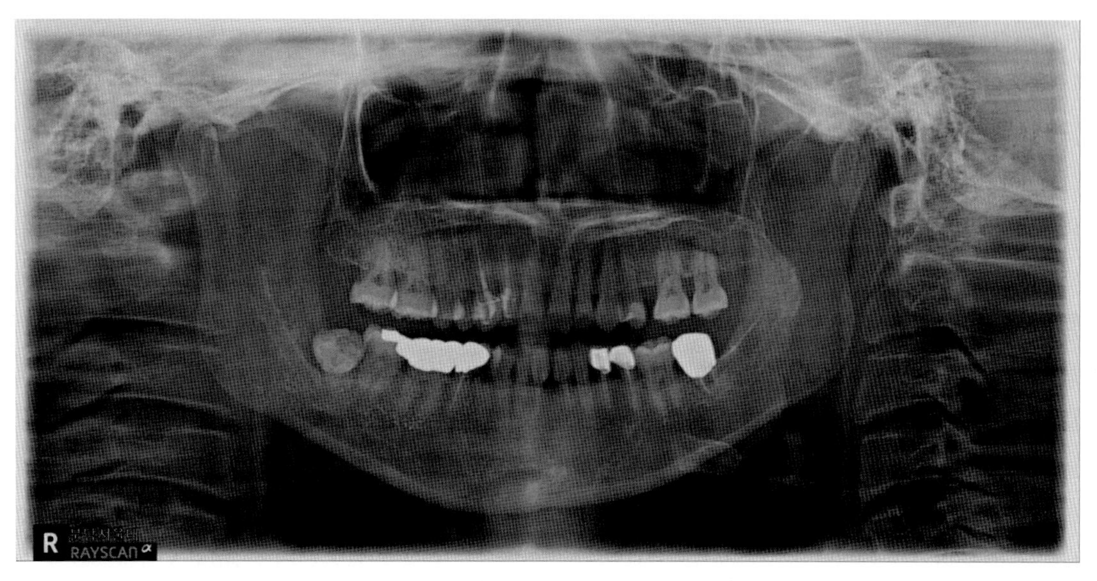

Fig 6. 초진 시 파노라마 방사선 사진. #25 소실, #48 매복, #12, 13 근관치료가 되어 있는 소견이 관찰된다.

Problem lists

1. 상악 우측 치아 및 주변 통증
2. 삼차신경통

치료 및 경과

1. 약물치료
2. 예후: 양호

Comment

- **전형적인 삼차신경통에 부합되는 발통점과 증상들이 발생하였으며 항경련제를 통해 2개월 이내에 통증이 소멸되었다. 삼차신경통 치료 시 Carbamazepine을 1차로 권장하며 Oxcarbazepine은 2차로 권장하는 약물이다.** 필자는 Carbamazepine의 부작용이 심해서 Oxcarbazepine (Trileptal)을 1차로 선택하여 처방해 왔지만 최근 심평원에서 보험인정을 하지 않고 삭감시키고 있다. 간접적인 경로로 확인해 보니까 꼭 사용하고 싶다면 비급여(임의비급여는 불법임)로 처방하라는 답변을 받았다. 이런 것이 대한민국 보험의 현실이니 임상의들이 각자 잘 판단해서 처방해야 할 것이다. 삼차신경통에 부합되는 발통점과 증상들이 발생하였으며 항경련제를 통해 2개월 이내에 통증이 소멸되었다. 삼차신경통을 비롯한 신경병성 통증에 대한 약물치료를 시행할 때 처음에는 소량으로 단기간 투여하면서 증상 변화 및 부작용 여부를 평가한다. **부작용이 발생하면 약물을 다른 것으로 교체하면서 통증 조절이 잘되는 약물을 찾아내는 것이 중요하다.** 적절한 약물을 찾으면 통증이 소멸될 때까지 처방하며 장기 복용 시 CBC, admission panel, electrolyte panel과 같은 혈액검사를 시행하여 혈액학적 부작용이 있는지 확인해야 한다. 통증이 소멸되면 약물을 갑자기 중단하지 말고 감량해서 처방한 후 종료하는 것이 좋다. 삼차신경통은 재발이 잘 되기 때문에 환자에게 재발 시 다시 내원하라고 잘 설명해야 한다.

Case 2 > 삼차신경통에 대한 외과적 치료: 안와하신경절단술

2006년 9월 27일 61세 여자 환자가 우측 안면부 통증을 주소로 내원하였다. 4년 전부터 세수, 양치질할 때 우측 눈 아래 부분에 찌릿한 통증이 발생하였고 2개월 전부터 몹시 심해졌다고 하였다. 방사선 사진에서 #13–16 보철물이 철거된 상태이며 근관치료를 받은 소견이 관찰되었으나 현재의 통증을 의심할 만한 치과적 병변은 관찰되지 않았다(**Fig 7**). 의과적 병력은 고혈압 약물을 계속 복용하고 있었다. 초진을 담당한 치과의사는 Carmazepine CR (Carbamazepine 200 mg tid), Soleton (Zaltoprofen 80 mg tid), Amitriptyline 10 mg qd, Beecom을 2주 처방한 후 증상이 호전되지 않아 구강악안면외과로 의뢰하였다. **2006년 11월 3일** 혈액검사(CBC, Admission panel)를 시행하였고, 항경련제를 Trileptal (Oxcarbazepine 300 mg bid)으로 교체하였다. 약 복용 시 통증은 현저히 감소되는 양상을 보였고 혈액검사에서는 이상 소견이 관찰되지 않았으나 약 복용 3일 후부터 목 부위의 두드러기(urticaria)와 가려움증이 발생하였다. 약물 알레르기로 판단하고 Pheniramin (Chlorpheniramine)을 투여하면서 처음 사용하였던 Carmazepine CR 200 mg을 다시 처방하였다. 1개월 간격으로 경과를 관찰하면서 약물치료를 계속하였고 **2007년 3월 23일** #14–17 부위에 임시 보철물을 장착하였다. **2007년 6월 1일** 참을 수 없을 정도로 심한 통증이 지속된다고 호소하여 Ultracet (Tramadol 37.5 mg/AAP 325 mg)을 추가로 처방하였다. **2007년 7월 27일** 내원 시 과일(수박, 복숭아), 차가운 음식, 신 음식을 먹을 때 통증이 더욱 심해지고 칫솔질하기 힘들 정도로 심한 통증이 자주 발생한다고 호소하였다. 주기적인 혈액검사와 함께 Carmazepine CR, Amitriptyline, Beecom, Ultracet을 처방하면서 경과를 관찰하였으나 **2008년 8월 29일** 무당

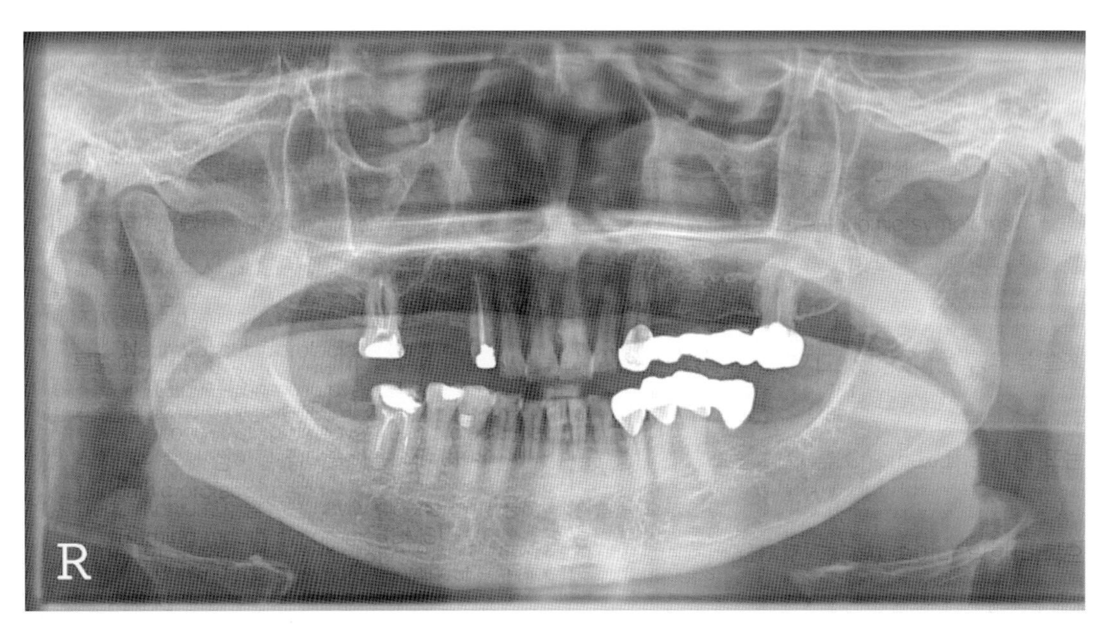

Fig 7. 초진 시 파노라마 방사선 사진. #13, 16 치아에 근관치료가 되어 있으며 통증의 원인이 될만한 병변은 관찰되지 않았다.

을 불러서 굿을 할 정도로 우측 뺨의 심한 통증이 지속된다고 호소하였다. 약물치료에도 불구하고 통증은 더욱 악화되었으며 **2009년 5월 12일** 극심한 통증을 호소하면서 응급실에 내원하였고 Trolac (Ketorolac 30 mg) IM, Ultracet을 3일 처방하였다. **2009년 5월 14일** 우측 안와하신경 전달마취를 시행한 결과 통증이 완전히 소멸되었으며 이전에 투약하다가 중단했던 Trileptal을 다시 처방하고 이상 반응 시 즉시 중단하라고 지시하였으나 알레르기 반응은 발생하지 않았다. 환자와 상담 후 말초신경절단술을 시도해 보기로 하였으며, 외과적 치료도 일정 시간이 경과한 후 재발하는 경우가 매우 많다고 설명하였고 환자는 수술에 동의하였다. **2009년 5월 20일** 전신마취하에서 #12–15 전전부 수평절개를 시행하여 안와하신경에 접근한 후 절단하고 신경의 근원심단을 각각 4–0 black silk로 결찰하였다(**Fig 8**). 수술 후 Trileptal 300 mg bid, Sensival 10 mg qd 약물치료를 계속하였으며, **2010년 3월 12일**부터 용량을 증량(Trileptal 600 mg bid, Sensival 25 mg qd)하였고 통증이 현저히 감소되었다. 3개월 간격으로 혈액검사 및 약물치료를 시행하면서 최근까지 경과를 관찰하고 있으나 통증은 여전히 잔존하고 있으며 약물치료를 통해 잘 조절되고 있다(**Fig 9**).

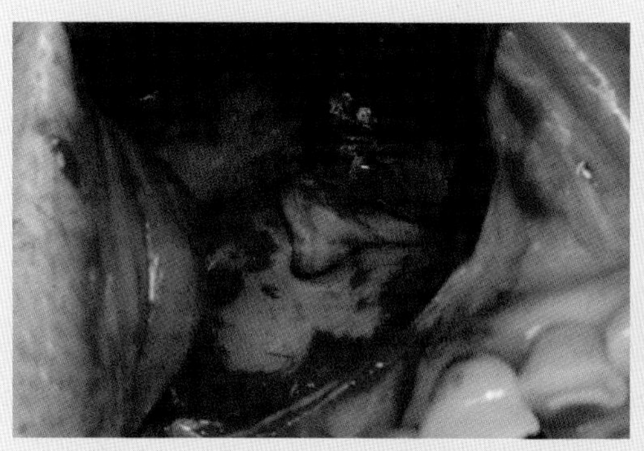

Fig 8. 안와하신경을 절단한 후 black silk로 결찰한 모습

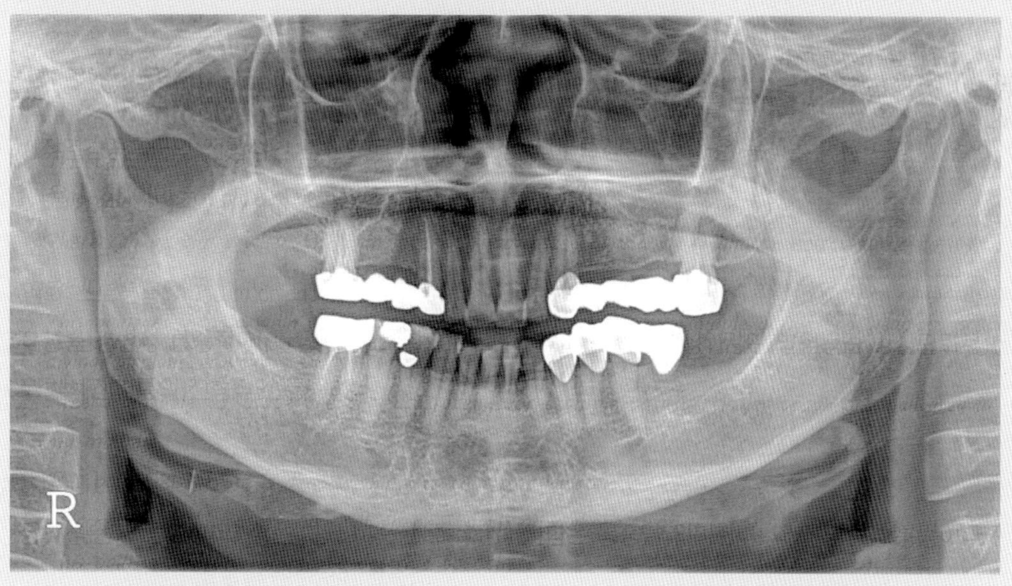

Fig 9. 2013년 8월경에 촬영한 파노라마 방사선 사진. #13–16 상부 보철물이 장착되어 있으며 3개월 간격으로 혈액검사를 시행하면서 항경련제를 계속 복용하고 있다.

Problem lists

1 우측 안면통증
2 고혈압
3 우측 안와하신경 삼차신경통

치료 및 경과

1 약물치료
2 진단용 전달마취
3 안와하신경절단술
4 예후: 양호

Comment

● 본 증례에서 처음 사용되었던 Controlled-release (CR) carbamazepine이 부작용이 적으면서 음식 섭취와 무관하게 하루 2회 사용하면서 좋은 효과를 보인다고 한다. 그러나 통증조절 효과가 없어서 Trileptal로 교체하여 처방하였으나 피부 병변이 발생하여 즉시 중단하였다. Carmazepine CR 200 mg을 다시 처방하면서 Amitriptyline, Ultracet을 복합 사용하였으나 심한 통증이 지속되어 결국 말초신경절단술을 시행하였다. 수술 후에는 Trileptal을 다시 처방해 보았으나 알레르기성 반응은 없었으며 TCA의 일종인 Sensival을 복합 사용하면서 통증조절을 하고 있다. **한 가지 약물들로 조절이 안될 경우 2가지를 함께 사용할 수 있다. 신경병성통증은 복잡한 병인론을 가지기 때문에 다른 기전의 약물을 함께 사용할 경우 부작용을 최소화하면서 효과를 극대화할 수 있는 장점이 있다는 연구 보고들이 있다.**
초기 약물 투여 시 발생한 알레르기 반응의 원인 약물로 Trileptal을 의심하였으나 추후 처방 시에는 알레르기 반응이 발생하지 않았다. 아마 당시에 발생한 두드러기는 음식 등 다른 요인에 의해 발생했던 것으로 생각된다. **항경련제 투여 시 주의해야 할 점은 처방 초기에 Steven-Johnson syndrome을 환자에게 주지시키고 피부 병변이 발생할 경우 바로 약을 끊도록 하고 허물이 벗겨질 정도이면 응급실을 방문하도록 안내해야 한다.** 그 외에 장기 복용을 하게 되는 경우 leukopenia, bone marrow suppression, hyponatremia와 같은 부작용을 일으킬 수 있으므로 최소 1년에 1회씩은 혈액검사를 하여 이를 감시하는 것이 필요하다(문지연; 2021). **말초신경절단술과 같은 외과적 치료는 통증이 극심하고 약물로 잘 조절되지 않는 경우에 고려해 볼 수 있다.** 신경 지배 부위 감각이 마비되는 것과 수술 후에도 약 1년 이상 경과하면 재발되는 경우가 매우 많다는 점을 환자에게 설명하고 동의를 받은 후 수술을 진행해야 한다. 수술 후에도 통증을 완화시키기 위해 항경련제와 같은 약물을 계속 복용해야 하며 본 증례에서는 Trileptal과 Sensvial을 장기 복용하면서 통증을 관리하고 있다. 본 증례의 경우 말초신경절단술을 시행하기 전에 알코올 등의 주사요법을 시도해보지 않았던 아쉬움이 남는다. **외과적 치료는 최후의 방법으로 선택해야 한다.**

Table 1. 삼차신경통 증례 요약

증례	나이	성별	의학적 병력	부위	증상 시작	약물 및 치료	예후	치료 기간
1	59	여	폐경기 증후군	#11-15	Unknown	Trileptal, Sensival	G	2개월
2	61	여	고혈압	우측 안면부	Unknown	Carmazepine, Soleton, Amitriptyline, Beecom, Trileptal, Ultracet, Trolac, Sensival, 안와하신경전달마취, 안와하신경절단술	G	14년 이상

*G: good

CHAPTER

6

외상 후 삼차신경병성 통증

TOUGH CASES 치과진료 후 발생하는 골치 아픈 증례들

CHAPTER 6

Table 2 외상 후 삼차신경병성 통증

Post-Traumatic Trigeminal Neuropathic Pain

주로 삼차신경에 외상이 가해진 후 발생하기 때문에 삼차신경 지배 부위에 통증이 존재하는 것이 특징이다. 특발성 구강안면통증의 일종인 burning mouth syndrome (BMS), persistent idiopathic facial pain, persistent idiopathic dentoalveolar pain은 신경의 해부학적인 분포를 따르지 않으며 명확한 인과관계가 없고 진단 검사에서도 명확하고 일정한 소견을 보이지 않는 경우가 많다. 외상 후 삼차신경병성 통증의 특징은 (Box 17)과 같다(Baad-Hansen L; 2008, Durhan J, et al; 2013, Melis M, et al; 2003).

외상 후 삼차신경병성 통증은 반드시 치료한 치과의사가 잘 해결해야 하며 부적절하게 대처하거나 치료를 방치하여 만성화될 경우 심각한 의료분쟁으로 진행될 가능성이 크다. 통증의 특징과 진단, 치료방법을 숙지하고 조기에 적절한 조치를 취한다면 큰 문제없이 해결되는 경우가 많다.

Box 17 외상 후 삼차신경병성 통증

1. 삼차신경의 해부학적 분포 영역에서 통증이 발생하며 3개월 이상 지속되거나 재발이 잘 되는 경향을 보인다.
2. 삼차신경 말단부에 기계적, 열, 방사선 혹은 화학적 손상을 받은 병력이 있다.
3. QST와 같은 신경생리학적 검사 및 임상검사를 통해 병변의 존재를 쉽게 확인할 수 있다.
4. 신경이 손상 받은 후 6개월 이내에 증상이 시작된다.
5. 발치, 근관치료, 외과적 수술, 혹은 외상 후 발생하는 경우가 많으며, 여성에서 더 호발하는 경향을 보인다.
6. 욱신거리거나 화끈거리는 통증을 호소하고 건드리거나 압박을 가하면 통증이 악화된다. 환자들은 자신의 통증을 명확하게 설명하지 못하는 경향을 보인다.

Case 1 > 62세 여자 환자에서 하악 우측 구치부 임플란트 식립 후 발생한 감각이상 및 신경병성 통증

2020년 4월 2일 우측 하순과 턱 감각 이상을 주소로 내원하였다. 5개월 전 #45 임플란트 수술 후부터 증상이 시작되었으며 화끈거리고 바늘로 찌르는 듯한 통증(VAS 7)이 우측 얼굴 전체와 귀, 머리와 목까지 확산된다고 하였다. 우측 턱, 하순, 뺨, 혀, 귀 주변의 감각이 이상하고 침 삼킬 때 목이 아프며 우측 악하부 피부 발적 및 압통이 존재하였다. 그러나 통증과 촉각은 인지하는 상태였다. 방사선 사진에서는 상하악 다수 임플란트가 식립된 상태이며 #45 임플란트는 이공과 안전한 거리를 유지하고 있으나 임플란트 첨부 주변의 방사선 투과상이 증가된 듯한 소견이 관찰되었다(**Fig 10**). 그러나 CBCT에서는 병적 소견이 관찰되지 않아 파노라마 방사선 소견은 허상인 것으로 판단되었다(**Fig 11**). 신경손상 평가를 위해 정밀검사를 시행하였고 통증 조절을 위해 Trileptal (Oxcarbazepine 300 mg bid), Ultracet (Tramadol 37.5 mg/AAP 325 mg bid)를 처방하고 EAST (침 삽입 시 통증을 인지하는 상태여서 pad를 부착하여 적용하였음)와 레이저 치료를 시행하면서 경과를 관찰하였다. 약을 복용하면 통증이 다소 완화되는 양상을 보였지만 우측 턱 하방의 압통, 경결감(induration)과 종창은 더 심해지는 양상을 보였다. 핵의학 검사에서 우측 턱 주변의 섭취율이 증가하였고, EMG, QST에서 우측 하치조신경 지배 부위의 경미한 감각 이상 소견이 관찰되어 술후 골수염과 이와 연관된 감각 이상으로 잠정 진단하였으며, Amoclan duo (Amoxicillin/Calvulanate 500 mg bid), Clindamycin 300 mg IM을 투여하였다(**Fig 12**). 그러나 증상은 호전되지 않고 신경병성 통증이 더욱 심해졌으며 우측 턱과 악하부 촉진 시 심한 통증을

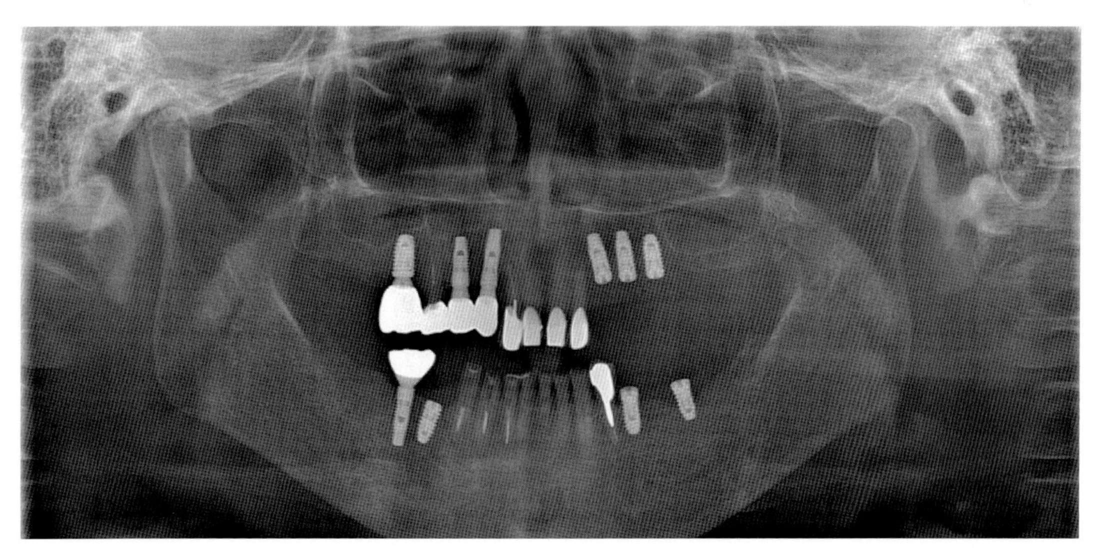

Fig 10. 62세 여자 환자의 초진 시 파노라마 방사선 사진. #45 임플란트 식립 이후부터 감각이상과 통증이 발생하였다. #45 임플란트 첨부 주변에 방사선 투과상이 증가된 듯한 소견을 보이고 있다.

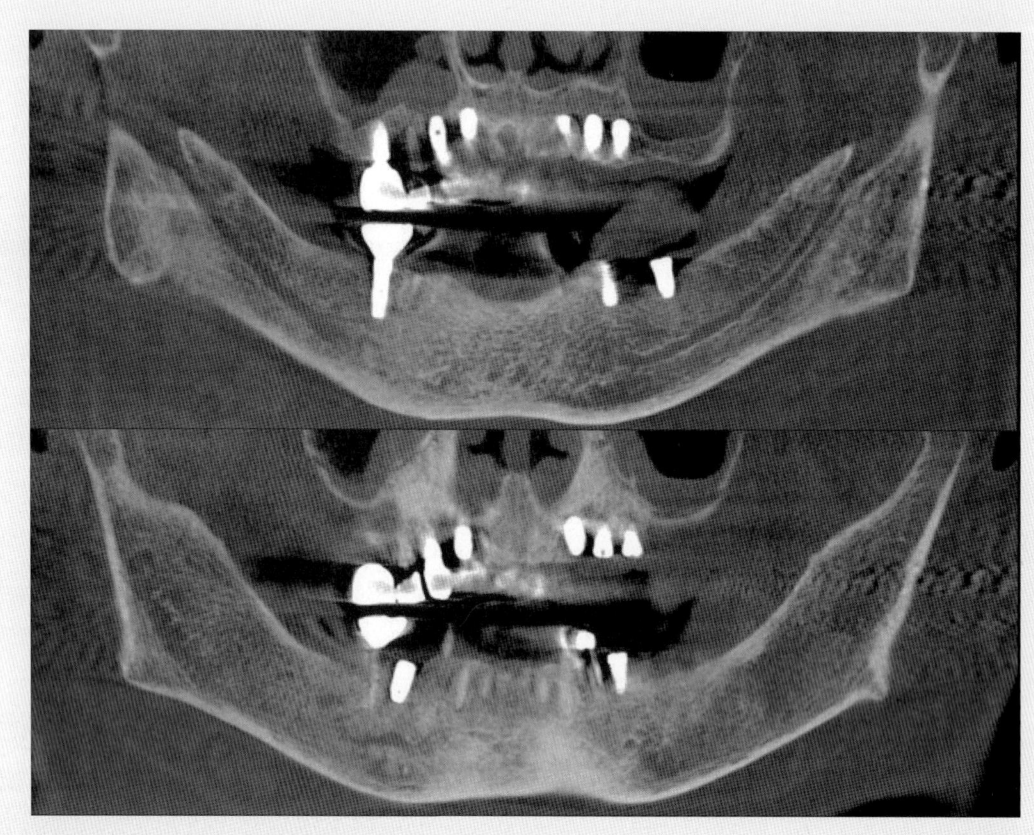

Fig 11. 초진 시 CBCT 방사선 사진. 파노라마 방사선 사진에서 관찰된 #45 임플란트 주변의 방사선 투과상은 허상(artifact)이었으며 임플란트 주변에 병적 소견은 관찰되지 않았다.

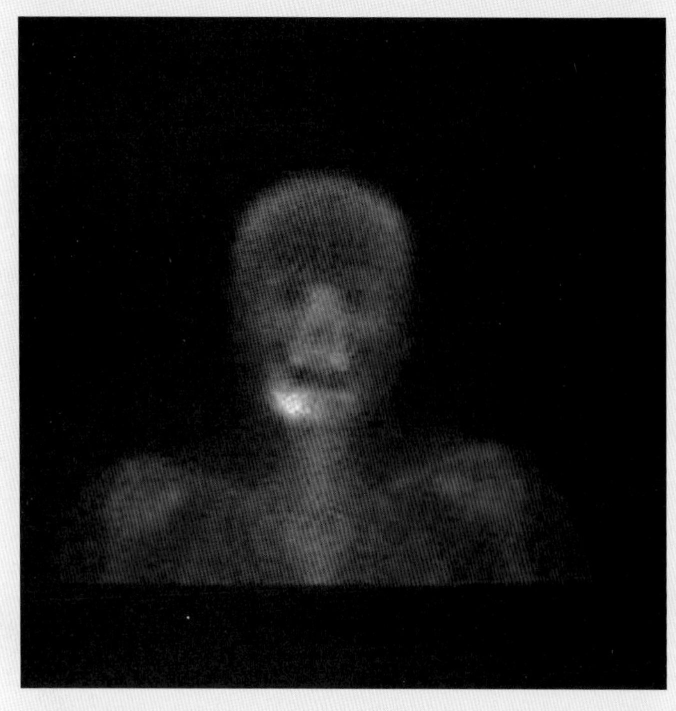

Fig 12. 핵의학검사에서 우측 하악골의 침착률이 증가된 소견을 보이고 있다.

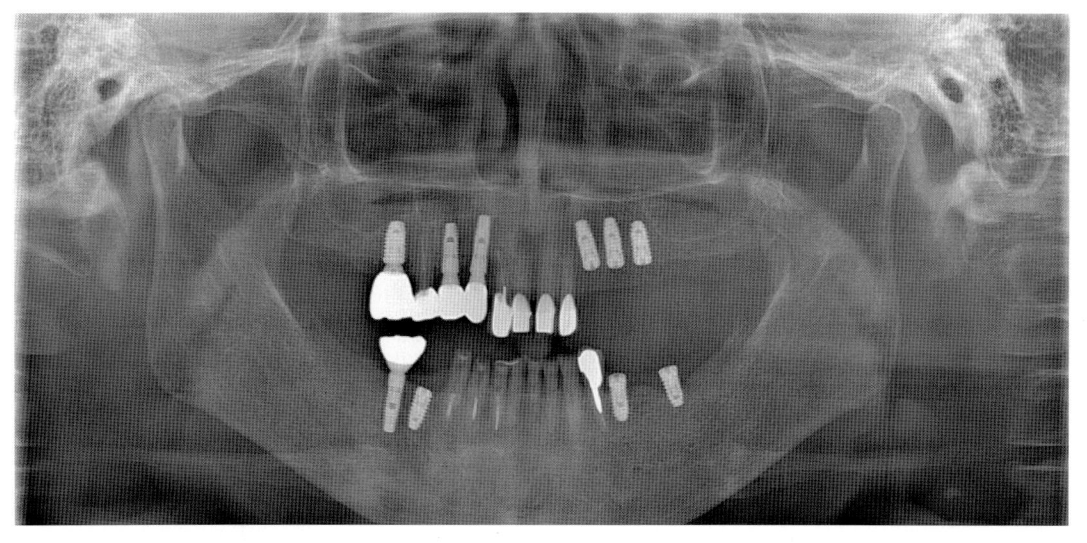

Fig 13. 수술 후 파노라마 방사선 사진

호소하였다. **2020년 6월 10일** 전신마취하에 우측 하악골 주변에 대한 탐색수술(exploratory operation)을 시행하였다. 피질골절제술(decortication) 및 배상형성술(saucerization)을 시행하고 이공 근처에 Dexamethasone을 주사한 후 창상을 봉합하였다. 수술 중 제거된 시편의 일부를 조직검사한 결과 골수염에 부합되는 소견이 관찰되었다. 술후 투약은 Amoclan duo 500 mg bid, Trental SR (Pentoxifylline 400 mg bid), Grandpherol (Tocopherol 400 IU soft cap bid), Carol-F (Ibuprofen 200 mg/Arginine 185 mg tid)을 처방하였다**(Fig 13)**. 술후 창상 소독, 약물 투여 및 EAST & laser 치료를 시행하면서 경과를 관찰하였으나 우측 상순과 하순, 턱의 감각이상과 우측 안면, 측두부 및 목 통증은 지속되었다. **2020년 7월 10일** 신경병성 통증 조절을 의해 Neurontin (Gabapentin 300 mg bid), Newrica (Pregabalin 75 mg bid)을 처방하였으며 물리치료를 계속하였다. **2020년 7월 21일** 우측 하순과 귀의 칼로 베이는 듯한 통증을 호소하여 우측 이공 주변에 Dexamethasone을 주사하고 Newrica 75 mg bid, Sensival (Nortriptyline 25 mg qd)을 1주 처방하였다. EAST (pads) & laser 치료를 계속하면서 경과를 관찰하였으며 통증의 강도가 현저히 완화되기 시작하였으나 감각 이상은 여전히 남아 있었다. **2020년 8월 10일** Newrica 75 mg bid, Sensival 25 mg을 2주 처방하고 현재 중단되어 있던 임플란트 후속 치료를 원래 치료받던 치과에서 완료하도록 하였다. **2020년 10월 8일** 내원 시 통증은 완전히 소멸되었으나 하순과 턱의 경미한 감각 이상은 남아있는 상태였다.

Problem lists

1 #45 임플란트 식립
2 감염: 골수염
3 우측 이신경손상 및 신경병성 통증

치료 및 경과

1 물리치료: EAST & laser
2 약물치료
3 배상형성술 및 피질골절제술
4 스테로이드(Dexamethasone) 국소주사
5 예후: 양호

Comment

- **본 증례는 임플란트 수술 후 발생한 골수염으로 인해 우측 하치조신경 및 이신경 지배 부위의 감각 이상과 통증이 발생한 경우이다.** 임플란트 드릴링 중에 신경을 손상시켰다는 증거는 확인할 수 없었으며 안면 종창 및 경결감, 촉진 시 압통, 핵의학 검사에서 섭취율 증가는 골수염에 부합되는 소견이었고 장기간 지속된 감염이 이공과 하악관으로 확산되면서 화학적 손상이 발생하였을 가능성을 추정해 볼 수 있다. 수술 후 조직검사에서 골수염이 확진되었으며 Amoclan duo, Trental SR, Grandpherol을 이용한 약물치료가 병행되었다. **외상성 신경병성통증 치료를 위한 1차 선택 약물은 Gabapentin, Pregabalin 혹은 Anti-depressants이다.** 본 증례에서 초기에 사용되었던 Trileptal은 삼차신경통 치료를 위해 사용되는 2차 선택약물로서 처음 사용한 것은 적절하지 못했다고 생각된다. 통증이 Newrica와 Sensival로 잘 조절되는 것으로 보아 외상 후 삼차신경병성 통증으로 확진할 수 있었다. Pentoxifylline과 Tocopherol은 방사선골괴사(osteoradionecrosis)와 medication-relasted osteonecrosis of jaw (MRONJ)의 치료에 효과적으로 사용되는 약물로 알려져 있다(Owosho AA et al; 2016, Heifetz-Li JJ, et al; 2019, Zhang Z et al; 2020). 본 증례와 같이 장기간 지속되면서 신경병성 통증이 동반되는 골수염의 치료에도 좋은 효과를 발휘할 것으로 기대하면서 사용하였다.

Case 2 > 75세 여자 환자에서 하악 우측 구치부 임플란트 식립 후 발생한 신경병성 통증

2019년 10월 21일 우측 하순의 욱신거리는 통증과 감각 이상을 주소로 내원하였다. 5개월 전 타 치과의원에서 #45, 46, 47 부위 임플란트를 식립한 이후부터 증상이 시작되었다고 하였다(**Fig 14**). 환자는 뇌신경센터, 심혈관센터, 내분비내과, 비뇨의학과, 소화기내과, 재활의학과, 외과, 산부인과, 관절센터, 안과, 노인의료센터, 암센터, 척추센터, 신경외과 진료를 받고 있었다. 하악 우측 소구치 및 대구치 주변 잇몸 감각이 이상하고 마취가 안 풀린 느낌이 지속되었으며 침 삽입 시 통증은 인지하였지만 좌측에 비해서는 둔한 양상을 보였고 Neurometer 평가 시 심한 감각둔화 소견이 관찰되었다. 방사선 사진에서는 #46 임플란트가 하악관에 근접한 양상을 보였지만 직접적인 침범 소견은 없었고 체열검사에서는 양측 턱의 온도 차이가 0.5℃로 측정되었다(**Fig 15, 16**). 전기생리학적 검사와 체열검사 및 임상 증상을 토대로 우측 하치조신경손상으로 인한 신경병성 통증으로 진단하고 물리치료(EAST & laser 8회: 4 points acupunctures)를 시행하면서 Pharma mecobalamin (Methylcobalamin 0.5 mg tid)를 투여하였다. 내원할 때마다 환자는 한결같이 "전혀 나아진 것이 없다. 마취된 느낌이다. 언제 정상으로 돌아오느냐?"라는 표현을 하였다. **2020년 1월 6일** 우측 이신경 주변에 Lidocaine + Dexamethasone + Placentex (polydeoxyribonucleotide sodium, PDRN)을 주사하였다. **2020년 3월 30일** 증상은 전혀 호전되지 않고 생활하기 힘들 정도로 괴롭다고 하였으며 Trileptal (Oxcarbazepine 300 mg bid), Imotun (Avocado-soya unsaponifiables 300 mg qd)를 처방하였다. 물리치료 종료 시점에도 신경병성 통증은 지속되어 약물을 Neurontin (Gabapentin 100 mg tid)으로 교체하였고, **2020년 8월 20일** 전기생리학적 검사와 체열검사를

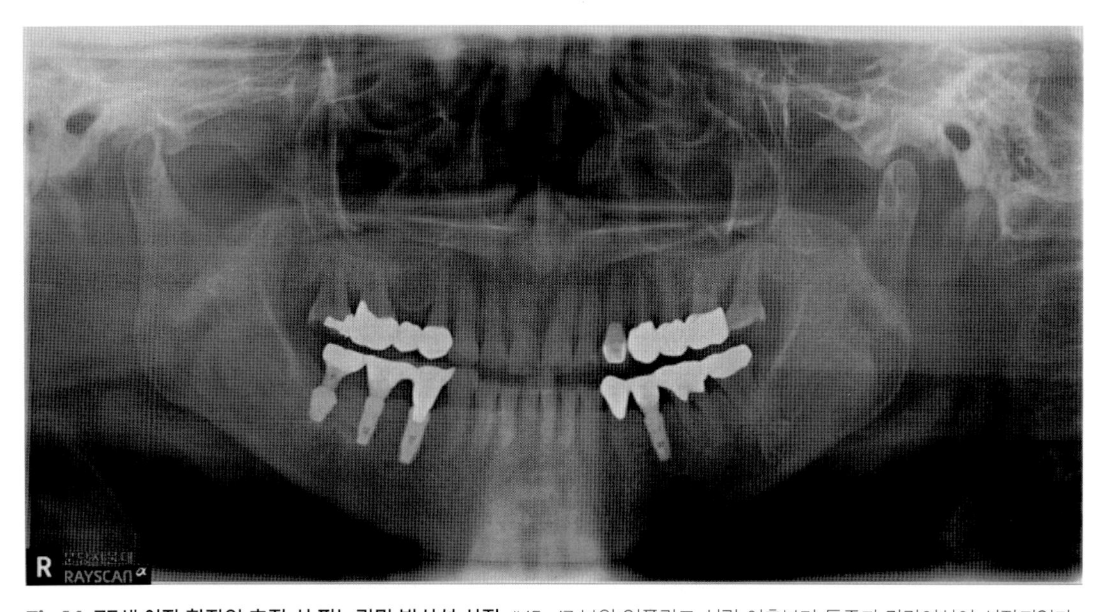

Fig 14. 75세 여자 환자의 초진 시 파노라마 방사선 사진. #45-47 부위 임플란트 식립 이후부터 통증과 감각이상이 시작되었다.

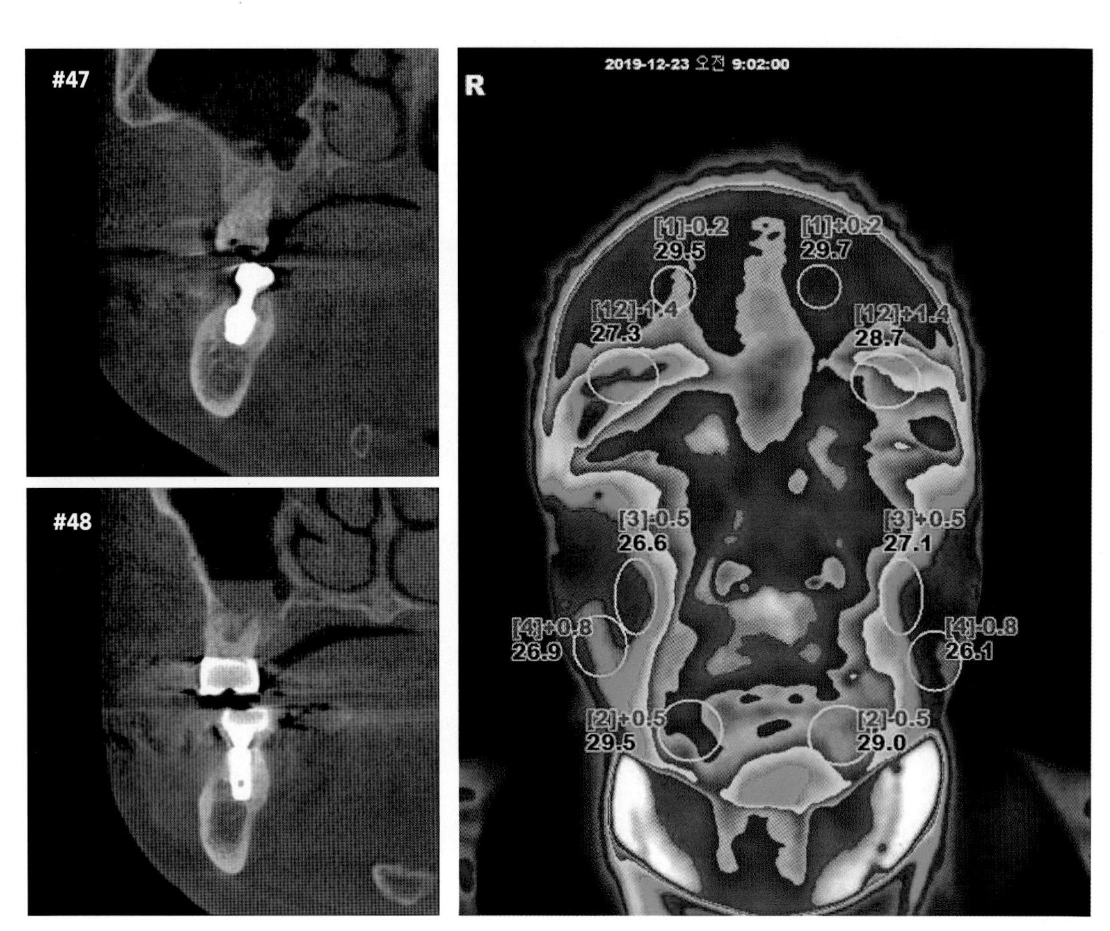

Fig 15. 초진 시 CBCT 사진. #46 임플란트가 하악관 상벽과 접촉되어 있는 소견이 관찰된다.

Fig 16. 체열검사에서 양측 턱의 온도 차이가 0.5℃를 보여 신경손상 및 통증이 존재하는 것으로 판단하였다.

다시 시행하였다. 체열검사에서 좌우 0.3℃ 이하의 온도 차이를 보이면서 초진 시에 비해 약간 호전되었으나 보였고 QST에서는 매우 심한 감각 둔화 소견을 보이면서 초진 시점과 큰 차이를 보이지 않았다**(Fig 17, 18)**. 성상신경절차단술(stellate ganglion block, SGB) 치료를 권유하였으나 환자는 그냥 적응하면서 기다려 보겠다고 하여 수상일 기준 2년 후 재평가하기로 하였다.

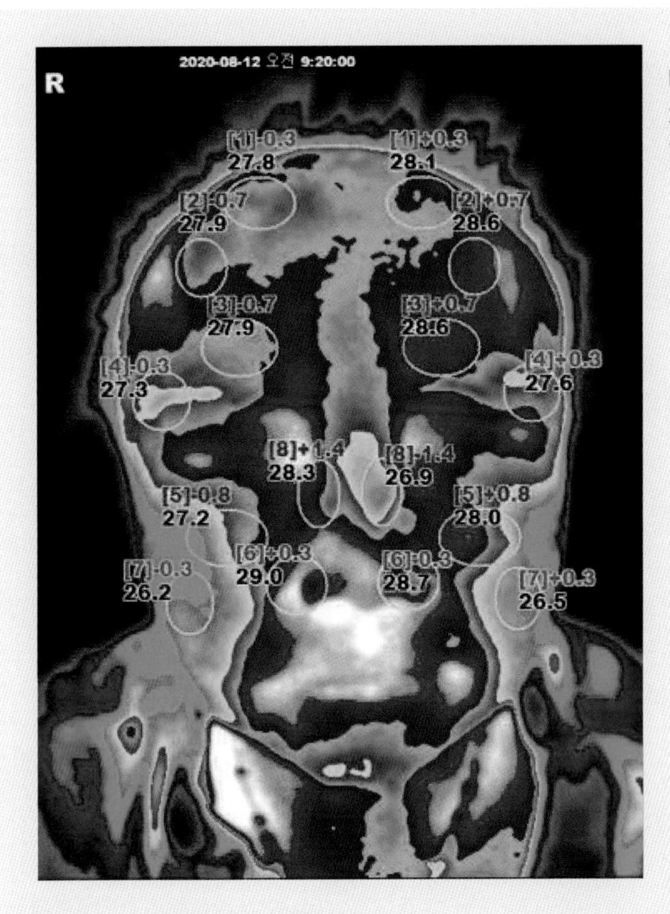

Fig 17. 약물 및 물리치료 종료 후 촬영한 체열검사 사진에서 양측 턱에서 0.3℃ 이하의 온도 차이를 보였다.

Sensory Nerve Conduction Threshold (sNCT/CPT) Evaluation: Summary Report

PATIENT NAME

ID: 11050702 DOB: AGE: 76 SEX: Female

NOTE:

DATE: 2020-08-12 VER: 2.9.1.194

CPT Measures and Analysis Summary

		2K Hz	250 Hz	5 Hz	Grade
		(40 /244/118)	(4 /52 /19)	(1 /38 /10)	
TRIGEMINAL-jaw	:L	152	55	61	9.37
	:R	320	65	61	9.82

CPT Summary Report Observations

CPT Measures were taken from 2 sites. Bilateral measurements were obtained from the trigeminal n. - mandibular division (jaw). The grade of the left side measures was 9.37 which indicates a severe hypoesthetic condition.The grade of the right side measures was 9.82 which indicates a very severe hypoesthetic condition.

This report was printed with an unregistered copy of Neuval i2100

Fig 18. 약물 및 물리치료 종료 후 neurometer를 이용한 전기생리학적검사에서 우측 하치조신경 지배부위의 심한 감각둔화 소견이 관찰되었고 초진 시 시행한 검사와 큰 차이를 보이지 않았다.

⊗ Problem lists

1 #45, 46, 47 임플란트 식립
2 우측 하치조신경손상 및 신경병성 통증

치료 및 경과

1 물리치료: EAST & laser
2 약물치료
3 스테로이드(Dexamethasone) + Lidocaine + Placentex 국소주사
4 예후: 변화없음

Comment

- #46 임플란트가 하악관 상벽과 접촉하고 있는데 임플란트를 제거해야 하는가? 제거한다고 해서 환자의 증상이 소멸된다는 보장이 있는가? 제거하려면 임플란트 식립 직후 하악관에 근접한 것이 확인된 후 즉시 제거했어야 했다. 본원에 내원하였을 당시에는 이미 5개월이라는 긴 기간이 경과하였으며 임플란트가 하악관을 직접 침범하지는 않았고 감각 기능은 인지하고 있었다. 신경병성 통증은 약물치료를 통해 조절될 것으로 생각하였기에 상기 증례와 같은 방식으로 치료를 진행하였다. 본 증례의 하치조신경손상의 정도는 축삭절단(axonotmesis)으로 생각된다. 2020년 8월 20일 전기생리학적검사는 초진 시점과 큰 차이가 없었고 체열검사에서는 좌우측 온도 차이가 0.3℃ 이하로 약간 감소된 결과를 보였다. 그러나 환자는 증상이 거의 호전되지 않았으며 초진 시점과 큰 차이를 보이지 않는다고 호소하였다. **환자의 일상생활에 지장을 초래할 정도의 심한 통증이 지속될 경우엔 임플란트 제거 및 항경련제 등을 이용한 약물치료, 성상신경절차단술, 신경감압술(decompression surgery), botulinum toxin 주사 치료, 장기간 지속되는 만성 통증에 대한 정신건강의학과 협진 등을 고려할 수도 있다.** 본 증례의 환자는 매우 많은 의과적 질환에 대한 치료를 받고 있으며 신경손상의 회복에도 간접적으로 좋지 않은 영향을 미칠 것으로 생각된다.

신경손상 후 후유장애 평가는 2년 후에 시행하는 것이 추천되며 이후부터는 관련 증상에 잘 적응하면서 지내는 것 외에 특별한 치료법이 없다. 대부분의 환자들은 후유장애진단 및 보상 과정이 이루어지면 감각 이상 및 통증에 대해 문제를 제기하는 빈도가 현저히 감소되며 잘 적응하는 경향을 보인다.

본 증례에서 신경병성 통증 조절 목적으로 처음에 Trileptal을 처방하였고 이후 Neurontin으로 교체하였다. 삼차신경통을 제외한 신경병성 통증의 1차 치료약물은 Gabapentin, Pregabalin, Antidepressant임을 숙지할 필요가 있다. Imotun은 Avocado-soya unsaponifiables에서 추출된 약물로서 골관절염과 치주질환에 의한 통증을 완화시키기 위한 보조요법으로 사용된다(Porporatti AL, et al: 2019). 이 약물이 신경손상으로 인한 감각회복과 신경병성 통증의 치료에 유용하다는 학술적 근거는 없지만 부작용이 거의 없으며 진통제와 같은 다른 약물의 사용량을 줄일 수 있는 장점이 있기 때문에 본 증례에서 사용되었다. Placentex (polydeoxyribonucleotide sodium, PDRN)는 혈관형성 및 혈관내피성장인자(vascular endothelial growth factor, VEGF)의 생산을 촉진시키는 것으로 알려져 있다. Park 등(2015)은 PDRN이 신경재생을 촉진시키는 역할도 수행한다고 보고하였다. 본 증례에서도 신경재생 촉진 목적으로 1회 주사하긴 하였지만 아직 학술적 근거가 확립된 치료법은 아니다.

Case 3 > 하악 매복지치 발치 후 감각 둔화와 통증이 지속된 증례

2018년 4월 5일 45세 여자 환자가 우측 턱과 하순의 감각 둔화를 주소로 내원하였다. 환자가 소지한 진료의뢰서에는 2개월 전 치과의원에서 #48 매복지치를 발치한 이후 증상이 시작되었으며 스테로이드, Gabapentin, Beecom을 1개월 정도 복용한 기록이 있었다. 우측 하순, 하악 치아들과 턱의 감각 이상(VAS 3)과 뻣뻣하고 쪼이는 듯한 통증(VAS 6)을 호소하였다. 음식을 씹는 것에 지장이 있고 하품하거나 칫솔질할 때, 찬 것이나 뜨거운 것, 손가락으로 입술을 건드릴 때 통증이 심해진다고 하였다. 방사선 사진에서는 #48 발치창 결손부가 크게 남아 있는 것으로 보아 매복치가 깊게 위치되어 있었던 것으로 추정되었다**(Fig 19)**. 우측

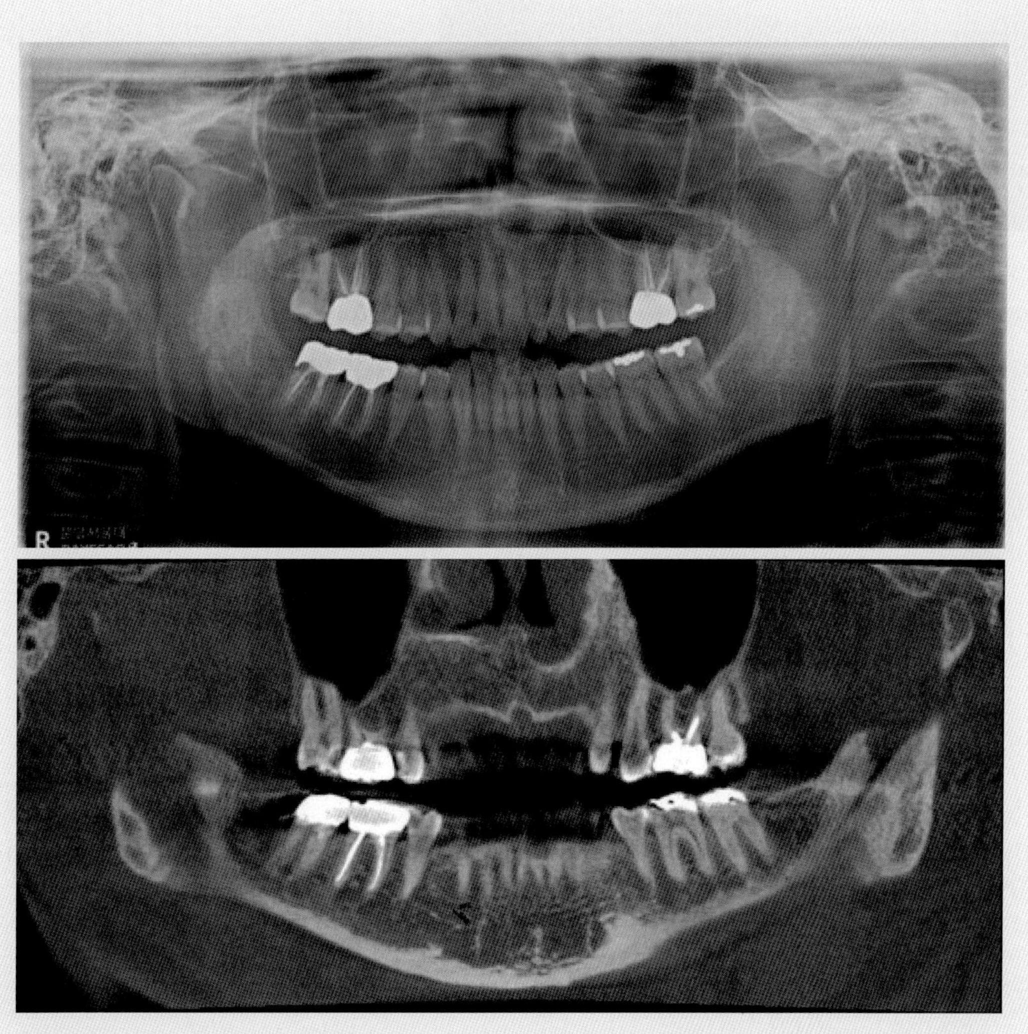

Fig 19. 초진 시 파노라마 및 CBCT 방사선 사진. #48 매복치 발치 부위가 하악관과 매우 근접해 있는 소견이 관찰된다.

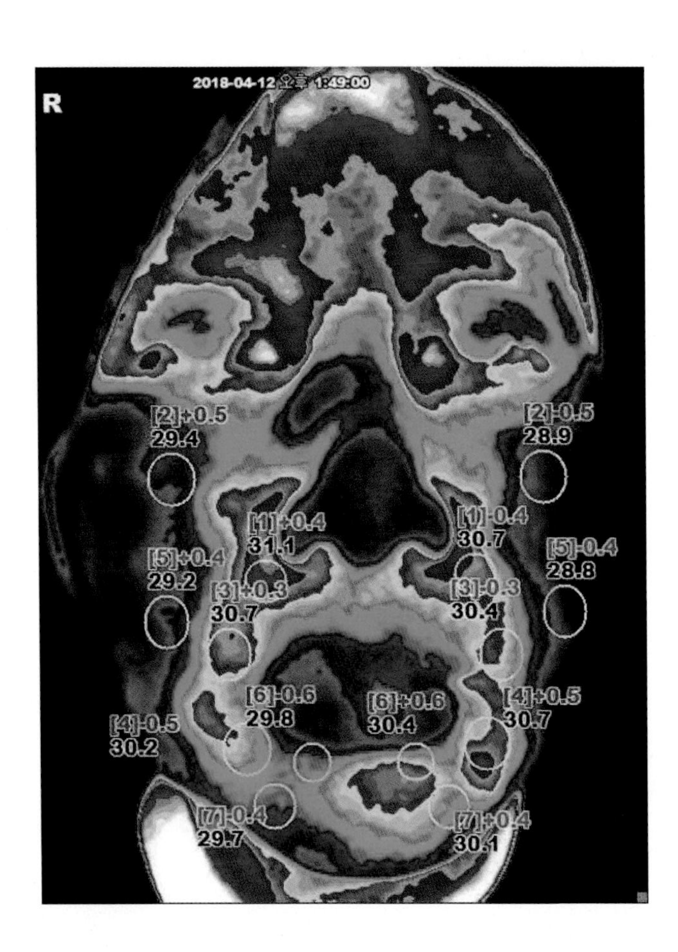

Fig 20. 체열검사에서 양측 하악골과 하순의 온도 차이가 0.4-0.6℃를 보이고 있다.

하치조신경손상 및 신경병성 통증으로 잠정 진단하고 EMG, QST, 체열검사를 시행하였다(**Fig 20**). 정밀검사 결과 우측 하치조신경손상을 의심할만한 소견이 관찰되었으며 타 병원에서 1차로 Gabapentin 계열의 약물이 사용되었기 때문에 Trileptal 150 mg bid, Sensival 10 mg qd을 처방하고 EAST (2 pads) & laser 치료를 8

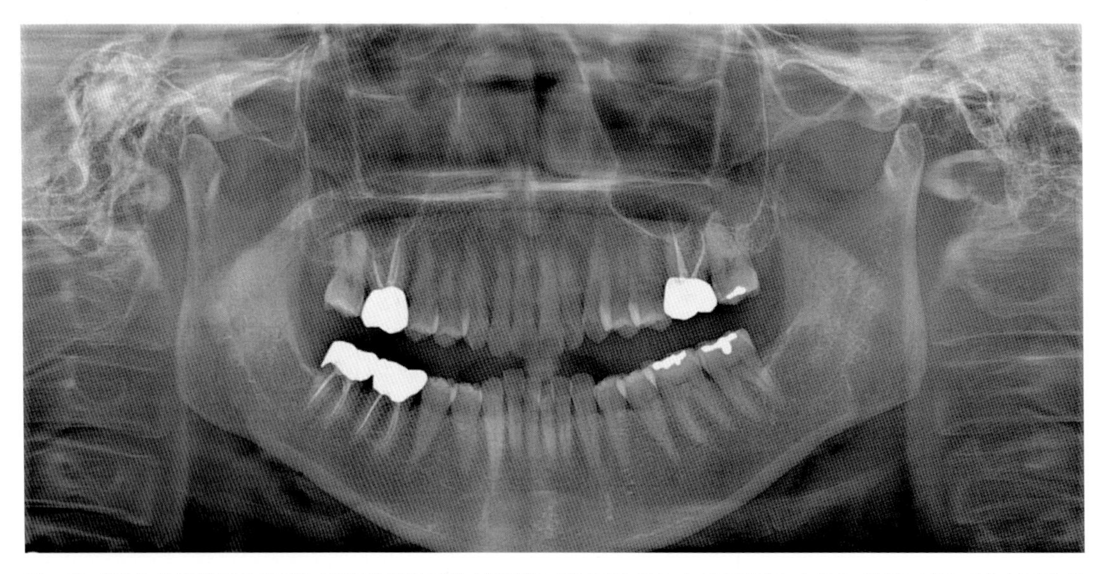

Fig 21. 신경손상 발생 2년 후 파노라마 방사선 사진. 발치창은 정상적인 치유가 이루어졌으며 우측 하치조신경 지배 부위의 감각이상 및 신경병성 통증이 지속되고 있다.

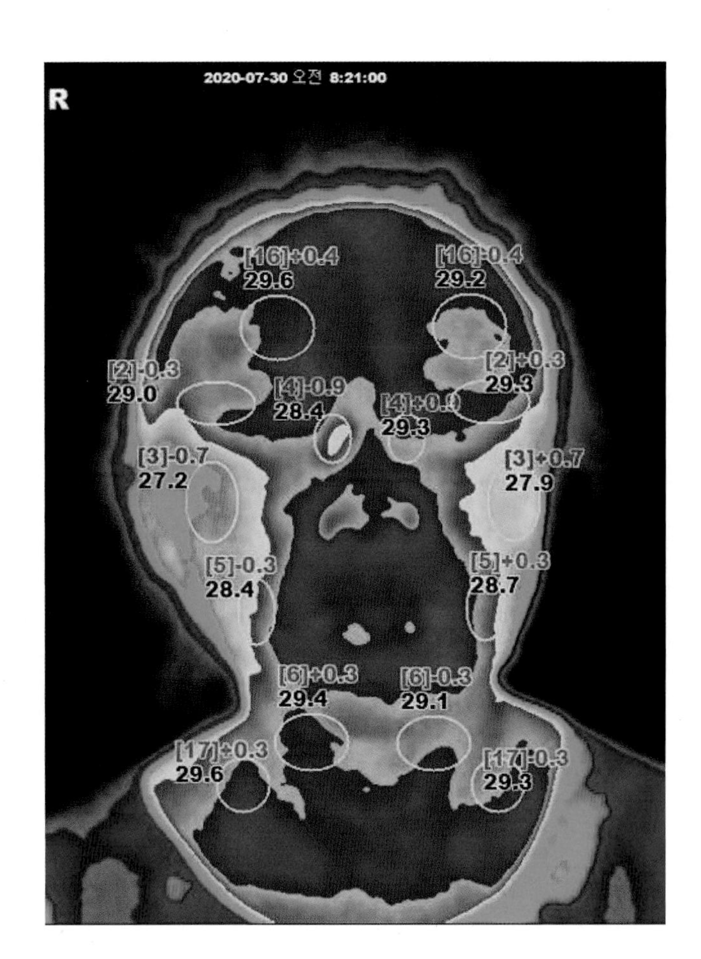

Fig 22. 신경손상 2년 후 촬영한 체열검사에서 양측 하악과 하순 부위의 온도 차이가 0.3℃를 보이고 있으며 초진 시에 비해 온도 차가 약간 감소되었다.

회 시행하면서 경과를 관찰하기로 하였다. **2018년 5월 10일** 감각 이상과 통증이 더 악화되고 Sensival 부작용으로 추정되는 졸리고 입이 마르는 증상을 호소하였다. Trileptal과 Sensival 복용을 중단시키고 Neurontin (Gabapentin 100 mg tid)으로 교체하여 1주 처방하였으나 전혀 효과가 없다고 하면서 약물치료를 거부하였다. **2018년 7월 12일** 물리치료를 총 8회 시행하였음에도 불구하고 증상은 개선되지 않으면서 더 악화된다고 하였다. 손가락으로 건드리거나 찬 것, 비행기 탈 때 우측 하순과 턱이 뻣뻣하고 조이는 증상이 몹시 심하다고 하였다. **2018년 10월 25일**부터 마취통증의학과에서 성상신경절차단술(Ropiva: Ropivacaine 7.5 mg/mL)을 5회 시행하면서 Prebalin (Pregabalin 75 mg bid)을 복용하였다. 증상이 호전되지 않아 **2019년 2월 14일** Prebalin 75 mg tid로 증량하였고 **2019년 3월 21일** Lyrica (Pregabalin 150 mg bid), Cymbalta (Duloxetine 30 mg qd)를 3개월 복용하면서 증상이 다소 완화되기 시작하였다. **2020년 7월 2일** 치과에 내원하였으며 우측 하순과 턱 감각 이상, 항상 서늘한 느낌, 건드리면 불쾌한 느낌은 잔존하고 있었으며 전기생리학적 검사를 시행한 결과 초진 시 소견과 큰 변화를 보이지 않았다. 그러나 체열검사에서는 초진 시에 비해 좌우 온도 차이가 약간 감소된 소견을 보였다(**Fig 21, 22**). 수상일 기준 2년이 경과하였기 때문에 관련 치료들을 종료하고 후유장애진단서를 발급하였으며 만성 통증에 잘 적응하면서 지내도록 권유하였다(**Box 18**).

Box 18 **후유장애진단서**

- **병명: #48 매복치 발치 후 하치조신경손상**
- **주요 치료경과, 현증 및 기왕증, 검사소견 등**

2018년 4월 5일 초진 이후 임상, 방사선 검사, 체열검사, 전기생리학적 검사 등을 토대로 우측 하치조신경손상으로 진단하고 물리치료, 약물치료, 주사치료 등을 시행하였음. 2020년 7월 2일 최종 관찰 시점에서도 초진 시와 유사한 우측 하순과 턱 부위의 감각 이상이 잔존하고 있으며, 전기생리학적 검사에서도 경미한 삼차신경분지 손상 소견이 관찰되었음. 수상일 기준 2년이 경과하였기 때문에 현 상태로 증상이 고착될 가능성이 크며 증상을 회복시킬 수 있는 적절한 치료법은 없다고 판단됨.

- **신체장애율 평가**

1. 맥브라이드 방식
   - 두부, 뇌, 척수 제5뇌신경 완전장애: 18%
   - 좌측 삼차신경(3개 분지)의 손상: 9%
   - 하악신경(3개 분지)손상 1/3 준용: 3%
   - 하치조신경손상 1/3 준용: 1%

2. AMA (2000) 장애평가기준

   편측 하악신경손상에 의한 감각장애는 삼차신경 전체 장애율의 절반이며, 하악신경에 국한하여 적용함.
   - Class I(0–14%)의 1/2는 0–7%
   - 하악신경 1/3을 적용하면 0–2.3%: 감각 둔화 및 신경병성 통증이 함께 존재하는 것을 고려하여 2%의 신체장애율을 산정함.
   - 최종 장애율: 2%

⊗ Problem lists

1. #48 매복치 발치
2. 우측 하치조신경손상 및 신경병성통증

치료 및 경과

1. 약물치료
2. 물리치료: EAST & laser
3. 성상신경절차단술
4. 후유장애진단서
5. 예후: 변화 없음

Comment

● 물리치료와 Trileptal, Sensival, Neurontin 등의 약물 치료는 증상 완화에 전혀 도움이 되지 않았다. 성상신경차단술과 Pregabalin, Duloxetine 투여 후 통증이 다소 경감되기 시작하였으나 수상일 기준 2년 이상 경과한 시점에도 감각 이상 및 신경병성 통증은 잔존하고 있었다. 한 가지 약물로 통증 조절이 잘 안 될 경우 2가지 약물을 함께 사용하기도 한다(**참고:** 매번 상황에 따라 지침이 바뀌지만 최근 심평원 평가기준은 2가지 약물을 사용할 경우 한 가지만 보험을 적용해 주는 경향을 보인다. 즉 Pregabalin과 Duloxetine 중 한 가지는 보험으로 처방하고 다른 약물은 비보험으로 처방하는 것이 좋다). 이와 같은 경우엔 만성화된 신경병성 통증에 대해 환자가 스스로 적응하면서 지내는 것 외에는 특별한 치료법이 없다. 신경병성 통증이 더욱 심해져서 삶의 질을 현저히 떨어트리거나 일상생활에 지장을 초래할 경우엔 botulinum toxin A (BTXA) 주사, 신경감압술 등을 시도해 볼 수 있지만 치료 효과를 장담할 수 없다. 특히 외과적 치료는 증상을 확실하게 호전시킬 수 있다는 확신이 있기 전까지는 시도하지 않는 것이 좋다.

신경손상 관련 후유장애 평가는 수상일 기준 2년 이상이 경과한 후에 시행하는 것이 추천된다. 환자의 증상을 회복시키기 위해 최선을 다해 노력하고 신경손상 자연치유 등의 과정을 기다려 본 후 후유장애를 평가해야 한다. 환자들 입장에서는 초기부터 보상 및 합의를 위해 후유장애진단을 요구하는 경우가 많기 때문에 신경손상의 치유기전과 기간, 치료법 및 예후, 후유장애진단서를 발급하는 시기 등에 대해 환자에게 상세히 설명해야 한다.

Pregabalin은 지속형 신경병성 통증의 치료에 효과가 좋다고 알려져 있다. 다른 약물들과 상호작용이 비교적 적으며 약물 부작용이 적고 장기간 사용할 때 축적 효과가 우수한 장점이 있다(Verma V, et al; 2014, Hummig W, et al; 2014). **Duloxetine은 Serotonin-norepinephrine reuptake inhibitor (SNRI) 계통의 약물로서 삼환계항우울제(Tricyclic antidepressants)에 비해 부작용이 적고 약물의 빠른 증량이 가능하며 신경병성 통증, 골관절염, 섬유근육통의 치료에 효과적인 것으로 알려져 있다**(Nagashima W, et al; 2012, Clark G; 2015).

Case 4 > 73세 여자 환자에서 임플란트 치료 후 #13 임플란트 주변 통증이 지속되고 있는 증례

2017년 11월 30일 73세 여자 환자가 상하악 다수 임플란트 치료를 목적으로 내원하였으며 환자 거주지는 포항이었으나 근처 치과의원에서 대학병원 진료를 권유하였다. 심혈관질환(고혈압, 부정맥), 신장질환, 기관지 천식 및 뇌신경 질환(파킨슨 질환, 공황장애, 발작, 근육경련)으로 많은 약물을 복용 중이며 매우 예민하여 진단 및 치료계획 등에 대해 사소한 것까지 질문을 많이 하는 성향을 보였다. 하악 전치부에 임플란트 치료 경험이 있으며 #13, 14 우식증, #35, 45 잔존 치근, #24, 25 통증이 존재하였고 상하악 양측 구치부가 소실된 상태였다**(Fig 23)**. 보철과 협진 후 #13, 14, 15, 35, 45 발치, #32, 33 우식증 치료, 16i–x–14i, 13i, 26i, 35i, 36i, 45i, 46i 치료를 계획하였다. **2018년 7월 16일** #45를 발치한 후 #45, 46 부위에 임플란트(Superline, 4.5 D/8 L)를 식립하고 주변 결손부에 NOVOSIS BMP, ExFuse putty를 이식하였으며, Ossix plus 차폐막을 피개한 후 봉합하였다**(Fig 24)**. **2018년 7월 30일** #13, 14를 발치한 후 즉시 임플란트(Superline, 4 D/14 L)를 식립하고 #16 부위에는 치조정접근법을 통한 상악동점막 거상술과 동시에 직경 5 mm, 길이 8 mm Superline 임플란트를 식립하였다**(Fig 25)**. 술후 우측 눈 주위의 심한 반상출혈과 통증을 호소하였으나 시간이 경과하면서 완전히 해소되었다. **2018년 8월 13일** #35를 발치하고 #35, 36 부위에 임플란트(Superline 4.5 D/8 L)를 식립하였으며 주변에 Pedistick을 이식하고 Ossix plus 차폐막을 피개한 후 봉합하였다**(Fig 26)**. **2018년 8월 27일** #15를 발치하고 #26 부위에 측방접근법을 통한 상악동점막 거상술과 동시에 임플란트(Superline 5 D/10 L)를 식립하였다

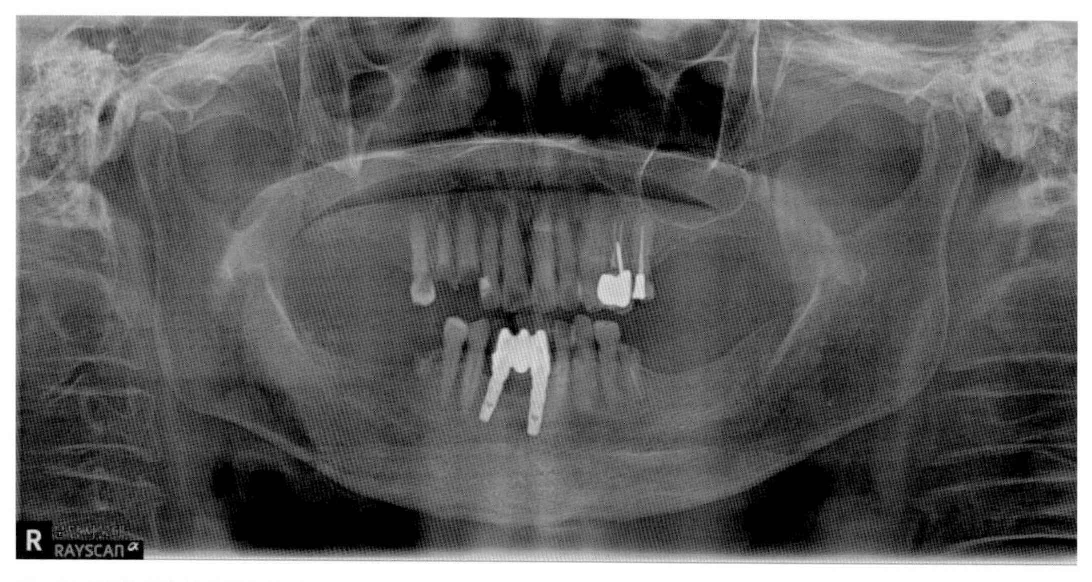

Fig 23. 73세 여자 환자의 초진 시 파노라마 방사선 사진

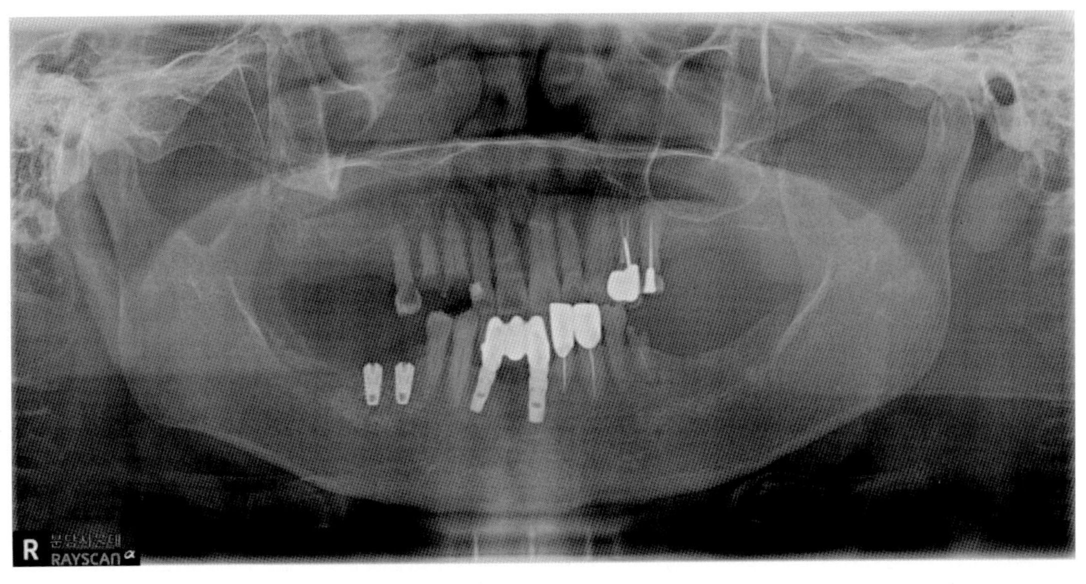
Fig 24. #45, 46 임플란트 식립 후 파노라마 방사선 사진

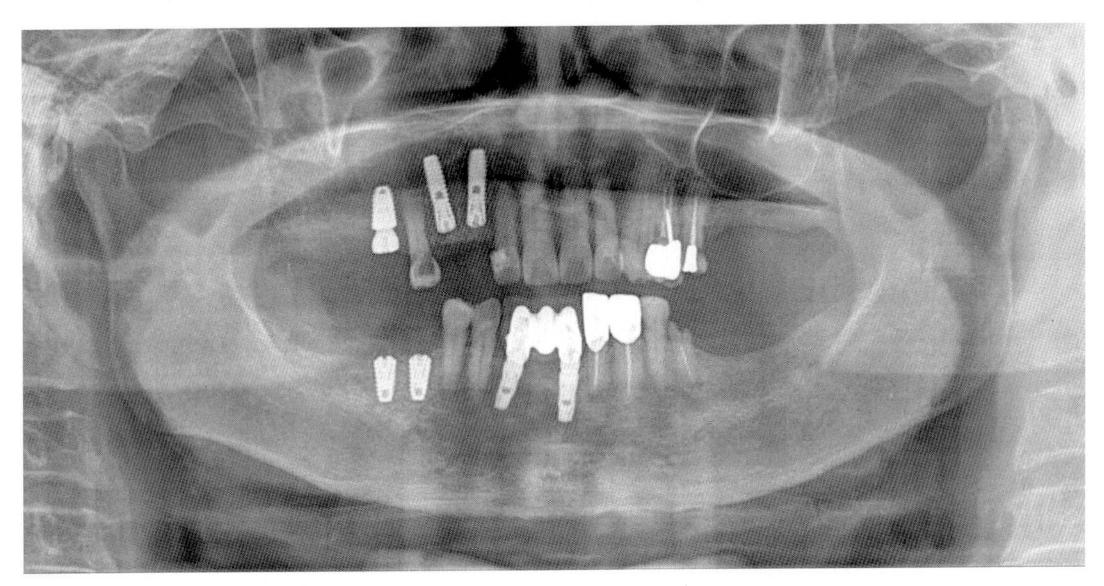
Fig 25. #13, 14 발치 후 즉시 임플란트를 식립하고 #16 부위에는 치조정접근법을 통한 상악동점막 거상술과 동시에 임플란트를 식립하였다. #13, 14 부위 임플란트는 초기 고정 확보를 위해 14 mm 길이 임플란트가 식립되었다.

(Fig 27). **2018년 9월 10일** 우측 상순과 코 주변의 감각 이상 및 압통을 호소하여 EAST & laser 치료를 시행하였고, CBCT를 촬영한 결과 상악동염 등 이상 병변은 관찰되지 않았다. 이후 치과에 내원할 때마다 물리치료를 시행하였으며 **2019년 1월 7일** #45, 46 부위 임플란트 2차 수술을 시행하였다. **2019년 1월 21일** #35, 36 부위 2차 수술, **2019년 2월 25일** #13, 14 부위 2차 수술, **2019년 3월 11일** #26 임플란트 2차 수술이 시행되었다. **2019년 4월 26일**부터 보철치료가 시작되었으며 내원할 때마다 물리치료가 시행되었고 **2019년 6월 11일** 안와하신경 주변에 Lidocaine과 Dexamethasone을 주사하고 Trileptal을 처방하였다. 타 병원 신경외과 등에서 처방받아 복용 중인 다수의 약물들과 유사한 계통인지 알아본 후 중복되지 않는 것을 확인하고 1개월 동안

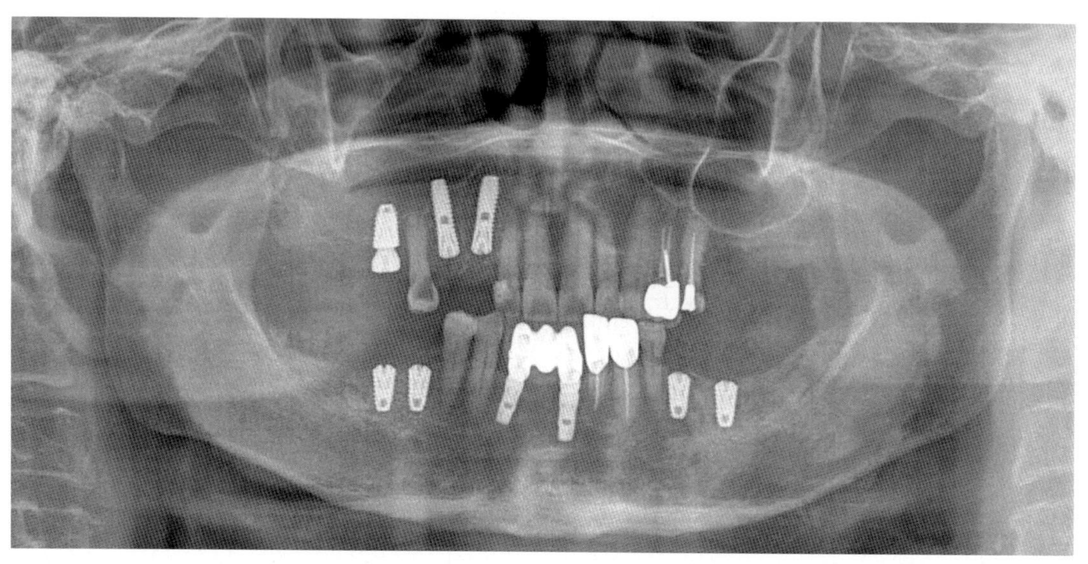

Fig 26. #35를 발치하고 #35, 36 부위에 임플란트를 식립한 후 촬영한 파노라마 방사선 사진

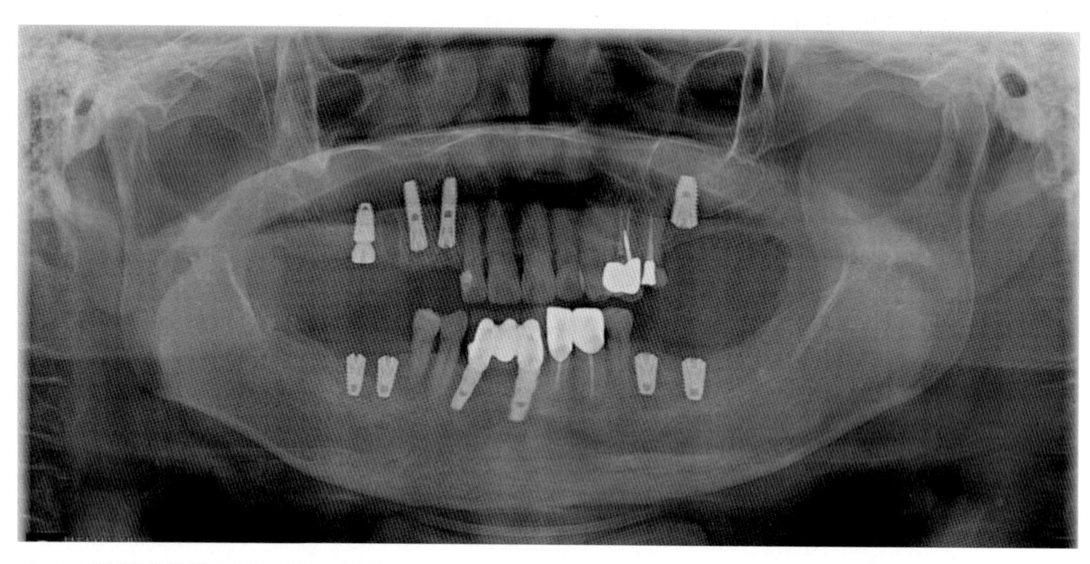

Fig 27. #15를 발치하고 #26 부위에 측방접근법을 통한 상악동점막 거상술과 동시에 임플란트가 식립되었다.

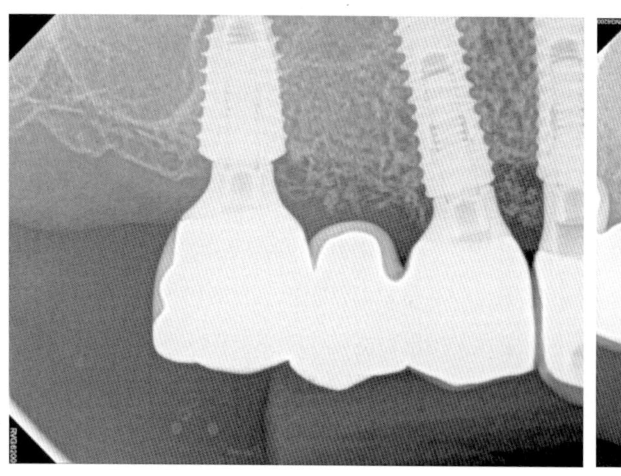

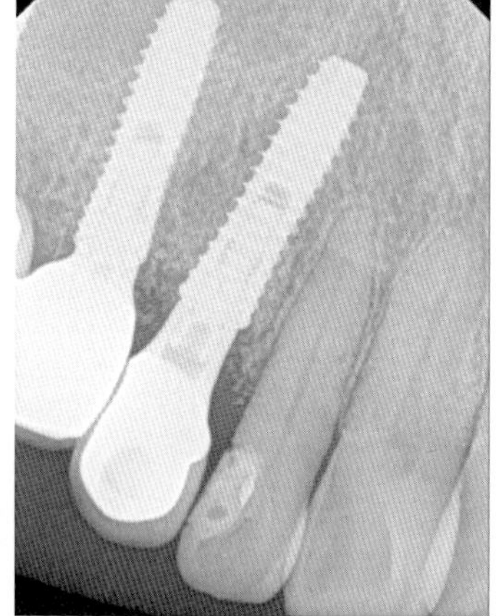

Fig 28. #13-16 임플란트 보철물 장착 후 촬영한 치근단 방사선 사진

복용하도록 하였다. **2019년 7월 4일** 상하악 최종 보철물들이 모두 완성되었으며, Trileptal을 복용하여도 증상이 호전되지 않아 투약을 중단하고 물리치료를 계속하였다**(Fig 28)**(Box 19).

Box 19 우측 상악 감각 이상 및 통증에 대한 치료 요약

1. **2018. 7. 30** #13, 14 골이식을 동반한 임플란트 식립
2. **2018. 7. 31** 심한 통증 및 안와주위 반상출혈
3. **2018. 8. 27** 우측 상악 수술 부위 감각이 이상하고 촉진 시 압통 호소함.
4. **2018. 8. 28** 우측 코에서 콧물이 나오고 우측 광대뼈 부위를 누르면 아프다고 호소함.
5. **2018. 9. 10** EAST & laser. 우측 상순과 코 주변의 감각 이상 및 압통. 침을 깊게 삽입할 때 통증은 인지함.
6. **2018. 9. 11** EAST & laser
7. **2018. 9. 17** EAST & laser
8. **2019. 9. 18** EAST & laser
9. **2019. 1. 7** EAST & laser
10. **2019. 1. 10** EAST & laser
11. **2019. 1. 21** EAST & laser
12. **2019. 2. 25** EAST & laser. 1주 전부터 3회 정도 심장이 쥐어짜듯이 아팠고 우측 안면부가 당겨지는 듯한 증상 호소함. 심혈관센터 진료 의료
13. **2019. 3. 11** EAST & laser
14. **2019. 5. 17** EAST & laser
15. **2019. 6. 1** EAST & laser. 안와하신경 주변에 Lidocaine + Dexamethasone 주사, Trileptal 처방
16. **2019. 7. 25** EAST & laser, Lidocaine + Dexamethasone 주사
17. **2019. 10. 29** EAST & laser. 병원 민원실에 민원 제기
18. **2019. 10. 28** EAST & laser
19. **2020. 7. 6** EAST & laser. 의료분쟁윤리위원회 처리 종결

2019년 7월 25일 우측 코 외측면과 #12–14 순측 치은 촉진 시 통증을 호소하여 Lidocaine과 Dexamethasone을 #12–14 치은 주변에 주사하고 물리치료를 시행하였다. 환자는 #35–36 부위에 음식물이 많이 끼고 상부 보철물을 금으로 만들지 않아서 이런 증상이 생긴 것이 아니냐고 항의하였다. **2019년 10월 29일** 이상 증상들과 통증이 지속되어 치료 후 합병증이 발생하였다며 병원에 민원을 제기하였다(Box 20). **2020년 7월 6일** 내원 시 우측 코 옆을 누르면 아픈 증상은 여전하다고 하였다. 현 시점에서 환자의 증상을 완전히 소멸시킬 수 있는 치료법은 없으며 현 상태에 잘 적응하면서 정기적인 유지관리를 하면서 관찰하자고 설득하였다. 병원 의료분쟁윤리위원회에서 본 건의 처리방법에 대해 논의한 후 환자에게 적정 비용을 환불하고 종결하는 것으로 처리되었다**(Fig 29)**(Box 21).

Box 20 환자가 제기한 민원에 대해 의료분쟁윤리위원회에 답변한 내용

1. **현재 불편감이 심한 증상**
   1) 우측 코 측면과 우측 상순 주위의 찌릿한 통증 및 감각 이상
   2) 객관적 검사에서도 우측 코 측면 촉진 시 압통과 우측 상순의 감각 둔화가 존재하고 있음.
2. **증상 발생**
   2018년 7월 30일 상악 우측 견치와 제1소구치 부위 임플란트 식립 수술 이후부터 증상 지속
3. **후처치 및 관리**
   1) 상기 증상과 환자의 불편감을 최대한 완화시키기 위해 약물 및 물리치료를 시행하면서 경과를 관찰 중이지만 호전되지 않음.
   2) 술후 감염이나 수술 실패, 기타 특이 합병증은 전혀 없었음에도 불구하고 환자의 불편감이 지속되고 있어서 더욱 세심한 치료 및 상담을 지속하였고 물리치료용 레이저 기구도 대여하여 집에서 치료할 수 있도록 모든 노력을 기울였음.
   3) 현재 환자가 신경계 질환 및 다양한 내과적 질환을 가지고 있으며 다량의 약물을 복용 중이어서 약물 상호작용의 위험성을 고려하여 약물치료는 시행하지 않고 있음.
   4) 환자 및 보호자와의 관계는 비교적 좋은 상태이며 본인의 진료 행위 및 후 관리에 대해서 큰 불만은 없는 상태라고 판단됨.
4. **추정 원인**
   1) 의학적으로 상기 증상이 발생한 명확한 원인을 알 수 없음.
   2) 드물지만 치아 발치, 근관치료, 치조골 수술, 치과 임플란트 수술 등을 시행한 후 말초신경병변으로 추정되는 신경병성 통증(neuropathic pain)이 합병증으로 발생하는 경우가 있음. 이 경우 약물 치료와 물리치료를 시행하면서 경과를 관찰하는 것이 최선의 치료 방법임.
5. **환자 측의 요구**
   1) 본인을 포함한 치과 의료진의 진료 행위와 후처치 과정에 대해 큰 불만은 없음.
   2) 거주지가 경북 포항이어서 자주 내원하기 힘들고 거주지 근처의 병의원이나 한의원에서 물리치료를 받고 싶으며 이에 대한 적절한 보상을 요구함.
6. **현재 증상의 예후 및 해결 방안에 관한 의견**
   1) 원인 불명의 신경병성 통증은 시간이 경과하면서(수상일 기준 2년) 회복될 가능성이 매우 많지만 장기간 증상이 지속될 수도 있고 예후를 명확하게 판단할 수 없음.
   2) 통증의 원인 파악 및 치료를 위해 수술했던 부위를 개방하여 접근한 후 상태를 살펴보고 적절한 조치를 취하는 수술이 시도될 수 있음. 최악의 경우엔 병변 주변의 임플란트 2개를 제거할 수도 있음. 그러나 이와 같은 외과적 처치를 하여도 증상이 확실하게 없어진다는 보장이 없기 때문에 환자 측에서도 거부감을 표명하는 상태임.
   3) 해결 방안에 대한 의견
      원인 불명이고 치과 진료상 문제가 전혀 없었다 하더라도 현재 환자가 호소하는 증상은 사실이며 심리적 고통이 크다고 판단됨. 지속적인 물리치료가 도움이 될 수 있으나 환자 거주지가 경북 포항이어서 분당서울대병원을 자주 방문하기 어려운 상태임.
      따라서 임플란트 2개 식립 수술 이후 이와 같은 증상이 발생하였고 최악의 경우 임플란트 제거도 필요할 수 있다는 전제하에 2018년 7월 30일 시술된 임플란트 2개 수술 비용(임플란트 고정체 재료비는 포함되지만 골이식재료와 골이식술 비용, 보철 치료비는 제외)을 환불하는 것이 의료분쟁으로 진행되는 것을 예방하는 차원에서 적절하다고 판단됩니다.

작성자 2019. 10. 30

치과 구강악안면외과 교수 김영균 

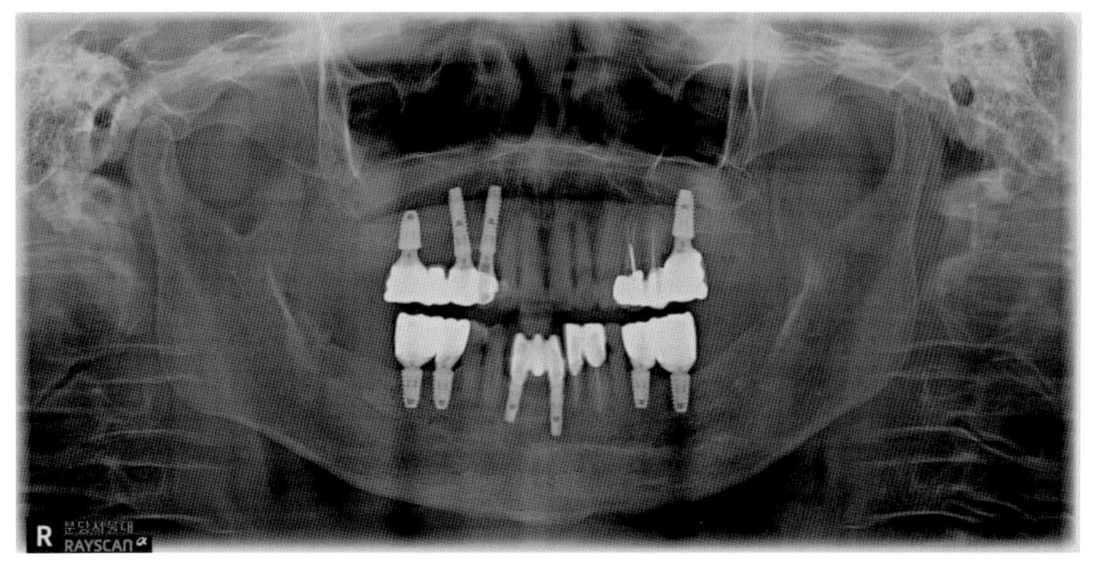

Fig 29. 상하악 보철물 장착 1년 2개월 경과 후 촬영한 파노라마 방사선 사진

Box 21 **향후 치료비 추정 및 후유장애 평가에 대한 의견**

이 환자가 본원에 계속 내원하시면서 통증 및 감각 이상에 대한 처치를 받는다는 가정하에 예상 치료비를 추정해 보면 다음과 같습니다.

임플란트 관련 치료이기 때문에 비급여 수가로 대략 산정해 보았습니다.

1. 통증 부위를 개방해서 확인하고 처치하는 탐색 수술: 수술 + 약제 + 검사료 = 약 400,000원
2. 통상적으로 본인은 신경손상 환자들에 대한 물리치료를 약 8회 정도 시행하고 있습니다.
   1회 비용 약 30,000원 X 8 = 240,000원
3. 만약 위와 같은 치료에도 불구하고 증상이 지속될 경우 임플란트 2개를 제거하고 다시 식립할 수도 있습니다. 제거 및 재치료 비용은 무수가로 처방하고 당일 검사, 재료 및 약재비만 처방할 경우 대략 300,000원

―――――― 예상 치료비: 940,000원

〈의료진 및 의료기관에 따라 많은 차이가 있을 수 있음을 알려드립니다〉

[후유장애진단서를 발급할 경우]

1. 수상일 기준 2년 후 정밀 검사 후 후유장애 진단서를 발급합니다.
2. 장애율은 1–3% 정도로 예상됩니다.

Problem lists

1. 다양한 의학적 전신질환 및 다수 약물 복용
2. #13, 14, 16 임플란트 수술 후 심한 반상출혈 및 통증 발생
3. 우측 안와하신경손상 및 신경병성 통증

치료 및 경과

1. 물리치료: EAST & laser
2. 약물치료(Trileptal) 효과 없어서 중단
3. 스테로이드(Dexamethasone) + Lidocaine 국소주사
4. 의료분쟁 발생
5. 예후: 중등도

Comment

- 본 증례는 **안와하신경 말초분지 손상과 연관된 외상 후 신경병성 통증으로 추정된다.** #13, 14 발치 후 즉시 임플란트를 식립할 때 초기 고정을 확보하기 위해 14 mm의 긴 임플란트를 식립하였고 주변 결손부에 골이식이 시행되었던 것과 연관이 있을 수 있다. 임플란트가 안와하신경에 간접적인 압력을 가했을 수도 있지만 파노라마 방사선 사진에서 안와하공과는 충분한 거리가 있는 것을 관찰할 수 있다. 골이식 후 일차 봉합을 위해 협측 피판의 undermining을 시행할 때 안와하신경의 상순가지(superior labial branch)가 손상되었을 가능성을 생각해 볼 수 있다. 또한 신경병성 통증의 원인으로서 긴 임플란트를 식립할 때 발생한 과열(overheating)이나 임플란트 첨부가 순측 피질골을 관통하여 상방 점막과 마찰되면서 발생하는 통증도 생각해 볼 수 있다. 따라서 수술 부위를 직접 육안으로 확인하기 위한 탐색수술(exploratory operation)을 권유하였으나 환자 및 보호자 측에서 확실히 치유된다는 보장이 없다면 추가 수술을 원하지 않는다고 거부감을 표명하였다.
  환자가 보유하고 있는 **다양한 의과적 질환(특히 심혈관질환)과 복용 중인 많은 약물들이 감각 이상과 신경병성 통증이 지속되면서 환자를 괴롭히는 것에 관여할 수도 있다. 만성적인 의과적질환을 보유한 환자들은 심리적 스트레스로 인한 문제뿐만 아니라 면역기능 저하로 인해 창상치유 측면에서도 부정적인 영향을 미친다.** 본 증례에서는 환자가 복용 중인 다수의 약물들과 상호작용을 우려하여 항경련제 등을 이용한 약물치료를 적절히 할 수 없었던 문제점이 있다. 리도카인과 스테로이드를 2회 주사하고 물리치료를 계속하였지만 증상은 호전되지 않고 지속되었다. 그러나 이와 같이 **최선을 다해 치료하면서 상세히 설명하는 태도가 환자 및 보호자의 불만을 완화시킬 수 있었으며 위 증례에서 제시된 바대로 적정 위자료를 보상하고 종결되는 데 중요한 역할을 했다고 생각된다.**

Case 5 > 턱교정 수술 후 지속되는 신경병성 통증

21세 여자 환자가 **2015년 3월 27일** 심한 전치부 개방교합과 턱관절 잡음을 주소로 내원하였다**(Fig 30)**. 7개월 전부터 개방교합을 인지하였고 타 치과병원에서 약 1년간 턱관절 치료를 받은 병력이 있었다(약물 및 물리치료). 아침에 턱이 뻐근하고 가끔 입이 안 벌어지는 증상과 간헐적 두통이 존재하였다. 우측 턱관절 측방 촉진 시 압통이 심했고 최후방 제2대구치만 교합되는 상태였으며 개구량은 35–50 mm 범위에 있었다. 방사선 사진에서 양측 과두의 형태가 불명확하고 관절면이 불규칙하면서 양측 하악지(mandibular ramus)의 길이가 짧은 양상을 보였다**(Fig 31, 32)**. 야간 이갈이가 동반된 근육성 턱관절장애, 턱관절 내장증, 턱관절염(특발성 과두흡수)으로 잠정 진단하고 정밀검사를 시행하였다. 핵의학 검사에서 양측 턱관절의 섭취율이 현저히 증가된 양상이 관찰되었다**(Fig 33)**. 교정과 협진하에 수술교정치료를 계획하였으나 환자는 턱관절 치료만 받은 후 교정치료를 하지 않고 수술만 시행하기를 희망하였다. **2015년 6월 11일**부터 **2015년 7월 28일**까지 턱관절의 약물 및 물리치료를 시행하였고, 치료기간 동안 양측 상관절강에 Hyaluronic acid를 2회 주입하였다. **2015년 7**

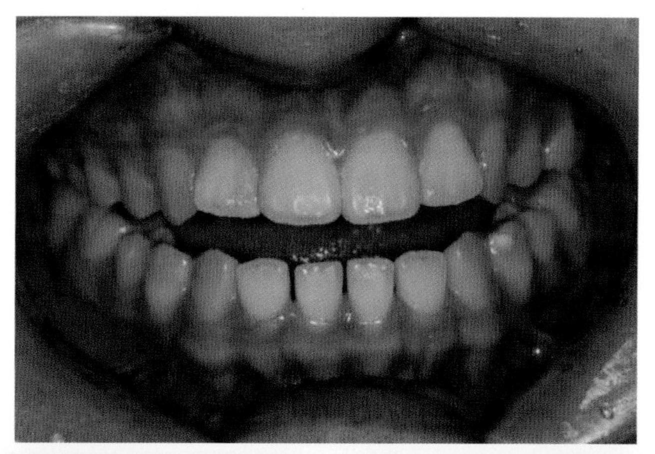

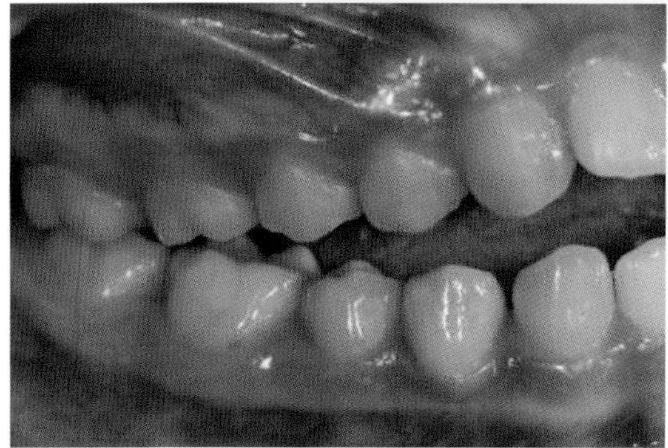

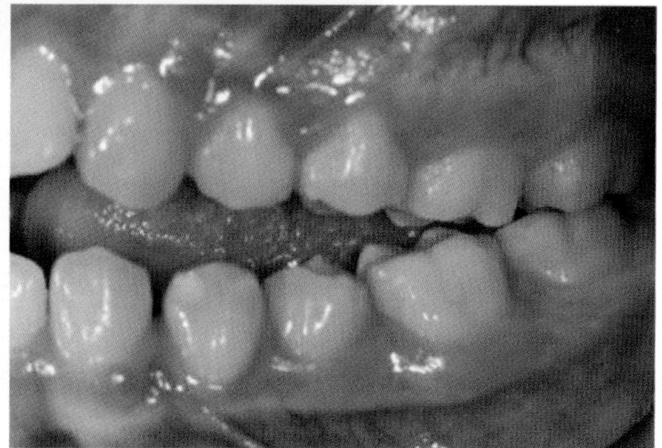

Fig 30. 초진 시 구강 사진. 최후방 대구치 1개씩만 교합되는 심한 개방교합이 관찰된다.

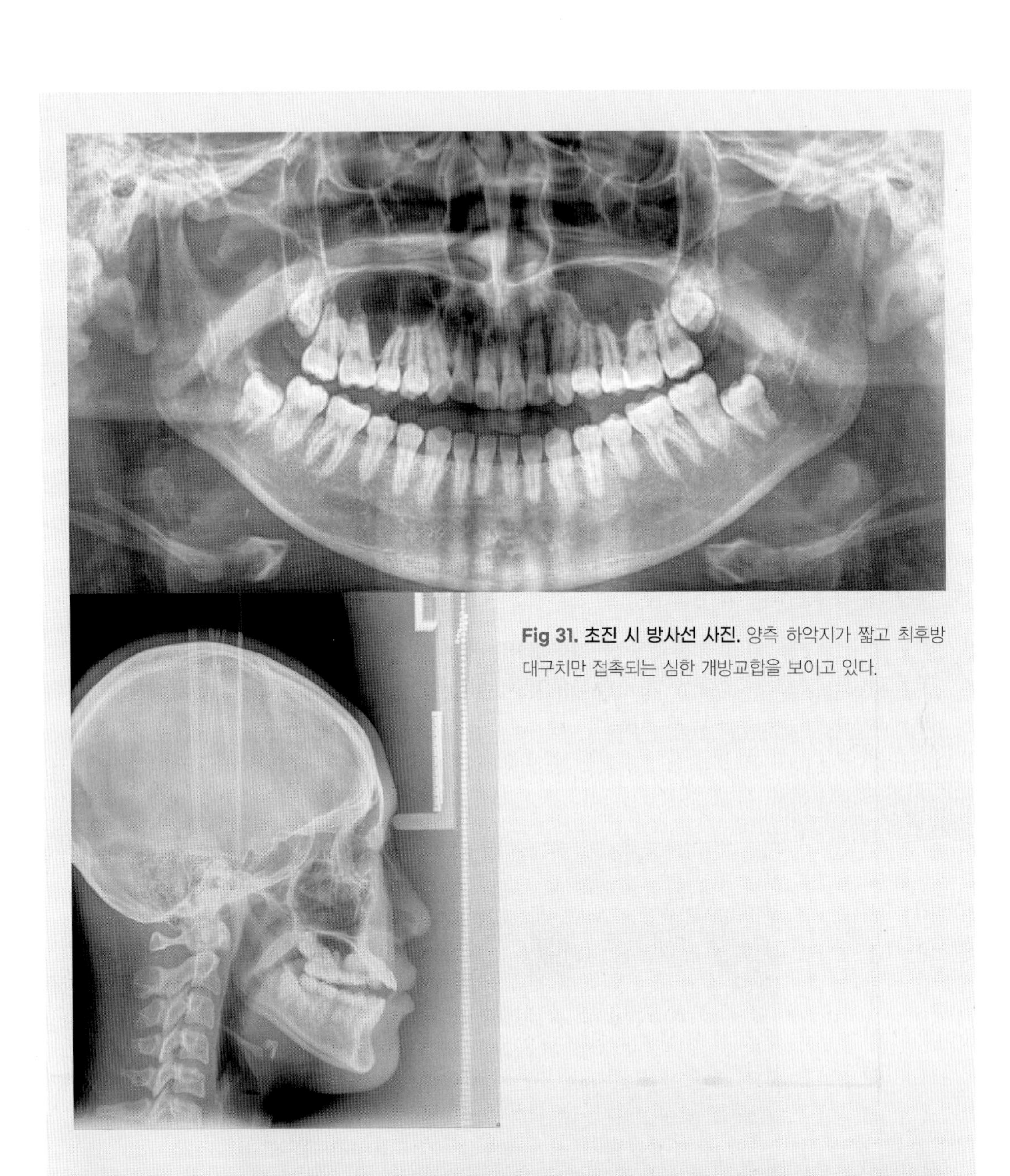

Fig 31. 초진 시 방사선 사진. 양측 하악지가 짧고 최후방 대구치만 접촉되는 심한 개방교합을 보이고 있다.

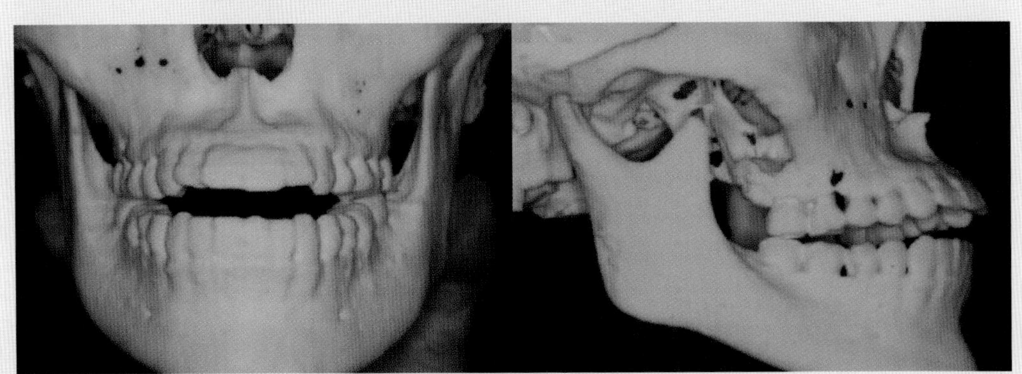

Fig 32. 초진 시 CT를 촬영하여 제작한 RP 모형. 최후방 제2대구치만 교합되는 심한 개방교합 소견이 확인되었다.

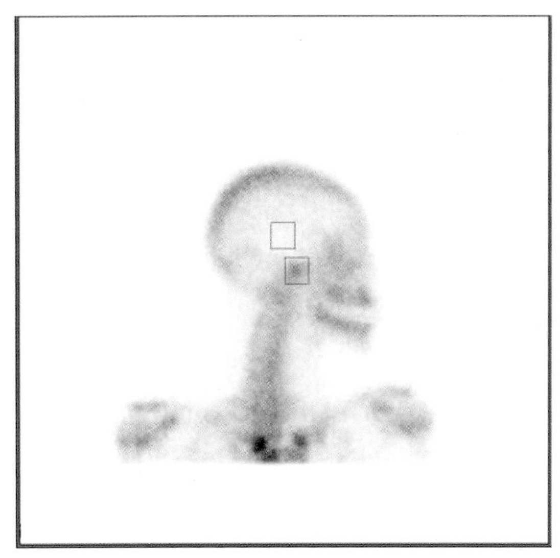
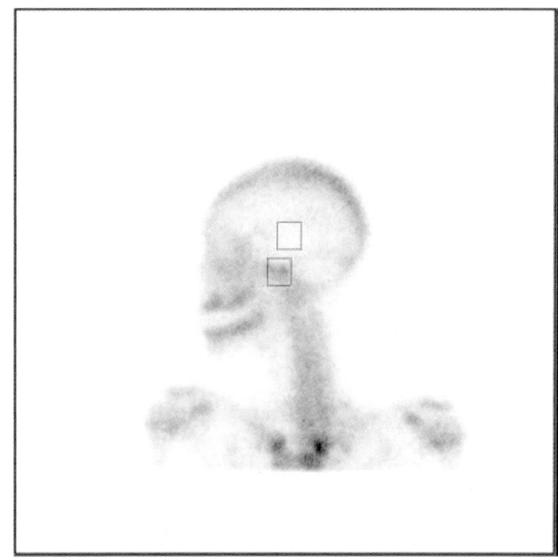

Fig 33. 핵의학 검사에서 양측 턱관절 부위의 섭취율이 증가한 소견이 관찰되었다.

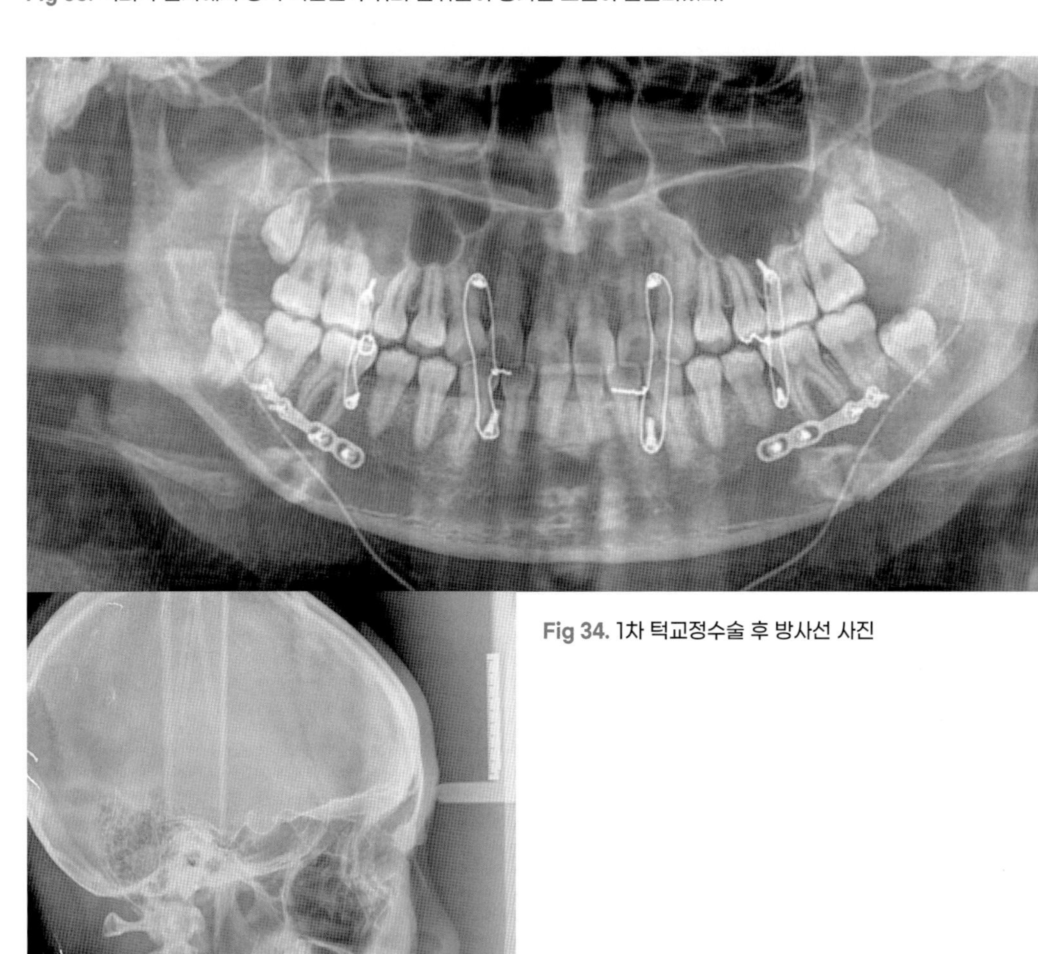

Fig 34. 1차 턱교정수술 후 방사선 사진

월 29일 양측 하악지 시상분할골절단술을 시행한 후 골편을 금속판으로 고정하고 2주간 악간고정을 시행하였다**(Fig 34)**. **2015년 8월 28일** 교합은 안정적이었으나 개구제한(20 mm)과 턱관절 주위 불편감을 호소하였다. **2015년 9월 18일** 양측 턱관절에 Hyaluronic acid를 주입하고 개구량 회복을 위한 도수조작(manipulation)을 시행하였으며 도수조작 직후 28 mm 개구량을 보였다. **2016년 1월 29일** 개구량은 정상(35–40 mm)으로 회복되었으며 주기적으로 EAST & laser 치료를 시행하면서 **2016년 6월 10일** 턱관절 안정을 위한 스플린트를 장착해 주었다.

2017년 11월 24일 내원 시 전치부 개방교합이 재발 중임이 확인되었고 환자는 심한 우측 턱관절 통증을 호소하였다**(Fig, 35, 36)**. 스플린트는 파손되어 착용하지 않고 있었으며 양측 금속판 부위의 불편감을 호소하였다. 턱교정 재수술을 위해 교정과 협진을 의뢰하였으며 술전 교정 치료 후 양악수술을 계획하였고 환자가 동의하였다**(Fig 37)**. **2019년 2월 20일** 양악수술을 시행한 후 안모와 교합이 현저히 개선되었고 술후 교정치료가 시행되었다**(Fig 38)**. 양악수술 3개월 후부터 좌측 턱 감각이 둔하고 찌릿한 통증이 매우 심하다고 호소하였다. EAST & laser 물리치료를 주기적으로 시행하였고 **2019년 7월 12일** 좌측 이신경 주변에 스테로이드(Dexamethasone)를 주사하였다. 통증과 촉각은 인지하는 상태여서 전기침 대신에 pads를 부착하여 EAST를 시행하면서 약물을 투여하였다(Trileptal 300 mg tid, Sensival 10 mg qd). 칫솔질할 때 찌릿한 통증이 심하고 좌측 턱 피부를 손으로 건드리기만 해도 몹시 아프지만 약을 복용하면 나아진다고 하였다. 그러나 통증이 지속되고 금속판의 이물감을 호소하여 **2019년 9월 11일** 금속판과 나사를 모두 제거하였으며 좌측 이신경 주변에 Dexamethasone을 주사하였다. 금속판 제거 2개월 후에도 증상이 전혀 호전되지 않아 물리치료를 계속하면서 경과를 관찰하였다. **2019년 12월 23일** 다음과 같은 신경병성 통증을 호소하면서 삶의 질이 매우 떨어지고 일상생활을 하기 힘들다고 호소하였다**(Box 22)**.

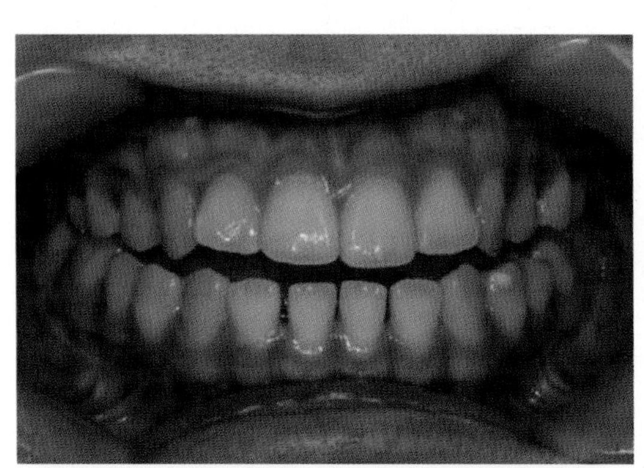

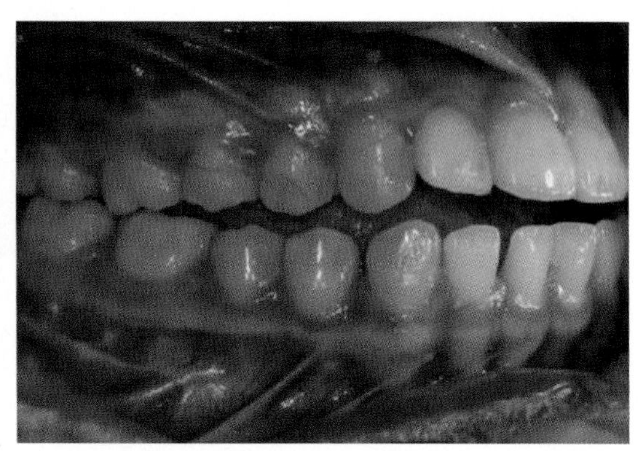

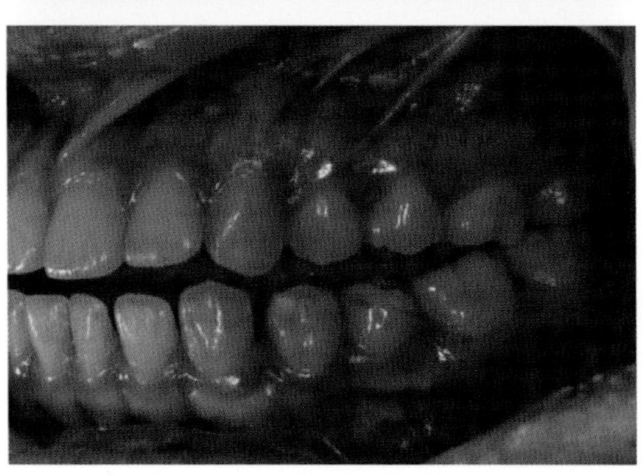

Fig 35. 1차 턱교정수술 2년 5개월 후 구강 사진
개방교합의 재발 소견이 관찰된다.

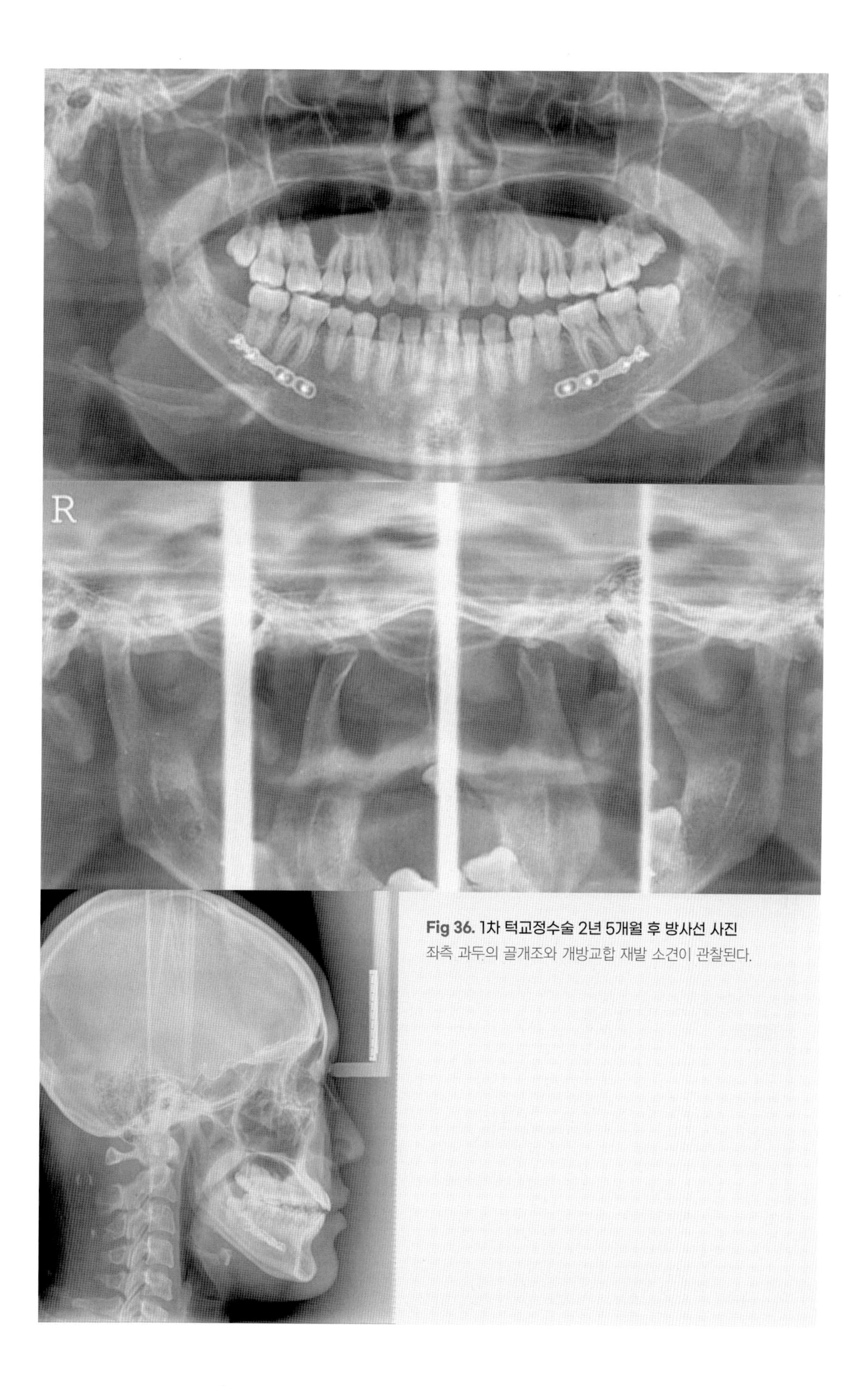

Fig 36. 1차 턱교정수술 2년 5개월 후 방사선 사진
좌측 과두의 골개조와 개방교합 재발 소견이 관찰된다.

CHAPTER 6

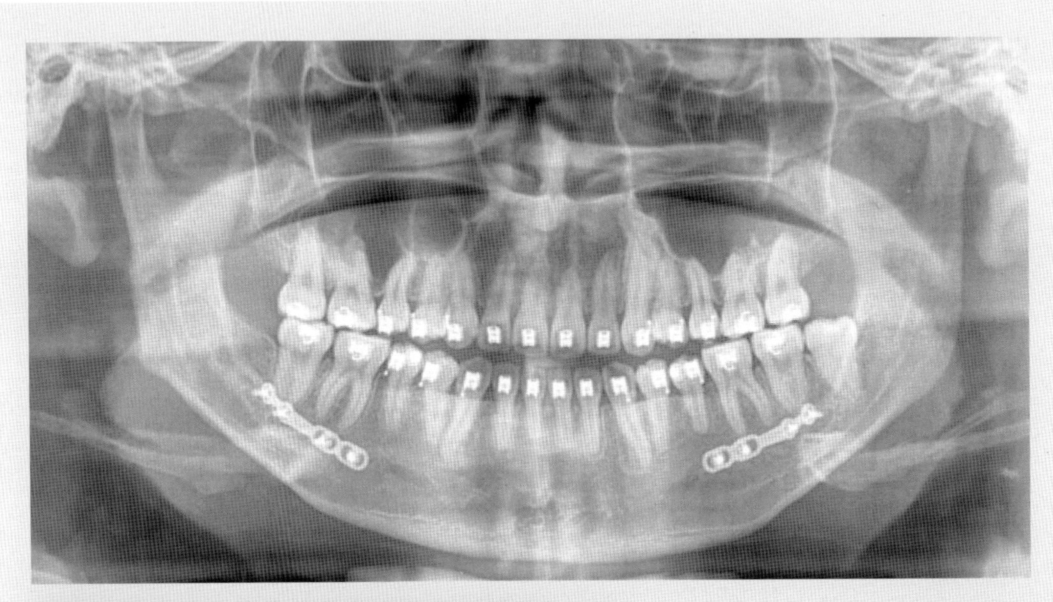

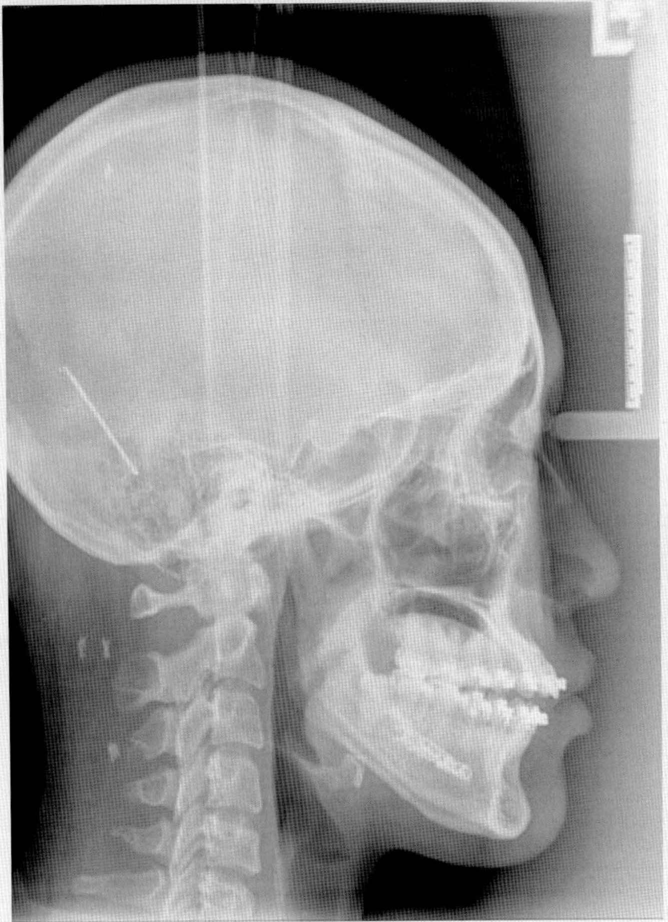

Fig 37. 2차 턱교정수술(양악수술) 전 방사선 사진. 술 전 교정치료가 시행되었다.

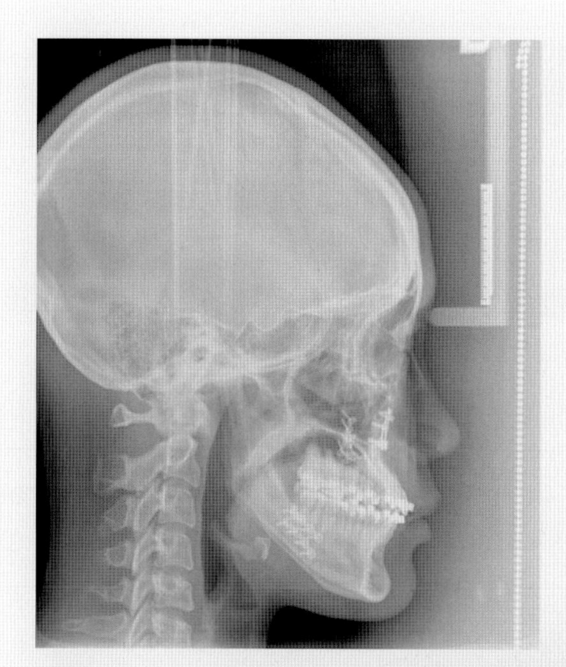

Fig 38. 2차 턱교정수술(양악수술) 후 방사선 사진

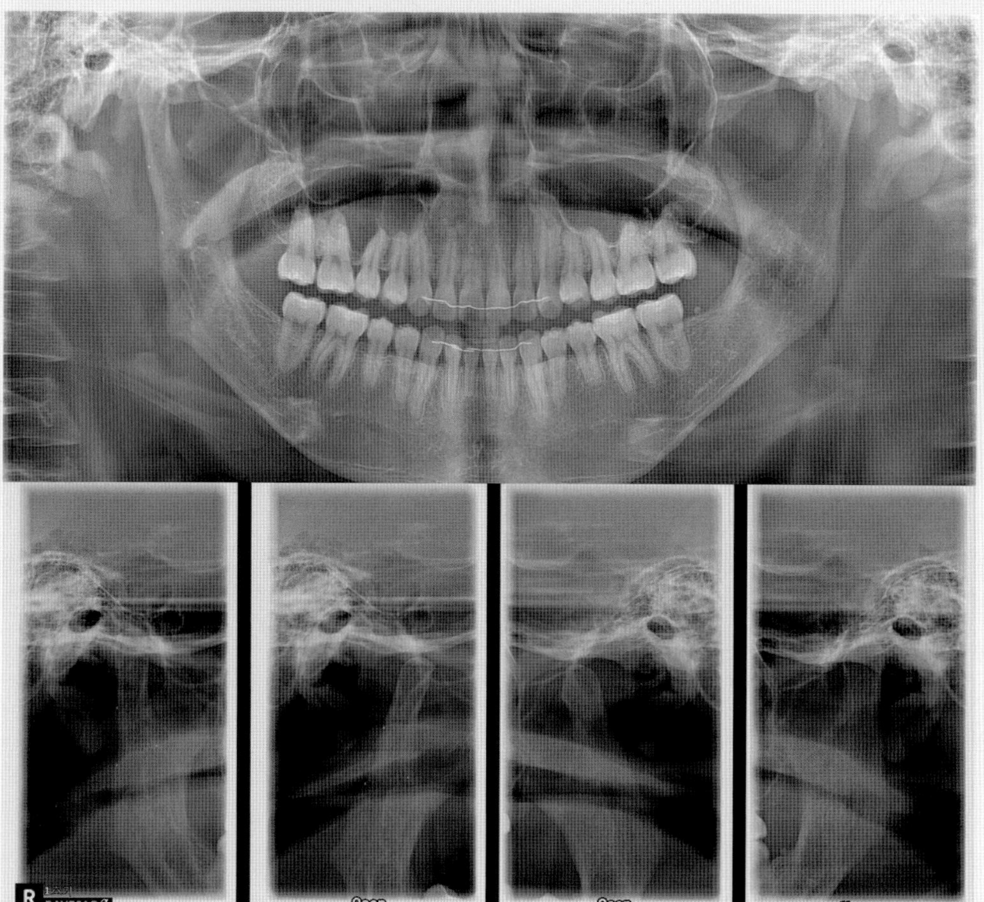

Fig 39. 2차 턱교정수술(양악수술) 2년 후 방사선 사진. 금속판은 모두 제거되었고 양측 과두의 양호한 골개조 소견이 관찰된다.

Box 22 **환자가 호소하는 증상**

1. 하악 치아들의 감각이 없다.
2. 좌측 하순과 턱, 하악 치아들의 협측 잇몸이 찌릿하고 저린 통증이 지속된다.
3. 가만히 있어도 아프다.
4. 찬 것에 증상이 심해진다.
5. 칫솔질할 때, 말할 때 증상이 심해진다.
6. 국소마취 후에 증상이 완화된다.
7. 통각과 촉각은 인지한다.

좌측 이신경 주변에 Dexamethasone + Lidocaine을 주입하고 Rivotril (Clonazepam 0.5 mg qd), Trileptal (Oxcarbazepin 300 mg bid)를 처방하고 물리치료를 시행하였다. 주사 후 증상이 약간 완화되었다고 하여 **2019년 12월 30일** Dexamethasone + Lidocaine 2차 주사, **2020년 1월 13일** Dexamethasone + Lidocaine 3차 주사와 Cholecalciferol (Vitamin D3 B.O.N. 5 mg, 200,000 IU/mL) 0.5 mL 주사를 시행하였다. 증상이 많이 호전되었으며 **2020년 1월 30일** Dexamethasone + Lidocaine 4차 주사, **2020년 4월 24일** Dexamethasone + Lidocaine 5차 주사, Vitamin D3 BON inj (Cholecalciferol 5 mg/mL) 0.5 mL 2차 주사를 시행하고 약물을 2주 더 처방한 후 치료를 종료하였다**(Fig 39)**.

Problem lists

1 턱관절장애
2 부정교합
3 턱교정 수술 2회 시행
4 2차 양악수술 후부터 신경병성 통증 발생

치료 및 경과

1 물리치료: EAST & laser
2 약물치료
3 스테로이드(Dexamethasone) + Lidocaine 국소주사
4 Viatmin D3 국소주사
5 금속판 제거
6 예후: 양호

Comment

- 임상증상과 통증의 양상을 살펴볼 때 전형적인 외상 후 삼차신경병변증(post-traumatic trigeminal neuropathy)으로 진단할 수 있으며, 턱교정수술이 2회 시행되었고 하악지 시상분할골절단술을 시행할 때 좌측 하치조신경과 이신경이 손상되었을 가능성을 추정해 볼 수 있다. **턱얼굴외상, 임플란트, 턱교정수술, 발치, 근관치료 등으로 인해 말초신경이 손상 받을 경우 외상 후 신경병성 통증이 발생할 수 있다**(Tınastepe N, et al; 2013, Tomoyasu Y, et al; 2014, 최재갑 등; 2019). **손상된 신경의 지배영역에서 감각저하, 저린 감각, 경미한 자극에 의해서도 통증이 발생하는 이질통, 타오르는 듯한 작열성 통증, 전격성으로 찌르는 듯한 통증, 찌릿찌릿한 통증, 욱신거리는 통증 등이 만성화되는 경향을 보인다.** 따라서 **환자가 고통을 호소할 때부터 즉시 약물, 물리치료를 시행해야 한다.** 본 증례에서는 통증조절과 신경병성 통증의 만성화를 방지하기 위해 항경련제와 물리치료를 시행하였으나 효과가 없어서 Rivotril과 Trileptal 복합요법, 스테로이드와 리도카인 주사, Vitamine D3 주사 치료를 시행하여 만족스러운 효과를 얻었다. 신경병성 통증이 완전히 소실되진 않았지만 시간이 경과하면서 완화되거나 환자가 잘 적응할 수 있을 것으로 생각된다.

본 증례에서 1차 치료 약물로서 "Gabapentin 혹은 Pregabalin을 초기부터 투여했으면 좀 더 효과가 있지 않았을까?"하는 아쉬움이 있다. 그러나 독자들은 Trileptal과 Clonazepam 복합요법 및 스테로이드, 리도카인, 비타민 주사요법을 적극적으로 시행함으로써 좋은 효과를 얻었던 점을 잘 참고하길 바란다.

리도카인과 스테로이드 주사요법을 시행한 학술적 배경은 다음과 같다. 유해 자극과 만성통증이 장기간 지속되면 말초의 유해수용기 자체의 반응성이 보통보다 항진되면서 "말초 과민화(감작)"를 유발한다. 이들 변화는 다음에 synapse를 매개로 접합하는 중추신경 내의 이차 뉴런에도 영향을 미치게 된다. 그 후에는 약한 자극에 대해서도 과잉으로 반응하는 "중추 과민화(감작)"가 발생하게 된다. 따라서 **말초 및 중추신경계의 신경 생리 및 해부학적인 변화를 저지하기 위해서 가능하면 신속하게 통증에 대한 대처 즉, 소염 진통 처치를 시작해야 한다. 통증을 장기간 방치하게 되면 본래는 위험을 알리게 하는 "통증 자체"가 과민화(감작)와 같은 새로운 장애를 유발하게 된다**(Nijs J, et al; 2014, Meacham K, et al; 2017).

Vitamine D3는 신경세포의 사멸을 감소시키고, 신경성장인자(nerve growth factor, NGF)의 발현을 증가시키는 효과가 있으며 미각장애 치료에 도움이 될 수 있다는 의견들이 제시된 바 있다(최재영 등; 2006, Bigman G; 2020). 따라서 본 증례에서는 2회 Cholecalciferol (Vitamine D3 B.O.N. 5 mg, 200,000 IU/mL)을 이신경 주변에 주사해 보았고, 어느 정도의 효과는 있었으나 아직 그 유효성을 확신해선 안 된다.

신경병성 통증은 환자를 매우 괴롭게 하여 삶의 질을 현저히 감소시키기 때문에 가능한 모든 방법을 동원하여 조기에 증상을 완화시켜 만성화되는 것을 방지하는 것에 주 목적을 두어야 한다.

Case 6 > 외상 후 삼차신경병성 통증으로 고통받고 있는 65세 여자 환자에서 시행된 신경감압술(decompression surgery)

2018년 1월 18일 65세 여자 환자가 우측 하순과 턱의 감각마비 및 통증을 주소로 내원하였다. 2개월 전 치과의원에서 #46 부위 임플란트를 식립하였으며 마취가 풀리지 않아 당일 오후에 치과에 가서 약 처방을 받았다. 이후에도 감각 이상이 지속되어 #46 임플란트를 제거한 후 다시 식립하였다. 임상 검사에서 우측 턱과 하순의 감각 둔화, 마취된 느낌, 화끈거리고 따끔거리는 통증이 있었으며 VAS에서 통증 지수 10, 감각 마비 지수 10에 표시되었다. 통증과 촉각을 전혀 인지하지 못하는 상태였으며 Neurometer 검사에서 심한 감각 둔화 소견이 관찰되었다. 당일 파노라마 및 CBCT 방사선 사진에서 #46 부위에 짧은 길이 임플란트가 식립된 상태이며 하악관 상벽에서 약간 떨어져 있는 것이 관찰되었다**(Fig 40, 41)**. 우측 하치조신경손상 및 신경병변증으로 잠정 진단하고 정밀검사를 시행하였으며 Steroid tapering (Solondo 5 mg 4T bid for 2 days → 3T bid for 2 days → 2T bid for 6 days → 1T bit for 2 days), Trileptal 150 mg bid for 12 days를 처방하고 EAST & laser 치료를 시행하였다. 전기생리학적검사, 체열검사 등 정밀검사에서 중등도의 감각 둔화 소견이 관찰되었고 체열검사에서는 좌우측 온도 차이가 1.9–2.3℃ 차이를 보였다**(Fig 42)**.

2018년 4월 16일까지 EAST & laser 치료를 총 8회 시행하면서 Trileptal 300 mg bid, Sensival 10 mg qd, Pharma mecobalamin 0.5 mg bid, Neurontin (100 mg bid → 300 mg bid 증량)을 처방하였으나 감각마비는

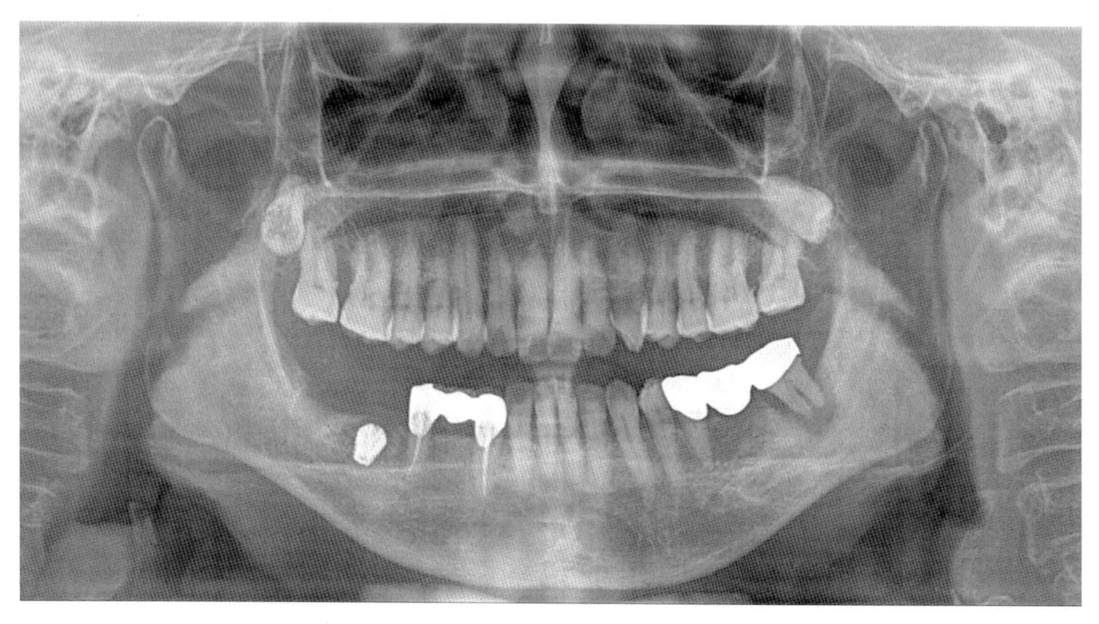

Fig 40. 초진 시 파노라마 방사선 사진. 우측 하순과 턱의 감각마비 및 통증을 주소로 내원하였으며 #46 부위에 임플란트가 식립되어 있는 상태였다.

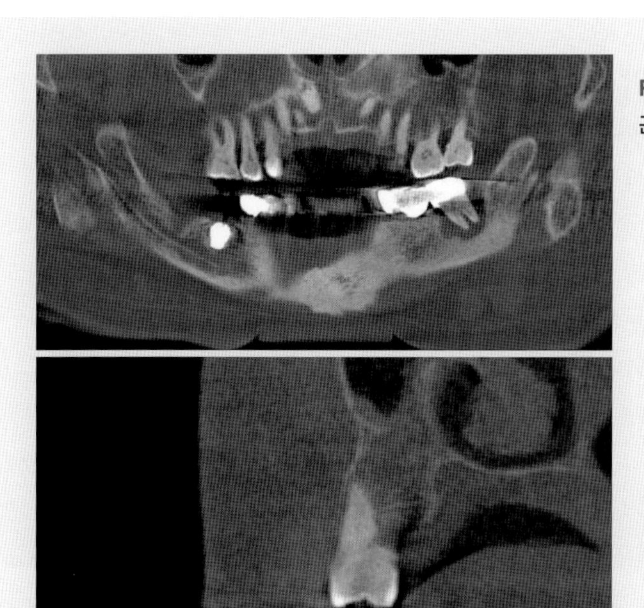

Fig 41. CBCT에서 #46 임플란트가 하악관에 근접해 있는 소견이 관찰된다.

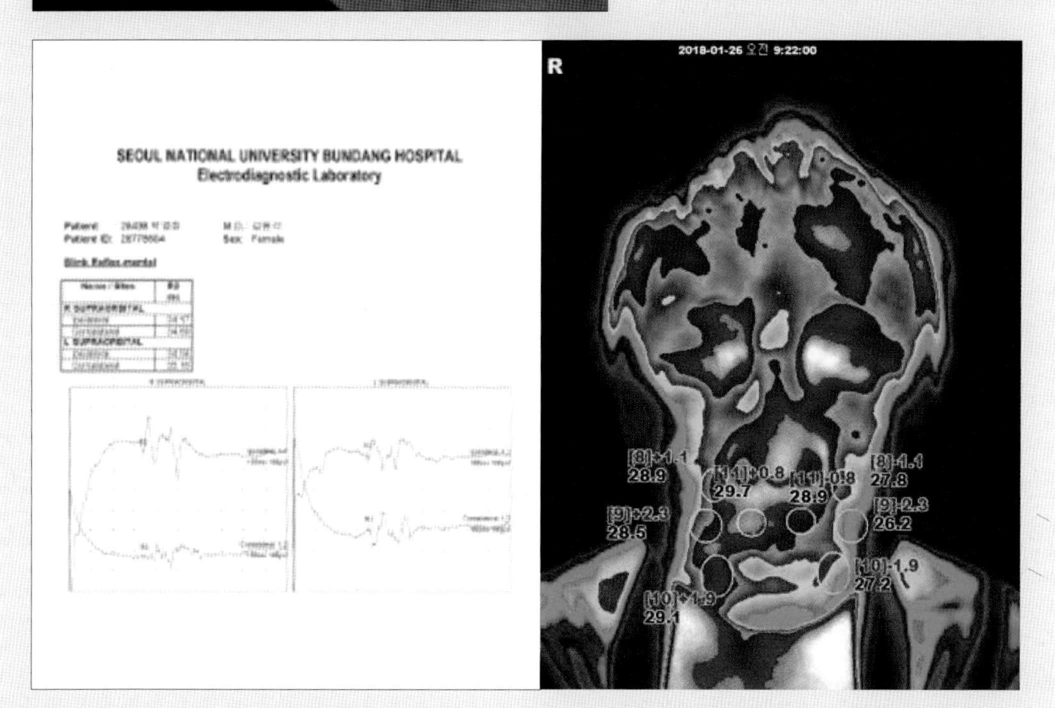

Fig 42. 전기생리학적 검사 및 체열검사에서 우측 하치조신경 손상 및 신경병변증을 시사하는 소견이 관찰되었다.

처음과 동일하였고 통증은 더욱 심한 양상을 보였다. 가만히 있어도 아프고 날씨가 추우면 통증이 더욱 심해진다고 하였다. 마취통증의학과에 의뢰하여 성상신경절차단술을 3회 시행하면서 Licaneuro (Pregabalin 75 mg bid), Sensival 10 mg qd, Neurontin (Gabapentin 300 mg qd) 경구 투여, Triam inj (Triamcinolone 40 mg) 주사치료가 병행되었으나 증상이 전혀 개선되지 않았다.

2018년 8월 13일 우측 이공 근처와 하순 점막 부근에 Innotox (Botulinum toxin A, 15 U)를 분산하여 주사하고 Neurontin 300 mg tid를 1개월 처방하였다. 3개월 경과를 관찰하였으나 전혀 증상 개선이 없어서 전신마취하에 신경감압술(decompression surgery)을 계획하였다. **2019년 1월 2일** 전신마취하에서 하악 우측 구치부 피판을 거상하여 #46 임플란트를 제거하고 협측 피질골창을 제거하여 하치조신경을 노출시켰다. 주변의 반흔성 유착조직을 박리하고 신경을 압박하고 있는 골조직들을 제거하였으며 주변에 Dexamethasone을 주입하고 창상을 봉합하였다**(Fig 43, 44)**. 이후 EAST & laser 물리치료, Lylica (Pregabalin 75 mg bid), Rivotril (Clonazepam 0.5 mg), Neurontin 100 mg bid, Ultracet (Tramadol 37.5 mg/AAP 325 mg bid), Dexamethasone 5 mg 5회 주사, EMLA cream (Lidocaine 25 mg/g, Prilocaine 25 mg/g), Dipental cream (Capsaicin 0.025% 20 g)

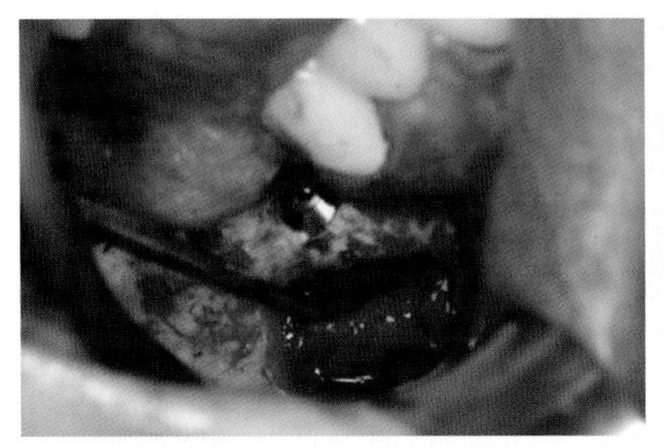

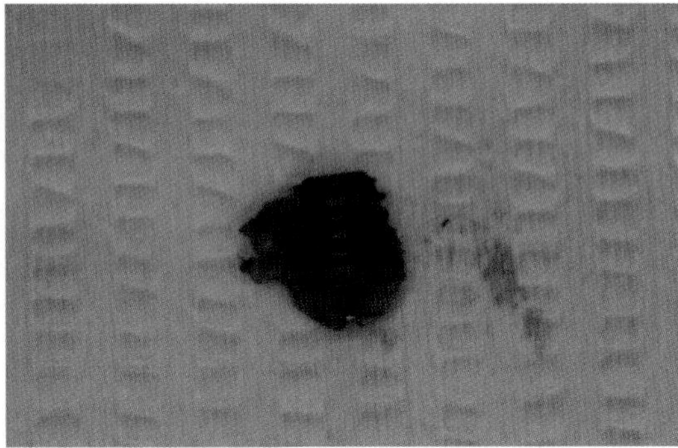

Fig 43. 신경감압술을 시행하는 모습. 하악골 협측 피질골을 제거하여 하치조신경을 노출시키고 주변의 반흔성 조직과 임플란트를 제거하였다.

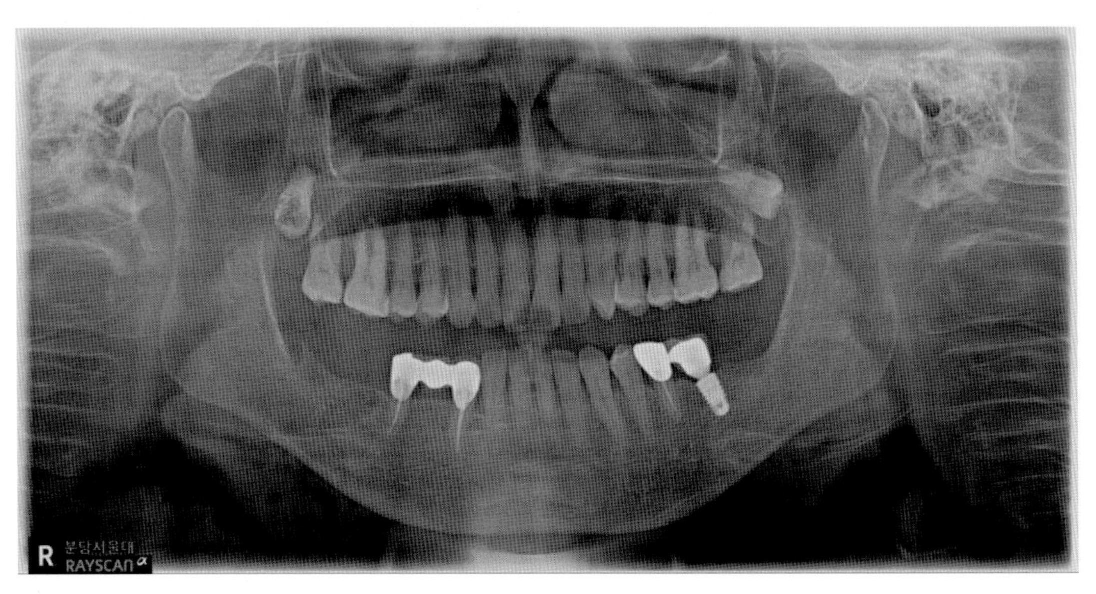

Fig 44. 술 후 파노라마 방사선 사진

국소도포 치료를 다양하게 시행하면서 경과를 관찰하였다. **2019년 4월 11일** 시행한 체열검사에서 좌우측 온도 차이가 0.7-1℃ 정도로 초진 시점에 비해 상당히 개선되었고 임상증상들도 상당히 호전된 양상을 보였으나 전기생리학적검사에서는 초진 시점과 큰 변화를 보이지 않았다**(Fig 45, 46)**.

다양한 치료 및 수술에도 불구하고 통증이 지속되면서 일상 생활에 많은 지장을 초래한다고 하여 만성 통증 및 스트레스 관리를 위해 정신건강의학과에 의뢰하여 진료를 받고 있으며 **2020년 2월 7일** 후유장애진단서를 발급하고 치료를 종료하였다.

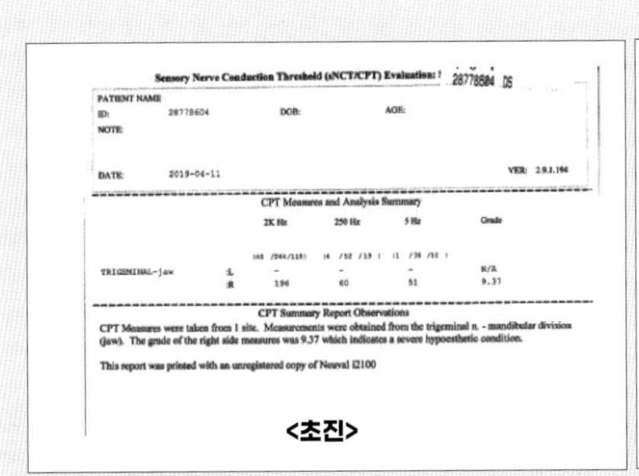

Sensory Nerve Conduction Threshold (sNCT/CPT) Evaluation: 28778604 DS

PATIENT NAME
ID: 28778604 DOB: AGE:
NOTE:

DATE: 2019-04-11 VER: 2.9.1.194

CPT Measures and Analysis Summary

		2K Hz	250 Hz	5 Hz	Grade
TRIGEMINAL-jaw	L	-	-	-	N/A
	R	196	60	51	9.37

CPT Summary Report Observations

CPT Measures were taken from 1 site. Measurements were obtained from the trigeminal n. - mandibular division (jaw). The grade of the right side measures was 9.37 which indicates a severe hypoesthetic condition.

This report was printed with an unregistered copy of Neuval i2100

<초진>

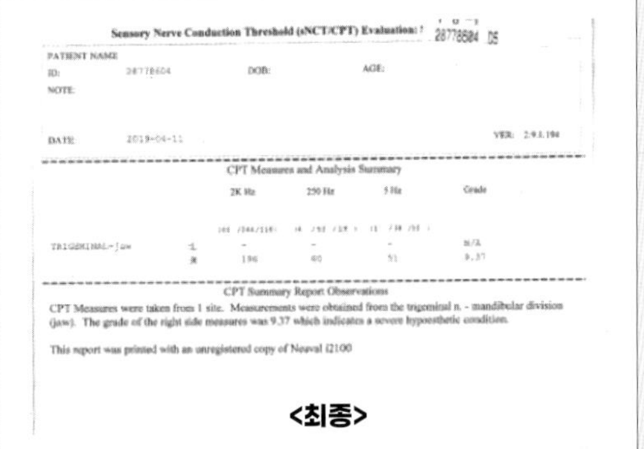

Sensory Nerve Conduction Threshold (sNCT/CPT) Evaluation: 28778604 DS

PATIENT NAME
ID: 28778604 DOB: AGE:
NOTE:

DATE: 2019-04-11 VER: 2.9.1.194

CPT Measures and Analysis Summary

		2K Hz	250 Hz	5 Hz	Grade
TRIGEMINAL-jaw	L	-	-	-	N/A
	R	196	60	51	9.37

CPT Summary Report Observations

CPT Measures were taken from 1 site. Measurements were obtained from the trigeminal n. - mandibular division (jaw). The grade of the right side measures was 9.37 which indicates a severe hypoesthetic condition.

This report was printed with an unregistered copy of Neuval i2100

<최종>

Fig 45. 초진과 최종 관찰 시점의 전기생리학적 검사에서 큰 변화를 보이지 않았다.

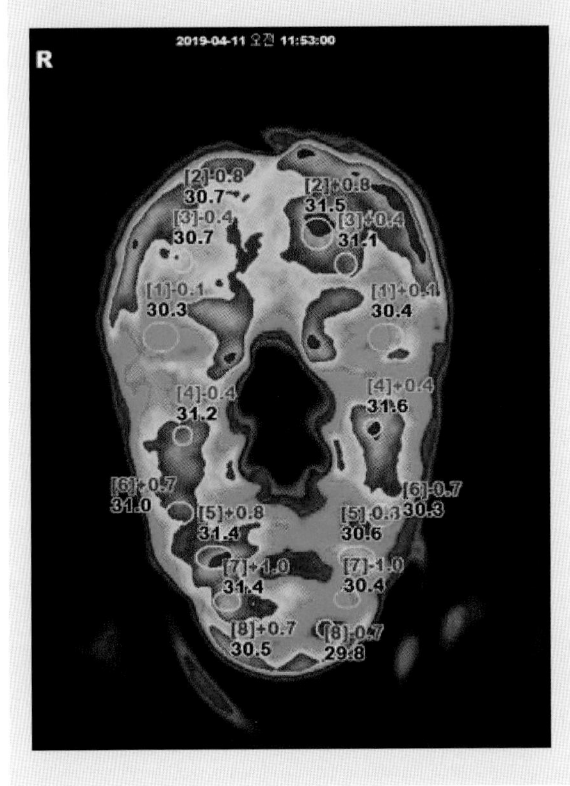

Fig 46. 최종 관찰 시점의 체열검사. 좌우측 온도 차이가 0.7-1℃로 초진 시점에 비해 감소하긴 하였지만 여전히 신경병성 통증을 시사하는 비정상적 소견을 보이고 있다.

⊗ Problem lists

1. 하치조신경손상
2. 신경병성 통증 동반
3. 임플란트 하악관 근접

치료 및 경과

1. 다양한 약물치료와 물리치료
2. 스테로이드 국소주사
3. 보툴리눔독소 주사
4. 신경감압술 및 임플란트 제거
5. 정신건강의학과 진료
6. 후유장애진단서 발급
7. 예후: 증상 변화없이 지속됨.

Comment

- 본 증례는 임플란트 수술 중 하악관을 침범하면서 하치조신경에 직접적인 손상이 발생하였을 것으로 생각된다. 신경섬유가 절단되거나 압박성 손상을 받으면 신경 말단부에서 외부로부터의 자극을 수용하는 수용체들이 흘러나오게 된다. 이들은 주변의 화학 및 물리적 자극에 매우 민감해지면서 만성통증의 원인으로 관여하게 된다. 통증 감각은 지속적으로 자극이 가해지면서 더욱 민감해지는 경향을 보인다. 지속적인 유해자극의 유입은 중추신경의 과흥분 상태를 일으키면서 무감각부위 통증(anesthesia dolorosa)이 발생하게 된다. **물리치료, 다양한 약물 및 주사치료에도 불구하고 감각마비와 신경병성 통증이 지속된 것으로 보아 외상성 신경종(traumatic neuroma)이 형성되었을 가능성이 있다. 따라서 외과적으로 접근하여 미세현미경 수술을 통해 신경종과 주변의 반흔성 조직을 제거하여 신경에 가해지는 압력을 감소시키는 방법을 고려하게 되었다**(Grotz KA, et al; 1998, Scolozzi P, et al; 2004, Song JM, et al; 2016). 최종 치료법인 신경감압술을 시행한 후 증상이 약간 호전되었으나 수상일 이후 2년이 경과한 시점에도 신경병성 통증과 감각 이상은 계속 남아 있는 상태였다. 따라서 후유장애진단서를 발급하고 치과적 치료를 종료하였으며 정신건강의학과 협진을 통해 만성 통증을 관리하고 신경병성 통증이 매우 심해지면 항경련제 등의 약물을 처방하고 환자 본인도 만성 통증에 적응하면서 지내는 방법을 모색해야 할 것이다.
  성상신경절차단술은 교감신경을 차단하여 혈류를 증가시키고 신경섬유로의 혈행을 개선시킴으로써 신경섬유의 재생을 촉진시키는 방법이다. Matsuura M 등(2003)은 성상신경절차단술을 평균 5.9회 시행받은 96.6%의 환자에서 침해성 통증(nociceptive pain)의 호전을 보였다고 보고하였다. 수술이나 시술 후의 지속되는 통증에 성상신경절차단술이 효과적임을 보고한 연구들이 있다(Kohjitani A, et al; 2002, Salvaggio I, et al; 2008, Jeon Y; 2016). 그러나 직접적인 신경손상으로 인해 외상성 신경종이 발생한 경우나 손상 후 시간이 많이 지연될수록 수술적 처치 이후 큰 효과를 발휘하기 어렵다(Graff-Radford SB & Evans RW; 2003, 이종호 & 김명진; 2006). **외상으로 인해 발생한 신경병성 통증 치료 시 1차로 선택하는 약물은 Gabapentin, Pregabalin 혹은 항우울제이다.** 본 증례에서 처음 Trileptal을 처방한 것은 적절하지 못했으며 1차 투여 약물에 효과가 없을 경우 2차로 선택하는 것이 좋다. **단일 약물로 통증 조절이 잘 안될 경우엔 본 증례와 같이 2가지 이상의 약물을 복합처방하면서 국소적용 약물과 주사제를 병행하는 등 통증을 완화시킬 수 있는 모든 방법을 동원해야 한다.**

Case 7 > 신경감압술 등 모든 치료 이후에도 신경병성 통증이 지속되고 있는 증례

2018년 8월 6일 41세 남자 환자가 우측 턱과 하순의 감각 둔화 및 통증을 주소로 내원하였다. 2개월 전 치과의원에서 #47 임플란트 식립 이후 감각 이상이 발생하여 1주 후에 임플란트를 제거하였다. 이후 스테로이드와 비타민을 처방받아 복용하던 중에 우측 턱과 하순, #41–46 치아들과 주변 치은의 감각 둔화 및 건드리면 전기가 오는 듯한 찌릿한 통증이 심해져서 내원하였다. VAS로 표시한 통증 지수 5, 감각 둔화 지수 5였으며 파노라마 및 CBCT 방사선 사진에서 #47 임플란트 제거 부위가 하악관 상벽과 연결되어 있는 소견이 관찰되었다(**Fig 47, 48**). 감각 둔화 부위에 침 삽입 시 통증을 인지하였으며 손가락으로 입술을 건드리면 극심한 통증을 호소하였다. 디지털적외선체열검사(digital infrared thermographic imaging, DITI)에서는 좌우측 0.2℃ 온도 차이를 보였고, Neurometer를 이용한 전기생리학적 검사에서 우측 하순과 턱의 감각 이상을 시사하는 소견이 관찰되어 우측 하치조신경손상 및 신경병변증으로 진단하고 물리치료와 약물치료를 계획하였다(**Fig 49, 50**). **2018년 8월 27일**부터 **2018년 12월 10일**까지 EAST (pads) & laser 치료를 총 8회 시행하면서 Trileptal (Oxcarbazepine 300 mg bid), Sensival (Nortriptyline 10 mg qd), Beecom을 투여하였으나 증상이 호전되지 않아서 Neurontin (Gabapentin 300 mg bid)과 Baclofen 10 mg bid를 복합 투여하면서 리도카인과 Dexamethasone 5 mg, Hirax (Hyaluronidase 1,500 IU)을 우측 하치조신경과 이신경 주변에 1회 주사하였다. 그러나 증상은 전혀 완화되지 않았고 오히려 통증은 더 심해져서 일상생활에 지장을 초래한다고 하여 환자와 상의한 후 신경감압술을 시도해 보기로 계획하였다.

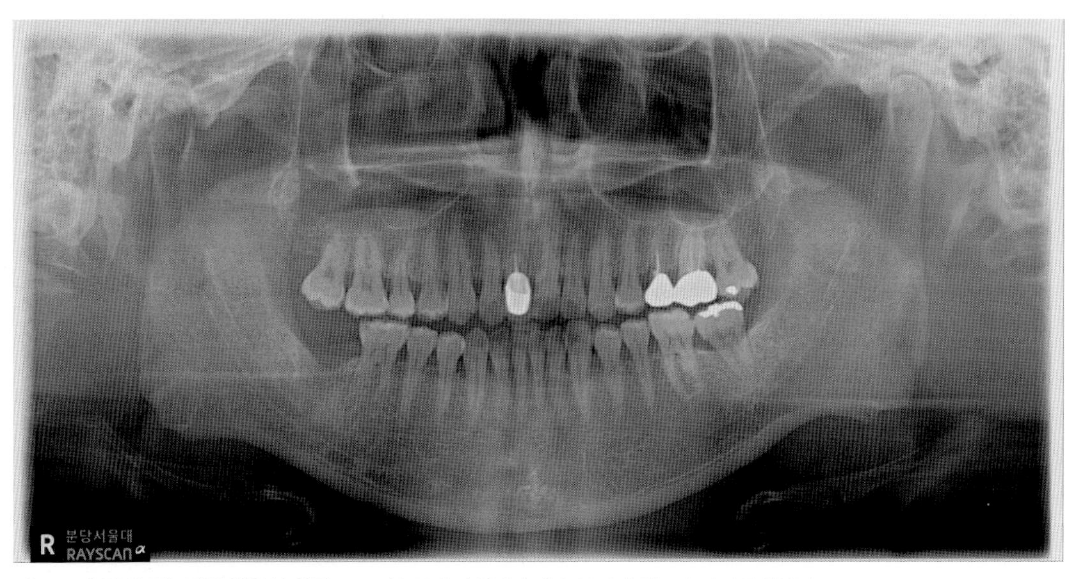

Fig 47. 초진 시 파노라마 방사선 사진. #47 결손부가 하악관과 매우 근접해 있는 소견이 관찰된다.

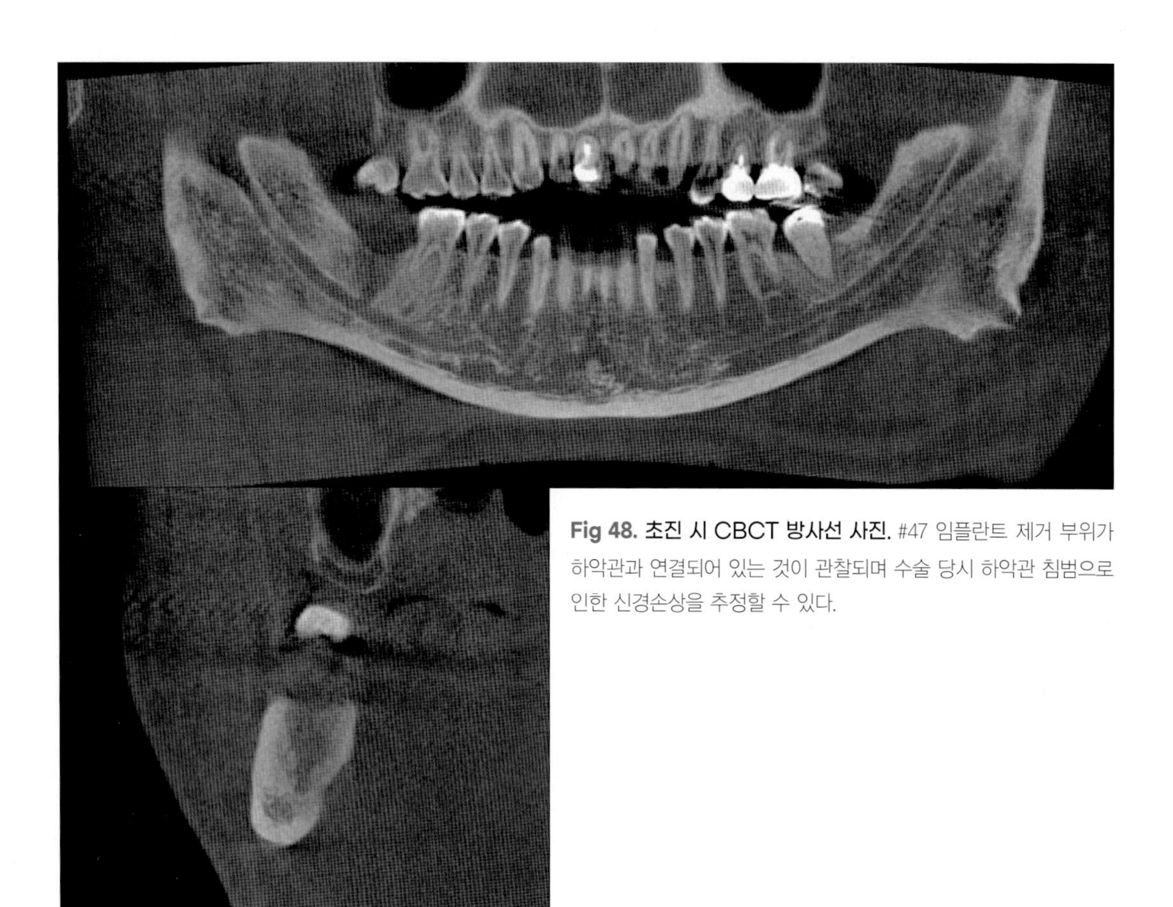

Fig 48. 초진 시 CBCT 방사선 사진. #47 임플란트 제거 부위가 하악관과 연결되어 있는 것이 관찰되며 수술 당시 하악관 침범으로 인한 신경손상을 추정할 수 있다.

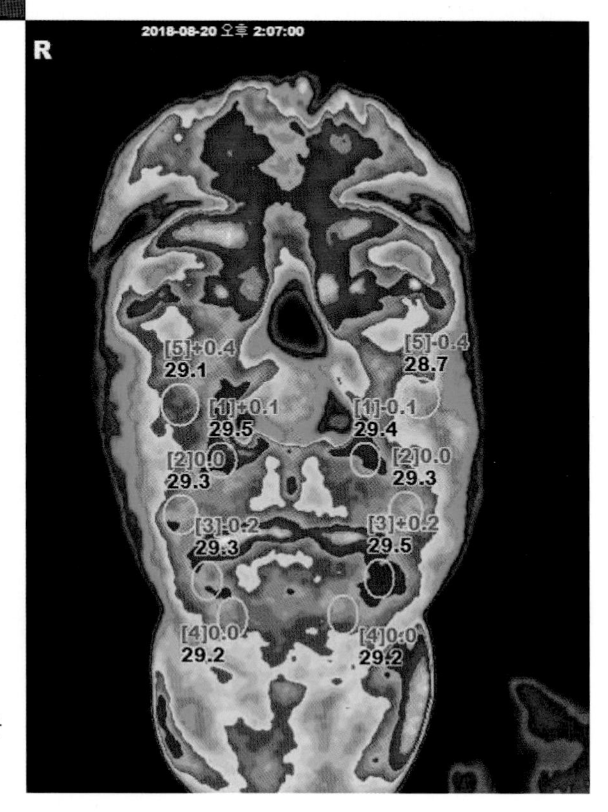

Fig 49. 초진 시 체열검사에서 양측 하악의 온도 차이가 0.2℃를 보였다.

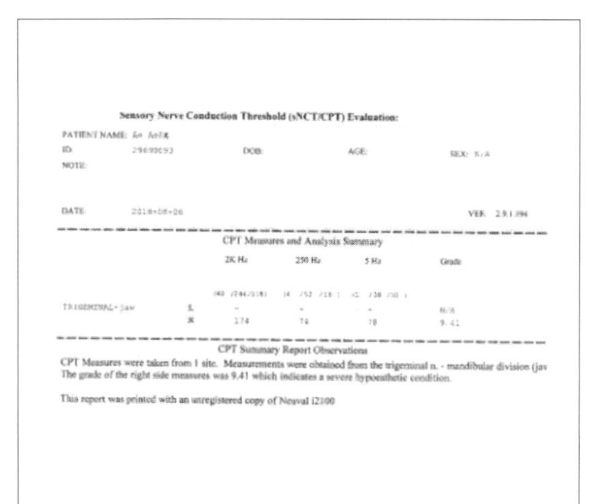

Sensory Nerve Conduction Threshold (sNCT/CPT) Evaluation:

PATIENT NAME:
ID: 29690093 DOB: AGE: SEX: N/A
NOTE:

DATE: VER:

CPT Measures and Analysis Summary

		2K Hz	250 Hz	5 Hz	Grade
TRIGEMINAL-jaw	L	-	-	-	N/A
	R	174	74	78	9.41

CPT Summary Report Observations

CPT Measures were taken from 1 site. Measurements were obtained from the trigeminal n. - mandibular division (jav
The grade of the right side measures was 9.41 which indicates a severe hypoesthetic condition.

This report was printed with an unregistered copy of Neuval i2100

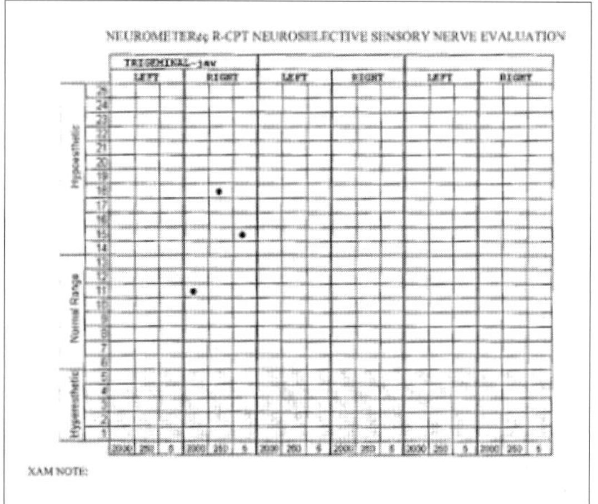

Fig 50. 초진 시 Neurometer 검사에서 우측 하순과 턱의 심한 감각 둔화 소견이 관찰되었다.

2019년 1월 2일 전신마취 하에 피판을 거상하여 이신경을 노출시켰고 후방의 골창을 제거하여 하치조신경을 노출시켰다. 주변의 흉터 조직 및 유착된 조직들을 제거한 후 주변에 Dexamethasone을 주사하고 창상을 봉합하였다(**Fig 51, 52**). 이후 1주 간격으로 EAST & laser 물리치료를 시행하면서 통증 조절이 되는 약물을 찾기 위해 Neurontin, Trileptal, Sensival, Rivotril (Clonazepam 0.5 mg), Phenytoin (Diphenylhydantoin 100 mg), Topamax (Topiramate 100 mg) 등 다양한 약물을 처방하면서 관찰하였고 통증 부위에 Dipental cream (Capsaicin 0.025% 20 g)을 하루 3–4회 도포하도록 하였다. 리도카인과 Dexamethasone을 이신경과 통증 발현 부위에 3회 주사하였으나 전혀 증상이 호전되지 않았다.

2019년 3월 25일 마취통증의학과에 의뢰하여 성상신경절차단술을 총 6회 시행하였고 Lyrica (Pregabalin 25 mg → 50 mg 증량)을 복용하면서 경과를 관찰하였다. **2019년 10월 12일** 내원 시 입술을 자주 씹으며 날씨가 선선해지면서 증상이 더 심해지는 양상을 보이며 처음과 비교해서 나아진 것이 없고 간헐적 두통이 발생한다고 하였다. **2020년 8월 24일** 내원 시 음식을 씹을 때 찌릿하고 바늘로 콕콕 찌르는 듯한 통증이 자주 발

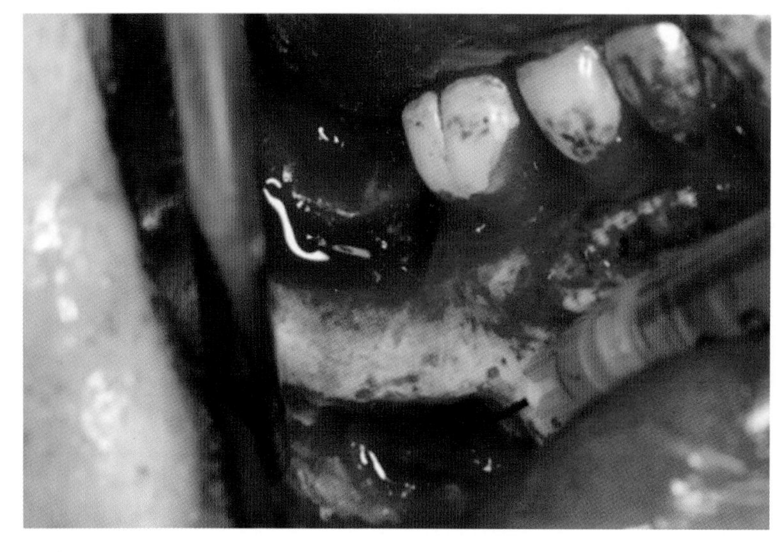

Fig 51. 신경감압술을 시행하는 모습. 하악 협측골을 제거하여 하치조신경을 노출시키고 주변의 유착 조직을 제거한 후 Dexamethasone을 주사하였다.

생하고 하순을 건드리거나 칫솔질을 할 때 통증이 악화되는 증상은 여전하며 약을 장기간 복용하여도 효과가 없어서 Lyrica 복용을 중단한 상태였다. 마취통증의학과에서도 더 이상 적용할 치료법이 없다고 하였으며 최종 신경병성 통증 DN4 평가표(douleur neuropathique 4 questions)를 작성한 결과 **Fig 53**과 같았다.

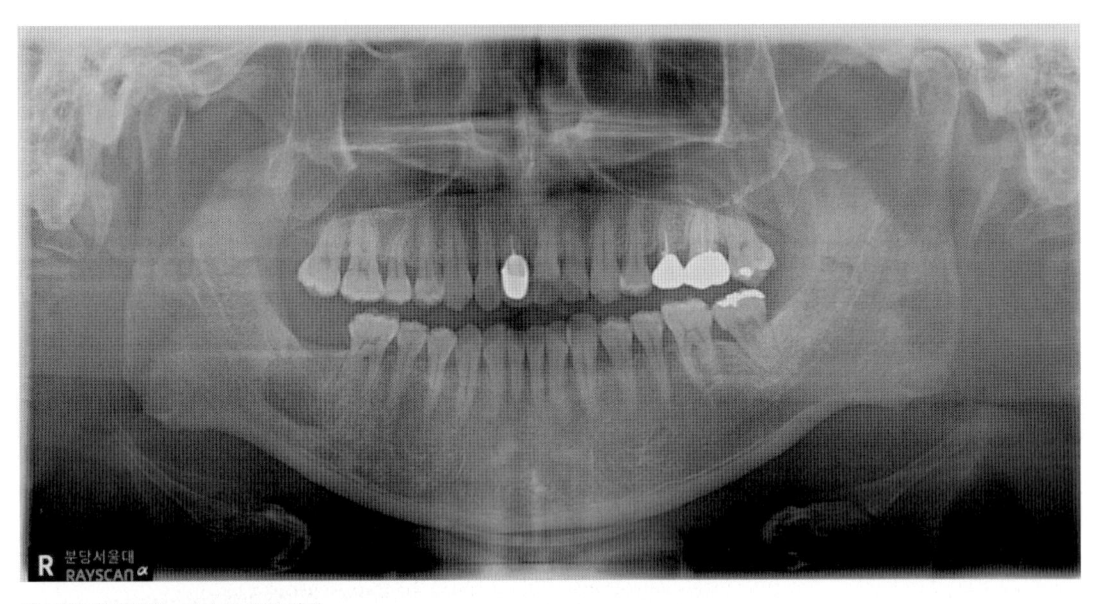

Fig 52. 술 후 파노라마 방사선 사진

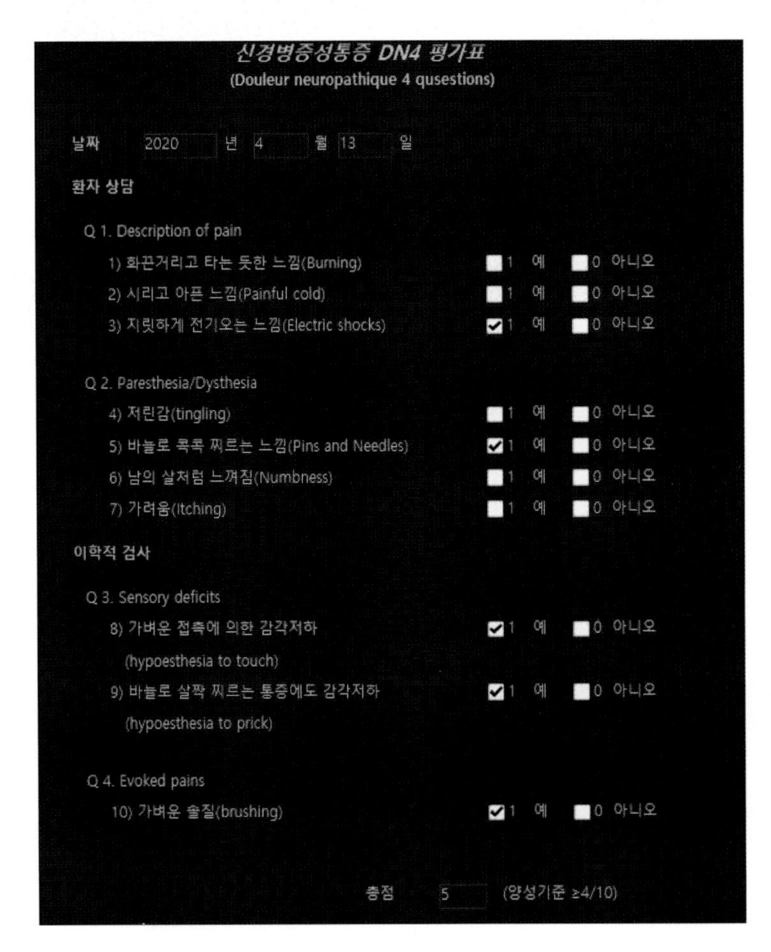

신경병증성통증 DN4 평가표
(Douleur neuropathique 4 qusestions)

날짜 2020 년 4 월 13 일

환자 상담

Q 1. Description of pain

1) 화끈거리고 타는 듯한 느낌(Burning)	☐ 1 예	■ 0 아니오
2) 시리고 아픈 느낌(Painful cold)	☐ 1 예	■ 0 아니오
3) 지릿하게 전기오는 느낌(Electric shocks)	☑ 1 예	■ 0 아니오

Q 2. Paresthesia/Dysthesia

4) 저린감(tingling)	☐ 1 예	■ 0 아니오
5) 바늘로 콕콕 찌르는 느낌(Pins and Needles)	☑ 1 예	■ 0 아니오
6) 남의 살처럼 느껴짐(Numbness)	☐ 1 예	■ 0 아니오
7) 가려움(Itching)	☐ 1 예	■ 0 아니오

이학적 검사

Q 3. Sensory deficits

8) 가벼운 접촉에 의한 감각저하 (hypoesthesia to touch)	☑ 1 예	■ 0 아니오
9) 바늘로 살짝 찌르는 통증에도 감각저하 (hypoesthesia to prick)	☑ 1 예	■ 0 아니오

Q 4. Evoked pains

10) 가벼운 솔질(brushing)	☑ 1 예	■ 0 아니오

총점 5 (양성기준 ≥4/10)

Fig 53. 마취통증의학과에서 신경병성통증의 정도를 평가하기 위해 사용하는 DN4 평가표

Problem lists

1 #47 임플란트 식립

2 우측 하치조신경손상 및 신경병성 통증

치료 및 경과

1 물리치료: EAST & laser

2 다양한 약물치료

3 주사치료: Dexamethasone + Lidocaine, Hirax

4 신경감압술

5 성상신결절차단술

6 예후: 증상 변화없음

Comment

- #47 임플란트 드릴링 과정 중에 하악관을 침범한 흔적이 보이며 하치조신경의 직접적인 손상(축삭절단: axonotmesis)이 발생한 것으로 생각된다. 손상 후 외상성 신경종이 형성되고 주변의 흉터 조직이 하치조신경에 압박을 가하면서 감각 둔화와 신경병성 통증이 만성화되는 경향을 보였다.

비록 본 증례의 환자에서는 시도한 모든 치료법이 효과적이지 않았으나 통증치료를 위해 할 수 있는 모든 방법들을 시도해 볼 필요는 있다. 신경 주변에 국소마취제와 함께 Corticosteroid를 주사하는 것이 몇몇 신경통에서 효과적인 것으로 보고되고 있다(Juškys R, et al; 2018, Mol FMU, et al; 2018). 그러나 정반대의 연구결과도 있으므로 신중하게 시도하는 것이 좋을 것으로 판단된다(Labat JJ, et al; 2017, Shanthanna H, et al; 2020). Hirax와 같은 Hyaluronidase가 신경병성 통증 및 난치성 통증의 치료에 이용될 수 있다는 보고가 있다(Devulder JI 1998, Geurts JW, et al; 2002, Vigneri S, et al; 2020). 그러나 이 또한 삼차신경의 신경병성 통증의 치료에 사용할 수 있다는 학술적 근거는 미약하다. Capsaicin의 국소 도포가 신경병성 통증의 완화에 효과가 있다는 여러 보고가 있다. 간헐적으로 짧은 주기의 신경병성 통증이 발생하는 경우 Capsaicin cream을 통증 부위에 cotton swab으로 국소 적용하면 약물의 전신 부작용을 최소화하면서 통증을 경감시키는 효과를 기대할 수 있다(McCleane G, et al; 2000, Derry S, et al; 2017 Yang XD, et al; 2019).

디지털적외선체열검사는 치과 분야에서 구강안면통증이나 턱관절장애, 신경손상 등의 평가에 활용될 수 있으며 양쪽 모두 정상인 경우의 온도 차이는 0.2℃ 미만인 것으로 알려져 있다. 이환측에서 보이는 체온은 급성기에는 대사 활동과 혈관 확장의 증가에 의해 고체온증을, 만성기에는 저체온증을 보이는 경향이 있다(Gratt BM, et al; 1994, 김영균 등; 2007). 위 환자는 건측에 비해 이환측인 우측 이부에서 0.2℃ 낮은 소견을 보였고, 이 결과는 전기생리학적 검사 결과와 더불어 우측 하치조신경의 손상을 진단하는 데 참고할 수 있었다.

환자에게 4개월 정도 물리치료, 약물치료 및 주사치료를 시행하였으나 모두 효과적이지 않았고, 이후 신경감압술이라는 외과적 치료를 시행했음에도 호전되지 않았다. 이처럼 **신경손상의 상당수는 외과적 처치를 통해서도 완치를 기대하기는 매우 어렵다는 것을 이해하고 있어야 한다.** 실제로 일부 감각 기능은 회복될 수 있더라도 신경병성 통증은 지속될 가능성이 있다(Kushnerev E, et al; 2015). 본 증례는 수술 후 성상신경절차단술과 약물치료를 계속하면서 경과를 관찰하였으며, 초진 시점에 비해 증상이 약간 호전되긴 하였지만 신경병성 통증이 만성화되면서 장기간 지속되는 상태이다. **더 이상 적극적인 치료는 불필요하고 환자 스스로 만성 통증에 적응하면서 지내도록 노력하고 심한 심적 스트레스에 시달릴 경우엔 정신건강의학과 진료가 도움이 될 것이다.**

신경병성통증 DN4 평가표(Douleur Neuropathique 4 questions)는 몇 개의 간단한 설문을 통해 통증의 특성을 평가할 수 있는 방법이다. 각 항목별로 "예"는 1점, "아니오"는 0점으로 처리하여 0-3점은 침해성 통증, 4점 이상이면 신경병성 통증(neuropathic pain)으로 분류하게 된다(Bouhassira D, et al; 2005). 본 증례의 환자는 마취통증의학과에서 시행한 상기 검사에서 5점을 기록하여 신경병성 통증의 범주에 해당되었다.

Case 8 > 임플란트 식립을 위한 광범위한 침습적 수술 후 지속적 통증

65세 여자 환자가 상하악 부분 무치악 부위에 대한 임플란트 치료를 목적으로 내원하였다. 아주 오랜 기간 동안 착용해온 상하악 국소의치가 매우 불편하고 음식 먹는 것이 힘들어져 가능한 방법이 있다면 임플란트 치료를 원한다고 하였다. 구강 및 방사선 검사에서 상하악 치조골의 수평 및 수직 골소실이 매우 심한 양상을 보였다. 상하악 악궁의 반대교합, 교합평면의 canting, 상악 안모 함몰 소견을 보였으며 보철과 상담 후 overdenture, fixed implant-supported prosthesis 치료법에 대해 환자에게 설명하였다(**Fig 54**). 진단모형을 채득하고 진단용 왁스업을 시행하여 상부 보철물의 대략적인 형태에 대해 설명한 후 #44-47 부위 골이식을 동반한 임플란트 3개 식립, 상악 골이식 후 임플란트 6개 지연식립 후 고정성 보철물을 제작하기로 결정하였다(**Fig 55**). **2005년 10월 5일** 전신마취하에서 상악의 골이식 및 하악 임플란트 식립을 시작으로 장기간의 임플란트 치료가 시작되었으며, 첫 번째 수술 이후부터 상순의 신경병성 통증을 호소하였다. 장기간에 걸쳐 진

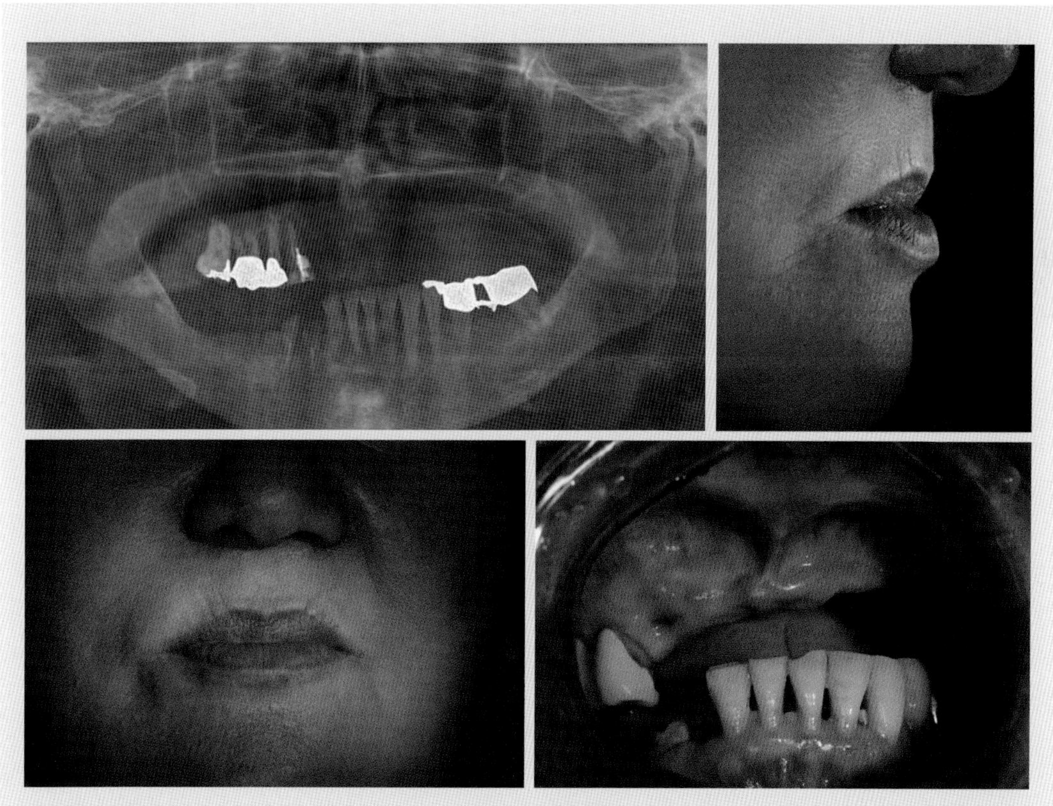

Fig 54. 65세 여자 환자의 초진 시 파노라마 방사선과 구강-안면 사진

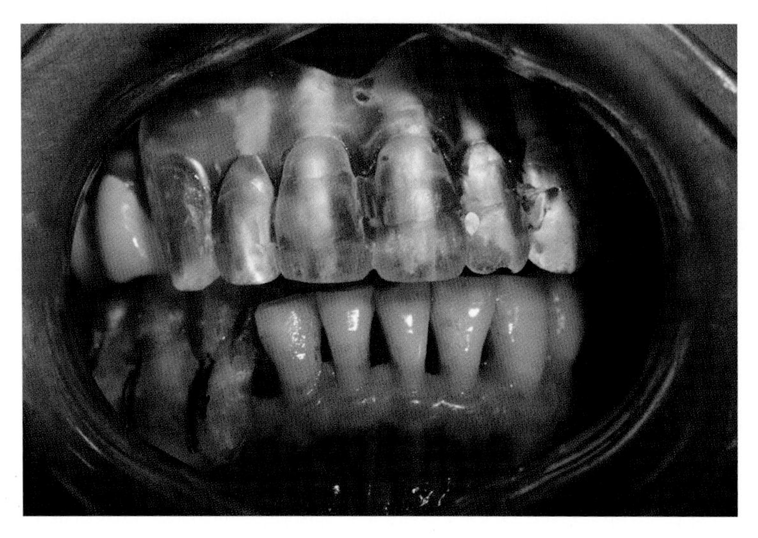

Fig 55. 상하악 임플란트 수술용 스텐트를 제작하여 구강내에 장착한 모습

행된 임플란트 및 보철치료 등을 병행하며 신경병성통증에 대한 다양한 치료가 진행되었다. 이후 턱관절장애 증상들도 발생하여 이에 대한 물리치료, 약물치료, 스플린트 치료 및 진료 상담을 진행하면서 환자와의 유대관계를 돈독히 하였다. **2011년 11월 19일** 물리치료와 스플린트 조정 이후부터 증상은 현저히 완화되었으며 6개월 간격으로 최근까지 임플란트 정기 유지관리를 받고 있다. 아직도 신경병성 통증은 남아 있지만 환자가 잘 적응하면서 견딜 수 있는 정도이고 더 이상의 약물치료는 불필요한 상태이다(**Box 23**).

Box 23 **수술 및 보철치료 과정**

1. **2005. 10. 5** 전신마취 하에서 상악 골이식 및 하악 구치부 임플란트 식립(**Fig 56, 57**)
   자가 장골을 채취하여 치조골증대술과 상악동점막거상 및 골이식 시행
   #44 발치, #43–46 부위 골유도재생술을 동반한 임플란트 식립
2. **2005. 10. 14** 상악 temporary denture relining
3. **2005. 10. 25** #43–46 임플란트 덮개나사 노출, 상순 감각 둔화 및 찌릿한 통증 → EAST & laser 치료
4. **2005. 11. 3** EAST & laser 치료, 상순 감각 이상 및 통증, 양측 뺨이 붓는 느낌
5. **2005. 11. 8 – 2006. 2. 8** #32, 33, 34, 35, 37 근관치료 및 보철 수복치료
6. **2006. 2. 21** 상악 6개 임플란트 식립, #47 임플란트 추가 식립(**Fig 58**)
7. **2006. 3. 28** #43–47 임플란트 상부 임시 보철물 장착
8. **2006. 5. 4** #21–23 심한 통증 호소, 덮개나사 노출 → Temporary denture relining
9. **2006. 6. 2** Temporary denture relining
10. **2006. 6. 8 – 2006. 7. 6** #21–23 부위 종창 및 압통 → I & D, 항생제 투여 fullgram (Clindamycin 300 mg) IM, Mesexin (Methylol Cephalexin 500 mg) 2 Cap bid, Catas (Diclofenac 50 mg) bid(**Fig 59**)
11. **2006. 7. 31** 상악 임플란트 2차 수술, #11 임플란트 골유착 실패(**Fig 60**)
12. **2006. 8. 8** 상순의 극심한 통증 호소, 손으로 건드리면 심하게 아프다 하여 Carol–F (Ibuprofen 200 mg/Arginine 185 mg) tid 투여

13. **2006. 8. 31** 상악과 하악 구치부 보철물 장착**(Fig 61)**
정중선과 교합평면이 삐뚤어진 것을 항의하면서 수정을 요청함. 하악 임플란트 보철물 모양이 보기 싫다고 다시 제작 요청함. → 초진 시점부터 존재하던 환자의 해부학적 문제점과 현재의 보철물에 이상이 없음을 설명하고 일정 기간 동안 관찰하기로 함
14. **2006. 9. 12 – 2006. 11. 2** #32, 33, 34, 35 = 37 보철치료
15. **2006. 9. 26** 상순 부위의 쪼이는 듯한 통증 호소. 상악 전치부 치아 절단연이 더 노출되고 동그란 형태로 모양을 수정해달라고 요청함. → 상부 보철물을 다시 제작하기 위하여 인상채득. 신경병성 통증 조절 목적으로 Neurontin (Gabapentin)을 처방하려 하였으나 환자가 거부함.
16. **2006. 10. 9 → 2006. 11. 2** #15, 16 근관치료
17. **2006. 10. 17** 상악 임플란트 보철물 재장착. 양측 코 측방 부위가 쪼이는 듯이 아프고 몹시 괴롭다고 호소함. Tegretol (Carbamazepine 200 mg) bid, Beecom qd을 2주 처방
18. **2006. 11. 2** 통증이 약간 완화되었으나 입술을 움직일 때 통증은 여전하다고 호소함. Tegretol 200 mg bid, Beecom qd을 2주 처방
19. **2006. 11. 14** *"머리가 아프고 혈압이 올랐다."* 쪼이는 통증은 지속된다고 호소함. Tegretol 투약을 중단하고 Etravil (amitriptyline 10 mg) qd 2주 처방
20. **2006. 12. 8** 상악 임플란트 보철물 탈락. #24, 26 gold screw 파절
21. **2006. 12. 19 – 2007. 2. 12** 파절된 나사를 제거한 후 보철물을 다시 제작하여 장착
22. **2007. 2. 27 – 2007. 3. 15** #15, 16 gold crown 장착
23. **2007. 3. 15** 상악 잇몸 전체가 찌릿하고 화끈거리는 통증 지속됨. *"손가락이나 칫솔로 건드리면 통증이 매우 심하다."* Trileptal (Oxcarbazepine 300 mg) tid, Dipental cream (Capsaicin 0.025% 20 g) 처방
24. **2007. 3. 22** EAST & laser, Trileptal 복용 후에도 혈압이 상승되어 중단하고 Neurontin 100 mg tid으로 교체 처방
25. **2007. 3. 29** 통증 지속되며 혈압상승 등의 부작용은 없어서 Neurontin 200 mg tid로 증량함. EAST & laser, 상악 soft splint 제작
26. **2007. 4. 12** EAST & laser, 통증 발생 부위에 해당되는 soft splint 내면에 Dipental cream을 도포하고 20분간 장착하도록 함: 하루 3회 사용
27. **2007. 4. 19** EAST & laser
28. **2007. 5. 3** *"#13, 21 임플란트 주변이 아프다. 코 옆을 누르면 아프다. 저작 시 통증이 심하다. 상순 전체가 화끈거리고 저리면서 아프다. 상악 보철물 제거하고 싶다."* → SGB 치료에 대해 마취통증의학과 의뢰
29. **2007. 5. 11 – 2007. 5. 18** SGB 2회 시행. Sensival (Nortriptyline 10 mg) tid, Rivotril (Clonazepam 0.5 mg) bid 2주 처방
30. **2007. 7. 5** #21, 23 임플란트 골유착 실패하여 제거하고 상부 보철물 임시로 연결함
31. **2007. 8. 2** #24 임플란트 제거, #12, 11, 23, 25 부위에 임플란트 다시 식립하고 상부 보철물 임시로 연결함**(Fig 62)**.
32. **2007. 8. 14** 상순의 화끈거리고 따가운 통증. *"상악 좌측 보철물 주변에서 딱하는 소리가 나면서 잇몸과 좌측 머리 부분이 심하게 아팠다."*
33. **2007. 9. 17** *"#21–24 구개측 치은을 건드리면 아프다. 입술을 움직이면 저린 통증이 심하고 잠잘 때는 오히려 통증이 완화된다."* → Ultracet (Tramadol 37.5 mg/AAP 325 mg) tid 1주 처방
34. **2007. 10. 29** #26 임플란트 고정체 파절 확인됨.
35. **2007. 11. 8** *"상악 중앙부 구개측 잇몸 통증이 매우 심하다."* → Temporary denture relining, Amoxapen (Amoxicillin 250 mg) tid, Somalgen (Talniflumate 370 mg) tid, Tantum (Benzydamine 1.5 mg/mL) gargle 처방

36. **2007. 12. 11** 임플란트 2차 수술. #11 임플란트 골유착 실패, #12, 23, 25 임플란트 치유 지대주 연결**(Fig 63)**
37. **2008. 4. 17** Hybrid fixed bridge 장착**(Fig 64)**
38. **2008. 5. 8** 임플란트 치료 이후 이악물기 습관이 생겼으며, 최근 좌측 귀 주변 통증이 심해졌다고 호소함.
39. **2008. 8. 11** #23 도치 탈락하여 구강 내에서 수선함.
40. **2008. 10. 23** 상순과 잇몸이 쪼이는 통증 호소 → EAST & laser
41. **2008. 12. 29** #23 도치 파절되어 수복함
42. **2009. 1. 2** #23 도치 탈락 → Fixed hybrid denture를 제거하여 기공실에서 수리함. "*#23 주변 잇몸이 아프다.*
43. **2009. 4. 23** *#23 구개측 잇몸에 음식이나 칫솔이 닿으면 깜짝 놀란 정도의 통증이 발생한다. 상순이 쪼이는 듯한 통증은 여전하다."*
44. **2009. 7. 20** 좌측 상악동염 발생. "*최근 냄새를 잘 못 맡고 좌측 코 측방을 누르면 아팠다.*" 이비인후과 진료 의뢰하여 약물 치료 후 치유됨**(Fig 65)**.
45. **2009. 11. 2** 상순 쪼이는 증상 호소하여 EAST & laser 치료 시행
46. **2010. 3. 8** "*상순과 잇몸이 쪼이고 아프다. 봄이 되니까 통증이 더 심해졌다.*" Trileptal 600 mg qd 처방 → 혈압 상승 등의 부작용은 없으면서 통증이 잘 조절됨.
47. **2010. 9. 13** 좌측 턱관절과 유양돌기 부위(mastoid area) 통증, 촉진 시 턱관절 압통. 방사선 사진에서 좌측 과두의 골개조성 변화 관찰됨. TMD 1, 4형 의증 하에 스플린트 치료 계획
48. **2010. 9. 20** 스플린트 장착
49. **2010. 11. 19** EAST & laser. "*턱관절은 편해졌으나 상순 쪼이는 통증은 여전하다. 냄새를 잘 맡지 못한다.*"
50. **2020. 10. 20** 입술 감각이 이상한 것 외 특이 불편감 없음**(Fig 66)**

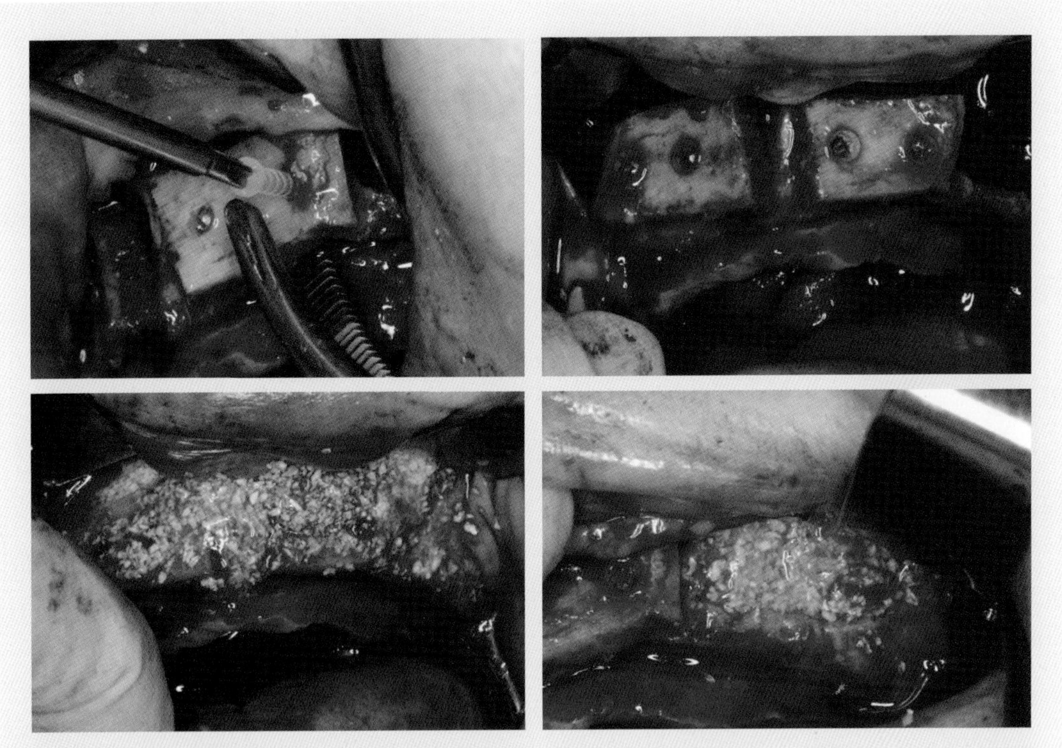

Fig 56. 장골에서 블록골을 채취하여 상악 순측에 적합시킨 후 흡수성 나사로 고정하였고 주변에 BioOss를 조직접착제와 혼합하여 이식하였다. 동시에 좌측 상악동점막거상 및 골이식술을 시행하였다.

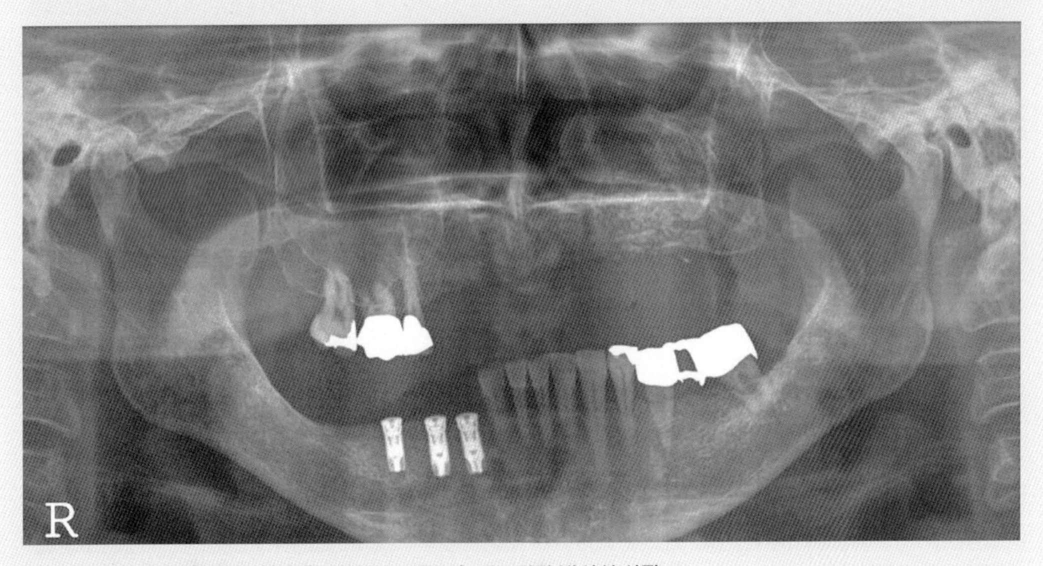

Fig 57. 상악 골이식술과 하악 우측 임플란트 식립 후 파노라마 방사선 사진

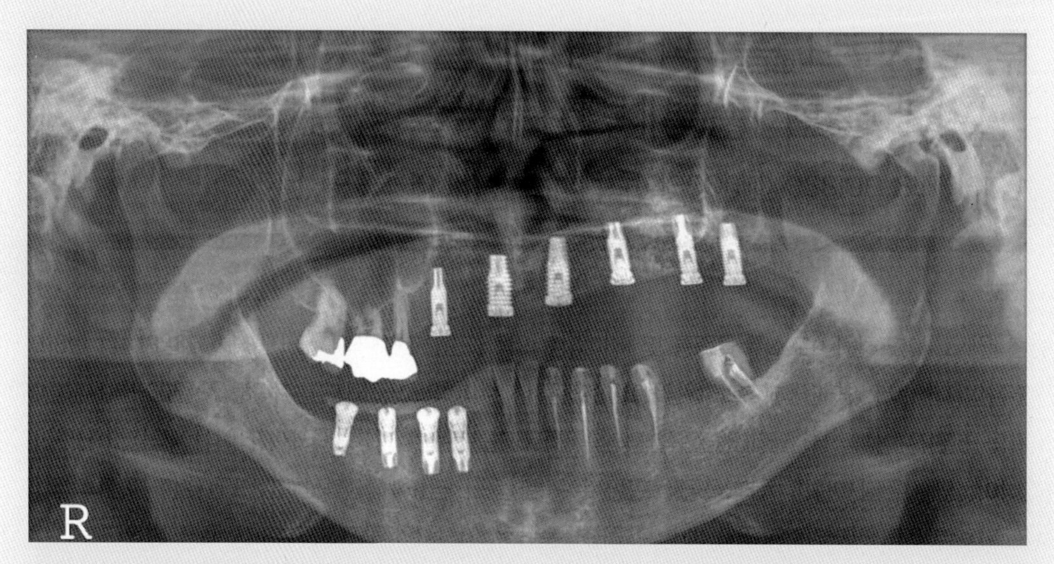

Fig 58. 임플란트 식립 후 파노라마 방사선 사진. 상악에 6개, 하악 #47 부위에 추가로 임플란트가 식립되었다.

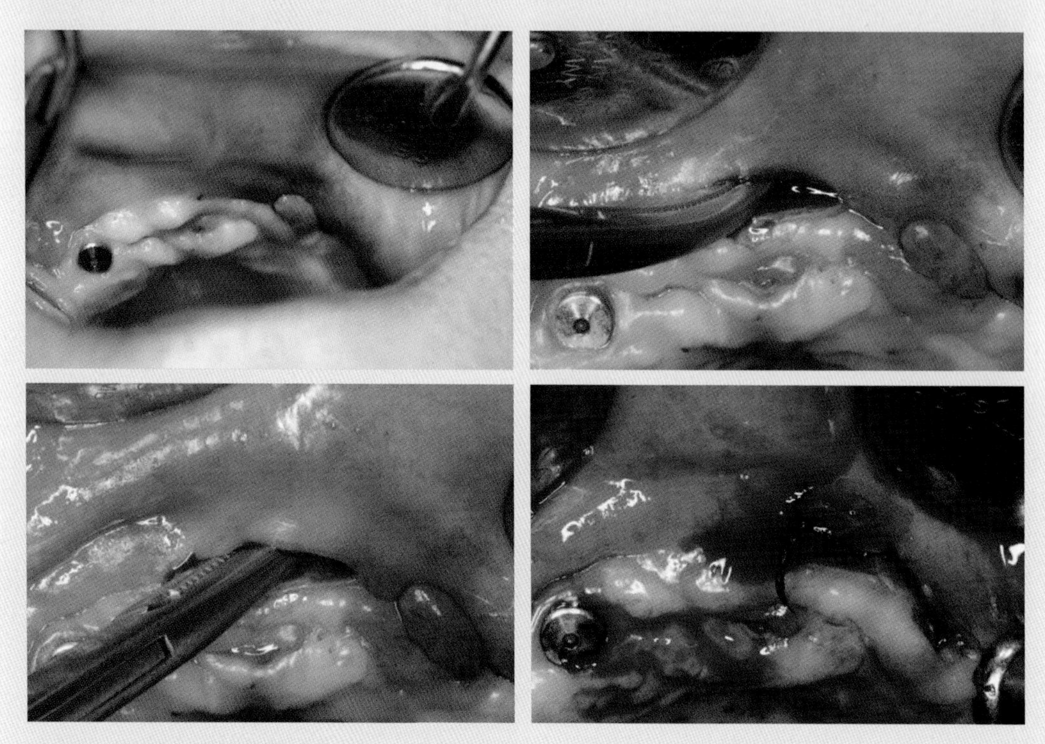

Fig 59. #21-23 부위 절개배농술을 시행하는 모습

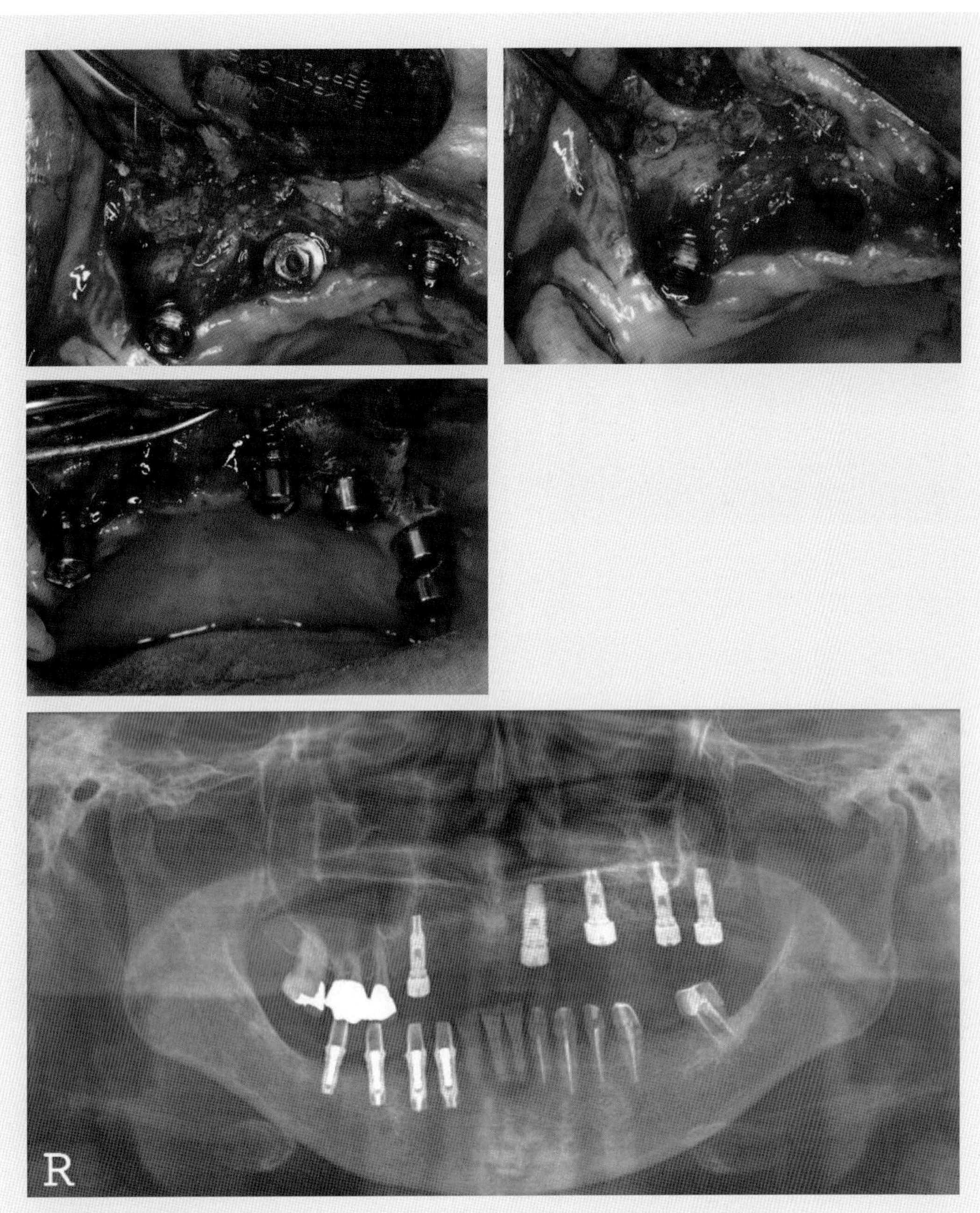

Fig 60. 상악 임플란트 2차 수술을 시행하였으며, #11 임플란트 골유착이 실패하여 제거하였다.

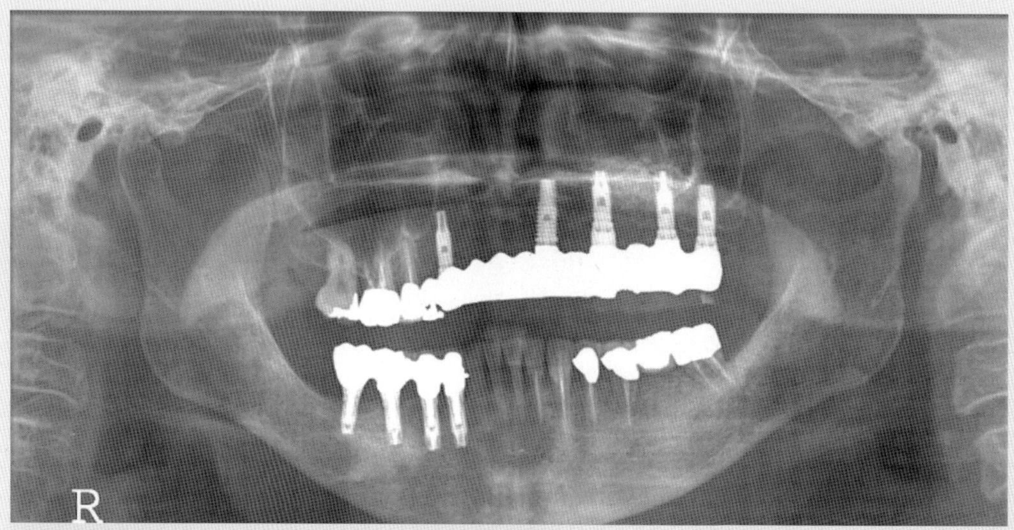

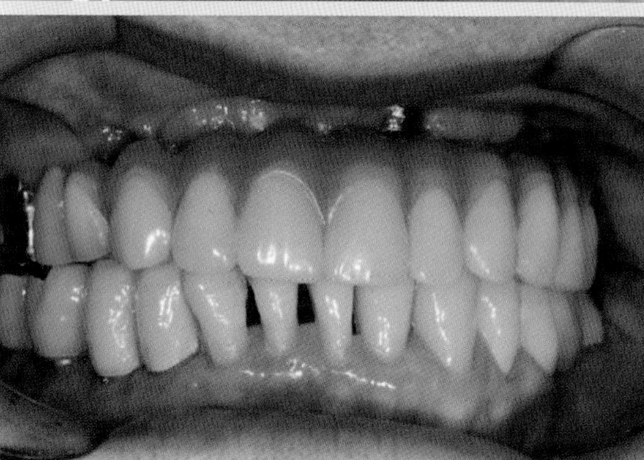

Fig 61. 상하악 최종 보철물 장착 후 파노라마 방사선 및 구강 사진. 경과 관찰 기간 중에 #32–37 상부 보철치료도 진행되었다.

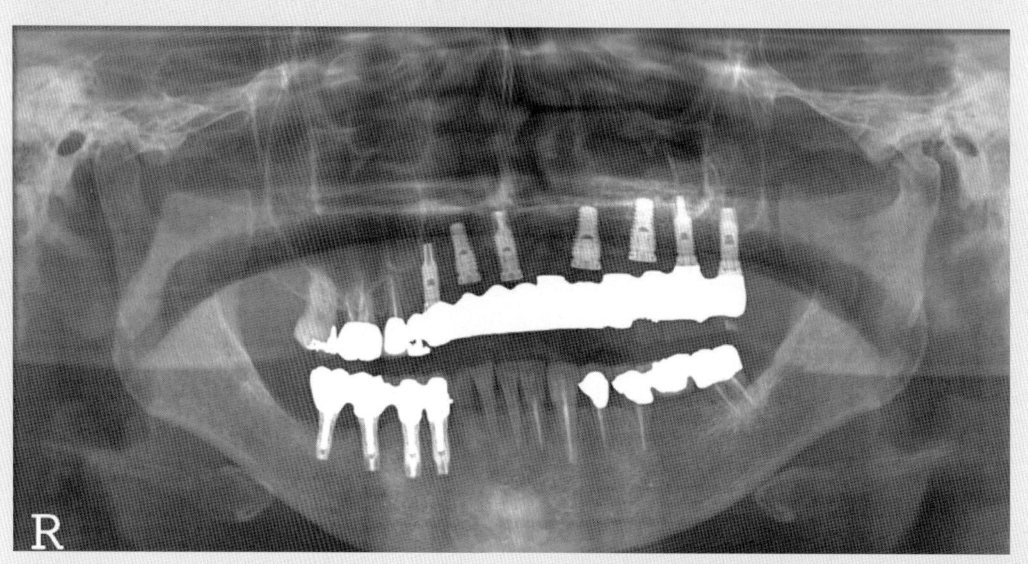

Fig 62. #12, 11, 23, 25 부위에 임플란트를 다시 식립하고 상부 보철물을 임시로 연결하였다.

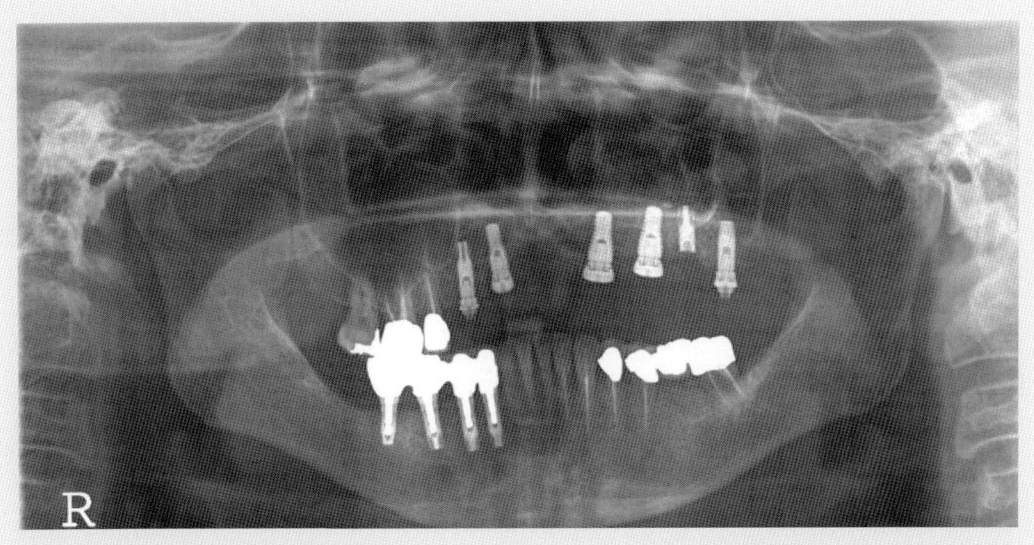

Fig 63. 상악 임플란트 2차 수술 후 파노라마 방사선 사진. #26 임플란트 고정체가 파절되었으며, 상방의 유동성 부분을 제거하고 하방의 골유착된 고정체는 잔존시켰다. 골유착이 이루어지지 않은 #11 임플란트는 제거되었다.

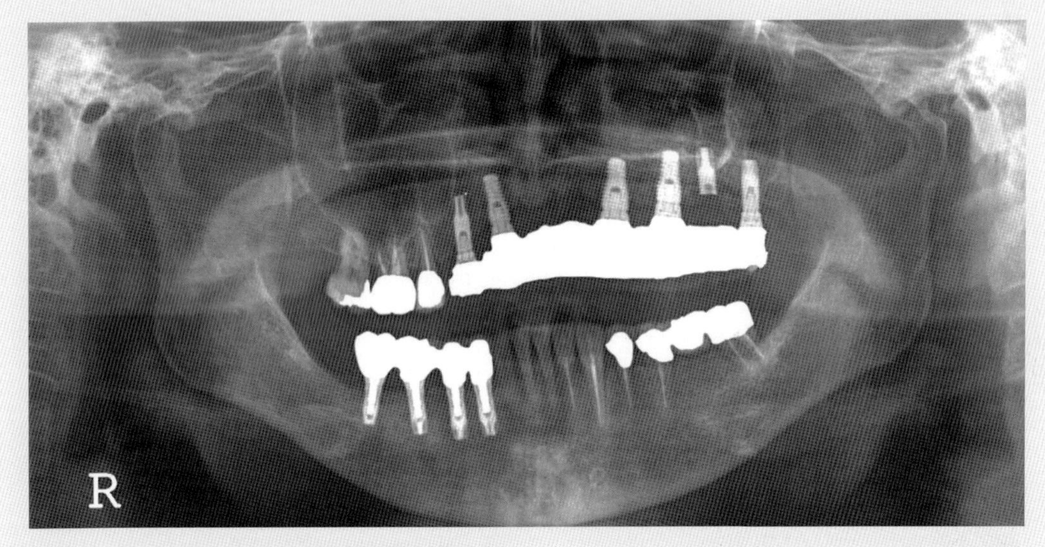

Fig 64. 상악 보철물 장착 6개월 후 파노라마 방사선 사진

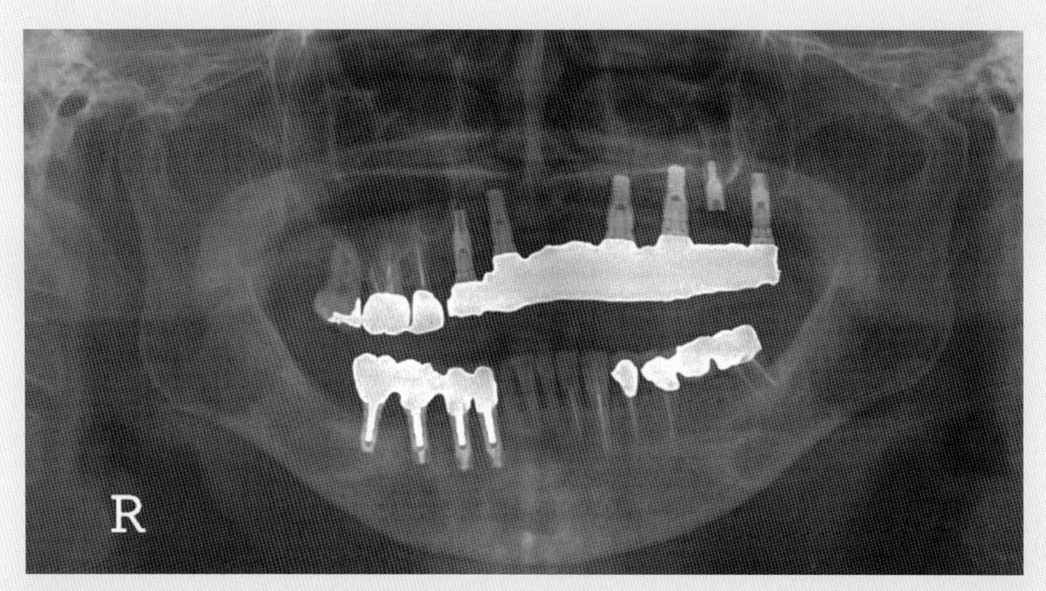

Fig 65. 2009년 7월 20일 촬영한 파노라마 방사선 사진. 좌측 상악동염(임플란트와는 무관함)이 발생하여 이비인후과로 의뢰하여 치료받았다.

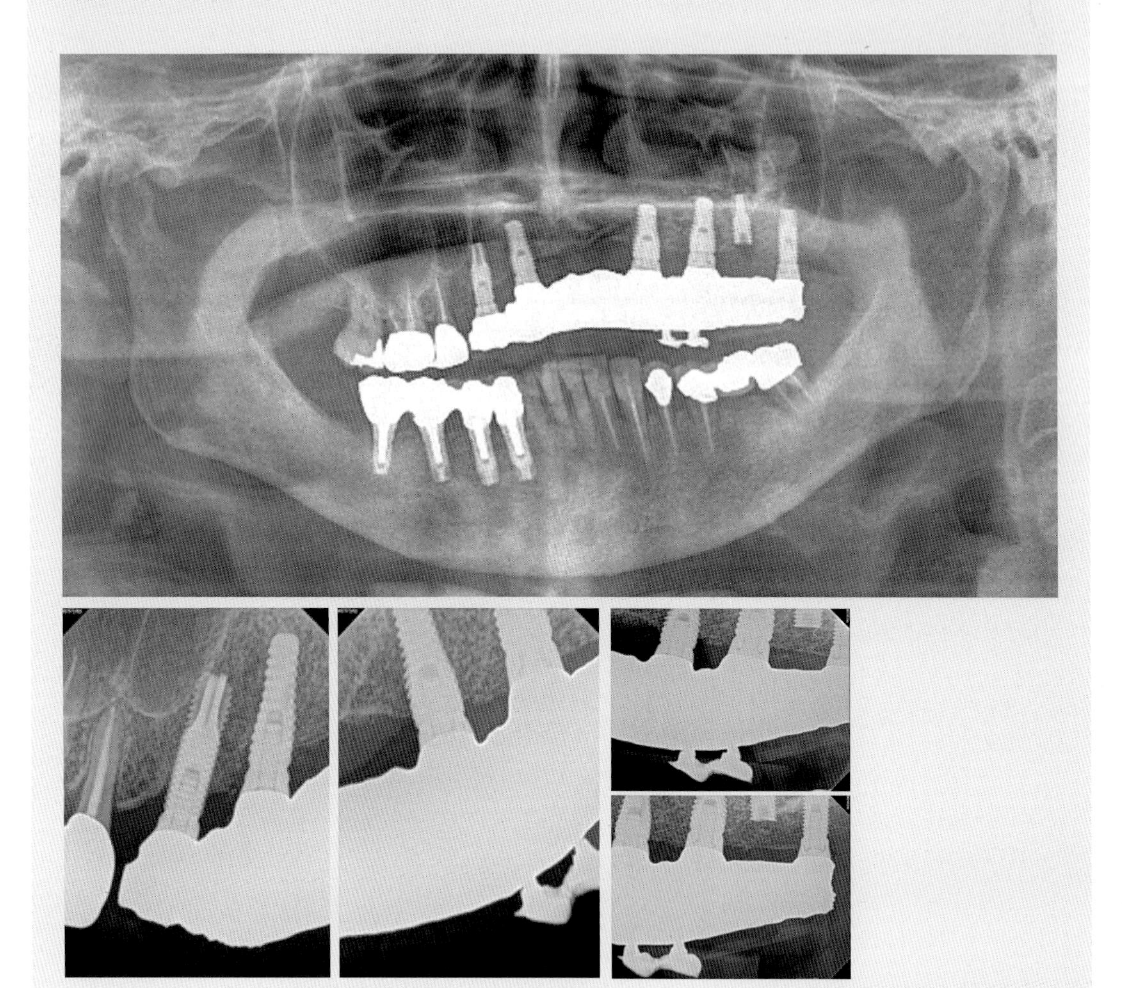

Fig 66. 2020년 10월 20일 촬영한 방사선 사진

⊗ Problem lists

1. 침습적 골이식술 및 임플란트 식립 수술
2. 상순 신경병성 통증
3. 감염
4. 상악 임플란트 주변 통증 및 반복적인 임플란트 실패
5. 턱관절장애, 구강악습관

치료 및 경과

1. 초기부터 적극적인 약물 및 물리치료
2. 감염 치료: 항생제 및 절개배농술
3. 실패한 임플란트 제거 후 재식립
4. 턱관절장애 치료: 약물, 물리치료, 스플린트 치료
5. 성상신경절차단술
6. 환자와 좋은 유대관계 유지
7. 예후: 중등도

Comment

- 독자들이 본 증례를 잘 살펴보면 많은 문제점들을 발견할 것이다. 독자들의 입장이라면 "어떻게 대처했을까?"하고 생각하면서 유용한 교훈을 얻길 바란다.

임플란트 치료계획, 수술, 보철, 유지관리 시 반복적인 임플란트 실패와 다양한 합병증들이 발생하였다. 환자가 호소하는 감각이상과 신경병성 통증에 대한 진단과 처치도 미흡했다. 약물치료를 Tegretol, Trileptal로 시작한 것도 문제였다. **삼차신경통을 제외한 신경병성 통증의 1차 치료 약물은 Gabapentin, Pregabalin 혹은 Antidepressant임을 참고하길 바란다.**

본 증례의 환자는 수술 이후부터 지속적으로 상악(상순과 코 주변)의 감각 이상과 통증을 호소하였다. 원인은 매우 침습적인 골이식술과 술 후 감염, 반복적인 임플란트 실패 등이 초기 통증에 관여했을 가능성이 있다. 임플란트 골유착 실패, 임플란트 파절, 상부 보철물 파절 등은 보철적 과부하 및 환자의 구강 악습관(이갈이, 이 악물기)과 관련이 있다고 보인다. 그러나 현재까지 지속되고 있는 감각이상과 신경병성 통증의 원인은 상악 수술 시 안와하신경의 상순가지가 손상된 것이 주 원인이었을 것으로 생각된다.

수술 직후부터 발생한 신경병성 통증의 주 원인으로서 **안와하신경 분지 손상으로 인한 삼차신경병성통증**을 간과하고 일반 소염진통제와 감염에 대한 처치만 시행했던 것은 부적절하였다. **항경련제, 주사치료(스테로이드, BTXA, SGB 등)를 초기부터 적극적으로 시행**했었다면 통증 조절에 좋은 효과를 보였을 것으로 생각된다(Moore RA, et al; 2015). 환자가 신경병성 통증을 처음 호소한 시기는 2005년 10월 25일이었다. 항경련제 투여가 처음 시작된 시기는 2006년 10월 17일이었으며 거의 1년이 경과한 시점이었다.

Case 9 > #36 임플란트 식립 후 감각 마비와 신경병성 통증이 발생한 증례

2020년 6월 18일 63세 여자 환자가 좌측 하순과 턱의 감각 둔화 및 통증을 주소로 내원하였다. 4개월 전 치과의원에서 #36 발치 후 임플란트를 즉시 식립하였으며 술후 방사선 사진에서 임플란트가 하악관에 근접해 있는 것을 확인하고 스테로이드 테이퍼링 요법 및 물리치료를 시행한 이후에도 증상이 호전되지 않아 본원으로 의뢰되었다. 가만히 있어도 좌측 하순에 찌릿하고 따끔거리는 통증이 계속 존재하며 손가락으로 건드리거나 칫솔질할 때 깜짝 놀랄 정도로 통증이 매우 심하다고 하였다. 의학적 병력은 특별한 것이 없었으며 방사선 검사에서 #36 임플란트가 하악관 상벽에 근접해 있는 소견이 관찰되었다**(Fig 67)**. 전기생리학적 검사에서 좌측 하치조신경 지배 부위의 매우 심한 감각 둔화 소견이 관찰되어 "수술 후 삼차신경손상 및 삼차신

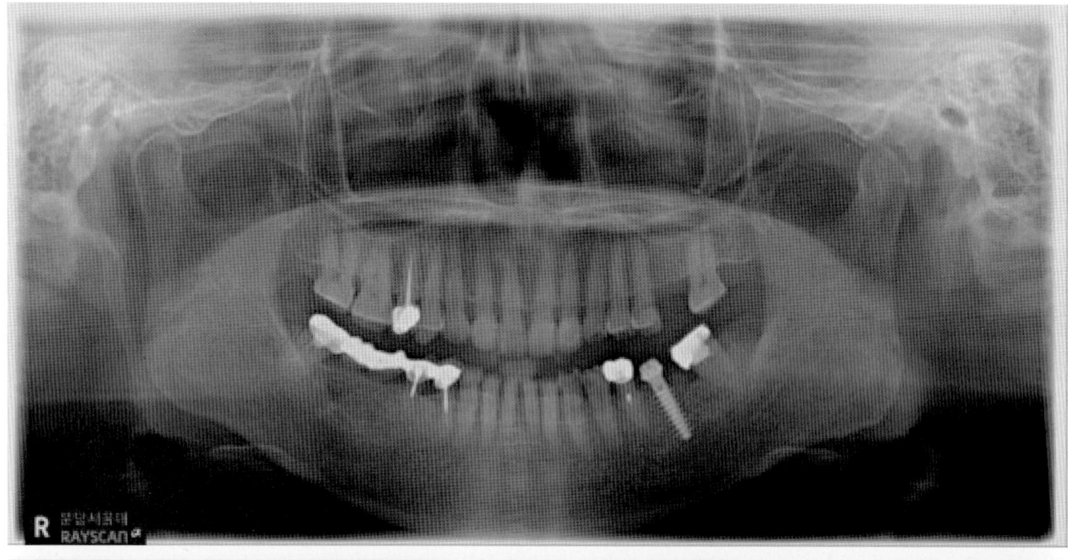

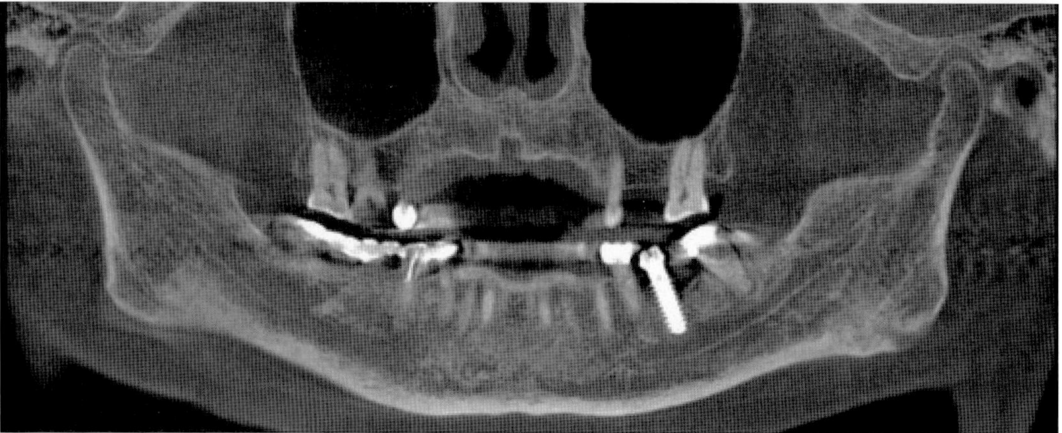

Fig 67. 63세 여자 환자의 초진 시 방사선 사진. #36 임플란트가 하악관 상벽과 접촉되어 있는 것을 볼 수 있다.

경병성통증"으로 진단하고 Trileptal (Oxcarbazepine 300 mg) bid, Sensival (Nortriptyline 10 mg) qd를 처방하였다. 또한 하악지 설측의 소설(lingua) 부위 및 이공 주위에 Lidocaine + Dexamethasone을 주사하고 EAST (pads) & laser 치료를 시행하였다. 환자는 침 삽입 시 통증 감각을 인지하였기 때문에 pads로 대체하여 전기자극을 가하였다. **2020년 7월 9일** 체열검사에서 하악의 좌우 온도 차이가 0.6℃를 보였으며 초진 시 처방한 약물 복용 후 어지럽고 졸린 증상이 너무 심해서 2일분만 복용한 후 중단한 상태였다**(Fig 68)**. Lidocaine + Dexamethasone 2차 주사 및 EAST & laser 치료를 시행하고 약물을 Neurontin (Gabapentin 100 mg) tid로 교체하였다. **2020년 7월 23일** EAST & laser 치료를 시행하고 Neurontin 100 mg bid, Pharma mecobalamin (Methylcobalamin 0.5 mg) bid를 처방하였다. **2020년 8월 6일** 통증이 지속되고 있으며 칫솔질하다가 좌측 하순 부위를 건드리면 전기 오는 듯이 아프다고 하였다. Lidocaine + Dexamethasone 3차 주사 및 EAST & laser 치료를 시행하고 약물을 Newrica (Pregabalin 75 mg) bid으로 교체하고 Pharma mecobalamin과 함께 복용하도록 하였으며 통증이 발생하는 좌측 턱과 하순의 피부에 Newdotop (Lidocaine) patch를 하루 2회 부착하도록 하였다. 물리치료는 환자 거주지 근처 병원에서 받도록 진료회송서를 작성해 주었다. **2020년 8월 20일** 통증이 현저히 감소되었으며 EAST (pads) & laser 치료를 시행한 후 Newrica 75 mg bid, Pharma mecobalamin (Methylcobalamin) 0.5 mg bid 4주 처방하고 물리치료는 거주지 근처 병원에서 자주 받도록 권유하였다. **2020년 10월 12일** 내원 시 통증은 거의 소멸되었고 좌측 하순 주변에 약간의 감각 이상만 존재하는 상태였으며 EAST (pads) & laser를 시행하고 동일 약물을 2개월 처방한 후 치료를 종료하였다.

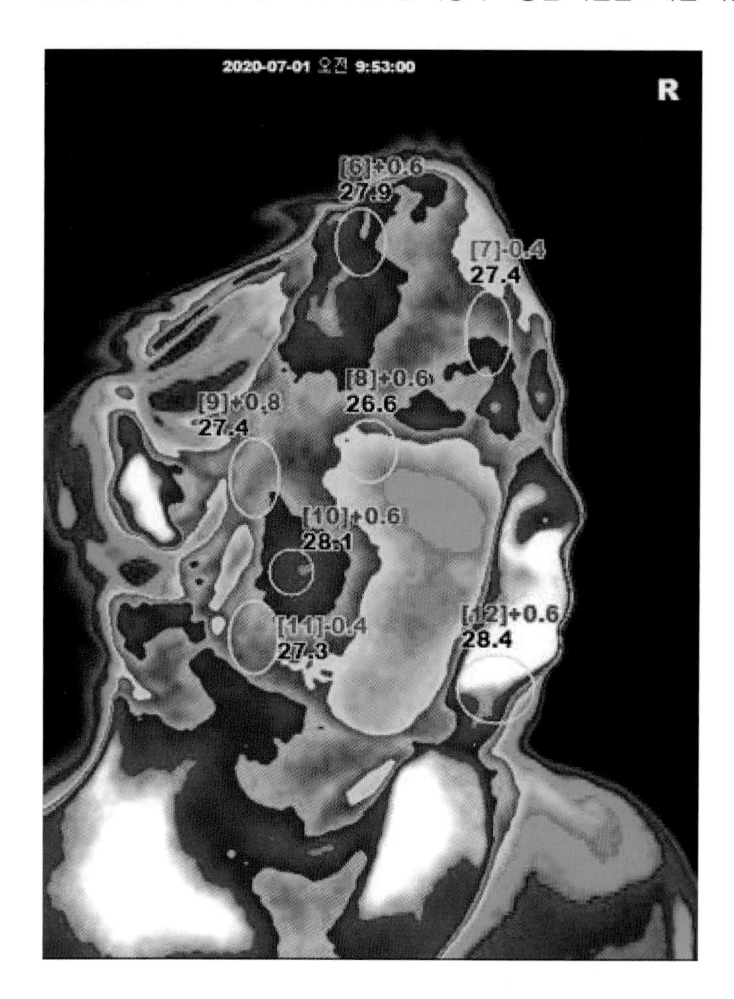

Fig 68. 체열검사에서 하악 좌우측 온도 차이가 0.6℃를 보였다.

⊗ Problem lists

1. #36 임플란트 식립
2. 좌측 하치조신경손상 및 신경병성 통증

치료 및 경과

1. 약물 및 물리치료(EAST & laser)
2. 주사치료: Dexamethasone + Lidocaine
3. 예후: 양호

Comment

● 본 증례는 #36 임플란트가 하악관 상벽과 접촉된 소견이 관찰되며 수술 중 드릴에 의한 직접 손상 혹은 임플란트가 하악관에 압박을 가하면서 발생한 간접적 손상으로 추정된다. 그러나 감각은 인지하는 상태였기 때문에 하치조신경의 손상 정도는 신경절단(neurotmesis)은 아니고 축삭절단(axonotmesis)에 가깝다고 생각된다. **신경병성 통증이 동반되는 상태였으며 초진 시점부터 적극적으로 물리치료와 약물, 주사치료를 시행하였다. 약물 부작용과 효과를 평가하면서 Trileptal, Sensival → Neurontin → Newrica로 약물을 변경하여 처방하였다. Vitamin B12 제제(Methylcobalamin)는 치료 기간 중에 계속 투여하였고 국소적으로 적용하는 lidocaine patch가 통증 완화에 좋은 효과를 보였다. 본 증례는 신경병성 통증의 치료를 초기에 적극적으로 시행하여 양호한 회복을 보였던 경우이다.**

Table 2. 외상 후 삼차신경병성 통증(post-traumatic trigeminal neuropathic pain) 증례 요약

증례	나이	성별	부위	신경	정도	원인	약물	치료	수술	예후	치료기간(월)
1	62	여	우측 하순, 턱, 뺨, 혀, 귀, 측두부, 목	Men	Neura	#45 임플란트	Trileptal, Ultracet, Amoclan duo, Clindamycin, Trental, Grandpehrol, Carol-F, Dexamethasone, Neurontin, Newrica, Sensival	EAST Laser	Sau	G	11
2	75	여	우측 하순, 턱, #45-47 주변 잇몸	IAN	Axo	#45-47 임플란트	Pharma, Placentex, Lidocaine, Dexamethasone, Trileptal, Imotun, Neurontin	EAST Laser	No	U	지속
3	45	여	우측 하순, 턱	IAN	Neura	#48 매복치 발치	Neurontin, Beecom, Trileptal, Sensival, Prebalin, Lyrica, Cymbalta	EAST Laser, SGB	No	U	지속
4	73	여	우측 상순	ION	Neura	#13, 14 임플란트	Lidocaine, Dexamethasone, Trileptal	EAST Laser	No	M	24
5	21	여	좌측 하순, 턱	IAN	Axo	턱교정 수술	Trileptal, Sensival, Rivotril, Dexamethasone, Lidocaine, Vitamin D3	EAST Laser	Plate removal	G	11
6	65	여	우측 하순, 턱	IAN	Axo	#46 임플란트	Solondo, Trileptal, Sensivall, Pharma, Licaneuro, Neurontin, Triam, Dexamethasone, Innotox, Lylica, Rivotril, Ultracet, EMLA cream, Capsaicin	EAST Laser, 정신 건강 의학과	Decom.	U	지속

증례	나이	성별	부위	신경	정도	원인	약물	치료	수술	예후	치료기간(월)
7	41	남	우측 하순, 턱,	IAN	Axo	#47 임플란트	Trileptal, Sensival, Beecom, Neurontin, Baclofen, Rivotril, Phenytoin, Topamax, Lyrica, Dexamethasone, Hirax	EAST Laser, SGB	Decom	U	지속
8	65	여	상순	ION	Neua	상악 골이식 및 임플란트	Fullgram, Mesexin, Catas, Carol-F, Tegretol, Trileptal, Beecom, Amitriptyline, Sensival, Ultracet, Capsaicin, Amoxapen, Somalgen, Tantum	EAST Laser, Splint	Implant 제거 및 재식립	M	지속
9	63	여	좌측 하순, 턱	IAN	Neura	#36 임플란트	Trileptal, Sensival, Lidocaine, Dexamethasone, Neurontin, Pharma, Newrica, Newdotop	EAST Laser	No	G	8

*Men: mental nerve, IAN: Inferior alveolar nerve, Neura: neurapraxia, Sau: saucerization, G: good, Pharma: Pharma mecobalamin, U: unchanged, Axo: axonotmesis, SGB: Stellate ganglion block, ION: Infraorbital nerve, M: moderate, Decom: decompression surgery

CHAPTER

7

특발성 구강안면통증

TOUGH CASES 치과진료 후 발생하는 골치 아픈 증례들

CHAPTER 7

특발성 구강안면통증
Idiopathic Orofacial Pain

신경병성 통증의 일종으로서 원인을 잘 알 수 없으며 정의가 애매모호하고 정확히 진단하기 어려운 통증을 의미한다. 과거에는 비정형 안면통(atypical facial pain)이라는 용어로 사용된 바 있는데, 이 진단명은 더 이상 사용되지 않는 쓰레기통 진단(wastebasket diagnosis)으로 간주되고 있다(Delcanho R; 2017). 특발성(idiopathic)이란 원인 불명의 병이 저절로 생긴다는 것을 의미한다(김문종. 특발성 안면통증, 안면통증환자의 심리평가 완전정복. 대한측두하악장애학회 2020 종합학술대회 10월 7일–14일)

1) 병인론

(1) 신경손상: 침습적 치과치료 및 수술

(2) 심리적 문제

뇌의 dopamine이 고갈되는 경우 정신과적 질환 발생 가능성이 크고 특발성 구강안면통증의 발병과도 연관이 있다. 심리적 문제가 특발성 구강안면통증의 원인으로 관여할 수도 있지만 반대로 통증에 의해 이차적으로 심리적 문제들이 발생할 수도 있다. 비록 특발성 안면통증이 정신과적 문제를 동반하고 있는 경우가 많다 하더라도 이러한 통증을 단순히 정신과적인 문제로 간주해 버리는 것은 부적절하다.

(3) 기타

부신, 생식샘, 신경 활성 스테로이드의 조절 곤란, 자율신경계 손상, 면역 기능 저하, 유전자 요인 등

2) 진단

편측성 혹은 양측성으로도 발생하며 증상이 오랜 기간 동안 지속되고 통증 부위를 명확히 지목하기 어렵고 중등도 강도의 통증을 보인다. 환자들은 통증의 특징을 얼얼한 느낌, 압박감, 화끈거리는 양상으로 표현하는 경우가 많다. 통증이 일반적인 말초신경의 분포를 따르지 않는 경향을 보이고 다양한 정신과적 문제들이 동반된다. 대부분의 환자들은 치료를 위해 다수의 치과의사 및 의사들의 진단 및 치료를 받은 경험이 있다 (Delcanho R; 2017).

특발성구강안면통증으로 진단하기 위해서는 다음 사항들이 배제되어야 한다.

① 치아 및 치조제 부위와 주변 해부학적 구조물의 장애로 인한 구강안면통증
(orofacial pain attributed to disorders of dentoalveolar and anatomically related structures)

② 구강안면근근막통증(myofascial orofacial pain)

③ 측두하악관절통증(temporomandibular joint pain)

④ 뇌신경 질환이나 병변으로 인한 구강안면통증
(orofacial pain attributed to lesion or disease of the cranial nerves)

⑤ 일차 두통(primary headache)과 기타 만성 구강안면통증과 유사한 구강안면통증
(orofacial pain resembling presentations of primary headaches and other chronic orofacial pains)

3) 감별진단

외상후 삼차신경 신경병성 통증(post-traumatic trigeminal neuropathic pain)과 감별해야 한다. 특발성구강안면통증의 경우 통증이 해부학적인 신경의 분포를 따르지 않는다는 점에서 외상후 삼차신경 신경병성 통증과 차이를 보인다. 특발성 구강안면통증은 명확한 인과관계가 없고 진단 검사에서도 명확하고 일정한 소견을 보이지 않으며 인지하기 어려운 경미한 말단신경손상에 의해 발생하는 경우가 많다.

삼차신경통과의 감별도 필요한데, 특발성 구강안면통증의 QST 및 blink reflex (BR) test 결과는 이질성을 보이는 반면 삼차신경통의 경우 검사 결과가 동질성을 보인다(Forssell, et al; 2002, Forssell, et al; 2007). 진단용 마취를 시행할 경우 삼차신경통은 대개 통증이 경감되는 반면, 특발성 구강안면통증의 경우 그렇지 않은 경우가 많다. Grémeau-Richard C 등(2010)은 BMS 환자들을 대상으로 설신경 마취를 위해 lidocaine을 이용한 그룹과 비교군으로 생리식염수를 주사한 그룹 간에 주사 전후의 VAS 감소량이 차이를 보이지 않았다고 발표하였다. 특히 quantitative sensory testing (QST)와 blink reflex test (BR)는 BMS, PIFP, PIDP를 가진 환자들에서 종종 비정상적인 소견을 보이는 것으로 보아 말초신경병변(peripheral neuropathy)의 일종이며 중추신경 수준에서의 병변이 존재할 가능성도 있음을 시사한다. Positron emission tomography (PET)를 이용한 연구에서 Dopamine 고갈로 인한 기능장애가 특발성 구강안면통증의 원인일 수 있다는 의견이 제기되기도 하였다.

4) 분류

국제구강안면통증분류(ICOP, 2020)에서는 특발성 구강안면통증의 종류를 4가지로 분류하고 있다(Box 24).

Box 24 특발성 구강안면통증의 분류

1. 구강작열감증후군(burning mouth syndrome, BMS)
2. 지속적인 특발성 안면통증(persistent idiopathic facial pain, PIFP)
3. 지속적인 특발성 치아치조통증(persistent idiopathic dentoalveolar pain, PIDP)
4. 발작을 동반한 지속적인 편측성 안면통(constant unilateral facial pain with additional attack, CUFPA)

(1) 구강작열감증후군(burning mouth syndrome, BMS)

혀(전방 및 측면) 구강 점막, 입술을 포함한 연조직에서 타는듯한 작열감이나 찌르는 듯한 통증 등을 호소할 때 정의되는 용어이다. 아직까지 원인과 기전이 명확히 밝혀지지 않은 만성질환이며 신경병성 질환의 일종으로서 성인의 약 3–7%에서 발생한다고 알려져 있다. 삶의 질에 영향을 미치고 오랜 기간 지속되는 만성통증으로 인해 우울증이 발생하는 경우도 있으며 통증의 강도는 중등도 내지 심한 정도로 알려져 있다. 임상가는 환자에게 신뢰감을 주는 설명을 할 수 있어야 하며, 약물치료뿐만 아니라 환자의 증상을 유발하거나 악화시키는 요인들을 피하도록 해야 한다. 즉, 뜨거운 음료나 음식, 매운 음식을 피하도록 하고, 긍정적이고 규칙적인 생활과 수면 개선, 적당한 운동이 적극 추천된다. 또한 심각한 질환이 아니라는 점을 분명하게 강조하여 환자를 안심시켜야 한다(허윤경 등; 2010).

(2) 지속적인 특발성 안면통증(persistent idiopathic facial pain, PIFP)

연간 10만명당 4.4명의 비율로 발생하고 평생유병률이 약 0.03%로 보고된 바 있다. 쑤시는(aching), 화끈거리는(burning), 찌르는(stabbing), 박동성(throbbing) 또는 압박하는(pressing) 통증으로 나타나며, 통증의 강도는 경미한 수준부터 심한 정도까지 다양한 양상을 보인다. 국소적이기보다는 편측 안면에서 퍼지는 양상을 보이며 QST 결과 55%에서 소섬유 기능(small fiber function)의 비정상 소견을 보였다. BR test에서 비정상 소견을 보이며 PET 검사에서 도파민 기능의 이상 소견이 관찰되었다.

(3) 지속적인 특발성 치아치조통증(persistent idiopathic dentoalveolar pain, PIDP)

과거에 비정형 치통(atypical odontalgia), 환상치통(phantom toothache)으로 불리던 용어로서 발생 빈도는 약 3.4%로 보고되고 있다. 둔하고(dull), 압박하는 듯한 통증으로 나타나며 중등도(moderate)의 통증 강도를 보인다. 대개 편측성으로 치아 주변 또는 발치 부위 주변 점막의 국소적 통증으로 나타나며 하루에 2시간 이상 매일 발생하고 3개월 이상 지속되는 경향을 보인다. 그 중에서도 상악 소구치부 및 구치부에서 주로 발생한다. QST에서 다수의 감각이상 소견들이 관찰되고 BR test에서도 비정상 소견을 보인다.

(4) 발작을 동반한 지속적인 편측성 안면통(constant unilateral facial pain with additional attack, CUFPA)

3개월 이상 지속되며 대부분 편측성 안면통의 형태로 발생한다. 경도에서 중등도의 통증 강도(mild to moderate)를 보인다. 하루 최대 6회까지 발작성 통증이 발생하기도 한다. 검사 소견상 국소적인 원인들을 찾을 수 없으며 발작성 통증의 유무로 진단이 가능하다. PIFP, PIDP는 발작성 통증이 발생하지 않는다는 점에서 CUFPA와 차이가 있다.

5) 환자관리

① 심리적, 신체적으로 여러 질환들이 동반되기 때문에 매우 복잡한 관리가 필요하다.

② 치과, 이비인후과, 신경과, 정신건강의학과 등 여러 전문 진료과들과 협진이 필요하다.

③ 환자들은 지속적이고 잘 조절되지 않는 통증으로 인해 여러 의료기관을 거치면서 많은 치료를 받은 과거력이 있거나 침습적인 치료 이후에 통증이 악화되는 경우가 있으므로, 적절한 진단을 통한 약물 치료와 충분한 상담을 하는 것이 중요하다.

6) 약물치료

아직까지 특발성 구강안면통증의 약물치료와 관련된 근거있는 연구결과는 많지 않다. 그러나 특발성 안면통증 또한 신경병성 통증의 일종이므로 다른 신체 부위의 신경병성 통증에 대한 치료법을 적용하는 경우가 많다.

① 국소적으로 적용가능한 연고나 크림 형태의 진통제 및 캡사이신

② 전신적으로 투여할 경우 삼환계 항우울제(Tricyclic antidepressants, TCA), Gabapentin, Pregabalin, Clonazepam 등과 같은 항경련제 사용

삼차신경통을 제외한 신경병성 통증 치료 시 1차로 많이 선택되는 약물은 Gabapentin과 Pregabalin이다. Gabapentin은 9일 이상, Pregabalin은 1–2일 이후부터 효과가 나타나는 것으로 알려져 있다. 2가지 약물 모두 어지럼증, 졸림, 구강건조증, 복시, 변비, 얼굴이 붓거나 살이 찌는 등의 부작용이 빈번히 발생한다. 부작용을 최소화하기 위해 처음에 저용량으로 시작하여 천천히 용량을 증가시키고 고령 환자에서는 가급적 사용을 자제하는 것이 좋다.

구강작열감증후군 증례 (burning mouth syndrome, BMS) Table 3

Case 1 > 59세 여자 환자 (Fig 69).

2019년 5월 30일 59세 여자 환자가 #16 주변 통증과 혀 불편감을 주소로 내원하였다. 의과적 병력은 무릎, 다리, 허리, 어깨 통증으로 정형외과 치료를 받았고 안면신경마비가 발생하여 신경외과, 마취통증의학과, 안과 및 이비인후과 진료를 받은 적이 있었다. 자고 일어나면 잇몸에서 하얀 물질이 떨어져 나오고 가만히 있어도 아프지만 오히려 식사 중에는 통증이 소멸된다고 하였다. 10개월 전부터 타 치과의원에서 #26, 37 임플란트 치료, #16, 27 근관치료를 받았으며 이후에도 통증이 지속되어 통증클리닉에서 약물치료(Lyrica 25 mg bid, Ultracet ER Semi bid)를 받았다. 그러나 호전되지 않은 상태였으며, 최근에는 #26 임플란트 주변도 통증이 있다고 호소하였다. 잠을 자기 힘들 정도로 불편하고 귀에서 소리가 나는 것 같으며 입천장과 혀 전체가 화끈거린다고 하였다. #15–17 협측에 침윤마취를 시행한 후에도 통증과 불편감은 해소되지 않았다. 지속적인 특발성 안면통, 비정형 삼차신경통, 구강작열감증후군, 만성치주염 등을 의심하고 우선 Trileptal (Oxcarbazepine

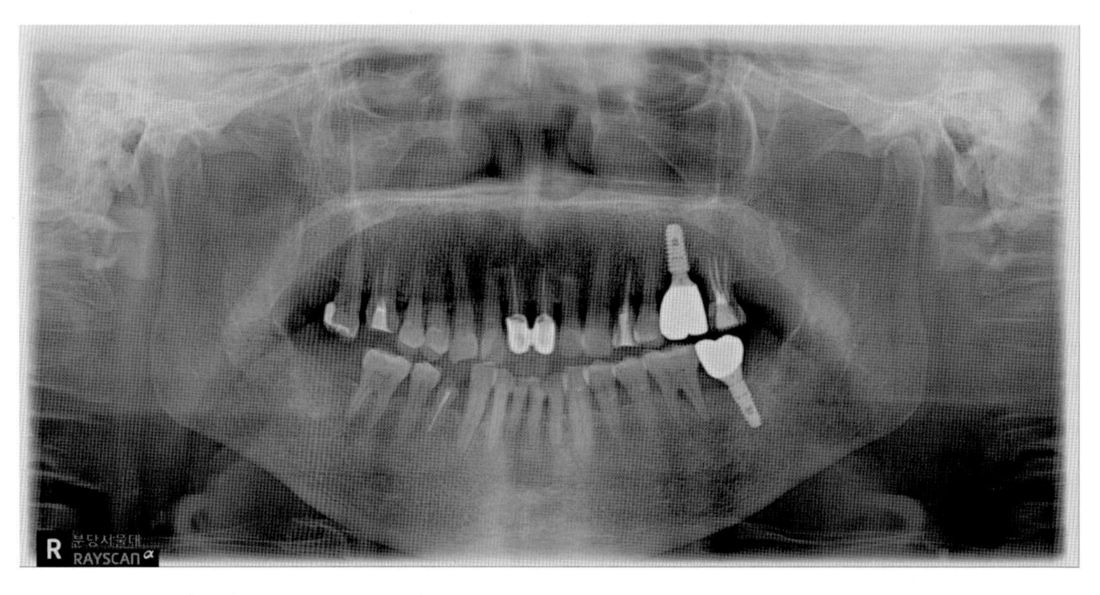

Fig 69. 59세 여자 환자의 초진 시 파노라마 방사선 사진. #16 주변 통증과 혀 불편감을 주소로 내원하였다.

150 mg bid), Rivotril (Clonazepam 0.5 mg qd: 혀 하방에 5분간 머금고 있다가 삼키도록 함), Dexamethasone gargle 0.05%를 처방하고 경과를 관찰하였다. **2019년 6월 7일** #15-17, 25-27 치근활택술을 시행하고 Kamistad-N gel을 통증이 존재하는 입천장과 잇몸 주변에 하루 3회 도포하도록 하였고 Neurontin (Gabapentin 100 mg tid)을 처방하였다. **2019년 6월 20일** 증상들이 많이 완화되었으며 Neurontin을 4주 처방하고 다니던 치과에서 #16 보철치료를 완료하도록 권유하였다. **2019년 9월 16일** 구강 점막이 자주 벗겨지고 #16, 25-27 치아들과 협측 잇몸이 아프다고 하여 #15-16, 25-26 협측 전정부에 2% Lidocaine과 Dexamethasone을 주사하고 Neurontin, Kamistad-N gel을 추가로 처방하였다. **2020년 5월 14일** 간헐적으로 상악 좌우측 치아들과 전치부 통증이 발생하긴 하지만 견딜 만하다고 하여 치료를 종료하였다.

⊗ Problem lists

1. 다양한 의과 치료
2. 근관치료 및 임플란트 치료 후 증상 시작
3. 지속적인 특발성 안면통, 비정형 삼차신경통, 구강작열감증후군, 만성치주염

치료 및 경과

1. 약물치료: Pregabalin → Trileptal, Clonazepam → Neurontin
2. 약물 국소적용: Dexamethasone gargling, Kamistad-N gel
3. 주사치료: Dexamethasone + Lidocaine
4. 치주치료
5. 예후: 양호

Comment

- 점막질환이나 다른 기타 질환의 임상적 징후가 없음에도 불구하고 원인 불명의 작열감성 불편감 혹은 통증이 지속적으로 존재하는 만성적인 구강안면통증 질환의 하나이다. 국제통증학회에서는 구강작열감증후군을 임상검사, 실험실 검사 등에서 이상 소견이 관찰되지 않으면서 혀 또는 구강 점막 부위에서 4-6개월 이상 지속되는 통증이라고 정의하였다. **BMS의 일관적인 치료법은 없다. 환자들에 따라 증상과 통증의 정도가 다양하기 때문에 환자에게 적절한 정보를 제공하고 교육시키면서 개인별 맞춤형 치료를 시행하는 것이 바람직하다**(Forssell H, et al; 2012). BMS는 중병이 아니라는 점을 설명하면서 안심시키고 적절한 약물을 선택하여 투여하고 필요한 경우엔 정신건강의학과 협진을 병행하는 것이 가장 효과적이라고 한다.

본 증례는 갑자기 시작된 치아와 주변 통증이 장기간 지속되고 정확한 통증 부위를 확인할 수 없으면서 국소마취 후에도 통증이 해소되지 않는 경향을 보였다. 혀와 입천장의 화끈거리는 증상이 동반되면서 뚜렷한 구강 병소가 존재하지 않는 점을 기반으로 하여 BMS로 진단하였다. 그 외에도 지속적인 특발성 안면통, 비정형 삼차신경통, 만성치주염 등이 의심되었기 때문에 **항경련제인 Gabapentin과 Clonazepam을 사용하였다. 특히 Clonazepam을 구강 내에서 머금고 있다가 녹여서 삼키는 방법이 효과적이라고 보고된 논문들을 참조하여 본 증례에서도 구강 내 국소적용 치료법을 사용하였다**(Hens MJ, et al; 2012, Klasser GD, et al; 2011). 또한 #26 임플란트 변연골 흡수와 만성 치주염 치료를 목적으로 치근활택술을 시행하였다.

Kamistad-N gel은 1 g 중에 Chamomilla tinc 185 mg, Lidocaine HCl hydrate 20 mg이 함유되어 있는 연고로서 항균, 항염, 진통 및 상처 회복 촉진 효과가 있다고 알려져 있다. 따라서 구강점막과 잇몸 통증 부위에 국소적으로 적용하도록 하였다. 고농도의 국소마취제는 국소화된 말초신경 병변에 따른 만성 통증들과 난치성 암성 통증 치료를 위해 적용할 수 있다. 리도카인을 주사하면 신경내막 부종과 Schwann 세포 손상에 따른 Wallerian 변성과 축색의 위축을 유발하면서 통증이 완화된다는 의견이 있다(박성욱 등; 2003). 일부 학자들은 리도카인을 단독으로 1주 간격으로 5회 주사하는 것도 유용한 치료법이라고 하였다(Stajcic Z, et al; 1990). 본 증례에서는 2% 리도카인과 스테로이드를 섞어서 통증 부위에 주사해 보았으나 치료효과가 있었다고 단정할 수는 없다.

Case 2 > 65세 여자 환자 (Fig 70).

2018년 1월 14일 65세 여자 환자가 #16–17 부위 통증을 주소로 분당서울대학교병원 치과 보존과에 내원하였다. 약 10년 전 #16, 17 보철치료를 받았으며 계속 불편감이 지속되었고 찬 것을 먹으면 #16이 매우 시리다고 하였다. 방사선 사진과 임상검사에서 통증을 유발할 만한 이상 소견이 관찰되지 않아 스케일링만 시행하고 경과를 관찰하였다. **2018년 3월 5일** 하악 양측 구치부 통증을 호소하였고 찬 것을 먹으면 #46, 47이 매우 시리며 전체 치아들이 아픈 것 같은 느낌이 자주 발생한다고 하였다. 지속적인 특발성 치아치조통증으로 잠정 진단하고 레이저 치료를 시행한 후 Gabatin (Gabapentin 400 mg tid)을 1주 처방하고 경과를 관찰하였다. **2018년 3월 12일** 내원 시 별 차도가 없으며 아플 때는 양측 턱 부위에서 시작하여 머리까지 아프다고 하여 구강악안면외과로 의뢰되었다. **2018년 4월 16일** 입이 잘 마르며 상하악 구치부가 항상 아프고(우측이 더 심함) 두통이 있으며 전반적인 치은 발적 및 치태침착이 심한 소견을 보였다. 또한 찬 것, 뜨거운 것, 매운 음식을 먹을 때 잇몸과 혀 통증이 심해지는 양상을 보인다고 하였다. 임상증상들을 토대로 지속적인 특발성 치아치조통증, 만성 치주염, 구강작열감증후군이 복합적으로 존재하는 것으로 잠정진단하였다. 의과적 병력은 당뇨 약을 장기간 복용하고 있으며 5년 전 유방암 수술 후 항암제와 방사선 치료를 받은 병력이 있었다. 치주염 치료 및 감별진단 목적으로 전악 스케일링과 #14–17, 44–47 치근활택술을 시행하고, 통증 발현 부위에 Mu-Terasil을 하루 2–4회 분사하도록 하였으며 Trileptal 150 mg bid, Xerova soln. 40 mL spray를 처방하였다. **2018년 4월 26일** 증상이 약간 완화되었으며, Trileptal 300 mg, Clonazepam 0.5 mg bid (혀 밑에서 침으로 녹인 후 3분간 머금고 있다가 뱉어낼 것)를 처방하였다. **2018년 5월 10일** 증상이 현저히 감소되어 동일 약물을 4주

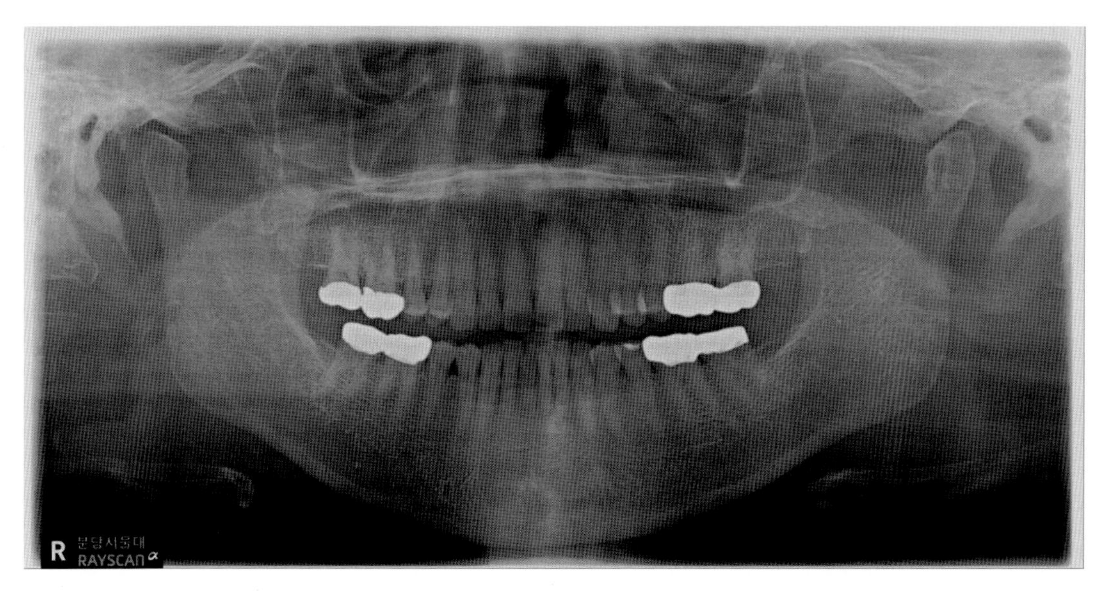

Fig 70. 65세 여자 환자의 초진 시 파노라마 방사선 사진. #16–17 부위 통증을 주소로 보존과에 내원하였다.

처방하였으며 Clonazepam은 복용한 후 졸린 증상이 너무 심하다고 하여 입에 머금고 있다가 뱉어 내도록 권유하였다. 또한 본 질환은 환자의 면역기능, 의과적 질환 및 장기간의 약물 복용과 연관성이 있으며 심각한 질환이 아니기 때문에 잘 적응하면서 지내시라고 설명하였고, 통증이 매우 심해질 경우 다시 내원하시라고 하며 치료를 종료하였다.

Problem lists

1 치과보철 치료 후 증상 시작
2 지속적인 특발성 치아치조 통증, 만성 치주염, 구강작열감증후군이 복합적으로 존재
3 당뇨, 유방암

치료 및 경과

1 물리치료: Laser
2 약물치료: Gabapentin → Trileptal, Clonazepam
3 치주치료
4 예후: 양호

Comment

● 임상증상들을 토대로 진단한 것이기 때문에 본 증례의 진단이 확실하다고 장담할 수 없다. 그러나 **특발성 안면통증의 진단을 위해 고비용의 정밀 검사(MRI, CT, 혈액검사, 전기생리학적검사 등)를 시행하는 것은 부적절하다.** 만약 악성종양, 악안면감염 등과 같은 심각한 질환이 의심되는 경우라면 특수 정밀검사를 시행해야 할 것이다. 특발성 안면통증의 치료 원칙은 일차적으로 환자가 호소하는 증상을 경감시키는 데 주 목적을 두고, 기저질환을 치료하는 데 중점을 두어야 한다(Klasser GD, et al; 2011). 본 증례의 치료 경과는 매우 좋았는데 약물치료로 인해 치유되었다고 생각하지 않는다. **BMS환자들의 50%는 시간이 경과하면서 자연적으로 부분적인 증상 감소가 있을 수 있다.** 최근 연구에서 치료받지 않은 환자들 중 자연적으로 완전히 증상이 해소된 경우는 11%였으며, 치료 유무에 상관없이 30%의 환자들에서 중등도의 증상 개선 효과가 있었다고 보고되었다(Sardella A, et al; 2006). 그러나 증상이 평생 지속되더라도 대부분의 환자들은 증상에 적응하여 더 이상 치료받는 것을 포기한다. 따라서 **치과의사가 환자를 따뜻하게 대하고 병인론과 심각한 질환이 아니라는 점을 확신을 갖고 설명하면서 관심을 가져주는 것이 중요하다**(강기호 등; 2001).
본 증례의 진단은 지속적인 특발성 치아치조통증에 더 가깝다. 그러나 당뇨 약물의 장기 복용, 유방암 치료 병력, 구강건조증과 자극성 음식을 먹을 때 잇몸과 혀 통증이 심해지는 증상들이 있었으므로 BMS가 동반된 것으로 진단하였다. 본 증례에서 사용된 Mu-Terasil은 점막부착용 창상 스프레이로서 구강 내 점막에 부착하여 얇은 보호막을 형성함으로써 외부자극으로 인한 통증을 감소시키는 효과가 있다. 구강점막염, 치과수술 후 발생한 상처, 틀니나 구강 내 장치로 인한 점막 통증을 감소시키는 효과가 있다. 주성분은 pure water, polyvinylpyrrolidone, calcium chloride, potassium sorbate, propylene glycol로 구성되어 있다.

Case 3 > 62세 여자 환자 (Fig 71).

2016년 9월 12일 62세 여자 환자가 혀 통증을 주소로 내원하였다. 2개월 전 치과에서 #24 임플란트 식립 이후부터 좌측 혀 통증이 시작되어 계속 지속되고 있으며, 심한 괴로움을 호소하였다. 좌측 혀 후방 측면부와 혀 끝이 아프며, 말할 때 또는 맵고 짠 음식, 단 것, 신 것을 먹을 때 통증이 심해지고 침이 잘 안 나오면서 입이 마른다고 하였다. 따끔거리면서 화끈거리는 혀의 통증은 하루 종일 지속된다고 호소하였다. 이비인후과의원에서 약물 치료를 2주 받았으나 효과가 없었다고 하였다. 구강작열감증후군으로 잠정 진단하고 혈액검사와 약물을 1주 처방하였다(Trileptal 150 mg bid, Rivotril 0.5 mg qd, Xerova soln. 40 mL spray, Dexamethasone gargle 0.1%). **2016년 9월 19일** 내원 시 혈액검사에서는 이상 소견이 없었고 약 복용 후 혀 통증이 많이 완화되었다. 동일한 약물을 1개월 처방하고 경과를 관찰하였다. **2016년 11월 29일** 스케일링을 시행하였으며 불편한 증상은 소멸되었고 다니던 치과에서 #24 임플란트 보철치료를 완료하도록 권유하였다. **2017년 1월 26일** 좌측 혀 측면과 좌측 상악 소구치 및 대구치와 구개측 잇몸의 욱신거리는 통증을 호소하면서 약 처방을 원하였다. Trileptal 300 mg bid, Rivotril 0.5 mg qd, Xerova soln. 40 mL을 2개월분 처방하였다. 이후 3개월 간격으로 내원하여 약 처방을 받았으며 **2017년 11월 30일** 내원 시 피곤할 때 #24 임플란트 주변 잇몸이 아픈 것 외 불편감은 없다고 하여 치료를 종료하였다.

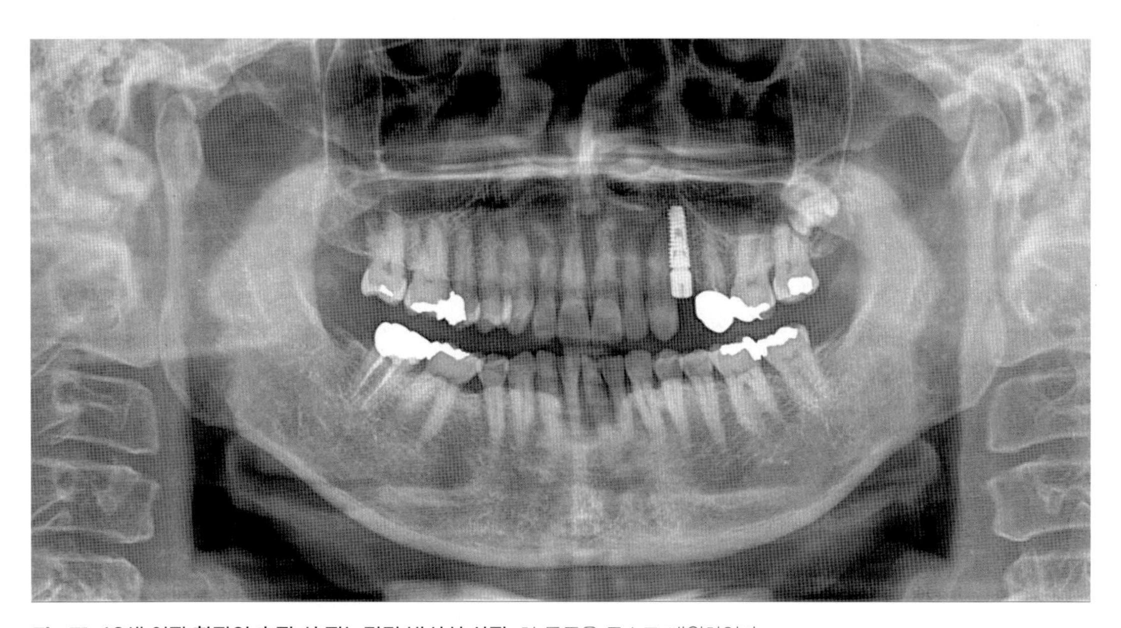

Fig 71. 62세 여자 환자의 초진 시 파노라마 방사선 사진. 혀 통증을 주소로 내원하였다.

⊗ Problem lists

1. #24 치과 임플란트 수술 후 증상 시작
2. 혀 좌측면과 앞부분 통증
3. 이비인후과 진료

치료 및 경과

1. 약물치료: Trileptal, Clonazepam, Dexamethasone gargling, 인공타액
2. 예후: 양호

Comment

● 의과적 전신질환은 없었으나 62세 여자 환자이고 #24 임플란트 치료 이후부터 증상이 시작되어 장기간 지속되고 있었다. 혀와 구개의 화끈거리는 통증이 지속되고 뚜렷한 구강병소가 존재하지 않는 것으로 보아 구강작열감증후군으로 진단하였다. 이 환자는 **항경련제 Oxcarbazepine과 항불안제인 Clonazepam으로 통증 조절이 잘 되었고, 인공타액 Xerova를 사용하여 입안이 건조되지 않도록 관리한 것이 좋은 경과를 보였다**고 생각된다. **구강내 통증 완화를 위해 Steroid를 국소적으로 적용할 경우 증상 완화에 도움이 될 수 있다는 논문에 근거하여 본 증례에서는 Dexamethasone gargle 0.1%를 사용하였다**(강기호 등; 2001). 그러나 **환자의 심리적 여건이 호전되면서 자연적으로 부분적인 증상 감소가 있었을 가능성**을 배제할 수 없다.

TOUGH CASES

Table 3. 구강작열감증후군 증례 요약

증례	나이	성별	의학적 병력	부위	증상 시작	약물	예후	치료기간(월)
1	59	여	안면신경마비, 정형외과 치료	#16-17, 26-27 혀	근관치료 및 임플란트 치료	Trileptal, Rivotril, Neurontin, Dexamethasone gargle, Dexamethasone inj, 2% lidocaine inj, Kamistad-N gel	G	12
2	65	여	당뇨, 항암치료	상하악 우측, 구치부, 혀	보철치료	Gabatin, Trileptal, Clonazepam, Xerova, Mu-Terasil	G	4
3	62	여	No	좌측 상악 소구치, 대구치 주변, 혀	임플란트	Trileptal, Rivotril, Dexamethasone gargle, Xerova	G	14.5

*M: moderate, G: good

지속적인 특발성 안면통증 증례 (persistent idiopathic facial pain) Table 4

Case 1 > 50세 여자 환자에서 임플란트 식립 이후부터 통증이 지속되어 결국 정상적으로 골유착이 이루어진 임플란트를 제거한 증례

2011년 9월 1일 타 치과의원에서 식립된 #14 임플란트 주위 잇몸종창 및 통증을 주소로 내원하였다. 순측 치은과 우측 코 외측을 촉진할 때 압통이 심하였으며, 임플란트 식립 이후부터 증상이 지속되어 상부 보철물이 철거되고 치유지대주만 연결되어 있는 상태였다. #14, 16 임플란트는 10개월 전에 식립되었으며 상악동염과 임플란트 주위염 증상은 없었고 의과적 질환은 기관지천식과 고혈압 관련 약물을 계속 복용하고 있는 상태였다. 방사선 사진에서도 특이 병변은 관찰되지 않았으며 CT상에서 임플란트 협측 피질골이 매우 얇으면서 일부 골열개가 존재하는 소견이 관찰되었다**(Fig 72, 73)**. 환자에게 이상 병변이 없으며 임플란트는 정상적인 상태이니 치료받던 치과에서 상부 보철물을 다시 장착하고 잘 적응하면서 지내라고 설명하였다. **2011년 11월**

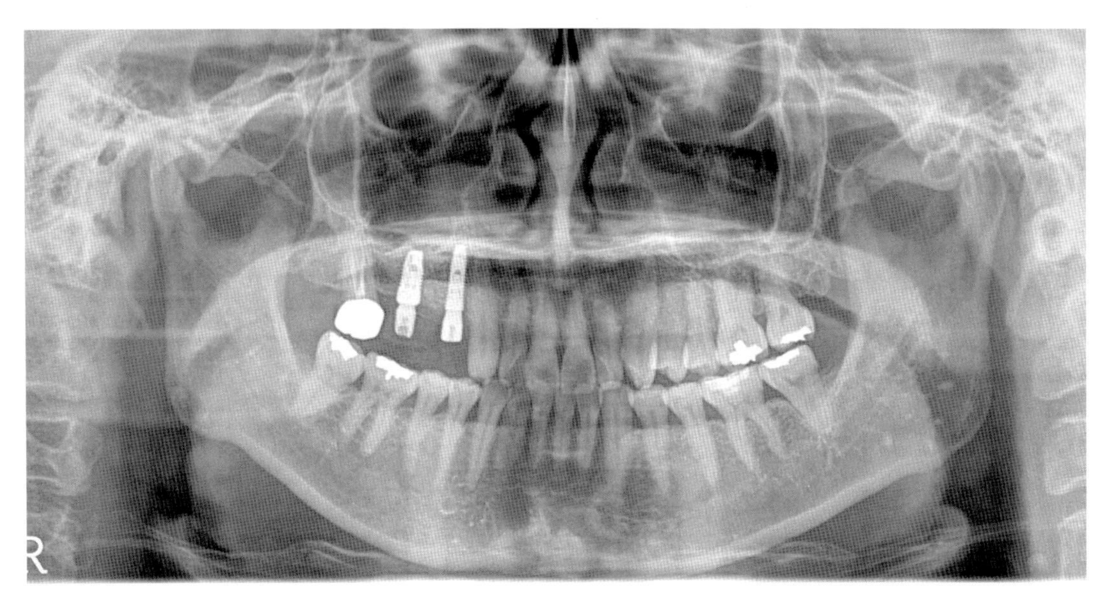

Fig 72. 초진 시 파노라마 방사선 사진. #14, 16 부위에 임플란트가 식립된 상태이며 #14 임플란트 주변의 지속적인 통증을 호소하고 있다.

CHAPTER 7

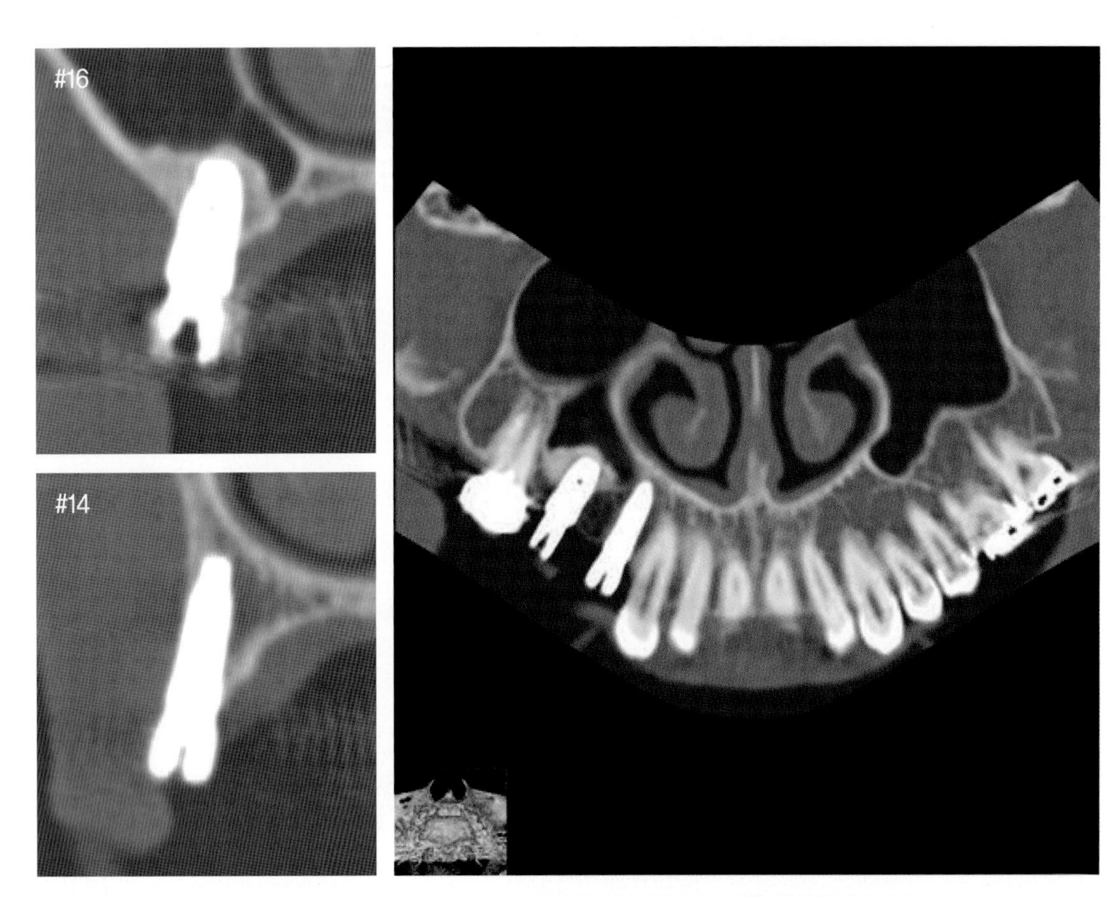

Fig 73. #14, 16 임플란트 협측의 골열개가 존재하는 것 외 주변의 염증 등 병적 소견은 관찰되지 않았다.

17일 내원 시 주기적으로 우측 뺨 부위가 붓고 어지럼증이 생겼으며 #14 임플란트 주변의 불편감이 지속된다고 호소하였다. 임플란트 순측 골열개로 인한 임플란트 나사산과 잇몸의 직접적인 접촉으로 인해 발생하는 자극성 통증일 수도 있음을 설명하고 일단 수술을 통해 임플란트 주변을 직접 관찰하면서 적절한 조치를 취해 보기로 결정하였다. **2012년 1월 9일** 피판을 거상하여 임플란트를 노출시키고 나사산 부위에 tetracycline solution으로 탈독소 처리를 시행한 후 합성골 OSTEON을 이식하고 흡수성 차폐막(BioArm)을 피개한 후 창상을 봉합하였다**(Fig 74)**. 10일 후 봉합사를 제거하였으며, 약 4개월 후인 **2012년 5월 10일** 재내원 시 1개월 전 신경외과에서 뇌동맥수술을 받은 상태였다. 치과 임플란트 수술과 관련된 증상은 소멸되었고 CT상에서도 잘 유지되는 소견이 관찰되었다**(Fig 75)**. **2012년 7월 16일** 치과의원에서 #14-16 상부 보철 치료를 진행하는 도중에 통증이 다시 재발되었으며, 아침에 일어난 직후 증상이 시작되어 하루 종일 지속된다고 하였다**(Fig 76)**. 오히려 누워 있으면 통증이 완화되며 음식을 씹거나 임플란트 주변에 자극을 가하면 얼굴이 붓고 우측 코가 막히면서 코, 눈 주위로 통증이 파급된다고 하였다. 지속적인 특발성 안면통(비정형 안면통)으로 잠정 진단하고 Tegretol (Carbamazepine 200 mg bid), Beecom qd, Sensival (Nortriptyline 10 mg qd)을 1주 처방하고 부비동염 감별을 위해 이비인후과 협진을 의뢰하였다. **2012년 7월 23일** 내원 시 통증이 약간 감소된 상태여서 동일 약물을 2주 더 처방하였다. 이비인후과 진료 결과 이상 소견이 발견되지 않았으며 동일 약물을 4주 처방하면서 경과를 관찰하였다. **2012년 9월 6일** 약 복용 이후부터 혈압이 많이 상승되어 복용을 중단하였고, 통

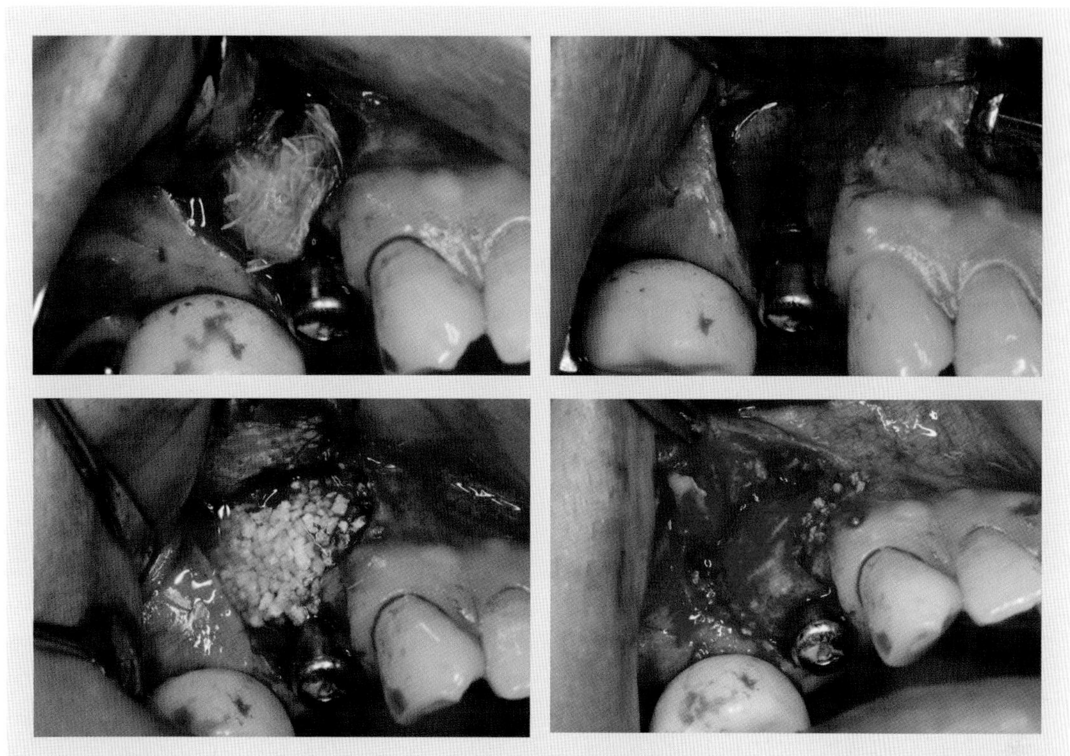

Fig 74. 임플란트를 노출시킨 후 협측 골열개 부위에 골이식을 시행하였다.

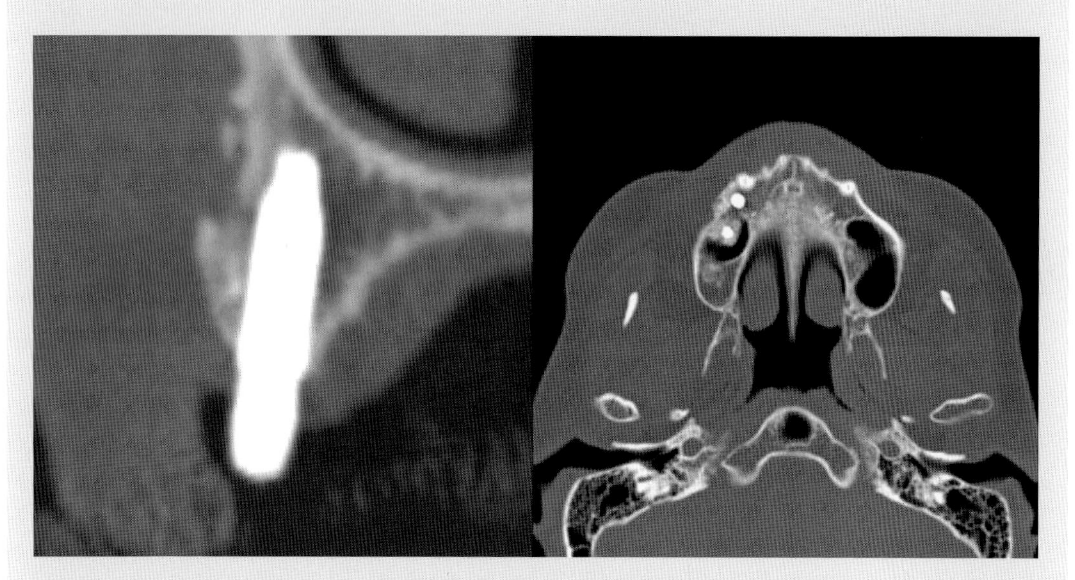

Fig 75. 골이식 4개월 후 CBCT 사진에서 협측 골이 풍융하게 잘 유지되고 있는 소견이 관찰된다.

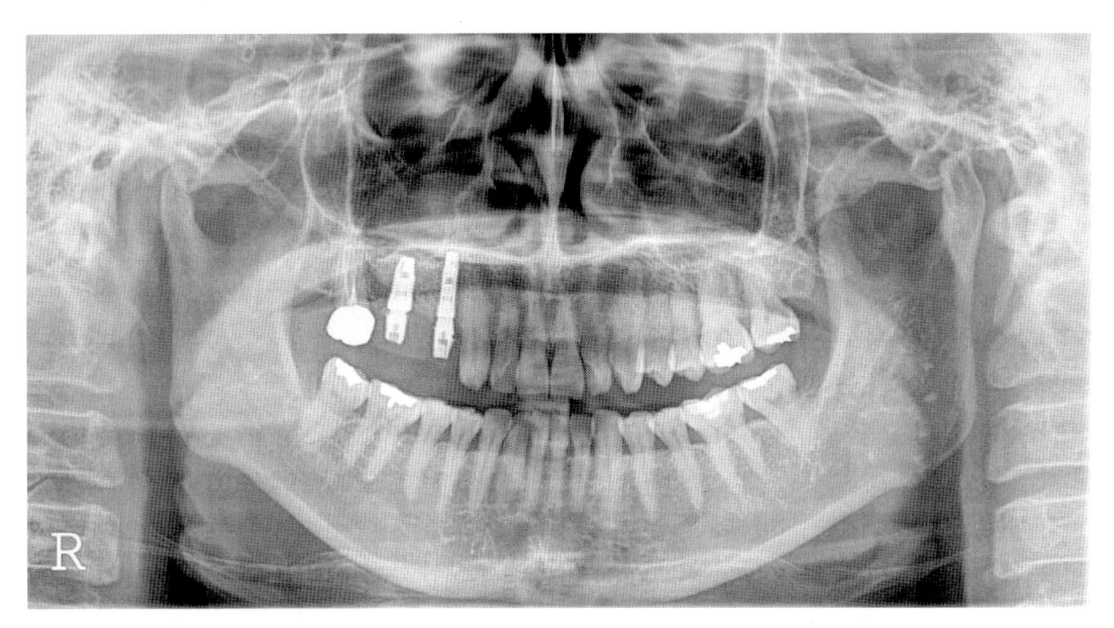

Fig 76. 2012년 7월 16일 촬영한 파노라마 방사선 사진으로서 통증이 다시 재발되었다.

증이 지속되어 #14 임플란트 제거를 결정하였다. **2012년 10월 16일** #14 임플란트를 제거하고 collagen plug (Rapiderm)를 충전한 후 봉합하였다**(Fig 77)**. **2013년 1월 17일** #16 임플란트 주변 통증과 잇몸 종창을 호소하면서 내원하였고 제거한 #14 임플란트 부위 통증과 동일한 양상을 보였다**(Fig 78)**. 이전 약물 복용 후 혈압 상승 경험이 있어서 Trileptal 300 mg tid, Sensival 10 mg qd을 1주 처방하고 티타늄 알레르기 감별진단을 위해 알레르기 내과 진료를 의뢰하였다. 통증은 현저히 감소되었으며 티타늄 알레르기 검사에서는 음성 반응을 보였다. **2013년 7월 22일** #16 임플란트 주변 통증이 다시 재발되었고 혀가 닿으면 매우 불편하고 통증이

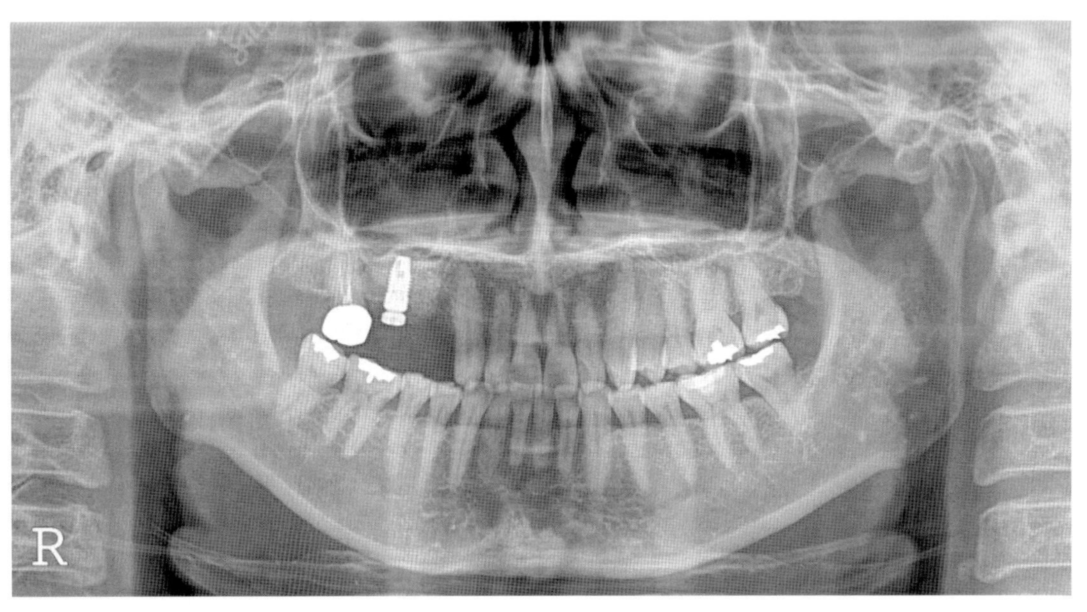

Fig 77. 2012년 10월 16일 #14 임플란트를 제거한 후 촬영한 파노라마 방사선 사진

심해지며 혀끝, 우측 상하순 점막, 뺨 부위가 화상을 입은 것과 같은 열감이 나서 몹시 괴롭다고 하면서 잔존 임플란트를 제거하고 틀니 치료를 희망하였다. 구강작열감증후군이 동반된 상태로 잠정 진단하고 Valium (Diazepam) 2 mg qd, Ad-muc ointment (구강 내 통증 부위에 수시로 도포)를 처방하였으나 전혀 증상은 호전되지 않았으며 환자는 임플란트 제거를 적극 희망하였다. 결국 **2013년 7월 30일** #16 임플란트를 제거하고 Trileptal 300 mg bid, Sensival 10 mg qd 2개월 처방하고 상악 국소의치 치료를 계획하였으나 이후부터 환자는 치과에 내원하지 않았다(**Fig 79**). 환자의 이후 경과를 추적해 본 결과 신장내과 및 신경외과 진료를 받고 있었으며 임플란트 제거 부위의 통증은 없는 상태였다.

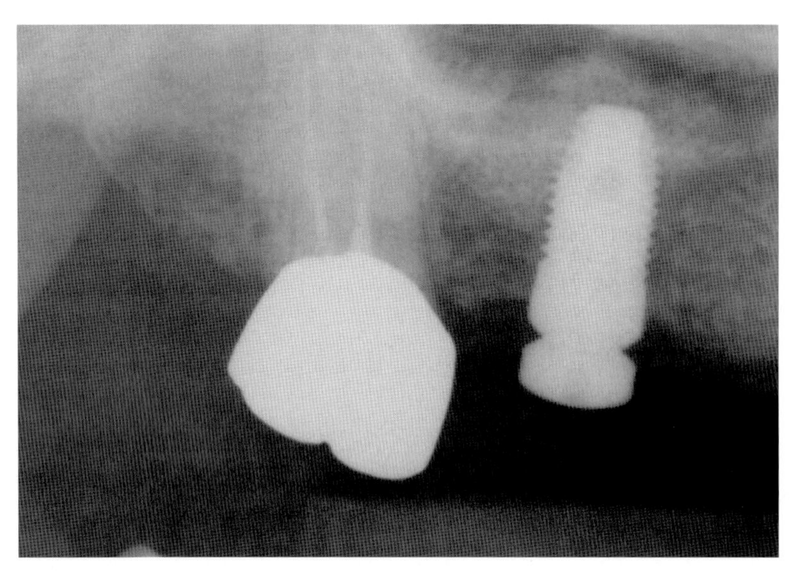

Fig 78. 2013년 1월 17일 촬영한 치근단 방사선 사진. #16 임플란트 주변 통증을 호소하고 있지만 임플란트 자체는 문제가 전혀 없는 상태였다.

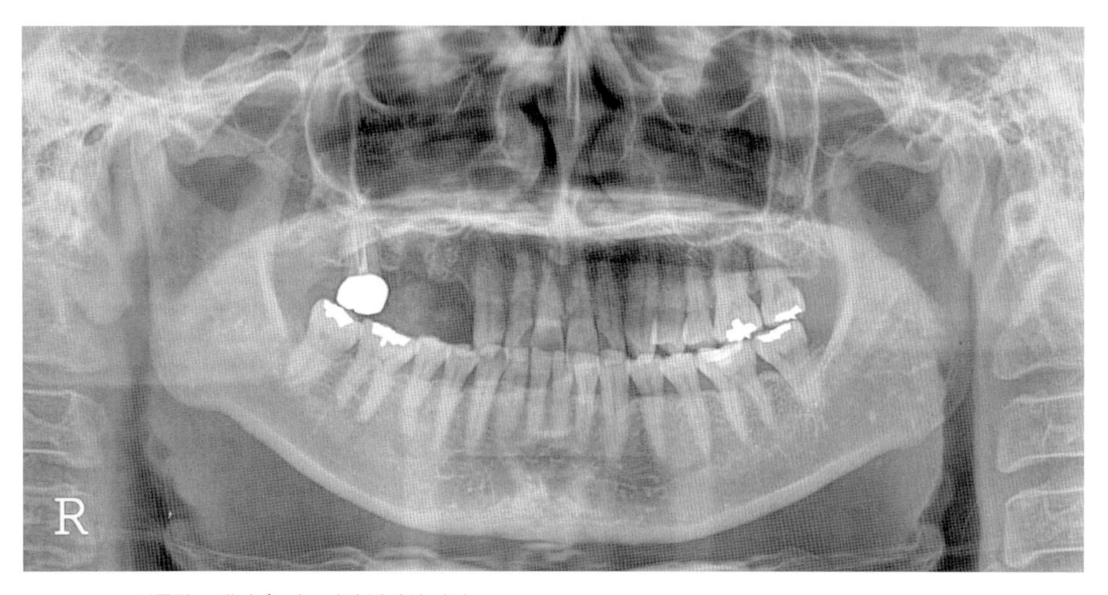

Fig 79. #16 임플란트 제거 후 파노라마 방사선 사진

⊗ Problem lists

1. #14, 16 임플란트 치료 이후부터 증상 시작
2. 고혈압, 기관지천식, 신장질환, 신경외과 질환
3. 임플란트 협측 골열개
4. #14-16 임플란트 주변과 안면통증 지속
5. 구강작열감증후군과 유사한 증상 발생

치료 및 경과

1. 약물치료: Tegretol + Sensival → Trileptal + Sensival
2. 임플란트 협측 골열개 부위 골이식
3. #14, 16 임플란트 제거
4. 예후: 양호

Comment

- 임플란트 주위염과 같은 병적 소견이 없으며 삼차신경의 분포를 따르지 않는 통증이 지속되고 있었다. 치은과 주변 안면 통증, 뺨 종창, 코막힘, 코와 눈 주변 통증이 거의 하루 종일 지속되는 양상을 보였다. 환자는 신경외과 수술을 받은 병력이 있고 신장질환 치료를 계속 받고 있는 상태에서 #14, 16 임플란트 식립 수술을 받았다. **직접적인 삼차신경손상은 없었기 때문에 지속적인 특발성 안면통증의 진단에 부합된다고 생각된다.** 혹시 임플란트 협측 골열개 부위가 상방의 치은을 자극하면서 통증을 유발할 가능성을 생각하고 골열개 부위에 대한 골이식술을 시행하였으나 증상은 개선되지 않았다. 시간이 경과하면서 정신적 고통이 심해지고 구강작열감증후군에 부합되는 증상이 발생하였다. 환자의 동의하에 임플란트를 제거하고 Trileptal, Sensival, Valium 등의 약물을 투여하면서 통증이 소멸되었다.

본 증례에서는 초기에 Tegretol (Carbamazepine) 투여 후 혈압이 상승되는 부작용이 발생하여 Trileptal (Oxcarbazepine)로 교체하였다. Trileptal도 항경련제의 일종이지만 Tegretol에 비해서 부작용이 덜 한 약물로 알려져 있으며 특정 약물 복용 후 부작용이 발생할 경우엔 중단하고 다른 약물로 교체하여 경과를 관찰하면서 약물치료를 지속하는 것이 원칙이다. 돌이켜 생각해 볼 때 1차 치료약물로 Gabapentin 혹은 Pregabalin을 사용했더라면 혈압상승 등의 부작용 없이 통증 조절이 더 잘 됐을 수도 있었다는 생각이 든다. 항우울체 Sensival을 함께 사용한 것은 통증조절 측면에서 효과가 있었다고 생각된다.

이런 유형의 환자들에서 **임플란트 제거 시 다음 사항들에 대해 상세히 설명하고 환자 및 주변 가족들의 동의를 받은 후 제거해야 한다**(**Box 25**).

Box 25 지속적인 특발성 안면통증으로 인해 정상적인 임플란트를 제거할 경우 환자 측에 반드시 설명해야 할 사항들

1. "임플란트 자체와 현재의 통증은 무관합니다."
2. "임플란트를 제거해도 통증이 지속될 가능성이 큽니다."
3. "임플란트 합병증으로 인해 제거하는 것이 아니기 때문에 진료비 환불은 불가능합니다."
4. "임플란트 제거 및 통증에 대한 의료진의 과실은 없습니다."
5. "환자 및 보호자 측의 강력한 요청에 의해 임플란트를 제거하는 것입니다."

Case 2 > 양측 하악 구치부 임플란트 주변의 지속적 통증

57세 여자 환자가 오래전부터 지속된 양측 하악 구치부 통증을 주소로 내원하였다(Fig 80). 의과적 전신질환은 없었으며 가만히 있어도 아프고 하루 종일 아프면서 밤에 통증이 더 심해진다고 하였다. #36–37 부위 임플란트는 5–6년 전 시술받았고 #45 임플란트는 2년 전, #46 임플란트는 4개월 전 수술을 받았다. 치과 진료의뢰서에 그동안 진행된 치료들에 대해 상세하게 기록되어 있었다(Box 26).

Box 26 진료의뢰서에 기록된 치과 치료 내역

1. **2018년 8월 20일:** #45 유동성이 심해서 발치 후 즉시 임플란트를 식립하였고 타 치과에서 식립하였던 #46–47 임플란트 주변 골소실이 심해서 제거함. 제거 당시 골이식재로 추정되는 다량의 가루들이 나왔음.
2. 수술 이후부터 통증이 심해져서 피판을 거상한 후 염증제거 수술을 시행하였음.
3. **2018년 12월 4일:** #46 부위에 임플란트를 다시 식립하고 상부 보철치료를 완료했으나 통증이 지속되어 상부 보철물을 철거하고 상급병원 진료를 권유하였음.

아주 오래전에 다른 치과의원에서 치료받은 #36–37 임플란트 주변의 변연골도 일부 소실된 상태이며 임플란트 주위염, 지속적인 특발성 안면통증, 외상성 삼차신경병변, 하악골 골수염을 감별하기 위해 핵의학검사와 CBCT를 촬영하고 Trileptal 300 mg bid을 1주 처방하였다. CBCT에서 #45, 46 임플란트의 하악관 침범과

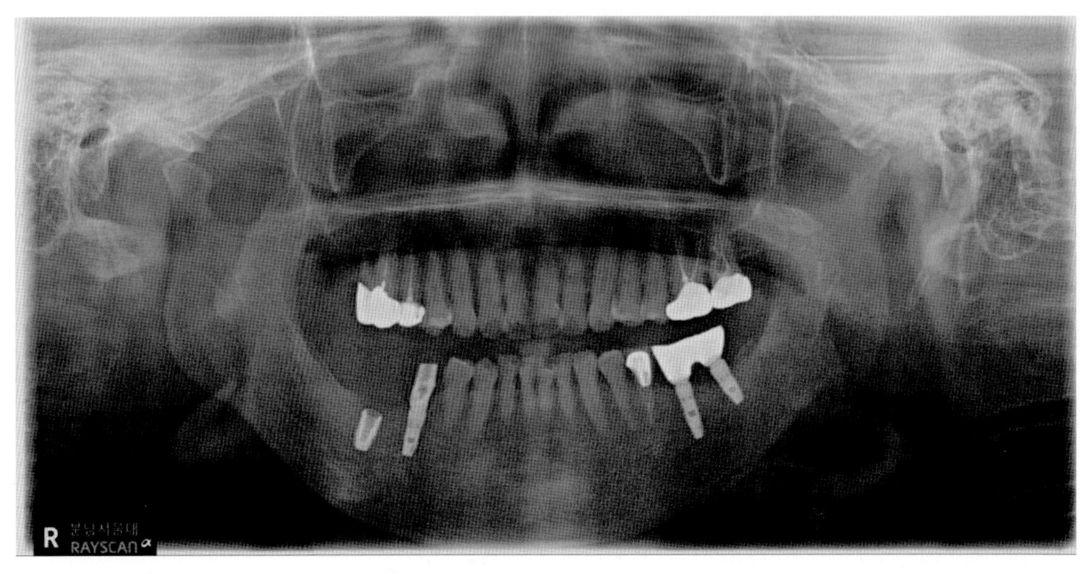

Fig 80. 57세 여자 환자의 초진 시 파노라마 방사선 사진. #45, 46 임플란트가 이공과 하악관에 근접해 있긴 하지만 직접적인 침범 소견은 없었고 감각 이상 등 신경 손상 증상도 존재하지 않았다. 환자는 양측 하악 구치부의 자발통과 밤에 악화되는 통증을 호소하였다.

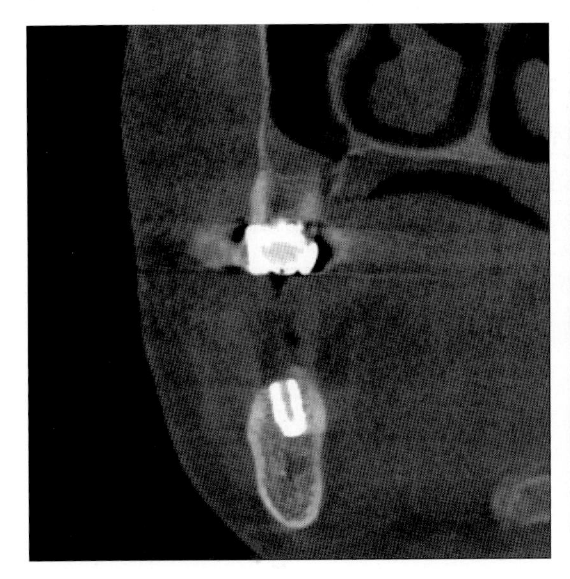
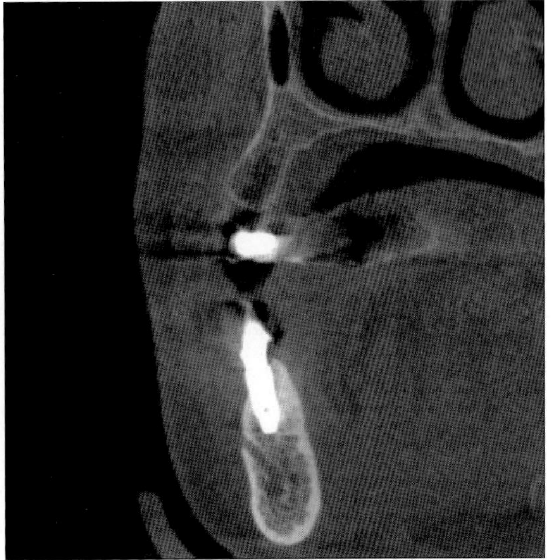

Fig 81. CBCT 방사선 사진에서 #45, 46 임플란트가 이공 및 하악관을 침범한 소견은 관찰되지 않았다.

하악골의 병적 소견은 관찰되지 않았다**(Fig 81)**. 핵의학검사에서 하악골의 이상 병변은 없었으나 양측 턱관절 부위의 섭취율(uptake)이 약간 증가한 소견이 관찰되었다**(Fig 82)**. 턱관절장애 관련 임상평가를 시행하였으며 양측 하악 구치부와 교근 주변이 항상 우리하게 아프지만 음식 먹을 때 오히려 통증이 없어진다고 하였다. 양측 교근, 좌측 턱관절 측방 촉진 시 압통이 있었고 좌측 머리 뒷 부분이 항상 아프다고 하였다. Trileptal 복용 후 통증 완화 효과는 전혀 없고 가슴이 답답한 이상 증상만 있다고 하였다. 근육성 턱관절장애, 지속적인 특발성 안면통증을 의심하고 Neurontin (Gabapentin) 100 mg tid, Rivotril (Clonazepam) 0.5 mg qd를 2주 처방하였으며 경과를 관찰하면서 Botulinum toxin 주사를 고려하였다. 현재 중단 상태인 하악 우측 구치부 임플란트 보철치료는 통증과 무관하게 다니던 치과에서 진행하라고 권유하고 진료회송서를 작성해 주었다. **2020년 9월 11일** 좌측 후두부, 측두부와 상하악 양측 구치부 통증이 지속되고 가슴이 두근거리는 증상이 심하다고 하

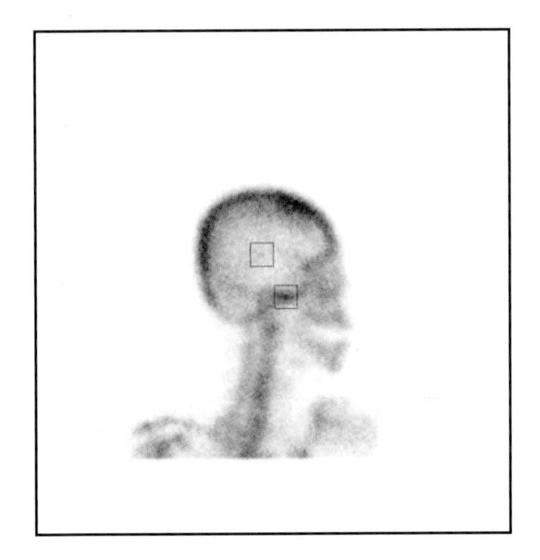
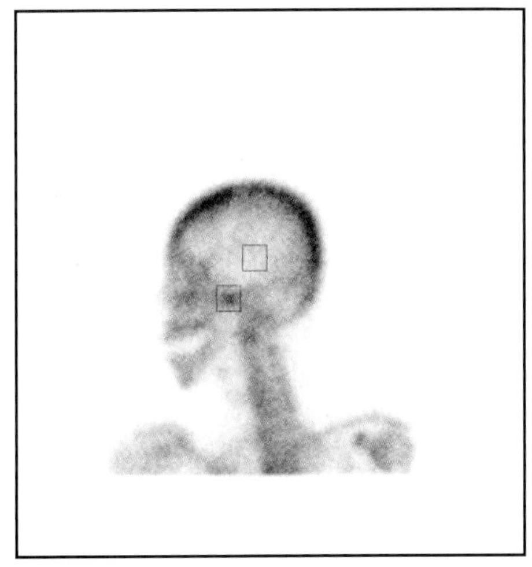

Fig 82. 핵의학 검사에서 양측 턱관절 부위의 침착률이 약간 증가한 것 외 특이 소견은 관찰되지 않았다.

였다. Neurontin 관련 부작용으로 판단하고 Newrica (Pregabalin) 75 mg bid, Rivotril 1 mg qd으로 약 처방을 변경하고 통증이 존재하는 주변에 레이저 치료를 시행하였다. **2020년 9월 17일** 통증은 현저히 감소되었으나 #27 주변과 좌측 머리 뒤 부분, 좌측 하악 구치부 주변에 욱신거리는 통증이 남아있다고 하였다. #27 협측 침윤마취를 시행한 후에 통증이 완화되는 양상을 보였으며, Rivotril 1 mg qd, Newrica 150 mg bid로 증량 처방하고 레이저 치료를 시행하였다. **2020년 10월 5일** #17, 27 주변에 통증이 약간 남아 있으며 다른 부위 통증은 거의 소멸된 상태여서 레이저 치료를 시행하고 Newrica 150 mg bid 4주 처방하고 Kamistad-N gel을 통증이 존재하는 부위의 잇몸에 수시로 도포하도록 하고 치료를 종료하였다. 현재 통증은 거의 소멸된 상태이며 치과에서 임플란트 보철치료를 완료하였다.

Problem lists

1. 양측 하악구치부 통증, 후두부, 측두부, 교근, 턱관절 통증
2. 임플란트 주위 변연골 소실
3. 근육성 턱관절장애, 지속적인 특발성 안면통증

치료 및 경과

1. 약물치료: Trileptal → Neurontin + Rivotril → Pregabalin + Rivotril
2. 레이저 물리치료
3. 예후: 양호

Comment

● 만성통증이 지속될 경우 진행 중이던 치과치료는 통증과 무관하게 계속하는 것을 추천한다. **치과치료 자체와 통증은 연관이 없다는 것을 환자에게 잘 설명하고 오히려 치과치료 후 적응하면서 통증이 완화될 수 있다는 점을 강조할 필요가 있다.**
신경병성 통증 치료를 위한 약물 투여 시 부작용 발생과 통증 완화 효과를 잘 관찰해야 한다. 처음 투여할 때는 1-2주 단기간 처방하고 부작용 발생 시 투약을 중단하고 다른 약물로 교체해야 한다. 부작용이 없으면서 통증 완화 효과가 있는 약물을 찾으면 용량을 조절하면서 장기간 처방한다. 본 증례에서 Trileptal, Gabapentin 투여 후 가슴이 답답한 이상 증상이 발생하면서 통증 조절 효과는 전혀 없었다. Pregabalin으로 약을 변경한 후 통증이 완화되는 양상을 보였다. 1차 치료약물로서 Pregabalin 혹은 Gabapentin을 사용했더라면 부작용 없이 초기에 통증조절이 잘 됐을 수도 있었다는 아쉬움이 남는다. 한편 항경련제와 진정 및 근육이완효과를 보이는 Clonazepam을 함께 사용한 것은 통증조절에 큰 도움이 되었을 것으로 생각된다.
본 증례는 부위가 분명하지 않은 상하악 구치부 통증과 근육성 턱관절장애를 의심할 만한 두통과 근육 및 안면통이 지속되었고 Pregabalin, Clonazepam의 약물로 통증 감소 효과가 있었던 것으로 보아 "지속적인 특발성 안면통증"으로 진단한 것은 적절했다고 생각된다. **통증의 원인은 분명하지 않다. 그러나 하악 우측 구치부 임플란트 합병증 및 반복적 수술과 같은 침습적 치료가 소인으로 관여했을 가능성이 있지만 명백하게 상호 인과관계가 있다고 단정 지을 수는 없다.**

Case 3 > 임플란트 치료 후 신체화증이 동반된 임플란트 주변 통증

2016년 1월 21일 57세 여자 환자가 임플란트 치료에 대한 상담을 위해 내원하였다. 1년 6개월 전 타 치과의원에서 #12 부위 1차 임플란트 식립 수술을 받았으나 제대로 식립되지 않았다며 제거 후 다시 식립한 이후부터 정신이 없고 머리가 아파서 제거하고 정신건강의학과 치료를 받았다고 하였다(2013. 5. 31 – 2014. 3. 11 정신건강의학과 진료). 다른 의과적 병력은 갑상선항진증 치료를 받고 있었다. 진료의뢰서에는 건강염려증이 있고 사소한 것까지 꼼꼼하게 챙기면서 완벽주의를 추구하는 성격으로 기록되어 있었다. #11, 13 치아는 대합치와 교합되지 않는 개방교합과 중심위–중심교합 불일치(CR–CO disprepancy)가 큰 양상을 보였으며 #12 부위는 협설측 치조골 폭이 매우 협소한 상태였다(**Fig 83**). 단일 임플란트 치료는 심미적으로 완벽하지 못하고 환

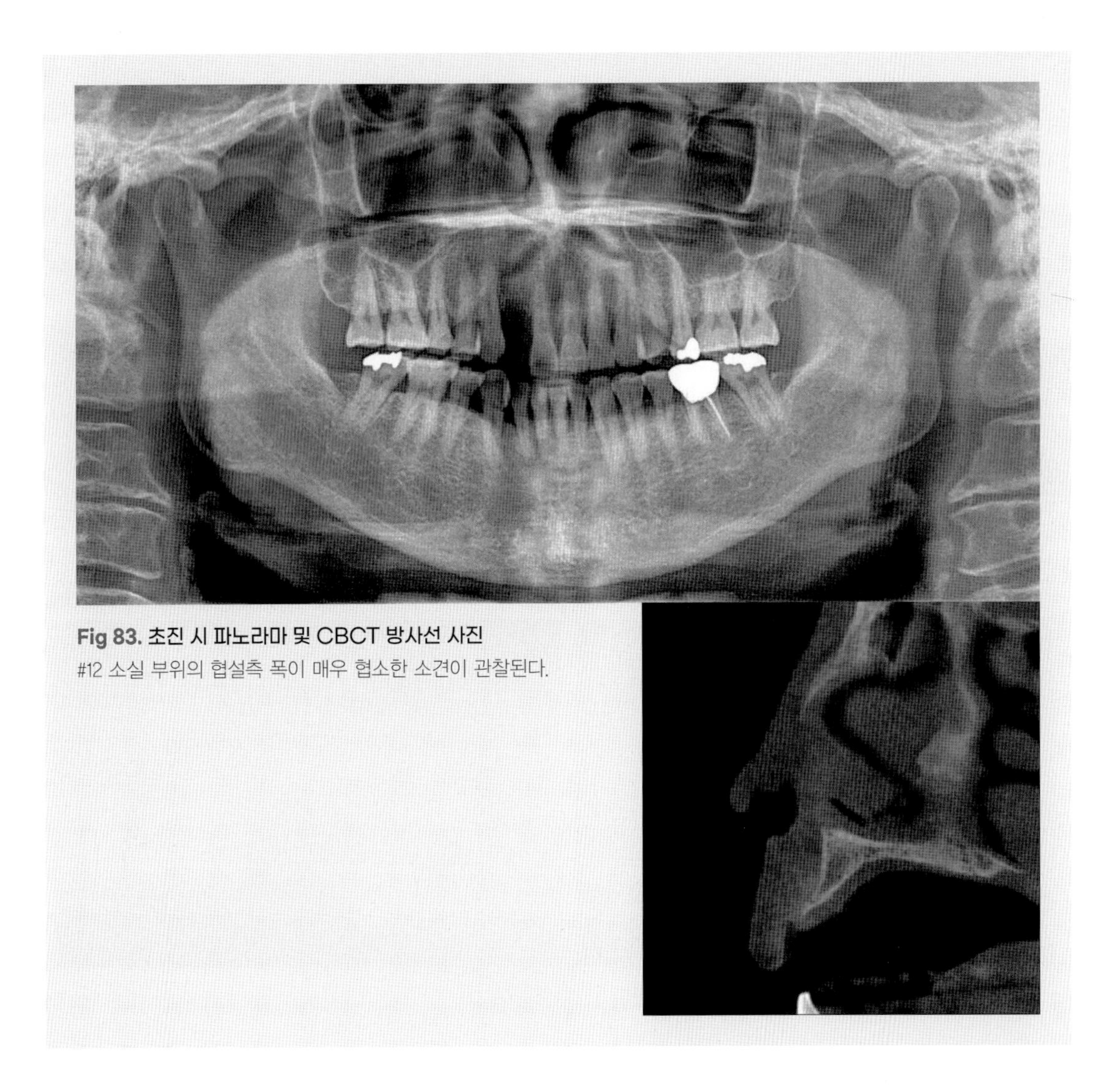

Fig 83. 초진 시 파노라마 및 CBCT 방사선 사진
#12 소실 부위의 협설측 폭이 매우 협소한 소견이 관찰된다.

CHAPTER 7

자의 성격을 고려할 때 합병증 등 다양한 문제들이 발생할 것이라고 설명하고 #13 자연치와 연결되는 캔틸레버 보철치료를 적극 권유하였으나 환자가 거부하였다. **2016년 2월 25일** 보철과 협진 하에 가공의치(bridge) 치료를 다시 권유하였으나 환자와 보호자 모두 임플란트 치료를 적극 희망하였다. 골이식술 필요성, 1년 이상의 치료기간이 필요하고 예상하지 못한 많은 문제점들이 발생할 것임을 설명하고 의무기록지에 기록한 후 임플란트 치료를 결정하였다. **2016년 5월 23일** #12 부위 골폭 확장을 위한 골유도재생술(NOVOSIS BMP, CTi membrane)을 시행하였다**(Fig 84, 85)**. 술전 투약으로 처방했던 Cephalosporin 항생제에 알레르기 반응(가려움증과 전신 두드러기)이 발생하여 술후 항생제는 Clindamycin을 사용하였으며 **2016년 6월 2일** 봉합사 제거 시 심한 두통을 호소하였다. **2016년 10월 4일** 임플란트를 1회법으로 식립(CMI 3.5 D/10 L)하였으며 Osstell Mentor로 측정한 초기 안정도는 75 ISQ였다**(Fig 86)**. 골이식수술 후 Clindamycin을 복용한 후 심장이 두근거리는 증상이 있었으며 평상시 아목사실린(환자가 약품명를 기록해서 제시함)이 잘 듣고 문제가 없었으니 이 약으로 처방해 달라고 요구하였다. **2017년 2월 17일** 임플란트 인상을 채득하고 **2017년 3월 9일** 상부 보철물이 장착되었다**(Fig 87)**.

2017년 9월 28일 #12 임플란트 주변에 묵직한 느낌이 지속되고 치근단 방사선 사진에서 임플란트 주변의 방사선 투과상과 #11 치근 흡수 소견이 관찰되었다**(Fig 88)**. 임플란트 유동성은 없었고 탐침 시 출혈이나 화농은 관찰되지 않았다. 인접한 #11의 EPT 검사 결과(+6)을 보였다. 보존과 자문 결과 치수 생활력은 유지되고 있으며 치근 흡수는 임플란트 주변 병소에 의한 것으로 추정되었다. **2017년 10월 12일** 임플란트를 노출시킨 후 염증성 조직들을 제거하고 오염된 임플란트 표면에 대한 탈독소처리(laser, Tetracycline)를 시행하고 결손부

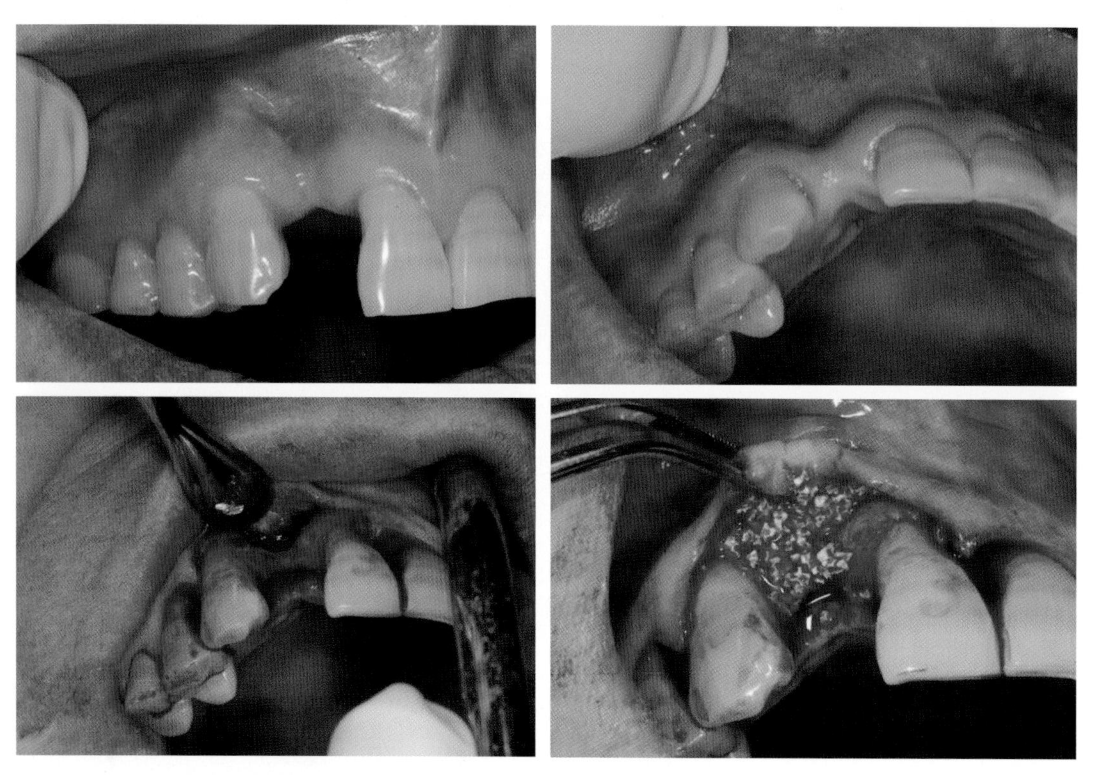

Fig 84. #12 부위 골폭 증가를 위해 골이식을 시행하였다.

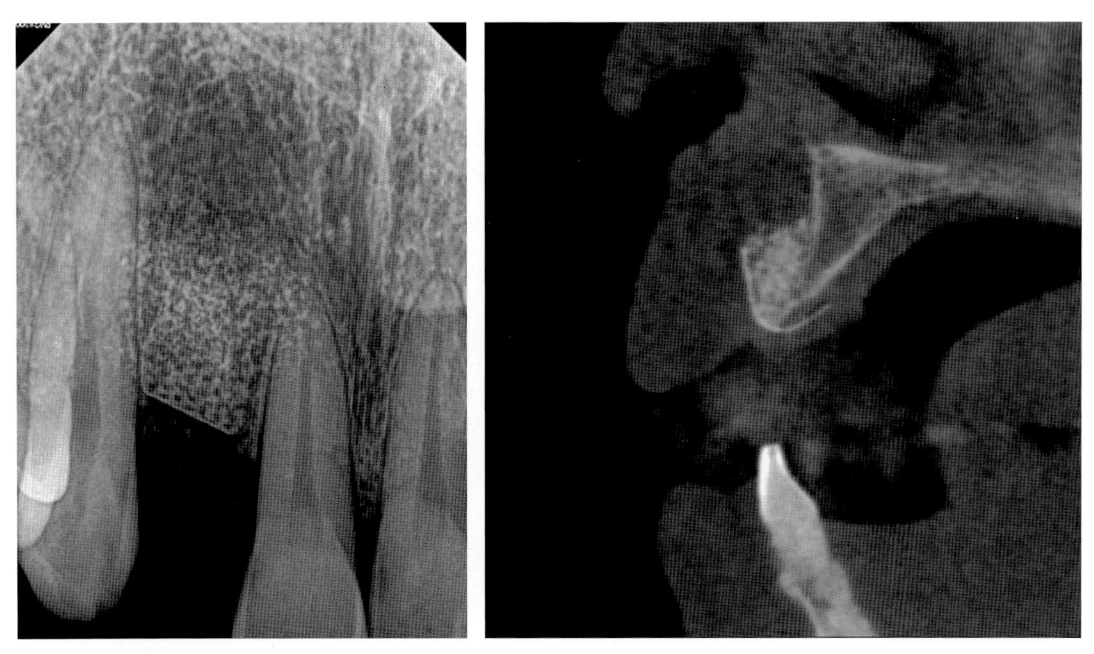

Fig 85. #12 부위 골이식 후 방사선 사진

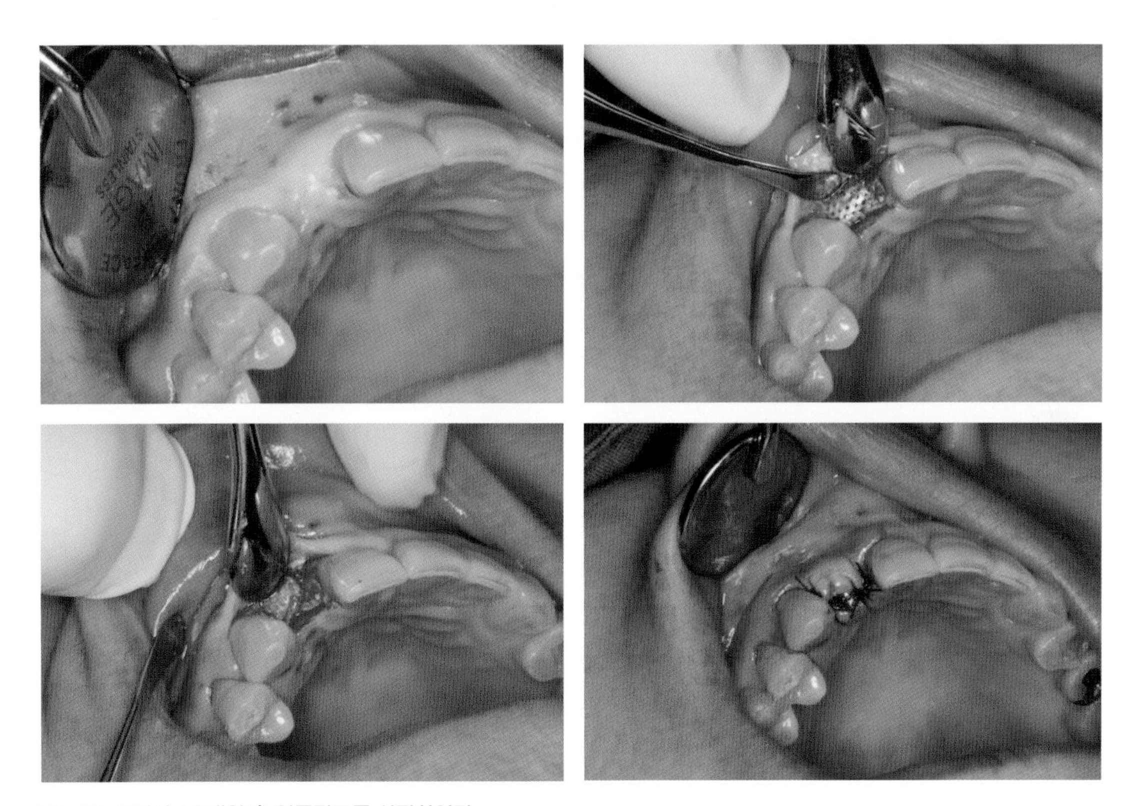

Fig 86. 골이식 4.5개월 후 임플란트를 식립하였다.

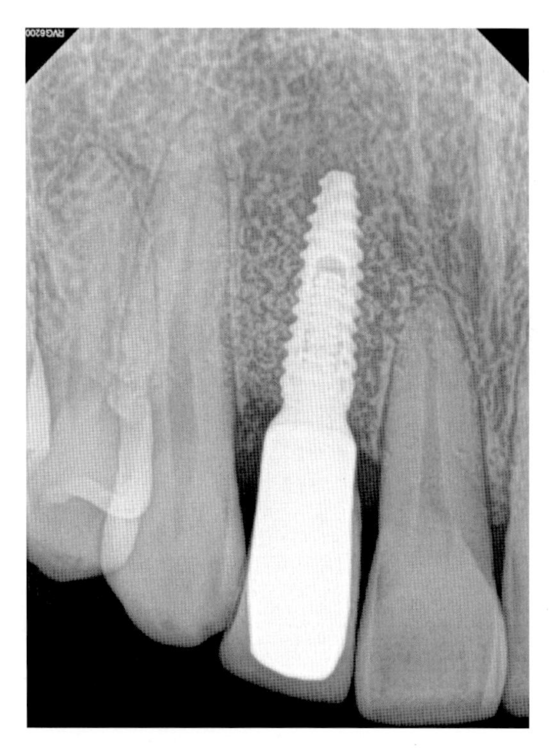

Fig 87. #12 상부 보철물 장착 후 치근단 방사선 사진

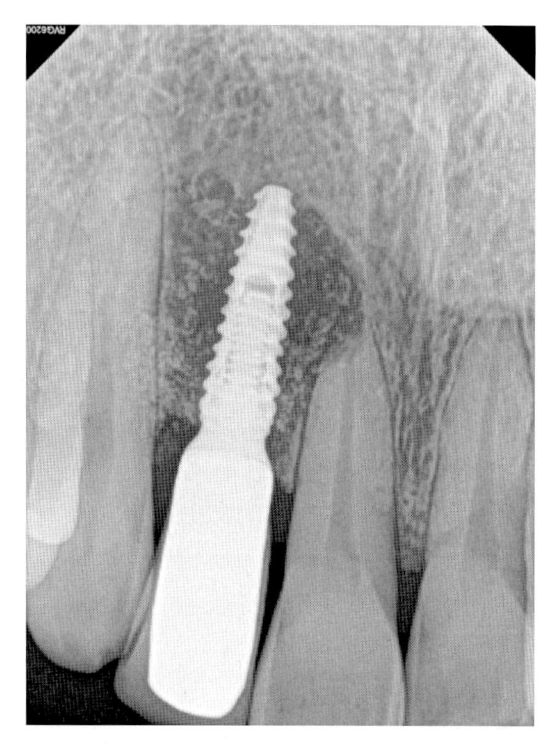

Fig 88. 상부 보철물 장착 6.5개월 후 치근단 방사선 사진
임플란트 주변의 방사선투과상과 #11 치근 흡수 소견이 관찰되었다.

를 흡수성 차폐막으로 덮고 봉합하였다(**Fig 89, 90**). 이후 창상은 정상적인 치유를 보였고 상부 보철물 상태도 양호하였지만 지속적인 신경병성 통증과 신체화증상을 의심할 만한 증상들을 호소하였고 병원에서도 많은 문제들이 발생하였다. **2018년 1월 4일** 최종 내원한 이후 내원하지 않고 있다(**Fig 91**)(**Box 27**).

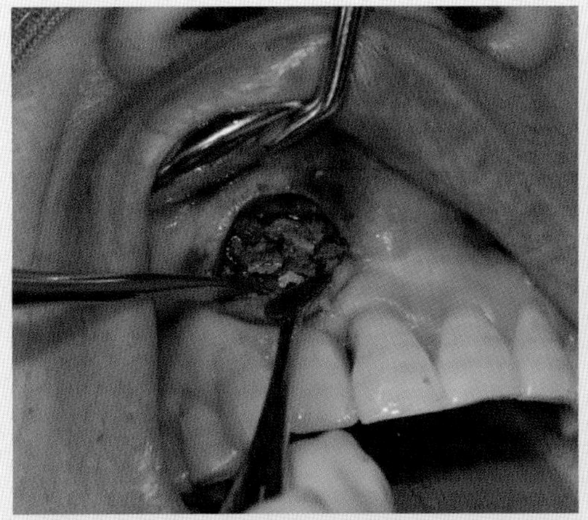

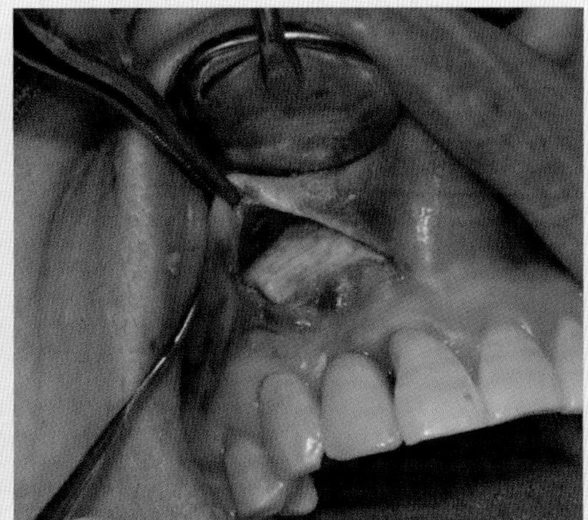

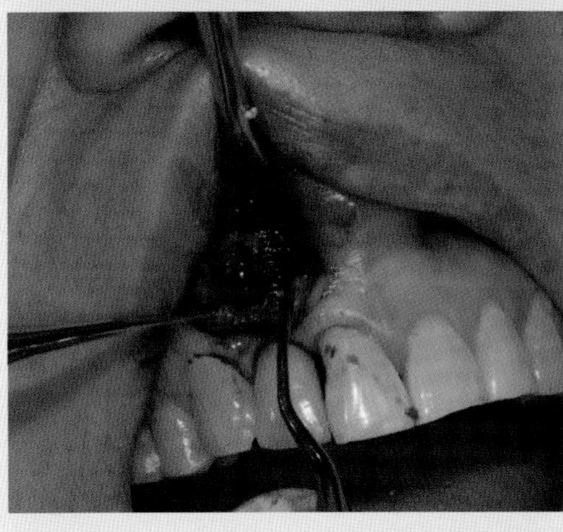

Fig 89. 임플란트를 노출시킨 후 염증성 조직들을 제거하고 오염된 임플란트 표면에 대한 탈독소처리를 시행하고 골이식(ICB)을 시행한 후 흡수성 차폐막(remaix)으로 덮고 봉합하였다.

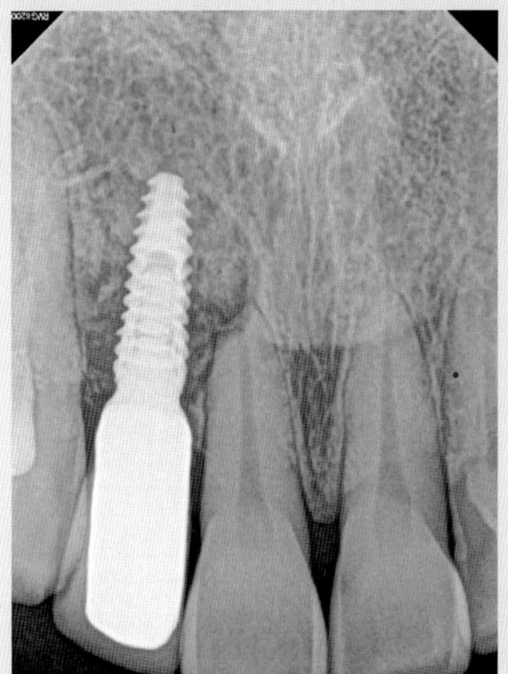

Fig 90. 염증 수술 직후 치근단 방사선 사진

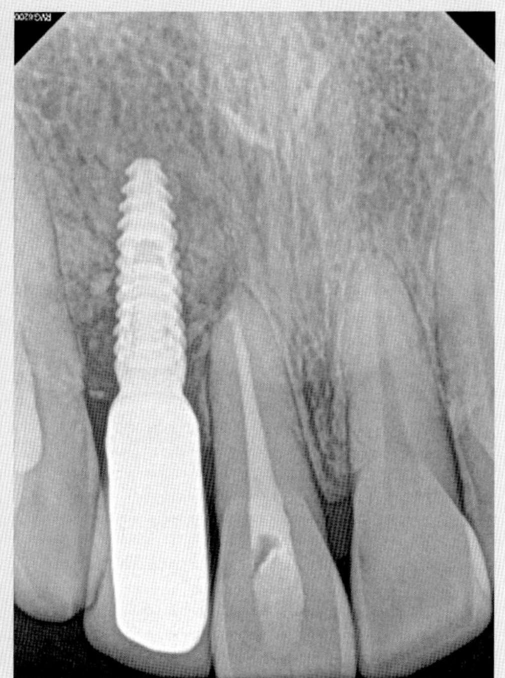

Fig 91. 염증 수술 2개월 후 치근단 방사선 사진

Box 27 신경병성 통증과 신체화증상 및 관련된 처치

1. **2017. 10. 16** 예약 없이 불시에 내원
   1) *"수술 부위에서 피가 계속 나고 몸에 열이 나는 것 같고 춥고 우리한 통증이 지속된다."*
   2) *"이전에도 치아 때문에 몹시 고생하였고 우울증이 생겨서 정신과 치료를 받았다."*
   3) *"현재 염증이 주변 치아로 파급될 것 같아 매우 걱정된다."*
   4) 처음 제시했던 Bridge 치료를 했어야 하는 것이 아니냐며 항의
   5) 술후 처방했던 Ibuprofen은 효과가 없어서 본인 스스로 중단하고 약국에서 Pontal을 구입해서 복용했다고 함.
2. **2017. 10. 17** 불시에 내원하였으며 레이저 치료 시행함
   1) *오한이 나고 불안해서 견딜 수 없다.*
   2) 집에 보관하고 있던 아목사실린을 추가로 복용하고 있다고 함.
   → 항생제 복용은 의미가 없으니 중단하라고 지시하였음.
3. **2017. 10. 26** 예약 없이 불시에 내원함. 레이저 치료 시행함.
   1) *"임플란트 주변이 묵직한 느낌이 있다."*
   2) *"입천장 쪽이 불편하고 인접치로 염증이 번지는 것 같아 걱정된다."*
4. **2017. 11. 9** 걱정된다고 불시에 내원함, 레이저 치료 시행함.
   우측 코 측면을 누르면 아프고 염증이 주변으로 번지는 것 같다고 믿고 있음.
5. **2017. 11. 30** 임플란트와 인접치가 시리다고 하면서 불시에 내원함.
   1) *"얼굴을 당기거나 누르면 불편하고 눈 주위가 따끔거린다."*
   2) 타 치과에 가서 #11 근관치료를 받고 있다고 함(보존과 자문 진찰 시 치수생활력이 있고 근관치료는 불필요한 상태였음).
   3) 보호자가 *"왜 Bridge 치료를 강력하게 권유하지 않았느냐? 임플란트는 이상이 없으며 영구적으로 유지될 수 있다는 것에 대해 확답을 달라"*고 요구함.

   <답변 및 대처>

   (1) 이가 시리고 눈 주위가 따끔거리는 등의 이상 증상은 임플란트와 전혀 상관없음.
   (2) #11 근관치료 받은 것에 대해서는 분당서울대병원 치료계획에 응하지 않았기 때문에 책임질 수 없음.
   (3) #12 임플란트 염증이 재발되어 실패, 제거할 경우엔 후속 치료를 무상으로 해 주겠다고 말씀드림 (#11-13 Bridge 치료).
   (4) 그러나 환자 측에서 걱정스럽다는 이유로 #12 임플란트 제거를 원하여 제거하게 되는 경우 후속 치료 비용은 모두 정상적으로 처방될 것이라고 설명

6. **2017. 12. 5** 양쪽 아래 어금니가 아파서 예약 없이 불시에 내원함.
   1) *"임플란트 수술과 연관이 있는지 담당 교수에게 물어보고 싶다."*
   2) 불편한 부위 방사선 촬영은 거부함.
   3) 수술 후 불편감으로 계속 내원하는 것인데 매번 접수비를 받냐며 보호자가 강하게 항의하고 병원에서 소리지르고 의료진을 밀치면서 난동을 부림.

   <답변 및 대처>

   (1) 환자가 호소하는 모든 증상들은 임플란트와 전혀 상관없음.
   (2) *"이가 시리다"* → 시린이 방지 치약 사용 권유
   (3) 환자 스스로 내원하는 것이기 때문에 접수비 받아야 함.
   (4) 보안팀 직원들을 호출하여 난동 부리는 보호자 제압함.

7. **2017. 12. 19** 불시에 내원

1) *"우측 코 측면 부분이 가끔 아프고 눈이 충혈된다."*
2) *"몸 전체가 아프다."*
3) 이 모든 증상들이 임플란트 치료가 잘 못되어서 오는 것이 아니냐고 항의함.

<답변 및 대처>

(1) 임플란트와 전신 증상 전혀 무관함.
(2) 초진 차트 참조: 본원에 내원하기 전부터 #12 부위 통증이 존재하였고 임플란트 제거 병력 있음. 이해 안 되는 증상 계속 호소하고 있다는 기록 있음.
(3) #12 임플란트 염증 치유 양호함.
(4) #12 임플란트 문제 이외의 진료는 치과에서 해줄 수 없음: 만약 진료 원하면 정신건강의학과 협진 의뢰
(5) 향후 임플란트 체크 이외의 증상을 호소하면서 예약 없이 불시에 내원할 경우에는 진료 불가하다고 설명함.
(6) 3개월 후 경과 관찰 약속

8. **2018. 1. 4** 불시에 내원하여 #14-15 협측 잇몸이 푹 파지고 이가 흔들리는 것 같다고 주장함.

<답변 및 대처>

(1) 정상적 해부학적 구조물임.
(2) 흔들린다고 주장하는 어금니 → 생리적 치아 움직임으로 병적 소견 아님.
(3) 오늘 상담한 재진료 수납하도록 안내

Problem lists

1. 정신건강의학과 치료 병력
2. #12 임플란트 실패 병력
3. #12 임플란트 치료를 위한 침습적 수술: 치조골 확장과 골이식 후 임플란트 지연식립
4. 임플란트 근단병소
5. #11 치근흡수
6. #12 임플란트 보철물 장착 후부터 주변과 안면통증 발생
7. 신체화증상 발생
8. 진료에 비협조: 임의로 약물을 복용하고 예약없이 불시에 내원, 임의로 타 치과의원에서 #11 근관치료를 받음.

치료 및 경과

1. 임플란트 근단병소 수술
2. 레이저치료
3. 환자의 진료 비협조로 인해 통증관련 약물치료는 시행하지 못하였음.
4. 예후: 불량

Comment

● 본 증례는 **지속적인 특발성 안면통증과 정신과적 문제 및 신체화증상이 동반된 경우로서 치과의사들이 절대로 건드려선 안 되는 증례이다.** 응급상황이 아님에도 불구하고 예약 없이 불시에 내원하는 행위, 환자 임의로 약물을 변경하고 타 치과에서 임의로 치료를 받는 행위, 정신과적인 문제, 환자 및 보호자의 진료실 난동 등은 진료에 대한 비협조와 진료 방해 등을 근거로 합법적으로 진료거부가 인정되는 경우이다.

이전 치과에서 치료를 받을 때부터 치아 통증 및 두통이 존재하였고 정신건강의학과 진료를 받은 병력이 있으며 건강염려증이 존재한다는 기록이 있었다. 임플란트 관련 수술을 시작하기 전에 상담을 하면서 침습적 수술 대신에 통상적인 보철치료를 적극 권유하였으나 환자와 보호자 측에서 임플란트 치료를 희망하였다. 그러나 염려하던 대로 수술 이후 지속적인 특발성 안면통증이 발생하였고 환자 측은 왜 치과의사가 강력히 보철치료를 권유하지 않았느냐고 항의하였다. **정신적 문제가 있는 환자에서 임플란트 치료 후 임플란트 근단병소(implant periapical lesion)가 발생함으로 인해 환자의 근심걱정을 더욱 증폭시켰으며 특발성 통증과 신체화증을 악화시키는 데 관여했을 것으로 보인다.** 수술을 통해 근단병소를 완치시켰음에도 불구하고 환자는 모든 이상 증상들을 임플란트 치료 잘못으로 생각할 수밖에 없었을 것이다. 또한 보철치료가 완료된 후 치과에 내원할 때 거의 대부분 예약 없이 불시에 방문하였고 필요한 검사는 거부하였으며 약물 복용도 환자 임의로 하였고 #11 근관치료도 환자 임의로 다른 치과에서 시행 받았다. 즉 진료에 매우 비협조적이면서 불시에 내원하여 자신의 주장만 언급하고 신체화증상과 통증이 모두 임플란트 치료가 잘못된 것이 원인이라고 생각하였다. 환자 보호자도 환자의 주장에 편승하여 치료실에서 난동을 부리는 등 많은 문제를 일으켰다.

본 증례에서는 **특발성 안면통증을 조절하기 위한 약물들이 전혀 사용되지 않은 문제점이 있다. 약물을 처방하려 해도 환자가 협조하지 않으면서 예약 없이 불시에 내원하고 자신만의 주장을 끊임없이 언급하는 등의 행태로 인해 약물치료는 불가능할 수밖에 없었다. 또한 정신건강의학과 진료를 권유해도 환자가 동의하지 않아 본인으로서는 어떠한 치료도 해 줄 수 없었고 그냥 환자와 보호자가 일방적으로 주장하는 내용을 듣고 있을 수밖에 없었다.** 이런 경우 독자들이라면 어떻게 대처할 것인지 각자 생각해 보는 것도 좋은 공부가 될 것이다.

신체화장애(somatization disorder)란 "심리적 배경을 기본으로 신체증상을 호소하거나, 신체에 대한 과도한 집착을 가진 병태의 총칭"으로 정의한다. 신체 질환을 모방하는 현상으로서 적절한 임상 검사에도 불구하고 증상의 원인을 설명할 수 없을 때 진단되는 정신질환의 일종이다. 치과 치료 후 환자가 지속적으로 호소하는 교합 시 이질감, 교합불쾌감각, 어떠한 치료에도 반응하지 않는 턱관절 관련 증상들, 현기증, 혀 통증 등은 대부분 신체화장애의 징후들로 볼 수 있다. 의학 논문에서 "unexplained physical symptoms"으로 표현하는 경우도 있다. 치과 치료 중 혹은 치료 후에 발생한 심리적인 충격이 중추신경계의 정보 처리 과정에 변조를 일으켜 top down 방식으로 신체 감각에 이상(마비, 현기증 등)을 유발하게 된다. 즉 신경손상이 일어날 만한 외과적 처치가 없었음에도 불구하고 증상이 수개월 이상 하루 종일 끊임없이 지속되는 경향을 보일 수도 있다. 우리가 일반적으로 생각하는 것보다 환자들의 유병률이 매우 높다. **종합병원 수진 환자들의 20%, 구강악안면외과 수진 환자들의 8% 이상에서 신체화증상들이 나타날 수 있다고 한다. 이런 환자들에 대해 치과적 치료만으로는 한계가 있으며 정신건강의학과 협진이 반드시 필요하지만 환자들이 잘 협조하지 않는 경향을 보인다**(최재갑 등; 2019, Porporatti AL, et al; 2017).

Table 4. 지속적인 특발성 안면통증 증례 요약

증례	나이	성별	의학적 병력	부위	증상 시작	약물	처치	예후	치료 기간(월)
1	50	여	기관지천식, 고혈압, 신경외과, 뇌동맥 질환	#14 우측 뺨, 코, 눈, 입술, 혀	#14 임플란트	Tegretol, Sensival, Beecom Trileptal, Valium, Admuc	임플란트 제거	G	23
2	57	여	No	양측 하악 구치부, 교근, 좌측 머리, 좌측 턱관절	양측 하악 구치부, 임플란트	Trileptal, Neurontin, Rivotril, Newrica, Kamistad-N	No	G	25
3	57	여	정신건강 의학과 진료, 갑상선 항진증	#12, 입천장, 우측 코, 눈, 양측 하악 구치부, 몸 전체	#12 임플란트	술후 항생제와 소염진통제	임플란트 근단병소 수술, Laser	P	23.5 (이후 경과관찰 중단)

*G: good, P: poor

지속적인 특발성 치아치조통증 증례 Table 5
(persistent idiopathic dentoalveolar pain)

Case 1 > #26-27 부위 임플란트 식립 후 발생한 지속적인 특발성 치아치조통증

2020년 1월 2일 62세 남자 환자가 #26-27 부위에 식립된 임플란트 주변 잇몸 통증을 주소로 내원하였다. 타 치과의원에서 1년 10개월 전 #26-27 부위에 골이식을 동반한 임플란트 식립 수술이 시행되었다. 이후 보철치료가 완료되었으나 주변의 통증이 간헐적으로 지속되며 피곤하거나 몸 상태가 좋지 않을 때 매우 심해진다고 하였다. 의과적 특이 전신질환은 없었으며 방사선 사진에서 #26 임플란트 변연골이 약간 흡수된 소견이 관찰되었으나 통증의 주 원인으로 생각되지 않았다**(Fig 92)**. 임플란트 주위염과 특발성 치아치조통증 진단하에 임플란트 주위 소파술을 시행하고 Minocline ointment를 국소 주입하고 Azithromycin과 Trileptal을 1주 처방하였다. **2020년 1월 10일** 내원 시 증상은 지속되었고 날이 추울 때 통증이 더 심하며 #26-27 협측 치은 부위 촉진 시 압통을 호소하였다. 주변 잇몸 조직에 Dexamethasone + Lidocaine을 주사하고 Trileptal 300 mg bid, Sensival 10 mg qd 2주 처방하였다. **2020년 1월 30일** 내원 시 통증이 현저히 감소되었으며 Trileptal 300 mg bid, Sensival 10 mg qd를 1개월 추가 처방하고 Kamistad-N gel, Lidocaine viscous 2% soln. 15 mL를 구강내 통증 부위에 분사 및 도포하도록 지시하고 치료를 종료하였다.

⊗ Problem lists

1. #26, 27 임플란트 보철 후부터 주변 통증 발생
2. #26 임플란트 주변 골흡수
3. 임플란트 주위염, 지속적인 특발성 치아치조통증

치료 및 경과

1. 임플란트주위 소파술
2. 약물치료: Azithromycin, Trileptal → Trileptal + Sensival
3. 주사치료: Dexamethasone + Lidocaine
4. 약물 국소적용: Kamistad-N gel, Lidocaine solution
5. 예후: 양호

Comment

- **특발성 구강안면통증의 치료 시 의심이 되는 질환들을 감별하고 함께 치료해 나가는 것이 원칙이다. 임상가들은 어느 누구도 통증의 종류를 확실하게 진단할 수 없다.** 말 그대로 특발성 통증이라고 하는 것은 원인이 불분명한 경우에 지칭하는 진단이다. 본 증례에서는 임플란트 주위염이 존재한다는 가정하에 소파술과 항생제 치료를 병행하면서 통증에 대한 약물 및 주사 치료를 시행하였다. 본 증례와 같이 다양한 약물과 스테로이드 주사, 국소마취제 국소 적용을 복합 사용하여 통증 조절이 잘 되는 경우도 있지만 통증 조절에 실패하는 경우도 매우 많다. 본 증례의 통증조절을 위해 처음부터 Gabapentin 혹은 Pregabalin을 사용하였어도 효과가 있었을 것으로 생각된다.

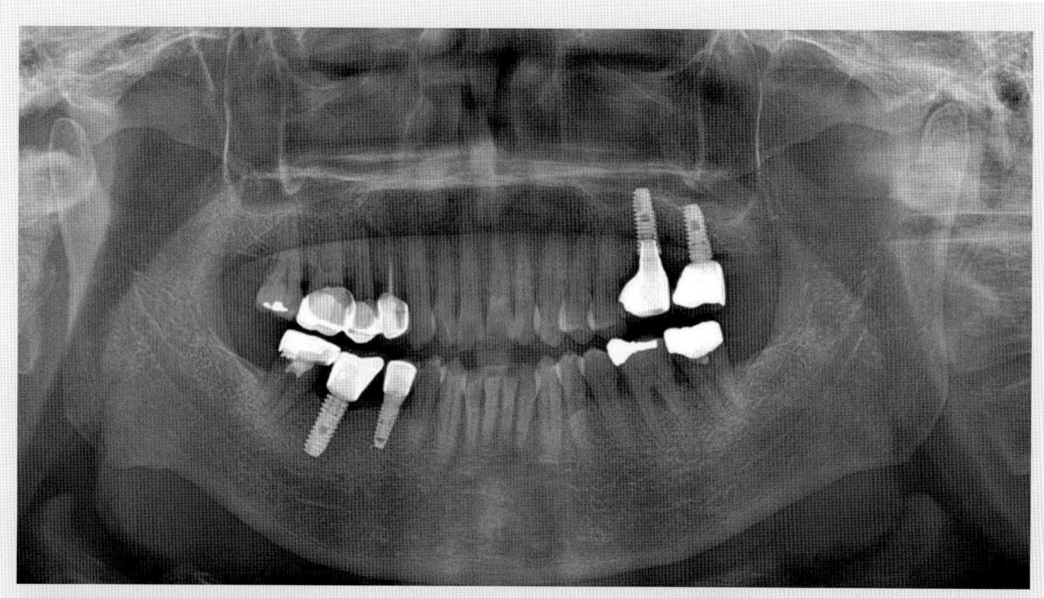

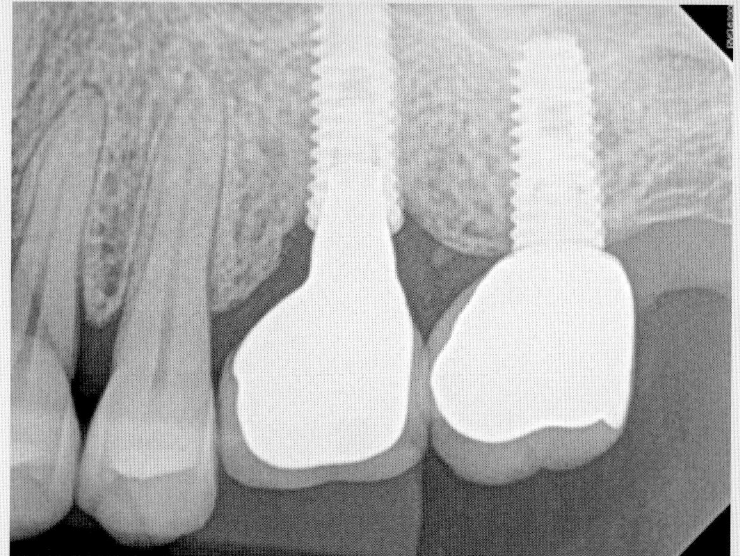

Fig 92. 62세 남자 환자의 초진 시 방사선 사진. #26-27 부위 임플란트 주변 잇몸 통증을 호소하였다.

Case 2 > 상악 전치부에서 장기간 지속된 특발성 치아치조통증

2012년 1월 30일 56세 여자 환자가 상악 전치부 통증을 주소로 내원하였다. **2011년 6월 13일** 넘어지면서 #22 임플란트 보철물이 탈락하였고 #11, 21 치아파절이 발생하여 **2011년 6월 20일** 치과의원에서 #21을 발치하였다. 이후부터 #11-21 부위 통증이 지속되어 본원으로 의뢰되었다**(Fig 93)**. 의과적 병력은 정신건강의학과 진료 및 관련 약물 복용, 갑상선암 항암치료, 골다공증으로 인한 Bisphosphonate 제제를 복용하고 있었다. 골수염이나 다른 악골병변 진단 목적으로 핵의학 검사를 시행하였지만 이상 소견은 관찰되지 않았으며 지속적인 특발성 치아치조통증, 정신적 통증으로 잠정 진단하고 Tegretol, Sensival을 1주 처방하였다. 이후 통증이 약간 완화되는 양상을 보여 약물을 2개월 처방하고 경과를 관찰하였으며 관찰 기간 중에 치과의원에서 상악 가철성 임시 보철물을 제작하여 장착하였다. **2012년 3월 19일** 내원 시 #11 잔존치근 부위의 통증을 호소하였으며 발치 후 임플란트 치료를 진행하기로 결정하였다.

2012년 5월 8일 #11을 발치하고 즉시 임플란트를 식립(Superline 4 D/12 L)하였으며, 이전에 타 치과의원에서 식립하였던 #22 임플란트의 순측 골열개 부위와 #11 임플란트 주변에 골이식을 시행하였다**(Fig 94, 95)**. 수술 10일 후 봉합사를 제거하였는데 이때부터 #11 임플란트 순측 치은에 찌릿한 통증과 가려운 느낌이 있다고 하였다. 환자는 타 치과에서 #22 임플란트를 식립한 이후에도 비슷한 증상이 있다가 사라졌다고 언급하였다. 환자는 약국에서 인사돌과 진통제를 구입하여 복용하고 있었다. 현재 복용 중이던 약물들을 중단시키고 Neurontin 100 mg tid 처방 후 통증이 조절되었으며 **2012년 9월 24일** 상부 보철물이 장착되었다**(Fig 96)**.

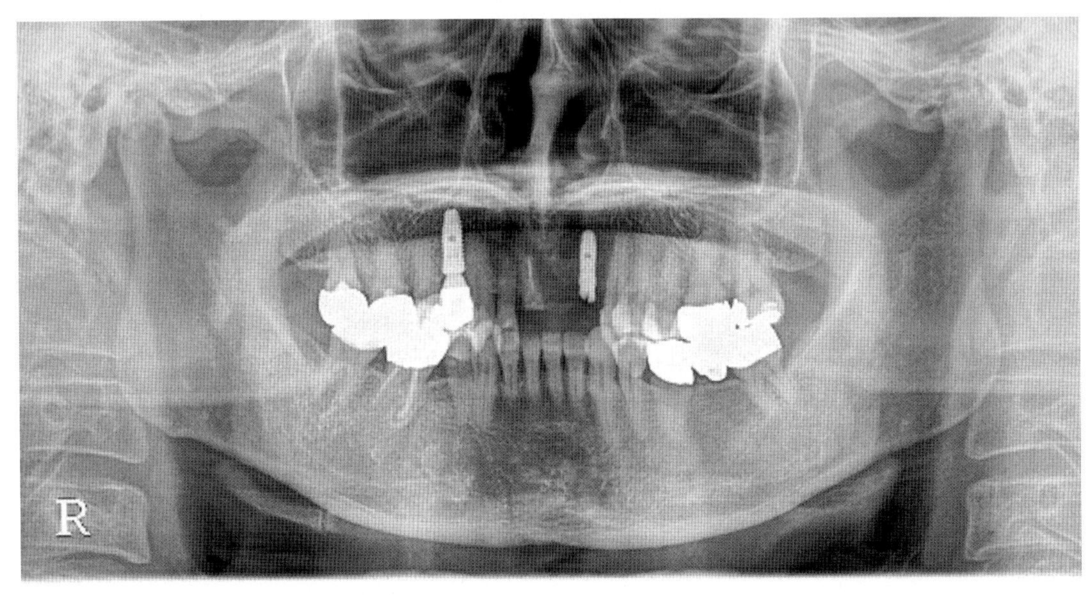

Fig 93. 56세 여자 환자의 초진 시 파노라마 방사선 사진
#22 임플란트 상부 보철물이 탈락되었고 #11 파절, #21 소실된 상태이며 전치부의 지속적인 통증을 호소하고 있다.

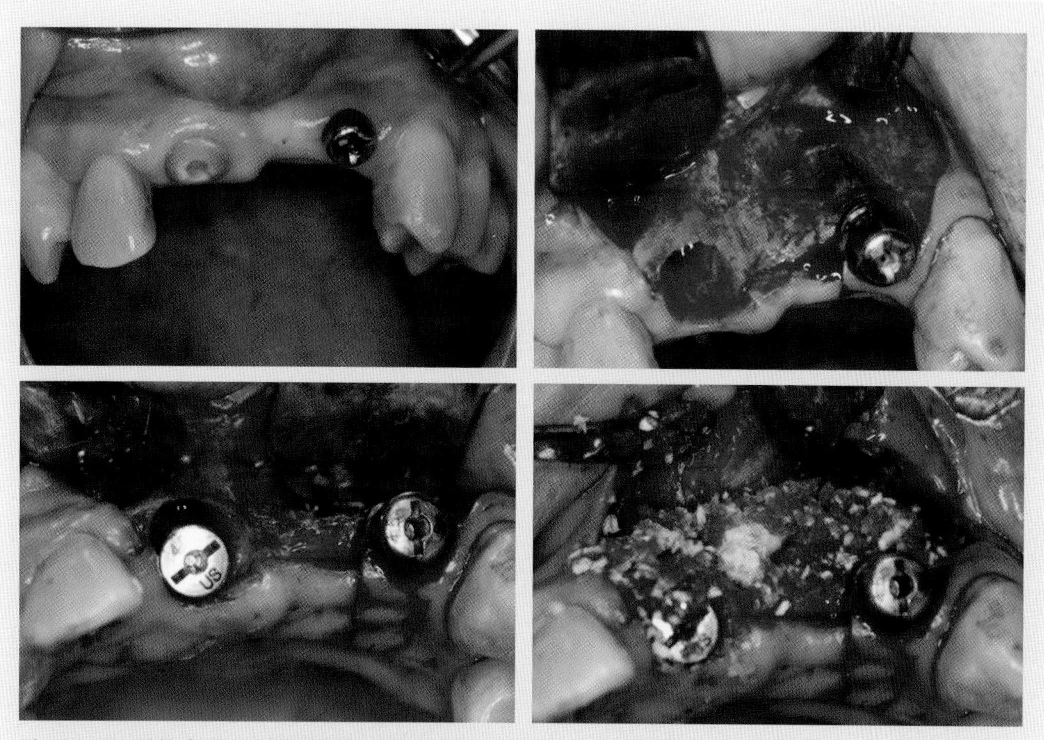

Fig 94. #11 발치 후 즉시 임플란트를 식립하고 타 치과의원에서 식립하였던 #22 임플란트의 순측 골열개 부위와 #11 임플란트 식립 부위 주변에 골이식을 시행하였다.

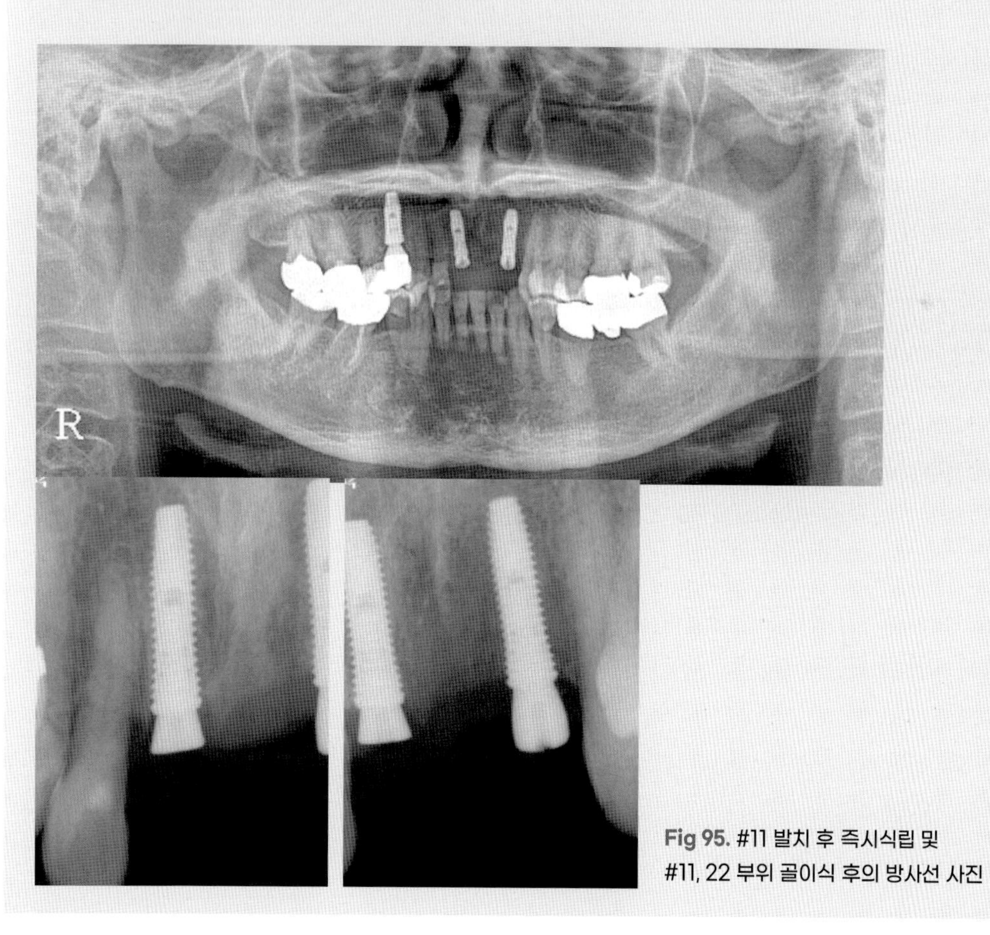

Fig 95. #11 발치 후 즉시식립 및 #11, 22 부위 골이식 후의 방사선 사진

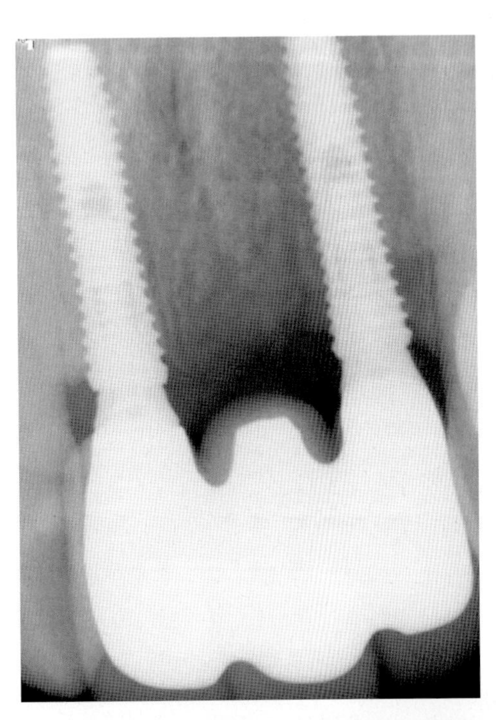

Fig 96. #11-22 임플란트 상부 보철물 장착 후 치근단 방사선 사진

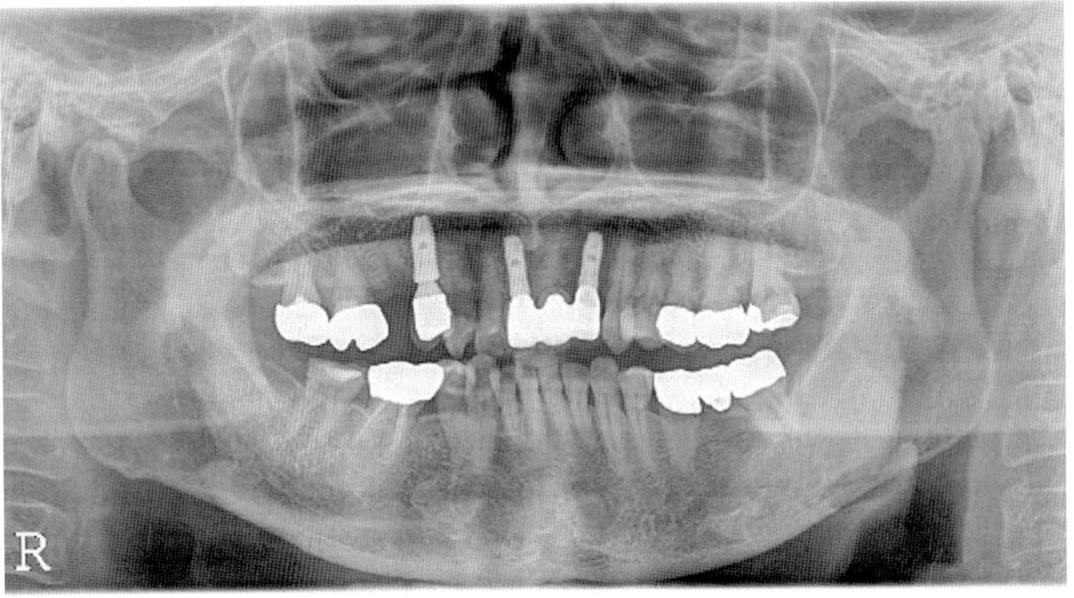

Fig 97. #15 발치 후 파노라마 방사선 사진

2012년 11월 26일 #12 유동성 및 통증을 호소하였으며 주변 잇몸을 건드리면 아프고 칫솔질을 할 때나 입술에 루즈를 바를 때 통증이 심하다고 하였다. Trileptal 100 mg tid 2개월 처방 후 통증이 다소 완화되는 양상을 보였다.

2013년 3월 15일 #15 잔존치근을 발치하였으며 #12 자발통과 찬 것, 뜨거운 것에 통증이 매우 심해진다고 하여 보존과 진찰을 의뢰한 결과 치수 병변은 없으며 근관치료 등은 불필요하다고 회신되었다**(Fig 97)**. **2013년 5월 6일** #15 부위에 임플란트(Superline 4.5 D/12 L)를 1회법으로 식립하였으며 오스텔 측정값은 73 ISQ였다**(Fig 98)**.

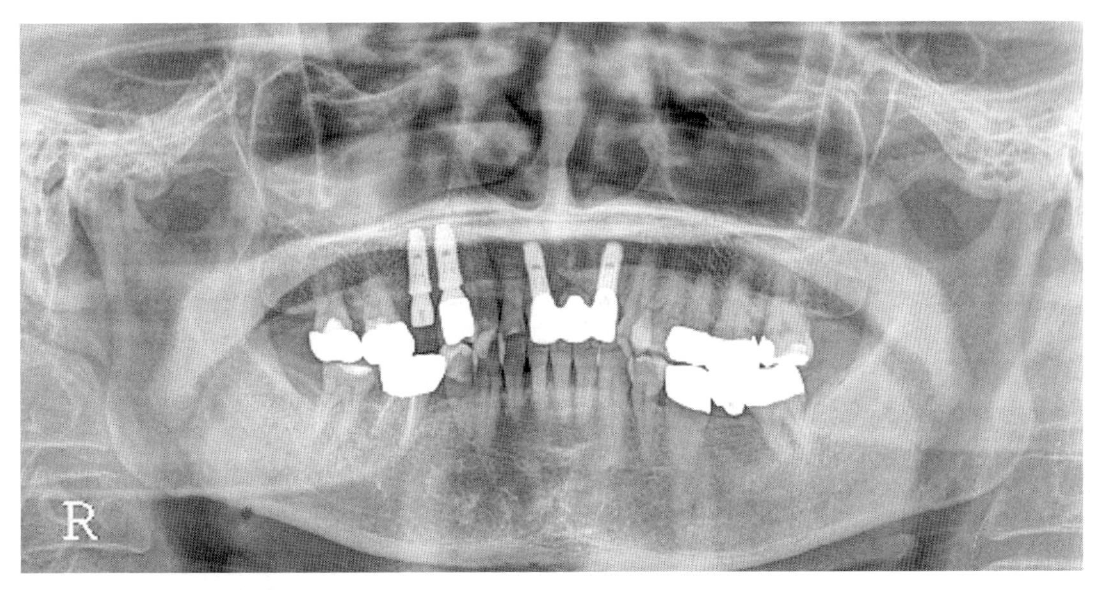

Fig 98. #15 임플란트 식립 후 파노라마 방사선 사진

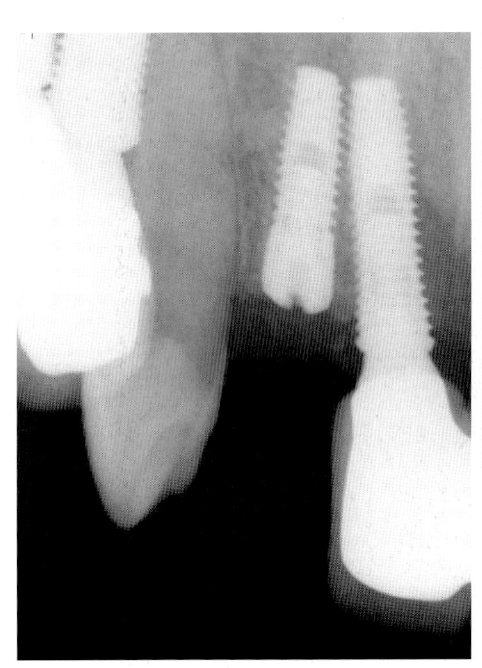

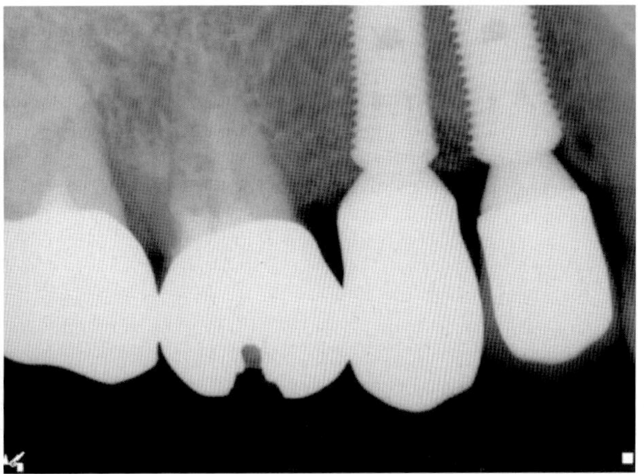

Fig 99. #12 부위에 임플란트가 식립되었고, #15 임플란트 보철물이 장착되었다.

2013년 6월 24일 좌측 턱관절 주변 통증과 관절 잡음을 호소하였으며 주로 좌측으로 저작하고 있고 아침에 턱이 뻐근하고 가끔 두통이 심하다고 하였다. 장기간 치과치료가 지속되면서 발생한 턱관절장애로 잠정 진단하고 물리치료와 Naxen-F 소염진통제를 처방한 후 증상이 완화되었다. **2013년 7월 22일** #12 주변 통증이 다시 심해졌으며 Trileptal을 1개월 처방하였음에도 불구하고 통증이 지속되어 발치를 결정하였다. **2013년 9월 5일** #12를 발치한 후 임시의치를 장착해 주었다. **2013년 9월 26일** #12 발치 부위에 이전과 동일한 양상의 통증이 지속되었고 임시의치를 장착하면 통증이 더 심해진다고 하여 Trileptal을 2주 처방하였다. **2013년 11월 5일** #12 부위에 골이식을 동반한 임플란트 식립(Implantium 3.4 D/10 L)술이 시행되었으며 #15 보철물이 장착되었다(**Fig 99**). **2013년 5월** #12 임플란트 2차 수술 후 상부 보철물이 장착되었는데 치료 기간 중에 계속 우측 코 주변 통증 및 압통, #13 통증 및 타진 시 과민 반응, #12 임플란트 주변의 지속적인 통증을 호소하였다.

2014년 6월 17일 #11 임플란트 주변의 통증이 이전과 동일한 양상으로 재발되었으며 Trileptal을 처방하면서 경과를 관찰하였고 **2014년 12월 2일** #12i-11i-22i 보철물을 다시 만들어서 장착해 주었다(**Fig 100**). **2016년 9월 6일** 내원 시 #12, 22 임플란트 순측 치은 통증과 #12, 22 임플란트 주변 변연골 소실 및 임플란트 나사산이 노출되어 있었다(**Fig 101**). 임플란트 주위 소파술과 Chlorhexidine 세정술을 시행하고 Minocline oint를 국소 주입하였다. **2016년 10월 17일** #12-22 임플란트 주변의 극심한 통증, 구개측 치은 종창 및 탐침 시 출혈을 호소하였으며 2개월 전 골다공증 치료제 주사를 맞았다고 하였다. 환자는 진료 비용이 많이 소요되어도 상관없으니 임플란트를 제거하고 다시 식립 해달라고 요구하였다. Trileptal을 장기간 투여하면서 관찰 중이었지만 통증 조절이 잘 되지 않아 **2017년 1월 19일** #12, 11, 22 임플란트를 제거하고 골이식(NOVOSIS BMP + The

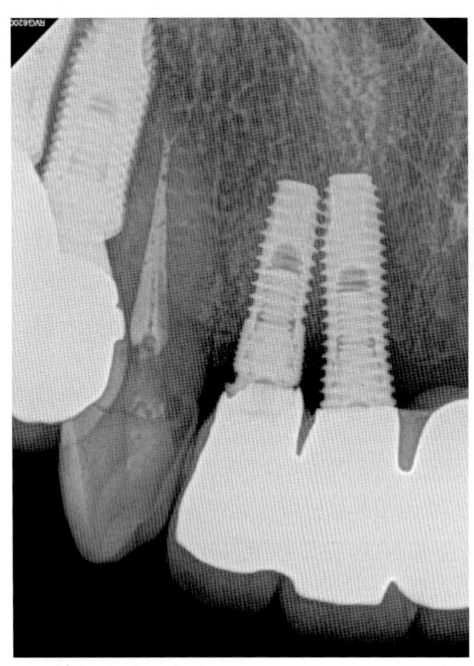

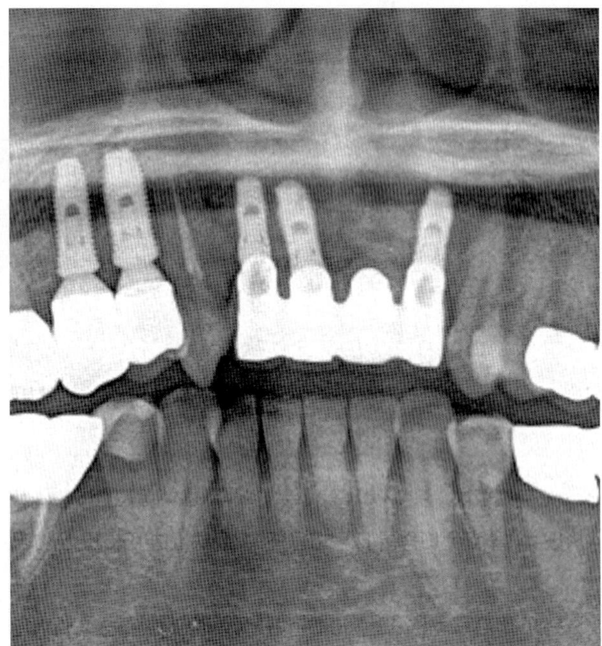

Fig100. #12i-11i-22i 보철물을 다시 만들어서 장착한 후 촬영한 방사선 사진

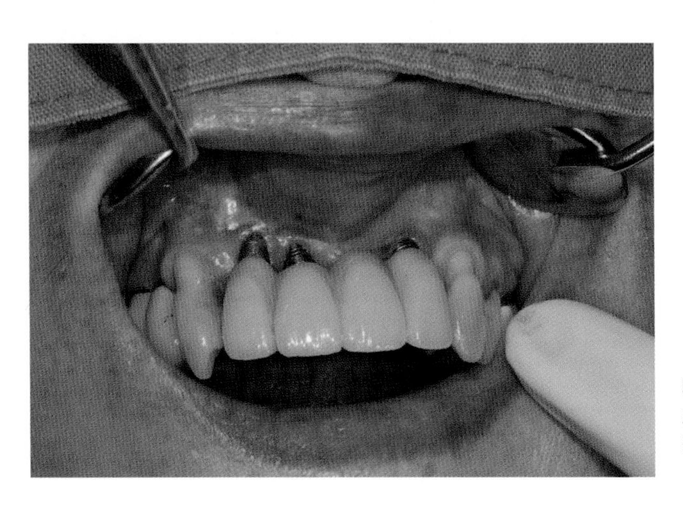

Fig 101. #12-22 임플란트 주변의 심한 통증을 호소하였으며, 치은퇴축 및 나사산이 노출된 것을 볼 수 있다.

Graft + ExFuse)을 시행하였다**(Fig 102)**. **2017년 6월 8일** 무절개법으로 임플란트 2개(#12, 22: Dentium NR line 3 D/9 L)를 1회법으로 식립하였다**(Fig 103)**. **2017년 12월 7일** 상부 보철물이 장착되었으며 Trileptal로 신경병성 통증을 조절하면서 정기 유지관리를 시행하고 있다**(Fig 104)**.

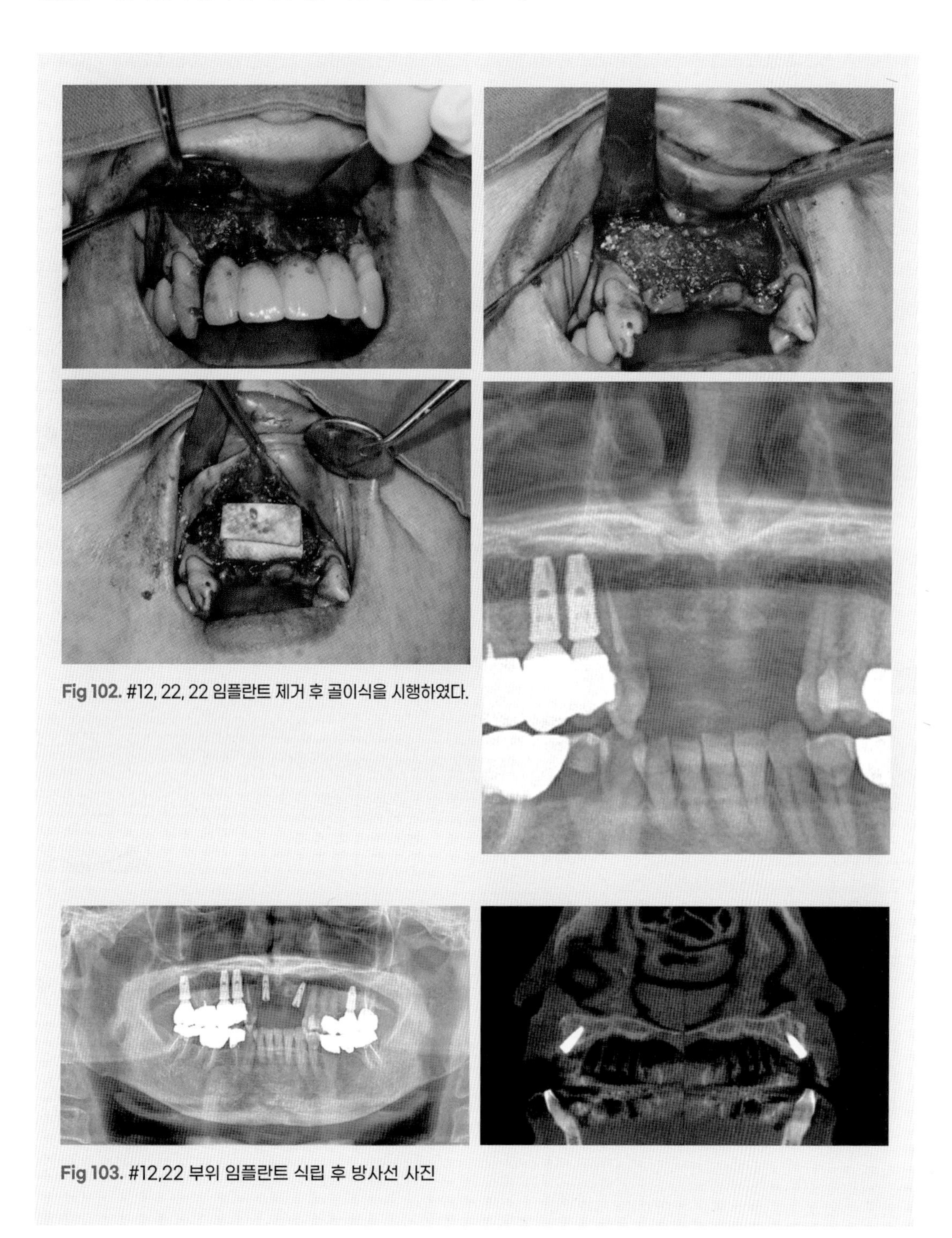

Fig 102. #12, 22, 22 임플란트 제거 후 골이식을 시행하였다.

Fig 103. #12,22 부위 임플란트 식립 후 방사선 사진

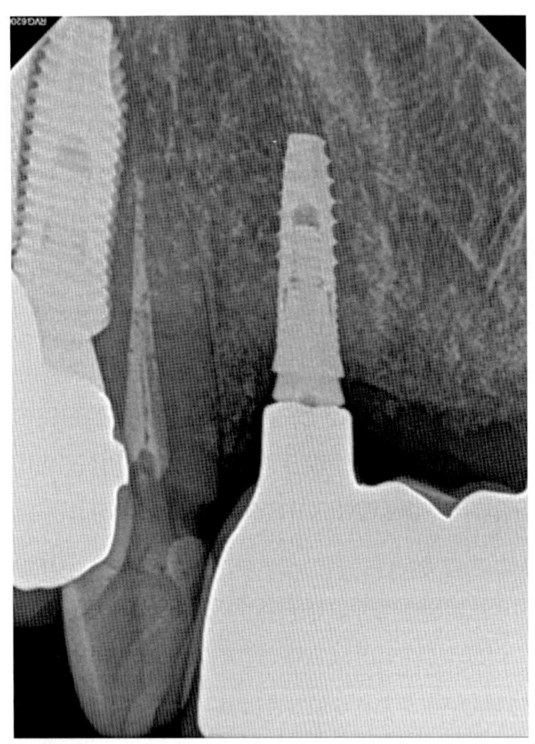

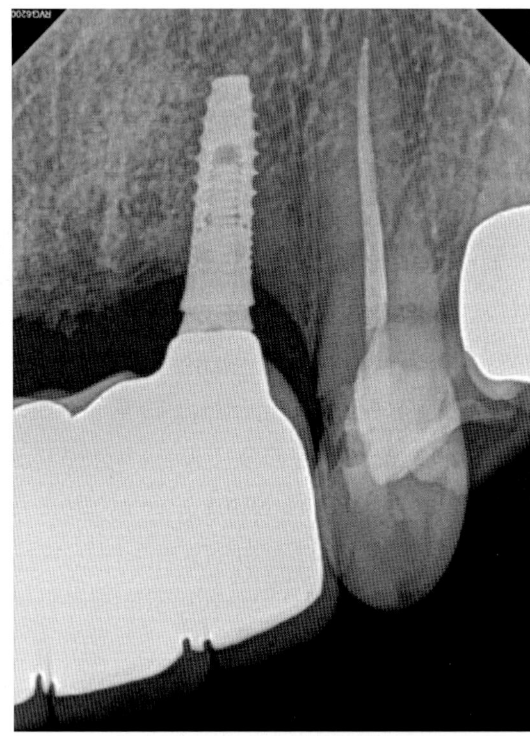

Fig 104. #11-22 상부 보철물 장착 3년 후 치근단 방사선 사진
보철물 장착 이후에도 지속적으로 주변 통증을 호소하였고 피곤할 때 통증이 심해진다고 하였다.

TOUGH CASES

Problem lists

1. 상악 전치부 외상, #21 발치 후부터 전치부의 통증이 지속됨.
2. 정신건강의학과 진료, 갑상선암, 골다공증 관련 비스포스포네이트 치료
3. 정신적 통증, 지속적인 특발성 치아치조통증, 턱관절장애, 임플란트 주위염

치료 및 경과

1. 약물치료: Trileptal + Sensival → Neurontin → Trileptal
2. #11 발치 후 즉시 임플란트 식립, 골이식
3. 턱관절장애 치료: 약물 및 물리치료
4. #12 발치 후 임플란트 지연식립, 골이식
5. 통증이 지속되어 #12, 11, 22 임플란트 제거 후 골이식 → 임플란트 재식립
6. 예후: 중등도

● 본 증례의 환자는 본원에 내원하기 전부터 #11-21 부위 통증이 지속되고 있었다. **기존에 통증이 지속되던 부위의 치아를 발치하고 임플란트 치료를 진행한 경우에 통증이 지속되는 경우가 많다. 이미 말초신경이 통증에 민감(sensitization)해진 상태에서 외과적 손상이 가해지면 통증이 지속되거나 더욱 악화될 수 있다.** 치료기간 중 내내 통증을 호소하였고 항경련제(Trileptal, Neurontin)로 통증치료를 진행하였다. 그러나 #12i-11i-22i 보철물 장착 후 통증이 더욱 심해졌는데 임플란트 주위 변연골소실, 치은퇴축 및 임플란트 나사산 노출, 각화 부착치은 부족으로 인해 발생한 임플란트 주위염이 통증을 더욱 악화시킨 것으로 보인다. 임플란트 제거 후 골이식을 시행하고 임플란트는 최소 침습적인 무절개법으로 식립하였으며 최종 보철물이 완성된 후에도 Trileptal을 계속 복용하면서 통증관리를 하고 있다. 삼차신경통을 제외한 신경병성 통증의 치료를 위해 1차로 선택되는 약물은 Gabapentin, Pregabalin 혹은 TCA이다. 그러나 신경병성 통증 치료에 사용되는 약물의 효능이 학술적으로 검증된 것은 매우 드물다. 임상에서는 환자의 통증을 경감시키는 것이 주 목적이기 때문에 반드시 특정 프로토콜대로 따를 필요는 없다. 본 증례에서는 Trileptal로 통증조절이 잘 되기 때문에 장기간 사용하고 있으며 6-12개월 간격으로 혈액검사 등 약물 관련 부작용을 잘 체크해야 한다.

Case 3 > 62세 여자 환자의 하악 좌측 구치부 통증

2018년 11월 8일 62세 여자 환자가 하악 좌측 구치부의 찌르는 듯한 통증이 지속되어 치과의원에서 의뢰되었다. 9개월 전 치과에서 하악 좌측 보철물을 제거한 이후부터 통증이 지속되었으며 #36 근관치료 및 #35 발치가 시행되었으나 전혀 호전되지 않았고 이후 치과의원에서 임플란트 치료가 진행되었다. 칫솔질하거나 잇몸을 건드리면 통증이 심해지고 수초간 지속되다가 사라지며 말하거나 음식 먹을 때, 세수할 때는 아프지 않다고 하였다. 의과적 특이 전신질환은 없었고 방사선 검사에서도 이상 소견이 관찰되지 않았으며 지속적인 특발성 치아치조통증으로 잠정 진단하여 핵의학검사를 예약하고 약물(Trileptal 300 mg bid, Sensival 10 mg qd, Imotun 300 mg qd)을 처방하였다**(Fig 105)**. **2018년 12월 7일** 시행한 핵의학 검사에서 특이 소견이 관찰되지 않았다. 통증은 좌측 하악 구치부에서 시작하여 좌측 상악 치아들 반쪽(#21-27)까지 파급된다고 하였다. 약물(Rivotril 0.5 mg qd, Trileptal 600 mg bid)을 4주 처방하였으며 환자에게 신경병성 통증에 관하여 상세히 설명하고 통증과 무관하게 임플란트 보철치료는 진행하도록 권유하였다. 3일 후 환자가 매우 심한 전신 가려움증을 호소하였으며, Clonazepam 부작용으로 추정하여 복용을 중단시키고 Pheniramine을 3일 처방하였다. **2019년 1월 4일** 내원 시 통증 조절이 잘 안 된다고 하여 Neurontin 100 mg tid 2주 처방하면서 경과를 관찰하였다. **2019년 1월 21일** #34-37 통증 발현 부위 주변에 리도카인과 Dexamethasone을 주사하고 Neurontin을 300 mg bid로 증량시키고 Clonazepam을 취침 전에 3분간 통증 부위 주변에 머금고 있다가 뱉어 내도록 하였다. **2019년 2월 8일** 내원 시 통증이 거의 소멸되었으며 Neurontin 300 mg bid 4주 복용, Clonazepam을 4주간

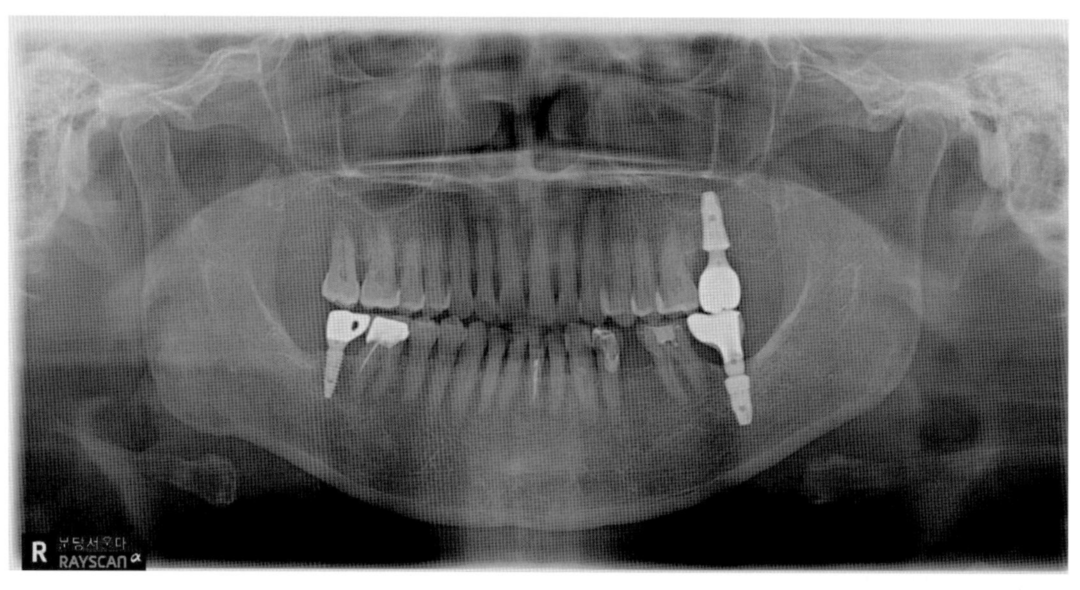

Fig 105. 초진 시 파노라마 방사선 사진. 하악 좌측 구치부 통증이 시작된 이후 근관치료, 발치 후에도 증상이 호전되지 않았다. 임플란트 치료 진행 중에도 통증은 지속되었다.

통증 부위로 물고 있도록 한 후 치료를 종료하였다. **2020년 2월 4일** 내원 시 통증은 완전히 소멸되었고 하악 좌측 구치부 임플란트 치료도 완료된 상태였다(**Fig 106**).

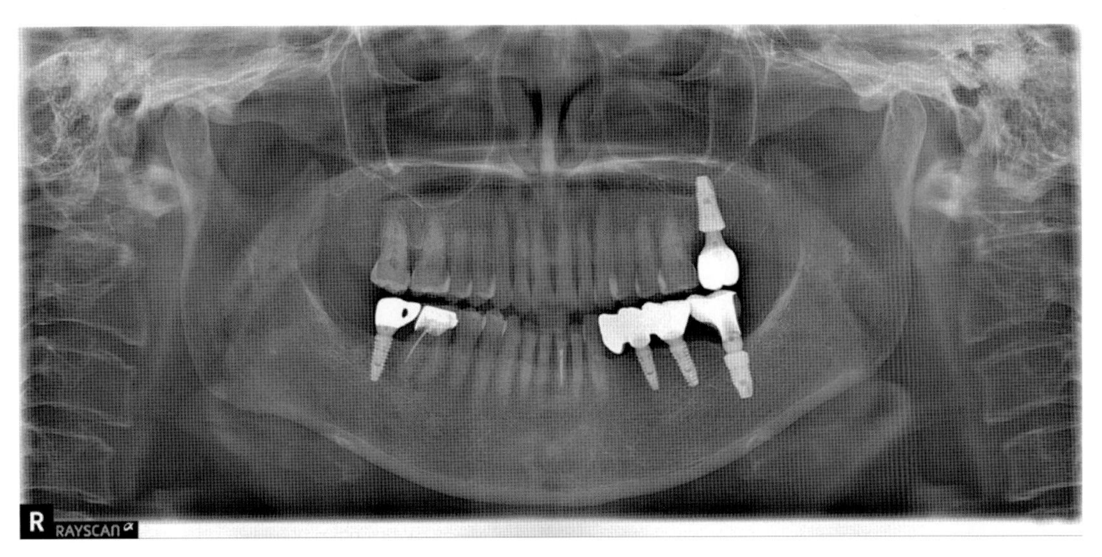

Fig 106. 초진일 기준 약 15개월 후 촬영한 파노라마 방사선 사진. 타원에서 하악 좌측의 임플란트 치료가 완성되었으며, 본원에서 진행한 약물 치료 및 주사 치료 후 통증은 완전히 소멸된 상태였다.

⊗ Problem lists

1 하악 좌측 보철물 제거 후부터 통증 지속됨.
2 #36 근관치료, #35 발치 후에도 통증 지속됨.
3 #37 임플란트 치료

치료 및 경과

1 약물치료: Trileptal+Sensival → Trileptal + Rivotril 경구복용 → Neurontin + Rivotril 국소적용
2 주사치료: Dexamethasone + Lidocaine
3 예후: 양호

Comment

- 신경병성 통증 치료를 위해 Oxcarbazepine, Nortriptyline을 1차 투여하였으나 효과가 없어서 Clonazepam으로 교체하여 처방하였으나 부작용이 발생하여 중단하였다. Oxcarbazepine을 4주 이상 투여하였음에도 불구하고 통증 조절이 안되어서 Gabapentin으로 교체하였고 부작용과 통증 조절을 평가하면서 증량하였다. 경구 복용으로 인한 부작용을 피하기 위해 Clonazepam을 구강 내에 녹여서 적용시키는 국소적 치료법을 시도하였고 리도카인과 스테로이드 주사치료를 병행한 결과 통증이 잘 조절되었다. **통증이 자연적으로 소실되었을 가능성도 있지만 본 증례를 통해 약물 및 주사치료를 진행하는 과정을 참고하면 임상에서 큰 도움이 될 것으로 생각된다.** 증례 2와 마찬가지로 신경병성 통증 치료를 위해 확실한 프로토콜이 정립된 것은 없다. Gabapentin, Pregabalin, 혹은 TCA를 1차로 처방하라는 지침이 있긴 하지만 이 가이드라인이 절대적으로 옳은 것은 아니다. 약효, 부작용 등을 잘 체크하면서 통증을 완화시킬 수 있는 모든 방법을 도입하는 것이 잘못된 치료법은 아니다(그러나 국내 심평원의 지침이 매우 까다롭기 때문에 임상의들이 각자 알아서 잘 판단해야 한다).

Table 5. 지속적인 특발성 치아치조통증 증례 요약

증례	나이	성별	의학적 병력	부위	증상 시작	약물	처치	예후	치료기간(월)
1	62	남	No	#26-27 주변	#26,27 임플란트 보철	Azithromycin, Trileptal, Dexamethasone, Lidocaine, Sensival, Kamistad-N	임플란트 주위염 치료	G	1
2	56	여	정신건강의학과 진료, 갑상선암, 골다공증	#12-22	전치부 외상 및 발치	Tegretol, Sensival, Neurontin, Trileptal, Naxen-F	임플란트 제거 후 재식립, 턱관절장애 물리치료	M	지속
3	62	여	No	상하악 좌측 구치부	하악 좌측 구치부 보철물 제거	Trileptal, Sensival, Imotun, Rivotril, Pheniramin, Neurontin, Dexamethasone, Lidocaine	No	G	15

*M: moderate, G: good

CHAPTER

8

심장질환 관련 치통

TOUGH CASES 치과진료 후 발생하는 골치 아픈 증례들

CHAPTER

8

Table 6 심장질환 관련 치통

Cardiac Toothache

허혈성 심장질환(협심증, 심근경색 등)을 보유한 환자들은 종종 좌측 팔, 어깨, 목, 머리, 안면부 및 치아들로 파급되는 통증을 경험한다. 그러나 드물게 양측성으로 통증이 발생하는 경우도 있다(Durse BC, et al; 2003, 정재면 등; 2014). 이러한 통증은 연관통의 일종으로서 심장질환 관련 치통이라고 불리우며, 치성 통증과의 감별이 필요하다. 심장질환 관련 치통은 압박감, 작열감 및 숨이 막히는 듯한 통증으로 나타나고 치성 통증에 비해 덜한 양상을 보인다. 운동이나 스트레스에 의해 통증이 악화되며 Nitroglycerin 복용 시 흉통과 연관통이 사라지는 양상을 보인다(Falace DA; 1995, Kreiner M, et al; 2010). 원인 불명의 비치성 치통이나 안면통이 존재할 경우 신경병성 통증, 정신적통증 외에도 환자가 모르고 있는 심혈관질환 가능성을 의심해 볼 필요가 있다. 초기 심근경색증과 같은 심혈관질환은 환자 본인이 인지하지 못하고 생활하는 경우가 많으며, 특별한 증상들이 없기 때문에 환자 및 치과의사들도 별다른 경각심 없이 치과진료를 수행할 수 있다. 무증상의 심혈관질환은 치과 치료 중 혹은 치료 후에 심각한 문제를 초래할 위험성이 있으므로 이에 대한 감별진단에 관심을 가져야 할 것으로 생각된다.

Case 1 > 74세 여자 환자에서 #47 임플란트 치료 후 지속적인 통증이 발생한 증례

2007년 5월 3일 74세 여자 환자가 #26, 47 소실 부위 임플란트 치료를 목적으로 내원하였으며 갑상선저하증과 고혈압이 존재하였지만 내과적 약물치료로 잘 조절되는 상태였다**(Fig 107)**. **2007년 10월 1일** #26 부위 무절개법으로 임플란트를 식립(Oneplant 4.3 D/13 L)하였으며 **2007년 11월 8일** #47 부위에도 무절개법으로 임플란트를 식립(Oneplant 5.3 D/13 L)하였다**(Fig 108)**. **2008년 2월 11일** 임플란트 상부 보철물이 장착되었

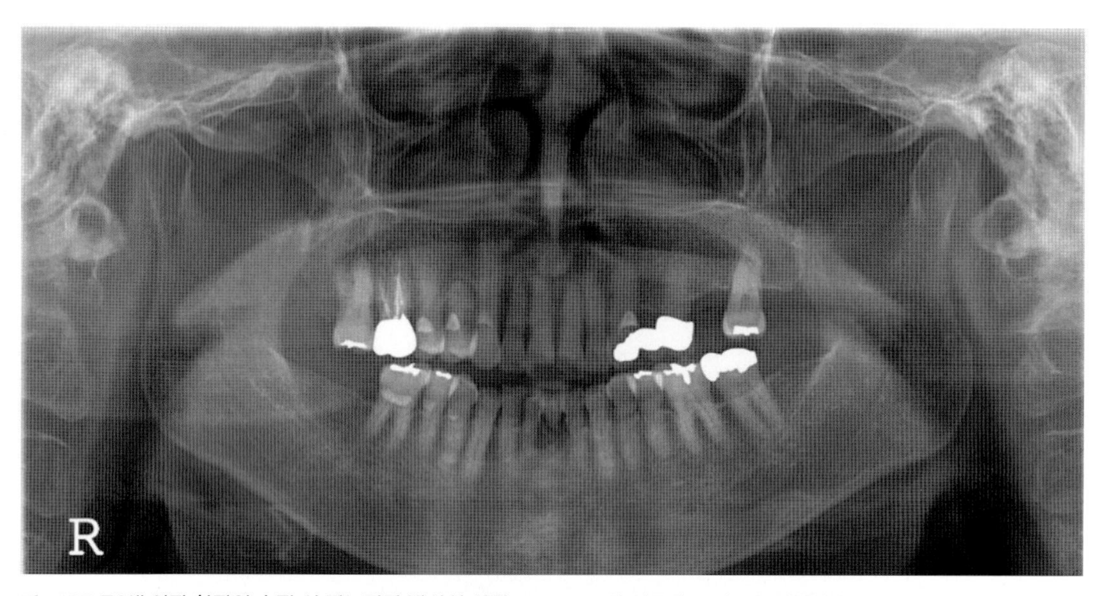

Fig 107. 74세 여자 환자의 초진 시 파노라마 방사선 사진. #26, 47 부위 임플란트 치료를 계획하였다.

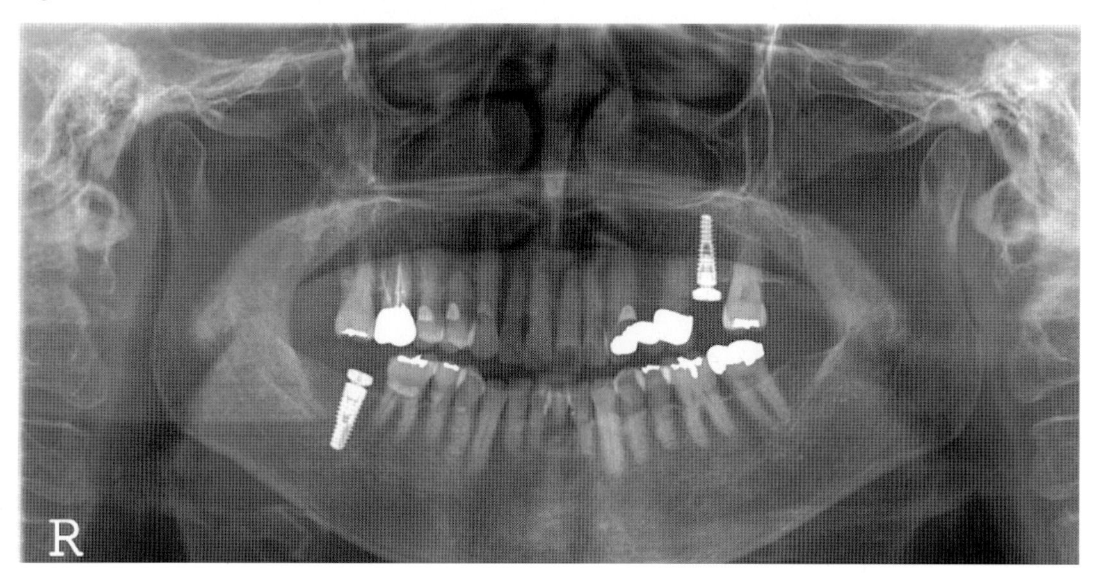

Fig 108. #26, 47 부위에 무절개법으로 임플란트가 식립되었다. 13 mm 길이 임플란트가 식립된 후 치유 지대주가 연결되었다.

으며 이후부터 임플란트와 주변 통증을 호소하기 시작하였다(Fig 109). **2008년 3월 17일** 우측 악하부, 측두부 통증이 매우 심해서 참을 수 없을 정도라고 하였으며 임플란트 주변에는 이상 소견이 관찰되지 않았다. 신경병성 통증을 의심하고 Tegretol (Carbamazepine 200 mg bid) 7일분을 처방한 후 경과를 관찰하였지만 통증은 완화되지 않았다. **2008년 4월 7일** 어깨가 아프고 #47 임플란트 뿌리 부분이 아프다고 하여 상부 보철물을 제거하고 치유 지대주를 연결한 후 경과를 관찰하였다. **2008년 4월 14일** 보철물 철거 후 약간 편해진 느낌이지만 우측 어깨와 목이 아픈 증상은 여전히 남아있다고 하였다. 정신적 통증, 지속적인 특발성 치아치조 통증, 심혈관질환 관련 연관통을 의심하고 Trileptal (Oxcarbazepine 300 mg bid) 5일분을 처방하고 순환기내과에 진찰을 의뢰하였다. **2008년 4월 24일** 통증은 많이 감소되었으나 목과 교근 부위의 통증이 지속되어 근육성 턱관절장애(근근막통증증후군)가 의심되어 상부 보철물을 연결한 후 안정위 스플린트 치료를 권유하였지만 환자가 거부하였다. **2008년 4월 28일** 순환기내과 진료 후 심근경색증이 진단되었고 아스피린, Nitroglycerin,

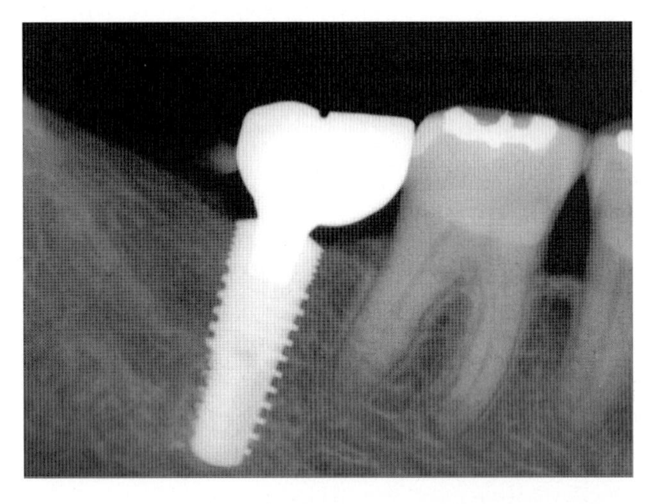

Fig 109. #47 임플란트 보철물 장착 후 촬영한 치근단 방사선 사진. 변연골이 안정적으로 유지되고 있는 것을 볼 수 있다. 그러나 환자는 보철물 장착 이후부터 통증을 호소하기 시작하였다.

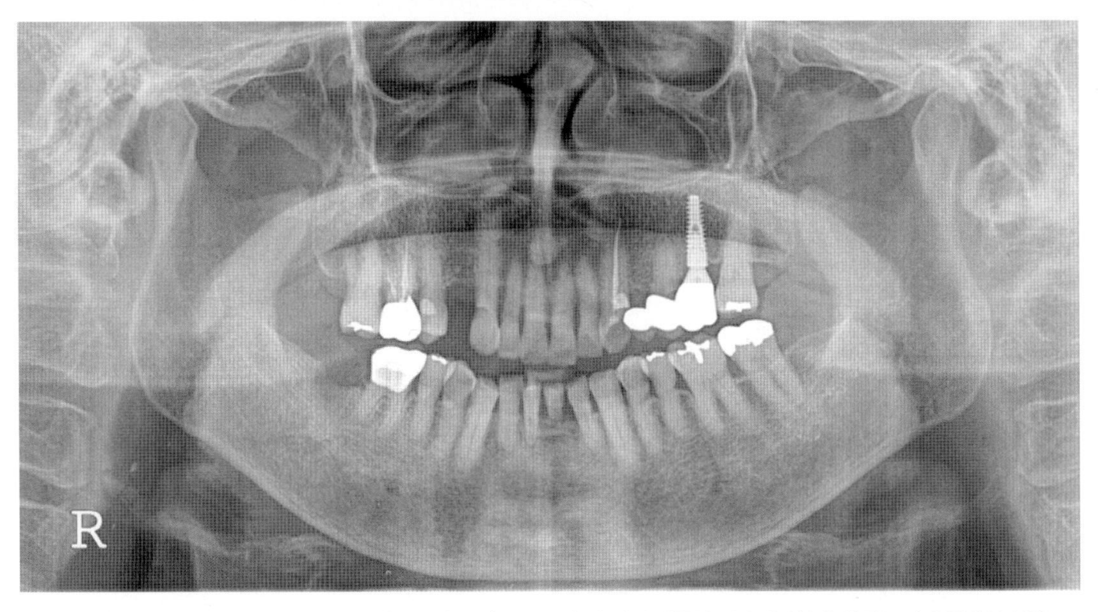

Fig 110. #47 임플란트의 지속적인 불편감을 호소하여 환자의 요청에 따라 임플란트를 제거한 후의 파노라마 방사선 사진
완전한 골유착으로 인해 주변골을 삭제하여 제거하였다.

Synthroid 등을 처방받았다. **2008년 6월 17일** #26, 47 상부 보철물을 제작하여 임시로 접착하였다. #47 임플란트 부위는 이전과 같이 통증이 지속되었고 우측 목까지 통증이 파급되었으며 음식물을 삼킬 때도 아프다고 하였다. **2008년 7월 24일** #47 임플란트가 3주 내내 간헐적으로 아프다가 오늘은 괜찮다고 하였다. #26, 47 임플란트는 특별한 문제없이 정상적인 기능을 유지하였으며 주변 치조정골도 안정적으로 유지되었다. **2010년 11월 18일** #47 임플란트 통증과 불편감을 호소하면서 다시 내원하였고 임플란트 제거를 희망하였다. 환자와 상담 후 임플란트는 완전히 골유착된 상태이고 염증이나 이상 병변이 없기 때문에 제거해서는 안 된다고 설명하였다. **2010년 11월 18일** 계속 불편감을 호소하여 상부 보철물을 제거하고 Osstell Mentor로 안정도를 측정한 결과 79 ISQ를 보였다. 일단 치유 지대주만 연결한 상태로 경과를 관찰하기로 하였다. **2012년 9월 6일** #47 임플란트 지대주 주변의 치은 발적과 배농으로 인해 소파술을 시행하고 Cephalexin, Meloxicam, Chlorhexidine gargle을 처방하였다. **2012년 10월 11일** 지속적인 불편감을 호소하며 임플란트 제거를 강력히 원하여 잘못된 치료로 인해 임플란트를 제거하는 것이 아님을 설명하고 환자의 동의를 득한 후 **2012년 10월 22일** 제거하였다. 제거 당시 골유착이 완전한 상태였기 때문에 주변 치조골을 surgical bur로 삭제하여 제거한 후 Collagen plug를 충전하고 봉합하였다. **2012년 10월 29일** 봉합사를 제거하였으며 **2013년 4월 18일** 내원 시 관련 증상들은 모두 소멸되었으며 불편감은 없다고 하였다. 환자는 6개월 전 심장내과에서 심혈관스텐트 삽입 시술을 받았으며 관련 약물들을 복용하고 있었다**(Fig 110)**.

Problem lists

1. 임플란트 주위염, 골유착실패, 보철적 과부하 징후가 전혀 없음에도 불구하고 #47 임플란트의 지속적 통증 호소
2. 심근경색증
3. 턱관절장애
4. 우측 측두부, 교근, 목, 어깨 통증
5. 지나치게 긴 길이의 임플란트 식립

치료 및 경과

1. 임플란트 상부 보철물 철거 후 경과관찰에도 불구하고 통증 지속
2. 턱관절장애 관련 치료 권유하였으나 거부함.
3. Carbamazepine, Oxcarbazepine 투여하였으나 효과 없었음.
4. 임플란트 제거
5. 심근경색증 진단하에 스텐트 삽입술 및 약물 치료
6. 경과 양호. 임플란트 제거는 불필요한 진료였음.

Comment

- 본 증례에서 통증이 발생한 원인은 무엇일까? 처음에는 길이가 긴 임플란트(13 mm)를 식립하면서 발생한 과열(overheating) 혹은 외과적 외상(surgical trauma)으로 인한 통증을 의심하였다. 만약 외상으로 인해 임플란트 주변에 문제가 발생하였다면 변연골 흡수 및 임플란트 주위염에 준하는 증상들이 발생하였을 것이지만 이런 소견들은 전혀 관찰되지 않았다. 명확하게 진단하기 어렵고 원인이 불분명할 경우 지속적인 특발성 치아치조통증으로 진단하는 경우가 많으며 항경련제 등과 같은 약물을 투여할 경우 통증이 약간이라도 경감되는 양상을 보이지만 이 환자에서는 약물 투여에도 불구하고 증상이 전혀 호전되지 않았다. 본 증례에서는 신경병성 통증 조절 목적으로 Gabapentin, Pregabalin, Tricyclic antidepressant를 투여하지 않았던 점이 아쉬웠고 당시에 필자는 신경병성 통증 치료의 1차 치료약물로 Carbamazepine계열 약물을 선택하는 개념을 가지고 있었다. 정신적 문제로 인한 통증도 의심되었지만 이와 같은 진단은 정신건강의학과 협진 하에 매우 신중하게 이루어져야 한다. 이 환자는 심장내과에서 심근경색증 진단을 받고 지속적인 약물치료를 받고 있으며 심혈관스텐트 삽입 시술을 받았다. **환자가 적극적으로 원해서 임플란트를 제거하긴 했지만 통증이 소멸된 것이 임플란트 제거 때문이라고 생각되지 않는다. 이 환자의 심혈관스텐트 삽입 시술 시점이 임플란트를 제거한 시점과 거의 유사하기 때문에 심근경색증이 잘 조절되면서 통증이 소멸된 것으로 생각하는 것이 타당해 보인다. 심혈관질환으로 인한 연관통은 주로 좌측 턱, 치아, 안면 및 목 부위에 발생하는 경향을 보이지만 우측 혹은 양측 모두에 발생할 수도 있다는 점을 참고할 필요가 있다**(Granot M, et al; 2004).

TOUGH CASES

Case 2 > 50세 여자 환자에서 #35-37 주변의 지속적인 통증이 발생한 증례

50세 여자 환자가 #37 임플란트 치료를 목적으로 내원하였다(**Fig 111**). 의학적 병력은 gastroesophageal reflux disease로 소화기 내과 진료를 받고 있는 것 외에는 특별한 질환은 없었다. **2008년 5월 22일** #37 부위에 짧은 길이 임플란트(Osstem GS II 5 D/7 L)를 1회법으로 식립하였으며 초기 고정은 우수하였다(**Fig 112**). 술

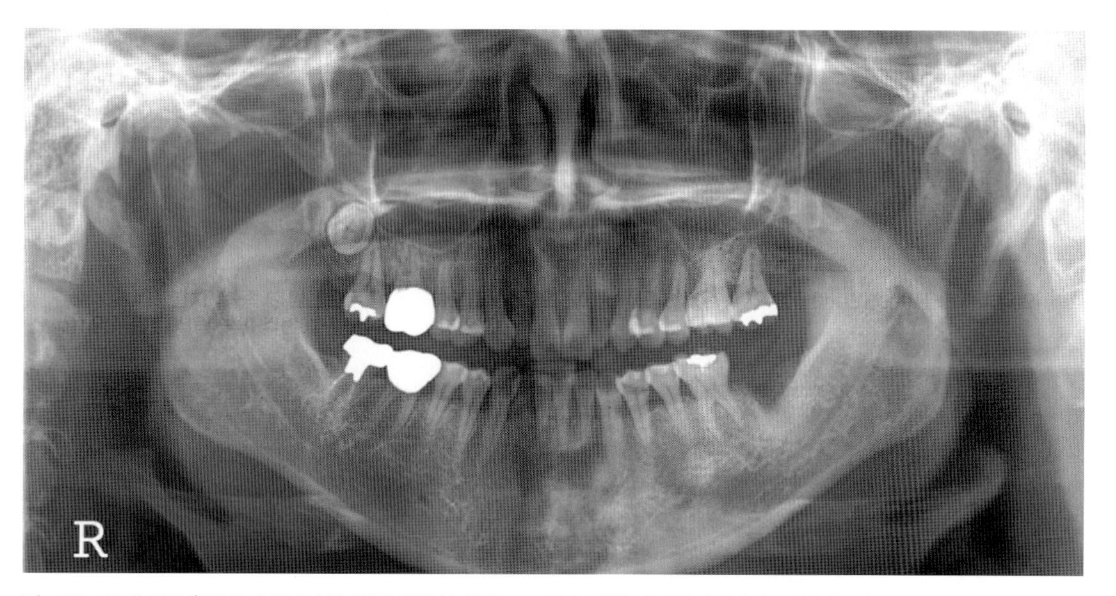

Fig 111. 50세 여자 환자의 초진 시 파노라마 방사선 사진. #37 발치 1개월 경과한 상태이며 3개월 후 임플란트 식립을 계획하였다.

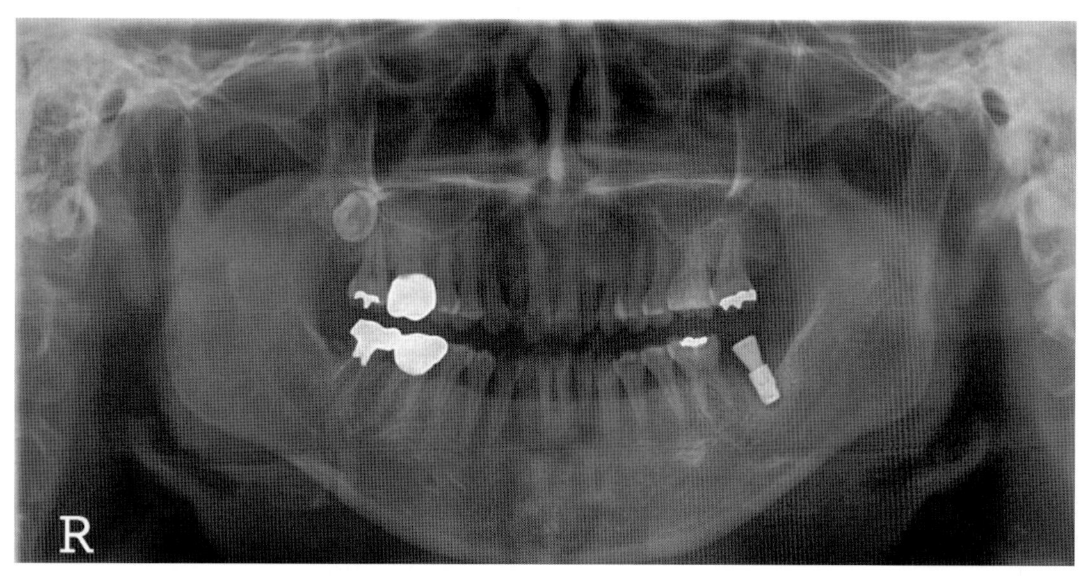

Fig 112. #37 임플란트 식립 후 파노라마 방사선 사진

CHAPTER 8

후 방사선 사진에서 하악관과 안전 거리가 잘 유지되는 것이 확인되었으며 합병증 없이 정상적인 치유가 이루어졌다. **2008년 12월 2일** 인상 채득 시 임플란트 불편감과 묵직한 통증이 가끔 발생한다고 언급하였으며 **2008년 12월 23일** 상부 보철물 연결 시 뻐근한 통증을 호소하였다(**Fig 113**). 환자는 수술 당시 통증이 매우 심했고 수술 후에도 계속 욱신거리는 통증이 지속되고 불편하였으나 시간이 지나면 나아질 줄 알고 그냥 지냈다고 언급하였다. 임시 보철물을 장착하고 경과를 관찰하였으나 **2009년 3월 3일**, **2009년 7월 20일** 내원 시에도 뻐근한 통증이 계속 있으며 오히려 음식을 씹을 때는 괜찮다고 하였다. 임상 검사 및 방사선 사진에서 변연골 소실이나 임플란트 주위염 소견은 관찰되지 않았다. 지속적인 특발성 치아치조통증으로 잠정 진단하고 Trileptal (Oxcarbazepine)을 2주 처방하였다. **2009년 8월 3일** 내원 시 #35-37 협측 잇몸이 항상 아프고 찬 것이나 뜨거운 것에 닿으면 통증이 더 심해진다고 하였다. #35, 36 치수염, 치아균열증 등의 감별을 위해 보존과 진찰을 의뢰한 결과 이상 없다고 회신되었다. 일단 #37 상부 보철물을 철거하고 치유지대주를 연결한 후 경과를 관찰하였다. **2009년 8월 17일** 상부 보철물 철거 후 통증이 완화되는 양상을 보이다가 **2009년 10월 13일** 통증이 다시 재발되었고 2-3일 간격으로 통증이 심해지며 2-3분 정도 통증이 지속되다가 저절로 사라지는 양상을 호소하였다. **2010년 3월 25일** 인상을 채득하여 보철물을 다시 제작한 후 장착하였다. 그러나 **2010년 8월 10일** 욱신거리는 자발통이 다시 재발되었고 임플란트를 빼달라고 요구하였다(**Fig 114**). 심혈관 질환 관련 연관통을 의심하고 심장내과 진찰을 의뢰하였다. 가슴 통증이 새벽과 저녁 11-12시경에 심한 경향

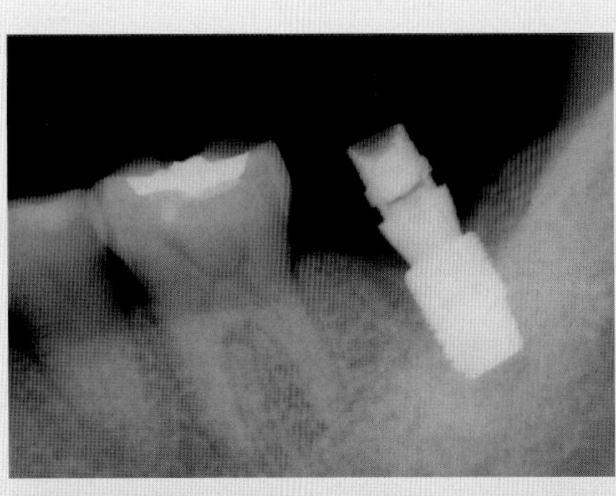

Fig 113. #37 임플란트 인상채득 시 촬영한 치근단 방사선 사진

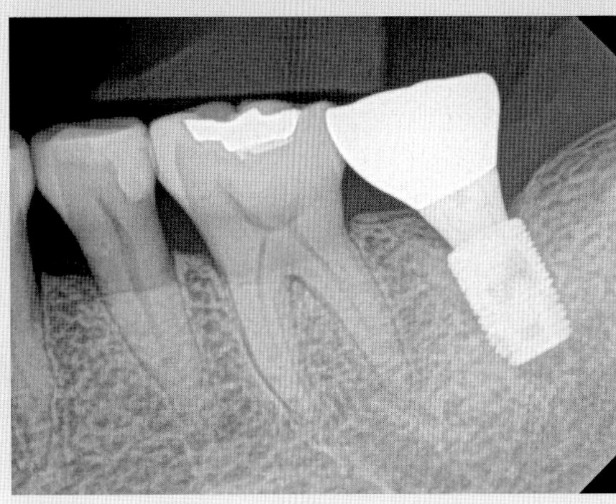

Fig 114. 최종 보철물 장착 5개월 후 치근단 방사선 사진

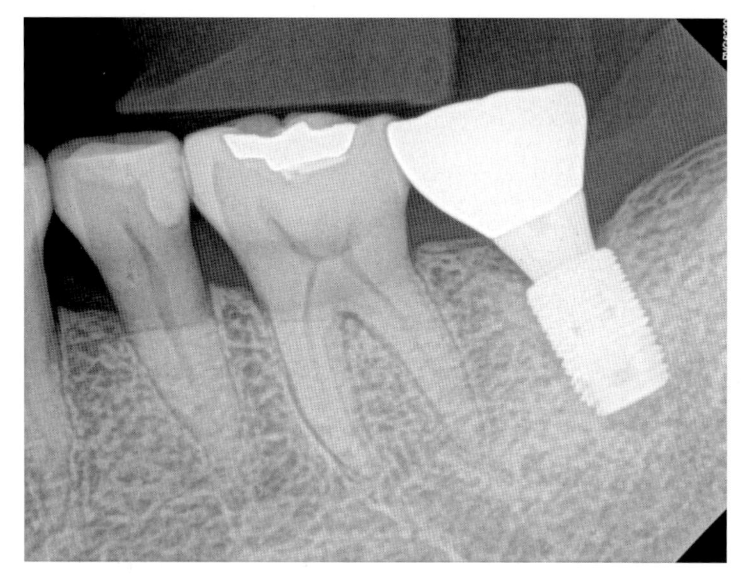

Fig 115. 최종 보철물 장착 8년 2개월 후 방사선 사진. 임플란트 주변 통증은 완전히 소멸된 상태이다.

을 보였으며 약 복용 후 증상이 현저히 완화되었고 심혈관 정밀검사는 환자가 거부하여 시행하지 않았다. 심혈관질환으로 인한 흉통 진단 하에 계속 약을 복용하고 있으며 **2013년 5월 23일** 치과 내원 시 임플란트 주변 통증은 사라진 상태였고 임플란트는 안정적인 기능을 유지하고 있으면서 정기 유지관리가 잘 이루어지고 있다(**Fig 115**).

Problem lists

1. 지속적인 특발성 치아치조통증
2. 인접치 치아균열증 혹은 치수염
3. 심혈관질환

치료 및 경과

1. Trileptal 처방했으나 효과 없었음.
2. 상부 보철물 철거 후 경과를 관찰하였으나 통증 지속됨.
3. 보존과 자문 진료 결과 이상 없음.
4. 심장내과 협진 하에 약물 치료 후 통증 소멸됨.
5. 경과 양호

Comment

● #37 임플란트 통증의 원인을 수술 도중 하악관 침범으로 인한 신경손상, 드릴링 중 과열로 인한 골손상 등으로 의심하였으나 임플란트 주위 변연골 수준이 안정적이고 임플란트 주위염이나 감각이상과 같은 신경 손상 증상은 전혀 없었기 때문에 통증과 관련이 없다고 판단된다. 보철 치료 초기의 통증은 임플란트의 골유착이 미흡한 상태에서 하중이 가해진 것이 원인일 수도 있지만 최종 보철물 장착 후 주변 골조직이 안정적으로 유지되는 상태에서도 통증이 지속된 것은 불완전한 골유착과는 무관하다고 생각된다. 지속적인 특발성 치아치조통증을 생각해 볼 수 있지만 Trileptal 복용 후 통증이 전혀 완화되지 않았고, 오히려 더 심해지는 양상을 보였다. 본 증례에서는 지속적인 특발성 치아치조통증 조절 목적으로 Gabapentin, Pregabalin 혹은 Tricyclic antidepressant를 처방하지 않았던 점이 아쉬웠고 당시에 필자는 신경병성 통증 치료의 1차 치료약물로 Carbamazepine 계열 약물을 선택하는 개념을 가지고 있었다. 정신적 문제로 인한 통증도 의심되었지만 이와 같은 진단은 정신건강의학과 협진 하에 매우 신중하게 이루어져야 하며 치과 진료 도중에 정신적으로 이상한 징후는 전혀 관찰되지 않았다. **심장내과 진찰 후 심혈관질환으로 인한 흉통 진단 하에 계속 약을 복용하면서 임플란트 통증이 사라진 것으로 보아 심혈관질환 관련 연관통으로 진단하는 것이 타당해 보인다.**

Case 3 > 61세 남자 환자에서 #46 임플란트 주변 통증이 지속된 증례

2012년 9월 3일 61세 남자 환자에서 #46 부위에 1회법으로 임플란트(Zimmer 4.7 D/8 L)가 식립되었다. 의과적 병력은 고혈압이 있었고 약물로 잘 조절되는 상태였다**(Fig 116, 117)**. **2012년 11월 29일** 상부 보철물이 장착되었는데 **2012년 12월 14일**부터 #46 임플란트와 대합치의 통증이 발생하였다가 저절로 소멸되었다. **2013년**

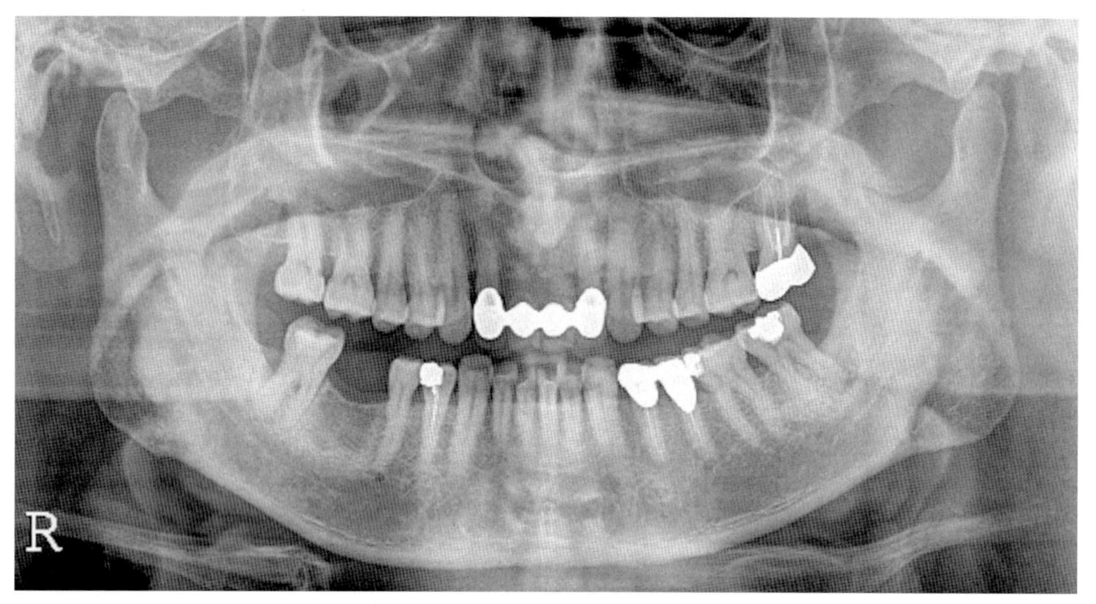

Fig 116. 61세 남자 환자의 초진 시 파노라마 방사선 사진.

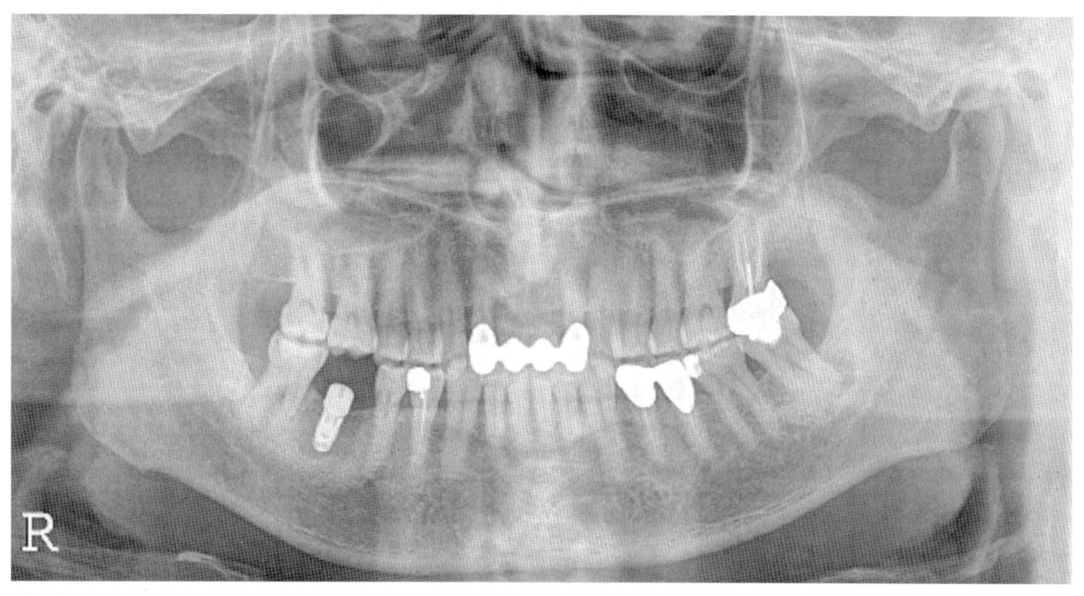

Fig 117. #46 임플란트 식립 후 파노라마 방사선 사진.

1월 28일 저작 시 #46 임플란트 주변의 통증이 심하며 가만히 있어도 욱신거리는 통증이 존재한다고 호소하였다**(Fig 118)**. 치태관리와 구강위생관리법을 설명하고 경과를 관찰하였다. **2013년 5월 9일** 임플란트 통증이 계속된다고 하여 상부 보철물을 철거하고 Osstell Mentor로 안정도를 측정한 결과 84 ISQ를 보였다**(Fig 119)**. 임플란트 주변 염증이나 변연골 소실은 전혀 존재하지 않았으며 상부 보철물을 다시 연결하였다. 환자는 임

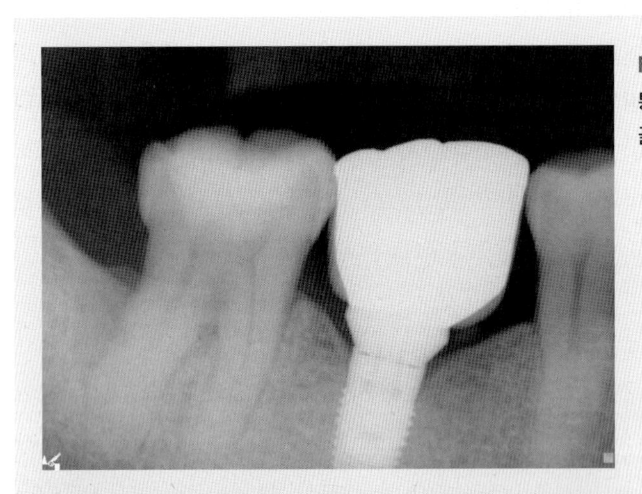

Fig 118. 상부 보철물 장착 후부터 임플란트 주변 통증을 호소하기 시작하였다. 임플란트 주변 변연골은 안정적인 소견을 보이고 있다.

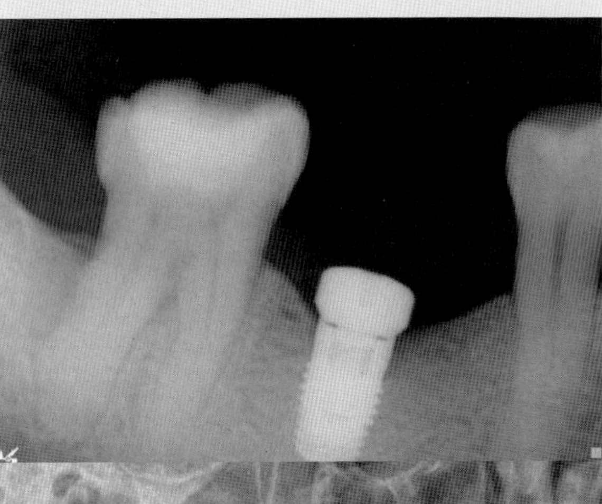

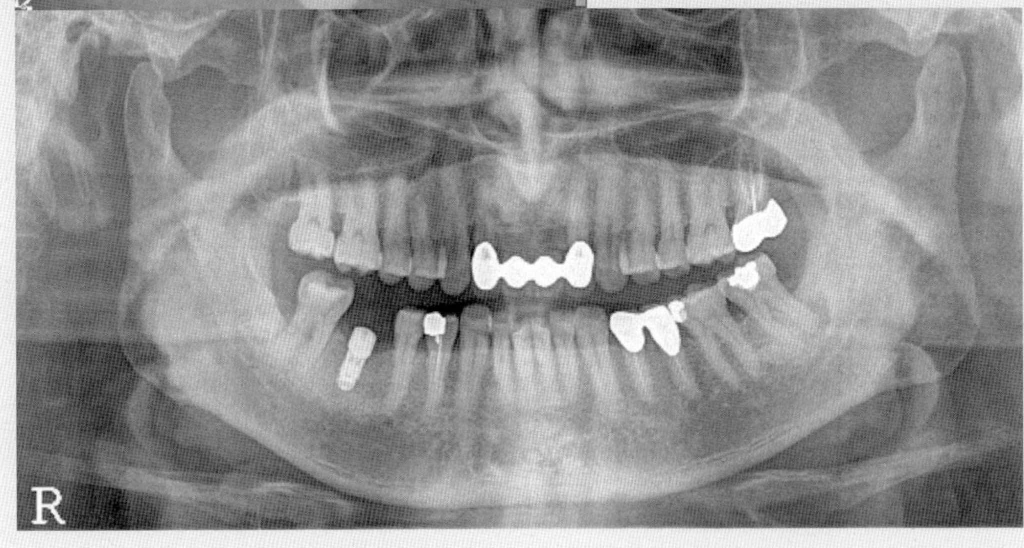

Fig 119. 임플란트 주변 통증이 지속되어 상부 보철물을 철거한 후 촬영한 방사선 사진. 임플란트 주변 염증이나 변연골 소실은 전혀 관찰되지 않았다.

TOUGH CASES

플란트가 아프다고 확신하고 있으나 인접한 #47 치아의 균열증과 같은 다른 요인들이 관여할 수도 있으므로 질기고 딱딱한 음식을 씹어보라고 권유하였다. **2013년 5월 20일** 내원 시 환자는 #46 임플란트가 아픈 것이 분명하며 협측 전정부를 누르면 아프다고 호소하였다. 보존과에 인접치 상태 평가를 의뢰한 결과 이상 소견들은 발견되지 않았다. **2013년 7월 5일** #46-47 주변에 음식물이 많이 끼고 통증이 지속된다고 하여 #46 임플란트 보철물의 형태를 조정해 주었다. **2013년 7월 15일** 부드러운 음식은 씹을 수 있지만 양배추와 같은 채소를 씹을 수 없고 오히려 딱딱한 음식은 잘 씹는다고 하였다. **2013년 8월 26일** 내원 시 통증은 많이 감소되었으나 음식물이 끼는 증상은 더 심해졌고 인접치아가 밀리는 느낌을 호소하면서 임플란트 상부 보철물을 다시 만들어 달라고 요구하였다. 임플란트 협측에 각화부착치은의 양이 부족한 것이 원인일 수도 있으며 각화치은 형성을 위한 치은이식술에 대하여 설명하였다. **2013년 10월 10일** 협측 피판을 부분층으로 거상하여 하방으로 이동시키고 협측 전정부에 골막을 2 mm 정도 제거하는 fenestration procedure를 시행하고 협측 골막 상방에 MegaDerm을 이식하였다. **2014년 1월 13일** 임플란트 주변의 자발통과 음식 씹을 때의 통증, 시린 증상이 여전히 존재하고 있었으며 심혈관질환 관련 통증을 의심하고 심장내과에 진찰을 의뢰하였다. 언덕에 올라가면 조금 숨이 차고, 빨리 걸으면 숨이 가빠지면서 가슴이 답답해지는 증상이 있었다. 심전도, 심장초음파 등 내과적 정밀검사를 시행하였고 심근경색증으로 진단받은 후 약물치료를 받고 있다. 현재 임플란트 주변 통증은 없는 상태이다(**Fig 120**).

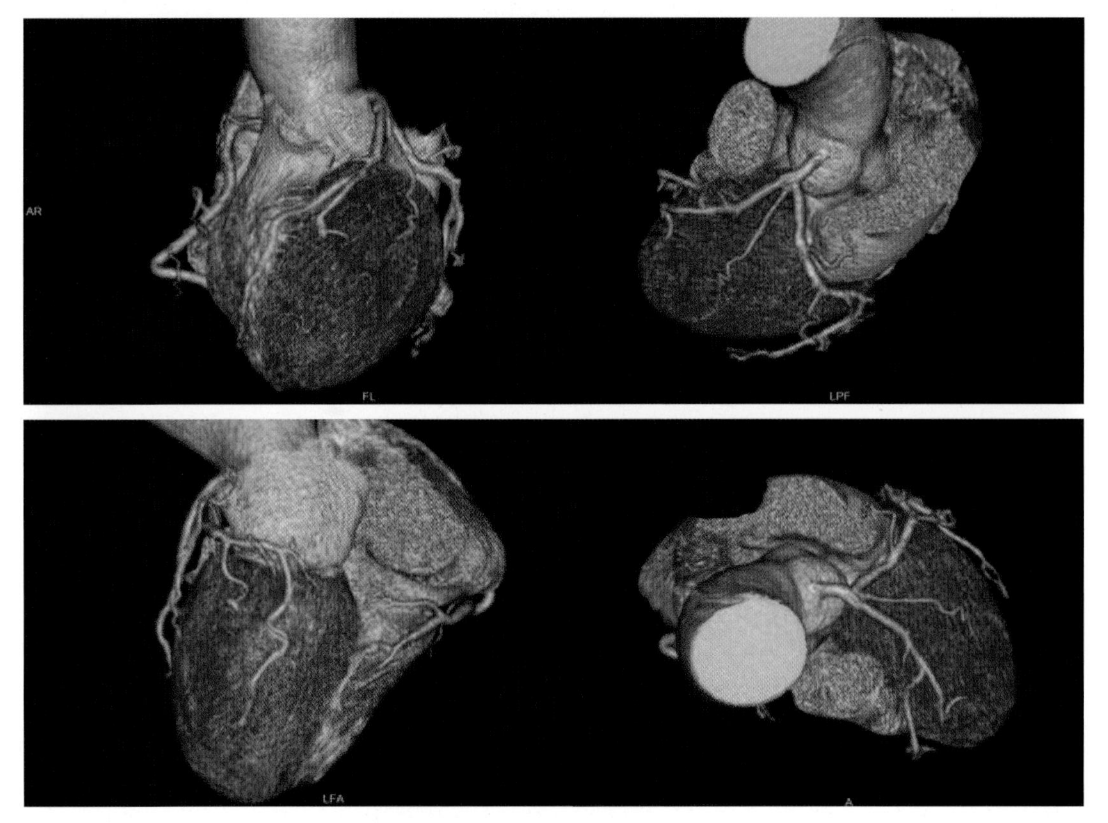

Fig 120. 심장 CT 등 정밀검사 후 관상동맥질환이 발견되어 약물치료를 받고 있다.

Problem lists

1. 지속적인 임플란트 주변 통증
2. 지속적인 특발성 치아치조통증과 같은 신경병성 통증에 대한 감별진단이 이루어지지 않음.

치료 및 경과

1. 임플란트 상부 보철물 철거 후 평가
2. 보존과 자문
3. 상부 보철물의 형태 조정
4. 협측 각화부착치은 형성을 위한 치주수술
5. 심장내과 자문 진료 후 심근경색증으로 진단받고 약물치료가 시행되면서 임플란트 주변 통증 소멸됨.
6. 경과 양호

Comment

- 본 증례는 지속적인 특발성 치아치조통증, 정신적 통증에 대한 감별진단이 전혀 이루어지지 않았던 문제점이 있다. 즉 임플란트 인접치의 균열증, 임플란트주위질환, 각화치은 부족으로 인한 구강위생 불량 등이 통증의 원인일 수 있다고 생각하고 치료하였으며 통증 관련 약물치료가 전혀 시도되지 않았던 점이 아쉽다. 그러나 추후 **심장내과에서 심근경색증으로 진단받고 약물치료를 받고 있으며 임플란트 관련 통증이 소멸된 것으로 볼 때 심혈관질환 관련 연관통으로 진단하는 것은 무리가 없다고 생각된다.** 심혈관질환으로 인한 연관통은 주로 좌측 턱, 치아, 안면 및 목 부위에 발생하는 경향을 보이지만 드물게 우측 혹은 양측 모두에 발생할 수도 있다(Granot M, et al; 2004).

Table 6. 심혈관질환 관련 통증 증례 요약

증례	나이	성별	의학적 병력	부위	증상 시작	약물	예후	치료기간(월)
1	74	여	갑상선저하증, 고혈압	#47 임플란트, 우측 악하부, 측두부, 어깨, 목	#47 임플란트 보철물 장착	Tegretol, Trileptal, cephalexin, meloxicam, chlorhexidine gargling, 임플란트 제거, 심근경색증 약물 치료, 심혈관스텐트 삽입	G	5년 2개월
2	50	여	Gastroesophageal reflux disease	#35–37	#37 임플란트 보철 인상채득	Trileptal	G	4년 5개월
3	61	남	고혈압	#46 임플란트	#46 임플란트 보철물 장착	치은이식술, 보철물 조정, 심근경색증 약물 치료	G	1년 1개월 이상

*G: good

CHAPTER

9

정신적 구강안면통증

TOUGH CASES 치과진료 후 발생하는 골치 아픈 증례들

CHAPTER 9

Table 7 정신적 구강안면통증

Psychogenic Orofacial Pain

만성적인 구강안면통증은 신체화장애(somatization disorder) 등이 동반되는 여러 정신질환들과 관련되어 있는 경우가 많다. 정신적 구강안면통증을 진단하기 위해서는 정신과적 기질성 장애(organic disorder)가 배제되어야 하고, 정신과적인 특정 진단 기준이 적용되어야 하므로 치과의사가 단독으로 수행하기에는 제한이 있으며 정신건강의학과 전문의에게 의뢰하는 것이 필요하다(Sarlani E, et al; 2005, Kang JK, et al; 2018).

정신적 구강안면통증의 경우 양측성 통증 및 다수 치아들로 통증이 전이되고 통증이 해부학적 및 생리학적 양상과 부합되지 않는다. 통증 부위와 양상이 시간에 따라 변하고 환자 본인도 통증의 발병 시기, 특징, 부위에 대해 잘 설명하지 못한다. 치과적 치료에 반응이 거의 없거나 이상 반응이 나타나며 스트레스와 같은 심리적 요인이 통증을 증가시킬 수 있고 정신건강의학과 혹은 신경과를 비롯한 다양한 의과 치료 병력을 가지고 있는 경우가 많다. 신경병성 통증과는 병태생리가 다르며 정확한 통증의 원인과 기전을 알 수 없다. 치료는 정신건강의학과의 협진 치료가 필요하며 치과의사 단독으로 해결하는 것은 매우 어렵거나 불가능하다. 치과 의료기관에서는 Symptom checklist 90-revised (SCL-90-R)를 이용한 검사를 시행하여 증상 파악에 도움을 받을 수 있다(Baad-Hansen L; 2008, Miura A, et al; 2018)(**Box 28**).

많은 논문들과 통증 관련 서적에서 정신적 통증을 신경병성 통증(neuropathic pain)의 일종인 비정형 안면통(atypical facial pain), 비정형 치통(atypical toothache), 환상치통(phantom toothache)으로 명명하기도 하였으며 최근 분류법인 지속적인 특발성 안면통(치아치조통증)과 혼동하여 사용하기도 한다(Bates RE Jr, et al; 1991, Marbach JJ; 1993, Miura A, et al; 2018). 필자는 환자의 정신적 문제가 깊게 관여하면서 신체화장애가 동반되는 통증을 정신적 통증(심인성 통증)으로 진단하며 신경병성 통증과는 분명한 차이가 있으며 진단 및 치료 방법도 달리 적용해야 한다고 생각한다.

Box 28 정신건강의학과 진료 의뢰 시 유념해야 할 사항들(최재갑 등; 2019, Porporatti AL, et al; 2017)

1. '정신과적 질환'으로 쉽게 단정하지 말고 "심리적 문제들이 구강내 증상에 영향을 미칠 가능성이 있을지도 모른다"라고 환자에게 설명하면서 적절한 진단과 치료를 받을 수 있도록 하는 것이 치과의사의 역할이다. 가령 "이런 통증은 치과적 질환 혹은 이미 시행된 치과 치료와 거의 연관성이 없으며 심리적 측면이 관여할 수 있기 때문에 관련 전문가에게 진찰을 받아 보는 것이 좋습니다"라고 설명한다.

2. 가장 조심해야 할 것은 '스트레스' 혹은 '마음의 문제'라는 표현을 치과의사가 안이하게 사용하는 것이다. "정신질환이 있어서 정신건강의학과에 의뢰하는 것이 아닙니다. 정신건강의학과에서는 스트레스, 만성통증과 관련된 심리적 변화, 만성통증의 진단 및 치료를 담당하며 치과와 협진할 경우 좋은 결과를 얻을 수 있습니다"라고 설명하면서 진료를 권유한다.

3. 불충분한 정신의학적 지식을 바탕으로 설명할 경우 정신건강의학과 전문의가 진찰 및 치료를 할 때 어려움을 겪고 환자가 혼란을 일으켜 치료를 더 곤란하게 만든다.

4. 치과에서 처방한 약물 중 항우울제가 있는데 이것은 정신질환 치료를 목적으로 사용한 것이 아니라는 점을 미리 설명해 두어야 한다. 저용량으로 복용할 경우엔 만성통증을 완화시키고 수면을 유도하는 효과가 있어서 턱관절장애, 신경병성 통증과 같은 만성통증 치료에 유용하게 사용되고 있음을 강조해야 한다.

5. 정신건강의학과 진료 중에도 치과 진료가 병행될 것임을 약속함으로써 환자를 안심시키고 치과에서 진료를 포기한다는 인상을 주지 않도록 노력한다. 또한 겉보기에 문제가 없다고 생각되었던 통증도 시간이 경과하면서 통증의 종류가 변하거나 기질적 질환이 발견되는 경우도 있으므로, 반드시 치과에서 정기적인 진찰을 받도록 권한다.

Case 1 > 53세 여자 환자에서 임플란트 치료 후 이상 통증 및 교합 불편감을 지속적으로 호소한 증례

2016년 10월 13일 53세 여자 환자가 #36, 37 유동성 및 통증, 치은 종창을 주소로 내원하였다**(Fig 121)**. 3년 전부터 증상이 시작되었지만 외국에 장기간 체류하였기 때문에 치료를 받지 못했다고 하였다. 의과적 병력은 고혈압, 고지혈증에 대해 약물 치료를 받고 있는 상태였다. 초진 당일 #36, 37을 발치하였는데 국소마취 이후 우측 팔이 빠지는 듯한 이상 증상을 호소하였다. 전반적인 치주치료를 진행한 후 **2017년 1월 2일** #36, 37 부위에 임플란트를 식립하고 골유도재생술을 병행하였다**(Fig 122, 123)**. 10일 후 봉합사를 제거할 때 양측 측두부 통증과 촉진 시 압통을 호소하여 치과치료 후 발생한 일시적인 근육성 통증(TMD 1형, 근육성 턱관절장애)으로 판단하고 레이저 치료를 시행한 후 Naxen–F (Naproxen 500 mg bid)을 1주 처방하였다. **2017년 1월 20일** #36 임플란트 식립 부위 협측에 누공이 발생하여 소파술을 시행한 후 항생제(Autgmentin 625 mg bid for 5 days)를 처방하였다. 이후 좌측 측두근, 턱관절 주변과 교근 압통, 아침에 턱이 뻐근하게 아프고 상하악 치아들 전체가 아프다고 하였다. Naxen–F 500 mg bid, Sensival (Nortriptyline 10 mg) qd를 처방하고 경과를 관찰하였으나 증상이 호전되지 않아 야간 이악물기와 같은 구강 악습관으로 인한 근육성 턱관절장애로 잠정 진단하고, 안정위 스플린트(stabilization splint)를 제작하여 장착해 주었다. **2017년 3월 21일** 2차 수술을 시행하였으며 임플란트 2차 안정도(오스텔 #36:79, #37:85 ISQ)는 매우 우수하였다. 그러나 **2017년 4월 17일** 내원 시 두통, 좌측 턱관절 잡음 및 촉진 시 압통, 양측 측두부 통증이 매우 심하며 밤에 누우면 통증이 심해서 잠을 잘 못

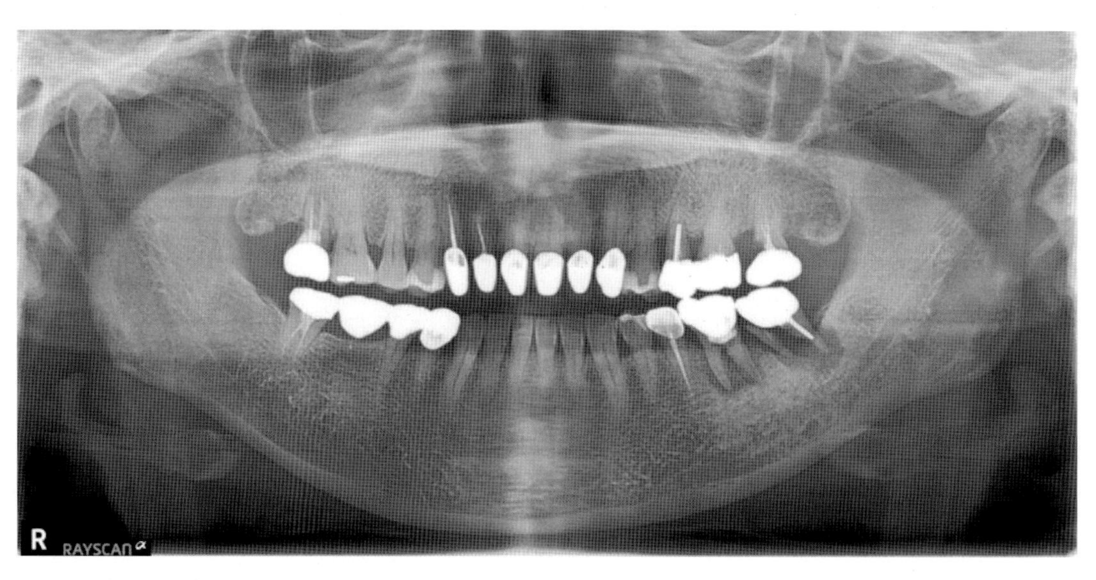

Fig 121. 53세 여자 환자의 초진 시 파노라마 방사선 사진. #36, 37 치근단 방사선 투과성 병소가 관찰되며 발치를 결정하였다.

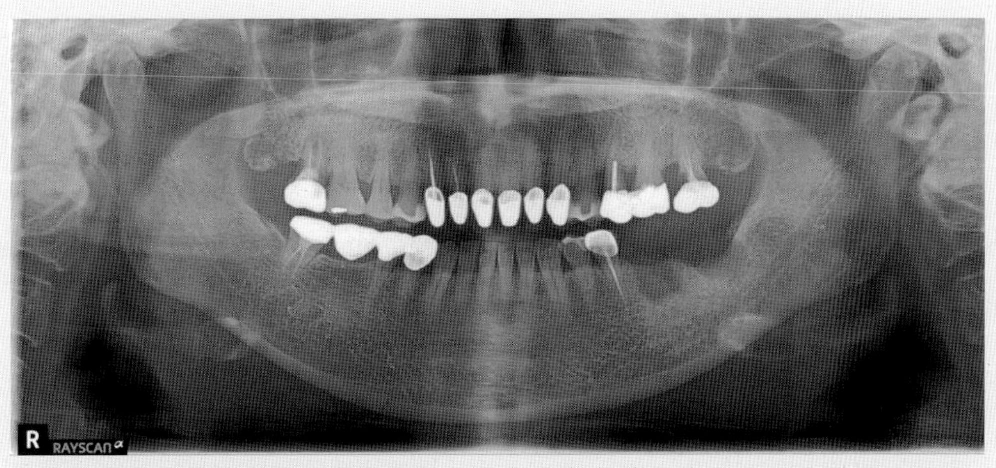

Fig 122. 임플란트 식립 전 파노라마 방사선 사진

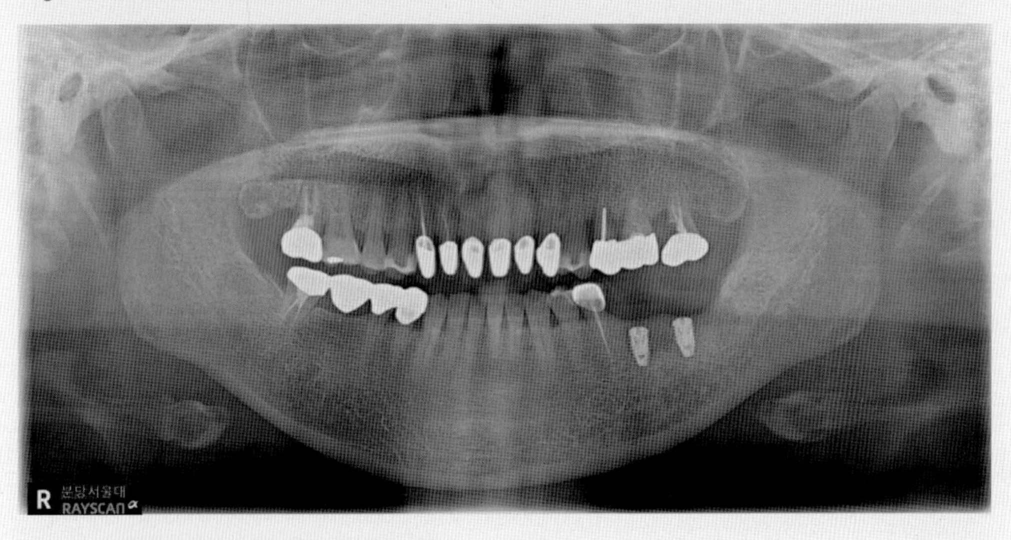

Fig 123. 임플란트 식립 후 파노라마 방사선 사진

잔다고 하였다. 통증이 하루 종일 지속되며 음식을 거의 먹지 못할 정도라고 하여 통증 조절 목적으로 양측 측두근과 교근에 BTXA (한 부위 25 U씩 총 100 U)를 주사하고 Sensival을 처방한 후 뇌신경센터 협진을 의뢰하였다. 주사 1주 후 증상은 많이 호전되었으며 뇌신경센터 정밀 검사 결과 이상 소견은 전혀 발견되지 않았다. **2017년 5월 8일** 레이저 치료 및 장치 조정을 시행하였고 Ultracet (Tramadol 37.5 mg/AAP 325 mg) bid 1주 처방하였으며 기존에 투여하던 Sensival을 25 mg으로 증량 투여하였다. **2017년 6월 19일** 임플란트 보철물을 임시로 장착하였으나 이후부터 이상 증상을 호소하면서 예약일에 상관없이 수시로 내원하였다(Box 29).

Box 29 **환자가 호소하였던 이상 증상 및 치료**

1. **2017. 6. 28** 좌측 눈의 경직증, 두통, 입 안에서 심한 냄새가 나고 얼굴이 경직되면서 입술 중앙선도 맞지 않는다고 호소
2. **2017. 7. 10** *"좌측 안면 경직증, 이어폰 끼고 소리 들을 때 이마 주변과 좌측 얼굴 반쪽 경직증이 더 심해진다. 입술과 구각부가 처지면서 좌우 균형이 안 맞는다. 신경학적 검사를 원한다."* → 뇌신경센터 진료 의뢰
3. **2017. 7. 13** *"#36–37 임플란트 주위 잇몸 통증. 잇몸에 이상한 뼈 조각이 박혀 있다. 저작 시 섬유질을 씹는 것 같은 이상한 느낌이 있으며 교합이 높은 것 같다."*
4. **2017. 9. 20** *"좌측 상악골과 안와 하방이 뻣뻣하고 붓는 느낌이다. 치아 배열이 나빠진 것 같다."*
   #27 치관 파절, 상악 전치부 치은 종창 및 출혈 → Suprax (Cefixime 100 mg bid), Naxen–F (Naproxen 500 mg bid) 5일 처방
5. **2017. 10. 19** #25–26 잇몸 불편감. 좌측 뺨 떨리는 증상 호소, #35–36 부위 음식물 침착 및 간헐적 통증, 뇌신경센터 정밀검사에서는 이상 없음 → Mesexin (Methylol cephalexin lysinate 500 mg bid), Methylon (Methylprednisolone 4 mg bid) 처방

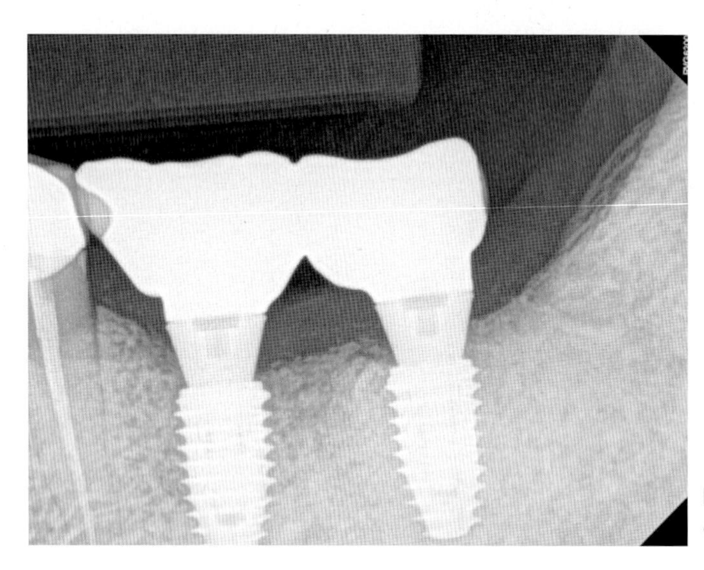

Fig 124. 상부 보철물 장착 후 치근단 방사선 사진. 임플란트 식립 1년 후 보철물이 장착되었다.

2017년 11월 21일 파절된 #27을 발치하였고 2018년 1월 8일 #36–37 부위 최종 보철물을 장착하였다**(Fig 124)**. 이후 유지관리를 시행하는 중에도 지속적으로 이상 증상을 호소하면서 수시로 예약 없이 내원하였다(Box 30). **2018년 1월 23일** #27 임플란트를 1회법으로 식립(CMI 5 D/10 L, Osstell 81 ISQ)하였으며 초기 안정도는 매우 우수하였다. **2018년 8월 8일** 인상 채득 후 2018년 8월 23일 임시 보철물을 장착하였다. 환자는 계속 이해할 수 없는 이상 증상들을 호소하였으며 정신건강의학과 치료를 3회 받다가 자신의 증상들은 치과적 문제라고 단정하고 치료를 중단하였다. **2019년 3월 21일** #27 상부 보철물이 장착되었다. **2020년 7월 13일** 내원 시 "음식을 오래 씹으면(환자 본인의 진술에 의하면 30–50회 저작) 턱이 아프고 치아들이 아프다", "오래되었는데도 이런 증상들이 없어지지 않는다", "이 전에 레이저, 약물치료 등 받았으나 해결되지 않았다"라고 호소하였으며 임상 및 방사선 검사, 교합 검사에서는 전혀 이상 소견들이 발견되지 않았다(Box 31). "정신적 구강

Box 30 **#36-37 임플란트 유지관리 기간 중에 발생한 이상 증상 및 치료**

1. **2018. 1. 8** 임플란트 주위 치은 출혈, 좌측 하악골 우각부 돌출감 호소. *"가끔 턱관절이 불편하고 이를 악 무는 증상이 심해지고 있다."* → 스플린트 조정 및 #36-37 임플란트 주위 소파술, Azitops (Azithromycin 250 mg qd), Clanza CR (Aceclofenac 200 mg 1d) 1주 처방
2. **2018. 1. 15** *"#26-27 임플란 주위 잇몸이 헐고 불편하다."* → Chlorhexidine 세정술 후 레이저 치료
3. **2018. 2. 2** #27 임플란트 수술 후 심한 두통. *#36-37 임플란트 주위 잇몸이 불편하다.*
4. **2018. 4. 16** *"입천장에 염증이 있는 것 같다. #27 임플란트 구개측 잇몸이 빨개지고 쓰리다. 대상포진이 아닌지 걱정된다."* → Dexamethasone gargle 0.1%, Ad-muc ointment 10 mg 통증 부위에 하루 2-3회 도포
5. **2018. 5. 4** 좌측 교근 부위 돌출감 호소 → 이상 없다고 설명하고 아무런 처치도 하지 않음.
6. **2018. 5. 18** 좌측 뺨, 교근 부위 통증 호소. 촉진 시 압통이 심하고 점점 심해진다고 함 → 교근 부위에 Ethyl chloride spray & stretching, 레이저 치료를 시행하고 Clanza CR 200 mg qd, Sensival (Nortriptyline 10 mg qd) 1주 처방
7. **2018. 6. 4** *"좌측 교근과 뺨 통증이 심하고 음식 씹을 때 교근 부위가 튀어나오며 이상하다."*
   → Ethyl chloride spray & stretching, 레이저 치료를 시행하고 Naxen-F (Naproxen 1,000 mg) qd, Sensival 10 mg qd 2주 처방
8. **2018. 6. 18** 불편하다며 예약 없이 내원함. *"좌측 교근과 목 부위가 당기고 뭉치면서 통증이 심해진다."* 임플란트 치료 후 이런 증상이 생겨서 몹시 힘들고 평생 영구적인 장애로 남는 것이 아닌지 걱정된다고 함
   → Sensival 25 mg qd, Neurontin (Gabapentin 100 mg tid) 2주 처방하고 환자에게 이런 증상으로 불시에 내원하지 말고 반드시 정해진 예약 일에 맞춰서 내원하라고 적극 권고
9. **2018. 6. 29** *"턱관절 스플린트 착용해도 전혀 효과가 없고 오히려 아침에 #23, 24 치아가 아프다. 좌측 안면부, 목이 계속 아프고 좌측 뺨이 함몰되었다."* 자신의 모습을 스마트폰으로 촬영한 것 가져와서 얼굴이 변했다고 주장함 → 치과적으로 이상 소견 전혀 없음을 설명하고 환자가 원하는 대로 정밀검사(근전도 검사) 및 타과(재활의학과) 협진 의뢰 → 이상 없고 특별한 치료가 필요 없다는 의견이 회신됨.
10. **2018. 7. 2** 의무기록지 사본을 요청하고 병원 고충처리실에 민원 접수
11. **2018. 8. 13** 좌측 뺨과 교근 부위 통증, #35 통증 호소 → 레이저 치료 후 환자가 호소하는 증상들 모두 치과질환과 연관성이 없으며 임플란트는 정상적이라고 설명한 후 정신건강의학과 협진 의뢰
12. **2018. 9. 14** 손가락 불편감 호소하여 류마티스내과 진찰 의뢰

안면통증", "교합불쾌감각증" 추정하에 현재의 상태는 심각한 병적 질환이 아니고 해 줄 치과적 치료도 없으며 환자 스스로 적응하면서 지내는 것이 최선의 방법이라고 설명하였으며 앞으로는 1년 주기로 임플란트 유지관리 목적으로만 내원하시라고 설명하고 치료를 종료하였다**(Fig 125)**.

Box 31 **#27 임플란트 보철 치료 이후 이상 증상 호소**

1. **2018. 10. 29** *"오래 씹으면 이가 불편하다. 잇몸이 얼얼하다. 우측으로만 주로 씹는다. 좌측으로 씹으면 뭔가 딱딱거리는 소리가 나서 잘 안 씹게 된다."*
2. **2018. 12. 3** *"양측 교근 통증, 좌측으로 씹으면 좌측 턱선 부위가 불편하다."*
3. **2019. 1. 7** *"전반적으로 잇몸이 부었고 좌측 악하부가 불편하다."*
4. **2019. 3. 14** *"전치부가 먼저 접촉되며 불편하다."* → 교합조정 시행
5. **2019. 4. 10** *"우측이 좌측보다 교합이 더 세다. 혀가 저리고 불편하다."*
6. **2019. 4. 22** *"#27 임플란트 부위를 교합면 방향에서 누를 때 좌측 관골부까지 통증이 동반된다."* → 상부 보철물을 철거하고 치유 지대주로 교체 연결
7. **2019. 4. 25** *"#27 임플란트 건드릴 때 좌측 광대뼈가 아프다. 임플란트 자체는 아프지 않다."* 양측 턱관절 주변과 교근, 좌측 광대뼈 부위 촉진 시 압통. 신경관련 검사를 다시 받고 싶다고 함 → 레이저 치료 및 스플린트 조정, Neurontin (Gabapentin 100 mg) tid, Sensival (Nortriptyline 10 mg) qd 1주 처방, CBCT 검사에서 임플란트 및 좌측 상악동 이상 소견 발견되지 않음.
8. **2019. 4. 29** #27 임플란트 보철물 재연결
9. **2019. 5. 3** *"#27 임플란트 부위로 저작 시 2시간 동안 좌측 광대뼈에 우리한 통증이 지속된다."* Neurontin은 어지럼증 등 부작용 심해서 복용 중단함. 코에서 이상한 냄새가 나서 이비인후과 진료받았으나 이상 없었다고 함. → 더 이상 치과적 치료를 할 것이 없다고 설명함.
10. **2019. 10. 14** 구내염이 자주 생기며 #27 임플란트와 측두 부위 간헐적 통증 호소. *"양측 교근 부위도 자주 아프다."*

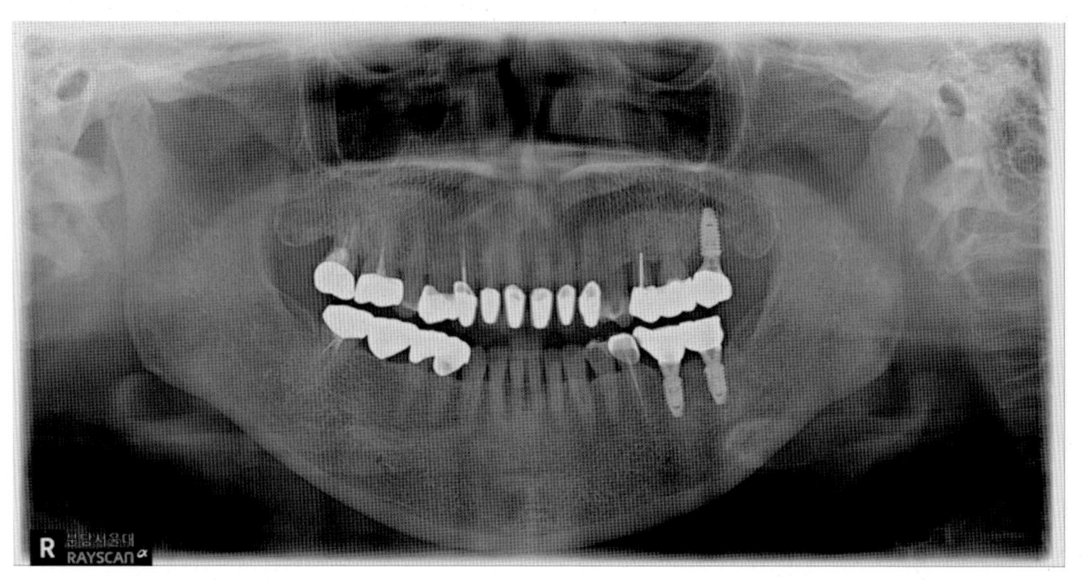

Fig 125. 2020년 7월 13일 촬영한 파노라마 방사선 사진

Problem lists

1 턱관절장애, 이악물기
2 술 후 감염
3 지속적인 이상 증상 호소
4 #27 파절
5 예약 없이 수시로 내원함.

치료 및 경과

1 #36, 37 임플란트 치료
2 턱관절장애 치료: 약물, 물리치료, 안정위 스플린트
3 감염치료: 소파술 및 항생제 투여
4 보툴리눔독소 주사
5 뇌신경센터 협진
6 정신건강의학과 협진
7 #27 발치 후 임플란트 치료
8 임플란트 유지관리
9 예후 불량

Comment

● 독자들도 반드시 이런 유형의 환자들을 접하게 될 것이며, 이미 접해 본 치과의사들도 많이 있을 것으로 예상된다. 본 증례는 #36-37 임플란트 치료 이후부터 이상 증상들을 호소하기 시작하였다. 저작근 관련 문제점, 턱관절장애, 임플란트 식립 후 협측 치은 감염 등과 같은 것은 원인이 분명하기 때문에 항생제, 소염진통제, 물리치료 및 스플린트 치료를 통해 잘 해결할 수 있었다. 그러나 마취 후 팔이 빠지는 느낌, 두통, 하악 좌측 구치부 임플란트 치료 후 발생한 주변 통증들이 시간이 경과하면서 소멸되고 #27 임플란트 주변 통증이 나타나기 시작한 것은 이해할 수 없는 증상들이었다. 지속적으로 이해할 수 없는 안면 통증, 구강 내 통증, 안모변화, 교합이상 등을 호소하였으며 임플란트 등 치과적 문제는 전혀 없었다. 뇌신경센터, 재활의학과 등에서 정밀검사를 받은 후 의학적으로도 이상 소견들은 전혀 발견되지 않았다. 정신건강의학과 치료 필요성이 적극 고려되었지만 3회 정도 진료를 받다가 환자 본인이 일방적으로 치료를 중단하였다. Gabapentin, Nortriptyline과 같은 약물치료와 턱관절 관련 치료에도 전혀 반응을 보이지 않았다. 이와 같은 점들을 고려할 때 **지속적인 특발성 안면통증과 같은 신경병성 통증에는 부합되지 않으며 신체화증 및 근육성 턱관절장애가 동반된 정신적 통증으로 최종 진단하는 것이 타당하다고 생각된다.**

본 증례는 통증이나 교합이상을 초래할 만한 치과적 질환이나 임플란트 이상 소견이 전혀 없었다. 교합불쾌감각(occlusal dysesthesia)은 6개월 이상 교합과 관련된 지속적인 불편감과 감각이상을 호소하는 경우로서 교합치료, 근관치료, 치주치료, 턱관절이나 저작근에 대한 어떠한 치료에도 반응을 보이지 않는다. 또한 교합불쾌감각을 호소하는 환자들의 84%가 정신질환이 동반되어 있다고 한다(Clark G, et al; 2003, Wake H; 2009, Tamaki K, et al; 2016). **환자가 호소하는 주관적 불편감을 해결하려고 최대한 노력하는 것이 원칙이지만 치과적 원인이 전혀 없는 경우엔 치과의사의 명확한 태도가 중요하다. 즉 환자에게 무한정 끌려가서는 안 된다는 것이다. 현재 진료 중인 정신건강의학과 진료를 꾸준히 받도록 하며, 환자가 호소하는 불편감이 치과적 질환과 전혀 무관하며 정상적이라는 점을 분명하고 단호하게 설명해야 한다. 동일한 증상을 호소하면서 비정기적으로 내원하여 진찰받는 것을 허용해선 안된다. 3-6개월의 정기 관찰 기간을 정하고 반드시 예정된 날짜에 내원하라고 강하게 충고하는 것이 필요하다.** 본 증례를 돌이켜 생각해볼 때 환자의 불편감을 해소하려고 교합조정, 보철물 철거 후 재연결, 임플란트 주위염 소견이 없음에도 불구하고 임플란트주위 소파술 등과 같은 치료를 시행한 것은 잘못이었다고 생각된다. 정기적인 검진으로 구강관리를 시행하면서 걱정해 주는 자세는 필요하지만 환자의 요구대로 치과치료를 시행할 경우 증상은 해소되지 않고 환자의 불만은 계속 증가하게 된다. 환자를 설득해서 정신건강의학과 진료를 반드시 받도록 했어야 한다.

Case 2 > 72세 여자 환자에서 임플란트 식립 후 이상 통증 및 불편감이 지속된 증례

72세 여자 환자가 상하악 다수 임플란트 치료를 목적으로 내원하였다. 전신 건강상태는 양호하였으며 #26, 27, 36, 37, 17, 45 부위 임플란트 식립을 계획하였다. 타 치과에서 1년 전 치료받은 #25 보철물이 대합치와 잘 교합되지 않고 있으며 #26-27 부위 협측 치조골 흡수가 심한 상태여서 임플란트 치료 후 반대교합으로 보철수복물이 완성되는 것에 대해 걱정을 많이 하고 있었다(**Fig 126**). 진단모형을 제작하여 진단용 왁스업을 시행한 후 환자에게 상부 보철물의 예상되는 모양을 설명하고 수술용 스텐트를 제작하였다(**Fig 127**). **2004년 8월 6일** 국소마취 하에서 #17, 26, 27, 36, 37, 45 부위에 임플란트를 식립하였다(**Fig 128**). 창상 치유는 양호하였으며 **2004년 12월 30일** #36, 37 상부 보철물이 장착되었고 **2005년 1월 12일** #45 보철, **2005년 1월 19일** #26, 27 보철, **2005년 1월 26일** #17 보철 치료가 성공적으로 완료되었다. 그러나 **2005년 2월 15일**부터 #26-27 협측 골이 함몰되어 있으며 너무 신경 쓰이고 혀가 얼얼하여 임플란트를 뽑아 버리고 싶다고 호소하였다(**Fig 129**). 현재의 상태에 대해 잘 설명한 후 잘 적응하면서 지내고 구강위생관리를 철저히 하도록 하였다. **2005년 2월 24일** 계속 이상 증상을 호소하여 인상을 채득하여 진단모형을 제작하여 환자에게 보여주며 특별한 문제가 전혀 없음을 설명하였다. **2005년 6월 17일** 좌측 혀가 아프고 임플란트가 잘못 식립되어서 이런 증상이 오는 것이라고 주장하면서 임플란트 제거를 요구하였다. 이후에도 불시에 치과에 내원하여 임플란트 제거를 요구하고 불만감을 표명하여 결국 환자에게 임플란트에 문제가 있거나 합병증이 발생하여 제거하는 것이 아니고 환자의 요구에 의해 정상적인 임플란트를 제거하는 것이기 때문에 환불 등의 조치는 없다는 것

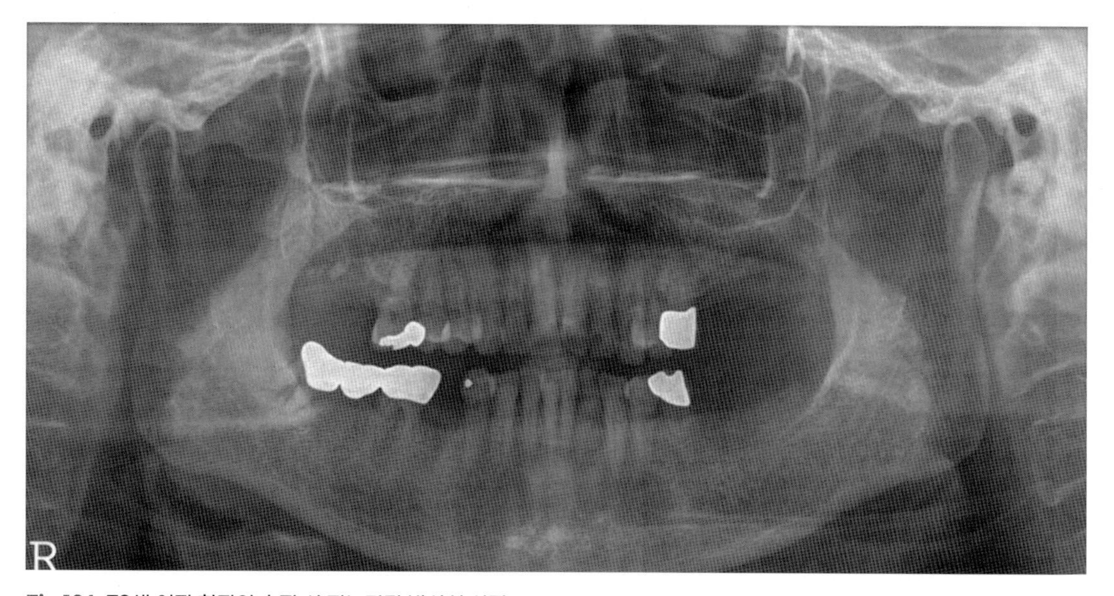

Fig 126. 72세 여자 환자의 초진 시 파노라마 방사선 사진. #26, 27, 36, 37, 17, 45 부위 임플란트 식립을 계획하였다.

을 분명히 설명하고 환자의 동의를 받은 후 **2005년 8월 11일** 임플란트 2개를 제거하였다**(Fig 130)**(Box 32). **2012년 11월 30일** 최종 내원 시 환자가 호소하던 불편감은 해소되었으며 타 치과의원에서 #16, 23, 24 부위 임플란트 치료가 시행되었고 #36-37 임플란트 상부 보철물이 철거되어 있는 상태였다**(Fig 131)**.

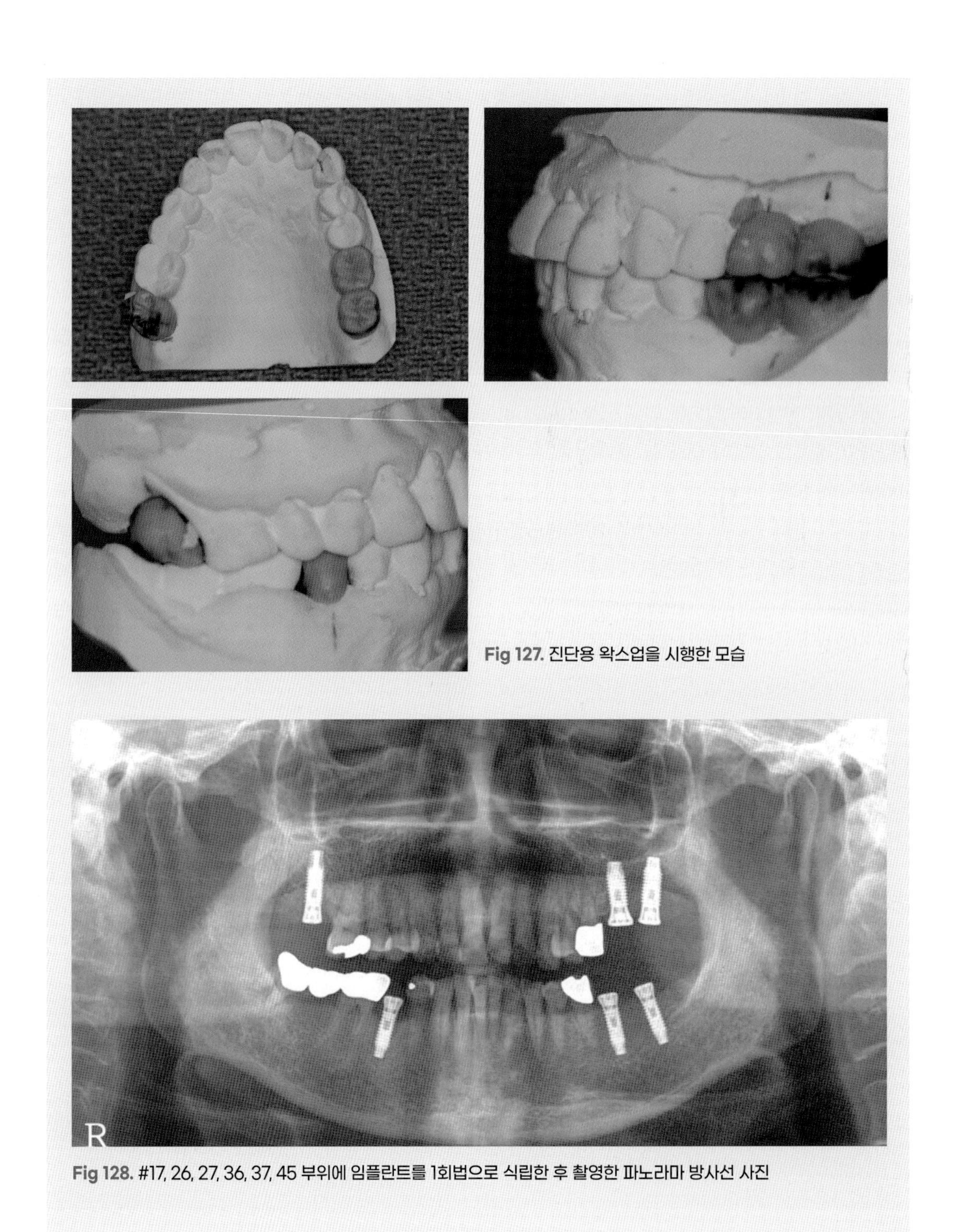

Fig 127. 진단용 왁스업을 시행한 모습

Fig 128. #17, 26, 27, 36, 37, 45 부위에 임플란트를 1회법으로 식립한 후 촬영한 파노라마 방사선 사진

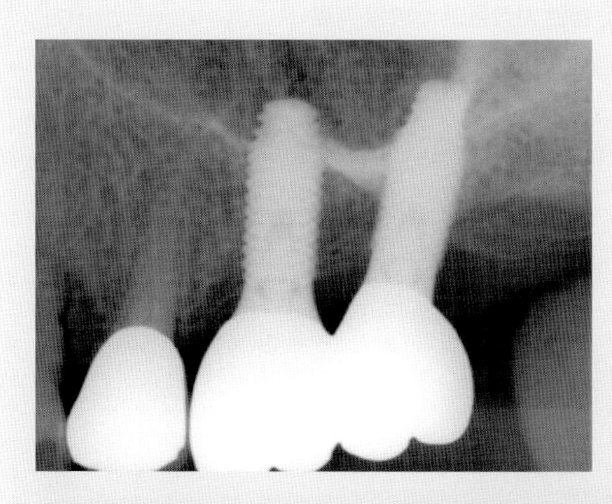

Fig 129. #26-27 임플란트 보철치료가 성공적으로 완료되었지만 혀가 얼얼하게 아프고 신경이 많이 쓰이며 뽑아버리고 싶다고 호소하였다.

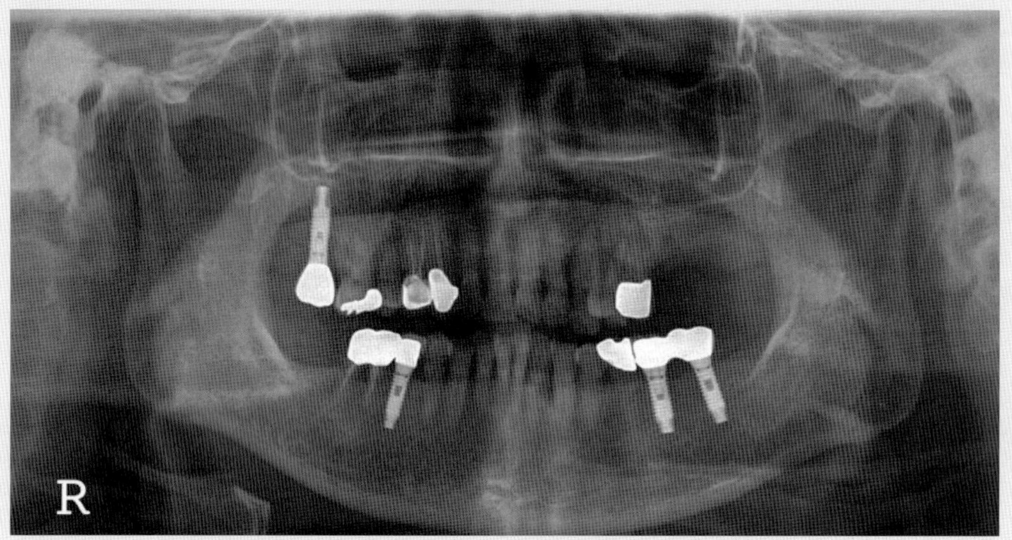

Fig 130. #26, 27 임플란트 제거 후 파노라마 방사선 사진

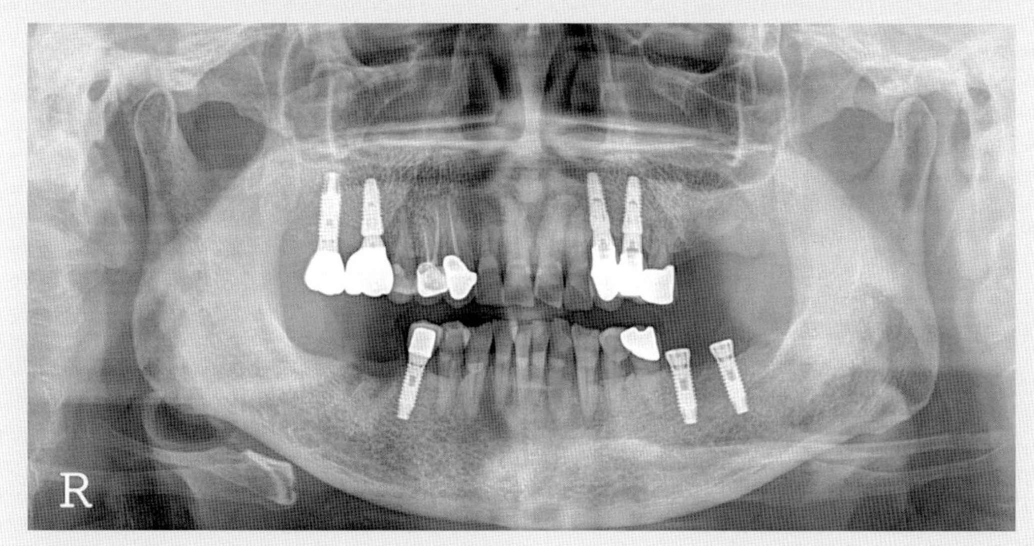

Fig 131. 2012년 11월 30일 촬영한 파노라마 방사선 사진

Box 32 환자가 호소하였던 이상 증상 및 불만 사항들과 수행된 치료

1. **2005. 2. 15** #26–27 임플란트 주변 불편감 및 혀 통증 호소
2. **2005. 2. 24** 진단모형 제작 후 설명
3. **2005. 6. 17** 좌측 혀 통증 호소 및 임플란트 제거 요구
4. **2005. 6. 30** 임플란트 제거 요구
5. **2005. 8. 11** #26, 27 임플란트 제거

Problem lists

1 #26-27 협측골 함몰
2 타 치과에서 치료한 #25 보철물의 불편감 및 교합이상 호소
3 #26, 27 임플란트 보철물 불편감 및 혀 통증

치료 및 경과

1 #26, 27 임플란트 제거
2 후속 진료 중단
3 예후: 예측 불가

TOUGH CASES

Comment

● 이런 부류의 환자들도 임상에서 많이 접하게 될 것이다. **임플란트 수술 및 보철 치료 모두 정상적으로 완료되었고 임플란트 주변 변연골 소실, 임플란트 주위염 증상들이 전혀 없음에도 불구하고 환자는 통증과 이상감각을 호소한다. 또는 그냥 불편하고 신경이 쓰이며 교합이 맞지 않고 음식을 씹을 수 없다고 호소하기도 한다. 신경병성 통증의 진단에 부합되지도 않으며 약물치료 및 교합 조정에도 전혀 호전되지 않는다. 시간이 갈수록 환자의 불만 표시가 과격해지며 임플란트 제거를 강력하게 요구하게 된다.**

이 환자의 초진 시 치과병력을 잘 살펴보면 "타 치과에서 1년 전 치료받은 #25 보철물이 대합치와 잘 교합되지 않고 있으며, #26-27 부위 협측 치조골 흡수가 심한 상태여서 임플란트 치료 후 반대교합으로 보철 수복물이 완성되는 것에 대해 걱정을 많이 하고 있다"는 내용들이 기록되어 있다. 환자의 정신적 문제가 존재하고 있음을 간파하고 치료를 신중하게 시작했어야 하는 환자이다. **정신적 문제와 연관된 통증과 교합불쾌감각이 동반된 증례로 판단되며 정신건강의학과 협진이 꼭 필요한 증례이지만 환자에게 진료를 받도록 설득하는 것이 매우 어려울 것이다.**

Case 3 > 61세 여자 환자에서 임플란트 치료 8년 후 발생한 정신적 통증

2003년 12월 9일 61세 여자 환자의 #16, 17 부위에 상악동골이식을 동반한 임플란트 식립 수술이 시행되었다. 환자의 전신 건강상태는 양호하였으며 특별한 합병증 없이 정상적인 치유가 이루어졌다. **2004년 5월 18일** 2차 수술을 시행하고 **2004년 7월 7일** 상부 보철물이 장착되었다. 이후 6개월 간격으로 정기 유지관리가 잘 이루어졌다**(Fig 132-134)**.

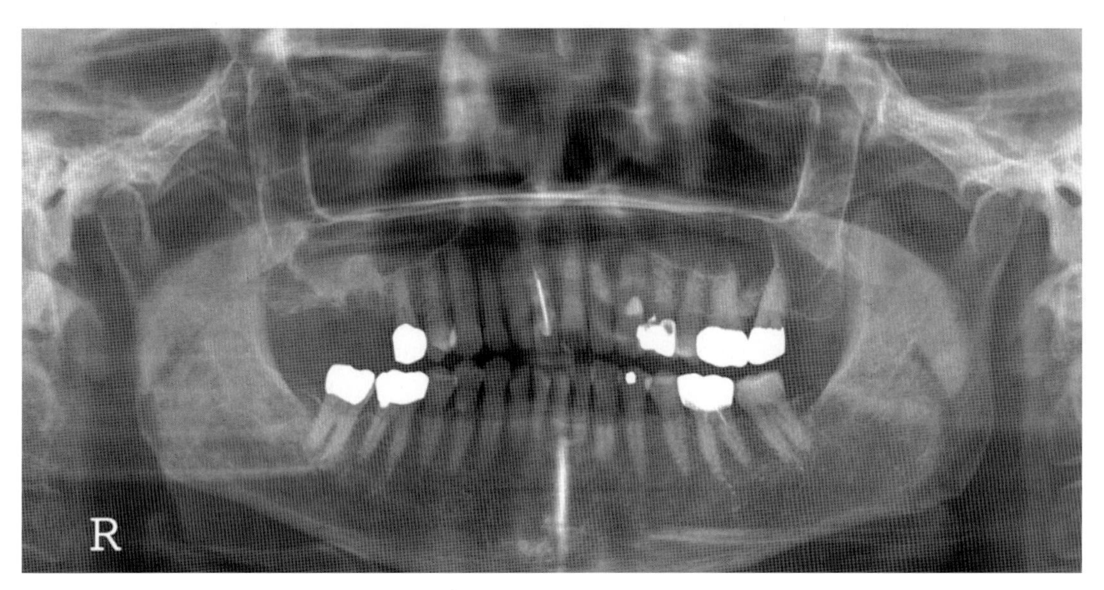

Fig 132. 61세 여자 환자의 초진 시 파노라마 방사선 사진. #16, 17 부위에 상악동점막거상술과 동시에 임플란트를 식립하기로 계획하였다.

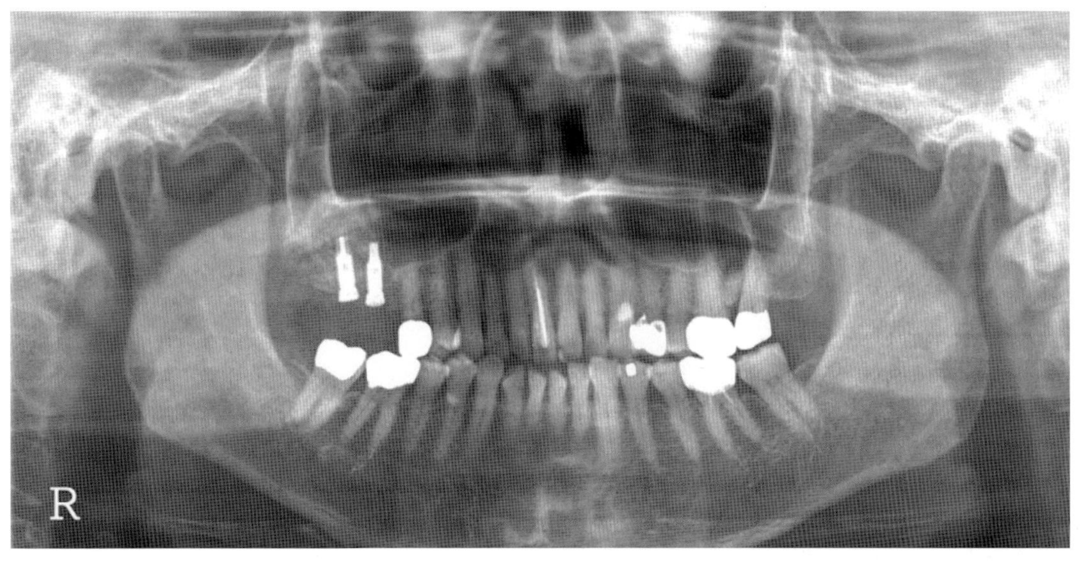

Fig 133. 임플란트 식립 후 파노라마 방사선 사진

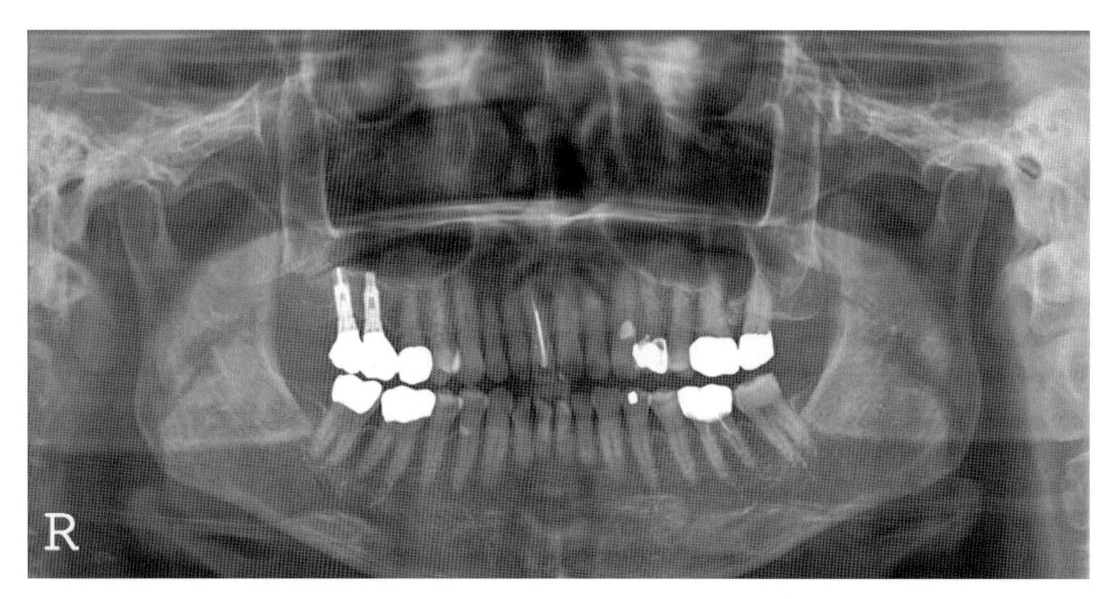

Fig 134. 임플란트 상부 보철물 장착 2년 후 파노라마 방사선 사진

2012년 11월 5일 #16–17 임플란트 주변이 불편하고 갑자기 머리가 아프면서 귀 통증도 동반되어 신경외과 진찰 및 MRI 검사를 받았으나 이상 병변이 발견되지 않았다. 상부 보철물을 철거하고 임플란트 주위 소파술 및 세정술을 시행하였다(**Fig 135**). **2012년 11월 12일** 통증이 지속되었고 우측 눈 아래 부분의 근육이 저절로 움직이고 우측 뺨이 화끈거리며 수면제를 복용하지 않고는 잠을 잘 수 없다고 하였다. 지속적인 특발성 안면 통증으로 잠정 진단하고 Trileptal (Oxcarbazepine), Etravil (Amitriptyline), Tylenol을 처방하였으나 부작용(위장장애, 어지럼증)만 심하고 통증 완화 효과는 전혀 없었다. 토할 것 같으면서 머리가 부서지는 듯한 통증과 입안이 헐고 설사가 심해졌다고 하였다. **2012년 11월 26일** 통증이 더욱 심해지면서 심장, 어깨, 목, 허리 등 전신이 아프다고 하면서 #16, 17 임플란트 제거를 요구하였다. 임플란트와는 전혀 무관한 통증이라고 설명하였음에도 불구하고 환자 및 보호자(남편)가 강력하게 제거를 요구하여 동의서를 작성하고 **2012년 12월 4일** 임플란트 2개를 제거하였다. **2012년 12월 11일** 내원 시 통증은 소멸되었으며 상악 국소의치 치료를 계획하였으나 이후 환자는 내원하지 않았다(**Fig 136**).

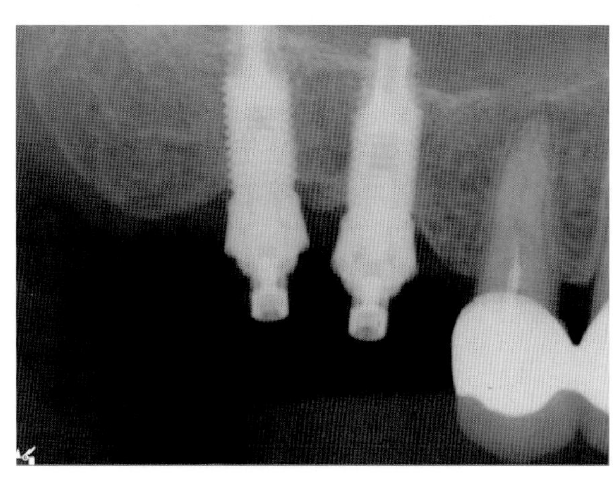

Fig 135. 2012년 11월 5일 촬영한 치근단 방사선 사진
상부 보철물을 철거한 후 임플란트주위 소파술 및 세정술을 시행하였다.

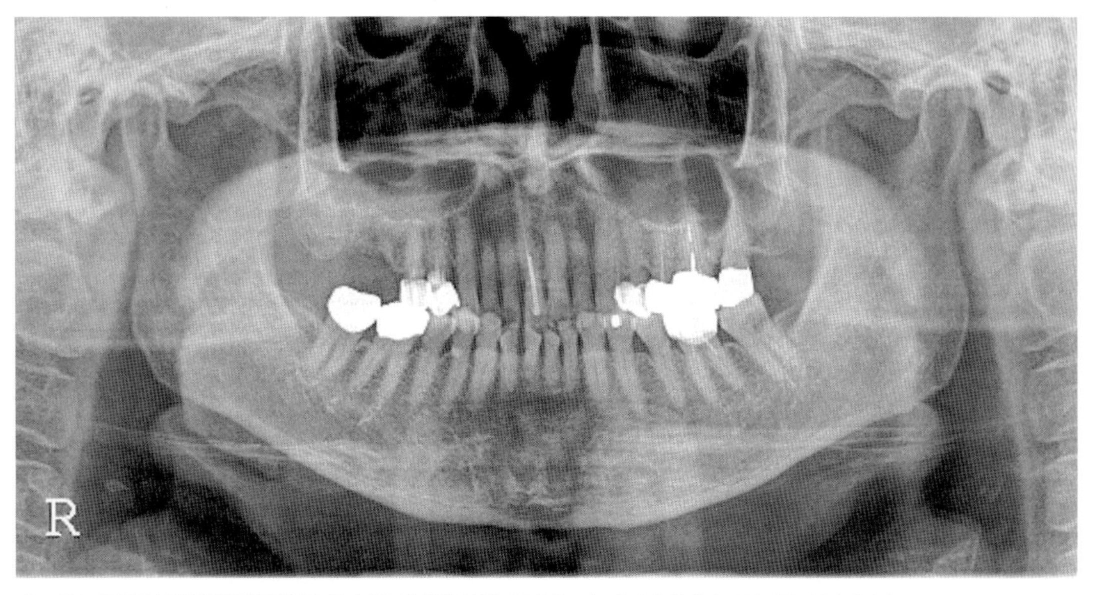

Fig 136. 2012년 12월 11일 촬영한 파노라마 방사선 사진. 임플란트가 제거된 상태이며 통증은 소멸되었다.

⊗ Problem lists

1. 지속적인 특발성 안면통증
2. 약물치료에 전혀 반응 보이지 않음.
3. 신체화증상 동반

치료 및 경과

1. 약물치료
2. 임플란트 제거
3. 경과 양호

Comment

● 장기간 특별한 문제 없이 잘 사용하던 임플란트 주변 불편감과 안면 통증, 두통, 구역질, 구강궤양, 심장, 어깨, 목, 허리 통증이 발생한 환자이다. 임플란트 주위염과 같은 임플란트 주변 병변은 전혀 없었고 변연골 수준도 안정적이었다. 특발성 안면통증을 의심하고 약물치료를 시행하였으나 전혀 반응이 없었고 약물 부작용만 발생하였다. 환자 측에서 요청한 대로 임플란트를 제거한 후 통증은 소멸되었다. 통증의 원인을 찾을 수 없었고 환자는 의학적으로 이해할 수 없는 증상들을 호소하였다. **신경병성 통증이 아닌 것은 분명하며 교합불쾌감각(occlusal dysesthesia)과 신체화증상이 발생한 것을 의심할 수 있으며, 환자의 정신적 요인이 깊게 관여했을 가능성이 있다. 전신증상과 구강내 궤양, 두통 등의 이상 증상들은 신체화장애로 추정되며 임플란트를 제거하기 전에 정신건강의학과 협진을 하지 못한 것이 아쉽다.** 본 증례에서 일차 투여 약물로 Gabapentin 혹은 Pregabalin을 선택하지 않은 것이 아쉽다.

교합과 연관 지어서 설명한다면, 정상적인 경우에는 치주인대를 통해 전달되는 다양한 자극이 필터 체계(filter system)를 통해 걸러지면서 인지되지 않는다. 그러나 이런 **필터 체계의 기능저하 또는 비정상적인 증폭이 일어날 경우 교합을 인지하는 작용 기전에 'psychologic stress'가 더해지면서 결과적으로 교합불쾌감각이 발생하게 되며 의학적으로 설명되지 않는 증후군(Medically Unexplained Symptoms, MUS)이 나타나게 된다**(Marbach JJ, et al: 1996, Hara ES, et al: 2012, Tamaki K, et al: 2016, 이정열 등: 2019).

Case 4 > 56세 여자 환자에서 하악 다수 임플란트 식립 후 보철치료 과정 중에 발생한 교합불쾌감각과 이상 통증

2017년 2월 16일 56세 여자 환자가 타 치과에서 임플란트 치료를 받다가 중단되었으며 후속 치료를 위해 내원하였다. 의학적 병력은 타병원에서 신경과, 심혈관질환(고혈압, 부정맥), 골다공증 치료를 받고 있었다. 하악에 다수 임플란트를 식립한 이후 2-3년간 지속적인 염증 및 후유증이 발생하여 치료를 받았으며 하악 5개 임플란트를 이용하여 임시 보철물이 장착된 상태였다(**Fig 137**). 최종 보철물 장착이 예정되어 있었으나 치과에 대한 신뢰감이 상실되어 본원을 방문하게 되었다. 후속 치료가 진행될 경우 발생하는 후유증들에 대한 책임 소재, 진료 비용 등에 관한 문제점을 설명하였다. 환자는 임플란트 제거 후 재식립 치료를 희망하였지만 좌측 이공과 하악관까지의 잔존골 높이가 충분하지 않은 상태이고 타치과에서 식립한 임플란트 주변의 골소실이 일부 진행된 상태이기 때문에 제거 및 추가 식립은 추천하고 싶지 않다고 설명하였다. 다니던 치과에서 보철치료를 마무리하는 것이 가장 현명한 방법이라고 강조하였지만 환자가 본원에서의 치료를 적극 희망하여서 현재 남아있는 임플란트만을 이용한 상부 보철치료에 대해 보철과로 의뢰하였다.

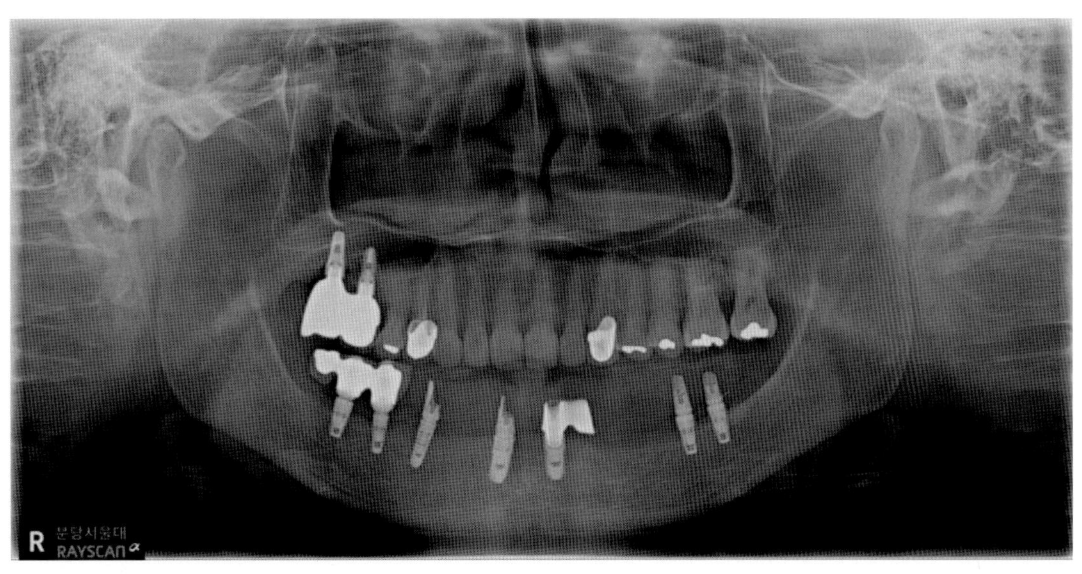

Fig 137. 56세 여자 환자의 초진 시 파노라마 방사선 사진. 타 치과의원에서 임플란트 치료를 받던 중 지속적인 염증과 부작용이 발생하여 치료가 중단된 상태로 내원하였다.

2017년 4월 11일 전악 스케일링과 #16-17 임플란트 주위염에 대한 처치를 시행하였다. **2017년 4월 24일**에는 #21-27 치근활택술과 하악 전악 임플란트 주위 소파술을 시행하였다. **2017년 5월 18일** 상하악 인상을 채득하고 구강내 사진을 촬영하였다. 모든 임플란트 고정체의 상단과 나사산이 노출되어 있기 때문에 보철물 하방으로 음식물이 끼는 것은 피할 수 없음을 설명하고 치간공극을 메우기보다는 청소하기 좋은 형태로 형성하기로 결정하였다. **2017년 7월 13일** 두 부위로 나누어서 제작된 하악 고정성 보철물을 임시로 장착해 주었다. **2017년 8월 14일**부터 교합이상을 포함한 설명하기 어려운 다양한 증상들을 호소하기 시작하였다. 환자의 불편감을 해소하기 위해 교합조정, 수직고경 조절, 보철물 재치료, 스플린트 치료, 약물치료 등을 지속적으로 수행하였음에도 불구하고 해결되지 않았으며 정신과적 문제와 신체화장애를 의심할만한 증상들이 발생하였고 불시에 치과에 내원하여 난동을 부리는 등 심각한 문제들이 발생하였다. **2018년 10월 24**일 이후 내원하지 않고 있으며 타 대학병원 정신건강의학과 및 신경과 치료를 받고 있는 것으로 확인되었다. 환자가 호소하였던 증상들과 수행된 치료과정을 Box 33과 같이 정리하였다.

Box 33 환자가 호소하였던 이상 증상 및 불만 사항들과 수행된 치료

1. **2017. 8. 14** *"교합이 안 맞는다. 임시 보철물이 변형되어 움직였다. 뜨겁고 찬 음식에 탄력이 없어졌고 치아들이 움직인다."* → 보철물 수직고경 조정
2. **2017. 9. 11** 얼굴, 머리와 목의 전반적인 불편감 호소. 좌측에 플라스틱(치간칫솔)을 물고 내원함. 좌측으로 뭐라도 물고 있어야 편하다고 함. → Soft splint 제작하여 상악에 장착
3. **2017. 9. 28** "머리와 목 불편감. *침 삼킬 때 이가 닿아있는 느낌이다."* → 수직고경 조절
4. **2017. 10. 2** *"두경부 불편감이 심하고 몸이 좌측으로 기우는 느낌이다."* → 환자의 요구에 따라 하악 보철물을 철거함.
5. **2017. 10. 13** 수직고경을 조정한 하악 임시보철물 장착
6. **2017. 10. 16** *"좌우 구치부에서 치아들이 회전한다."* 이를 간다고 호소 → 보철물 교합조정
7. **2017. 10. 20** *"이가 회전한다. 좌측 치아들이 안쪽으로 말려들어간다. 어지럽다. 걸을 때 몸이 한쪽으로 기운다. 식사할 때 울렁거린다."* 우울증 증상이 심해졌다고 함 → 정신건강의학과 진찰 권유하였으나 거부함.
8. **2017. 10. 27** *"피곤하고 무기력하다."* → 하악 보철물을 다시 제작하여 장착함.
9. **2017. 11. 6** 교합이 안 맞는다고 호소. 객관적 검사에서는 교합이 잘 되는 것이 확인되지만 환자가 좌측으로 틀어진 상태로 물어야 얼굴과 턱이 편하다고 함. 좌우로 턱이 떨린다고 함. 구강악안면외과 진료 후 교합불쾌감각, 턱관절장애 1, 5형, 신체화증상들이 동반된 것으로 잠정 진단함 → 상담 후 soft splint를 다시 제작함.
10. **2017. 11. 13** 이갈이가 심해져서 불시에 내원함. *"입을 벌리면 턱이 떨린다."* 불수의적으로 이를 가는 증상이 심해짐. → 정신건강의학과 진료 권유하였으나 거부함. 다시 제작한 soft splint 상악에 장착
11. **2017. 11. 24** 증상이 호전되지 않아 상하악 모두 soft splint 장착
12. **2017. 11. 27** 우측 턱관절과 주변 조직 및 교근 부위 통증. *"가만히 있어도 아프고 음식 먹을 때 통증이 더 심하다."* → 레이저 치료, Clanza CR (Aceclofenac 200 mg qd), Rheumagel gel (Ketoprofen 30 mg/g) 처방
13. **2017. 11. 30** *"하악 좌측 구치부 협설측 잇몸이 많이 붓고 아파서 장치를 착용하지 못했다."* #35-37 설측과 원심측 점막에 궤양 발생 → 레이저 치료, Ad-Muc ointment, Dexamethasone gargle 처방
14. **2017. 12. 6** 불시에 내원하여 초진 시 착용하고 왔던 보철물을 연결해 달라고 요구함. 예약되지 않는 상태이고 진료시간이 많이 소요되기 때문에 당일 진료가 어렵고 예약하려 하였으나 당일 진료를 강력히 요구하면서 진료실에서 난동을 부림.

1) 보안팀 호출하여 난동을 통제함.

2) 진료 마감 후 오후 5시경 진료 시행함.

이전 보철물을 연결하면 현재 착용 중인 soft splint를 사용할 수 없음을 강조하였으나, 보호자 및 환자가 강력히 원하여서 초진 시 착용하고 있던 보철물을 연결하였음. 그러나 환자는 처음 자신이 착용하고 있던 보철물이 아니고 연결나사 등 부품들도 처음과 전혀 다르다고 항의함.

3) Soft splint를 다시 제작함.

15. **2018. 1. 22** 레이저 치료
구강 궤양은 소멸된 상태이며 턱관절 증상들도 많이 완화되었음.

16. **2018. 5. 24 – 2018. 6. 22** 타병원 신경과 진료를 받고 있으며 교합 이상을 계속 호소하여 보철물을 다시 제작하였음.

17. **2018. 6. 25** 교합 불편감(우측만 교합되고 나머지 부위는 교합되지 않는다고 함) 호소하여 교합조정 후 soft splint를 취침 시 계속 착용하도록 지시함.

18. **2018. 7. 6** *"좌측 교합이 여전히 잘 안되며 좌측 치아가 찌그러지는 듯한 느낌이고 안쪽으로 말린다. 좌측에 종이컵을 말아서 물고 있으면 좀 낫다"*고 호소함. → 객관적 교합 검사에서는 양측이 균일하게 잘 교합되는 것으로 확인됨.

19. **2018. 7. 20** *"좌측 후방 부위가 안 물리고 우측 소구치 부위가 강하게 물린다"*고 주장하면서 soft splint를 하루 종일 착용하고 있다고 언급함.

20. **2018. 7. 27** *"splint는 식사시간 외에는 거의 항상 착용하고 있으며 좌측을 조금 더 높여 달라"*고 요구함
→ Splint 조정

21. **2018. 8. 10** *"좌측을 더 높여달라! 이가 작아서 돌아가는 느낌이다. 악하부가 당긴다"*고 호소함.
→ 전치부 교합과 치아형태 조정

22. **2018. 8. 20** *"앞니가 안 닿는다. 우측 소구치부가 세게 닿고, 좌우측 어금니 부위를 더 높게 해줬으면 좋겠다. 혀가 splint 측면에 닿아서 불편했다"*고 언급함 → 인상채득 후 splint 다시 제작

23. **2018. 8. 29** 지난 번 좌우 구치부 및 전치부 교합 찍히는 것 확인하고 귀가하였으나, 환자는 증상 변화가 없으며 다음과 같은 증상을 호소함.

1) *"좌측이 낮다."*

2) *"좌측 소구치부만 세게 닿는다."*

3) *"앞니도 안 맞는다."*

4) *"교합을 맞추려고 이를 갈았다."*

→ Splint 장착

24. **2018. 9. 10** *우측 입천장과 오른쪽 목 아래 당기는 느낌이 있어서 한의원에서 침을 맞았다.* → Splint 조정

25. **2018. 9. 17** 이전보다 증상이 더 심해졌으며 발음이 잘 안된다고 주장함. → 보철물의 수직고경과 치아형태 조정을 위해 인상을 채득함.

26. **2018. 10. 10** 조정한 보철물을 다시 장착함.

27. **2018. 10. 24** 타 병원 신경과, 정신건강의학과 진료를 받고 있으며 좌우 구치부 교합이 잘 유지되고 있음. 환자가 호소하던 이상 증상들도 현저히 완화된 양상 보임.

Problem lists

1. 타치과에서 임플란트 식립 후 후속 보철치료 중단
2. 상부 보철물 장착 후부터 교합이상과 의학적으로 설명하기 어려운 다양한 증상들과 불만 호소
3. 정신과적 문제화 신체화 증상

치료 및 경과

1. 임플란트 상부 보철치료 후 환자의 요구에 따라 지속적인 교합조정, 재보철치료
2. Soft splint 치료
3. 타병원 신경과, 정신건강의학과 진료
4. 예후: 예측 불가

Comment

● 본 증례는 신경병성 통증과는 전혀 연관성이 없으며 전형적인 "정신적 문제와 연관된 통증과 교합불쾌감각"이 지속되고 있는 경우이다. 증상이 장기간 지속되면서 근육성 턱관절장애와 신체화장애와 관련된 증상들이 발생하였다. 하악 임플란트 변연골소실 및 임플란트 주위염이 존재하긴 하지만 환자가 호소하는 증상들과는 전혀 연관성이 없다. 신체화장애(somatization disorder)는 심한 스트레스나 만성 통증이 존재할 경우 면역체계가 약화되고 교감신경계가 흥분하게 되면서 이상증상들이 나타나는 것을 말한다. 본 증례에서 **환자가 호소한 의학적으로 설명되지 않는 이상증상들은 신체화장애 함께 교합불쾌감각(occlusal dysesthesia, phantom bite syndrome)이 발생한 것으로 추정된다.**
이런 유형의 통증과 교합불쾌감각의 원인을 명확히 규명할 수 없다. 일부 치과의사들은 보철치료를 잘 못해서, 즉 교합과 수직고경을 잘못 설정한 것이 원인이라고 비난하면서 자신들이 잘 치료할 수 있다고 자신감을 표명한다. 그러나 **모든 치과의사들은 "Rescue fantasy"를 조심해야 한다. 즉 다른 의료인들이 고치지 못하는 질환을 자신이 잘 치료할 수 있다는 자만감을 "Rescue fantasy"라 칭한다**(Nakazawa K, et al; 2005, 이두형; 2019). 자만하지 말고 아무리 열심히 치료해도 좋은 반응을 보이지 않는 환자들은 다른 치과의사들에게 의뢰하거나 의과 협진진료를 적극 도입하는 것이 좋다. 돌이켜 생각해 볼 때 **본 증례 진료 시 가장 잘못된 점은 환자가 호소하는 불편감과 요구사항에 치과의사가 계속 끌려 다녔다는 점이다. 환자가 교합이상을 호소할 때마다 교합조정, 수직고경 조절, 보철물 재제작, 스플린트를 반복적으로 다시 제작하였음에도 불구하고 증상은 호전되지 않았고 오히려 악화되기도 하였다.** 환자 및 보호자들에게 현재의 치과치료가 잘못된 것이 없고 치과적 질환과 현재 환자가 호소하는 증상들은 전혀 관련성이 없다는 점을 단호하게 설명하고 정신건강의학과 진료를 적극 권유했어야 했다. 정해진 약속 시간에 내원하여 진료받도록 하고 계속 비협조적일 경우엔 진료를 중단하고 타 전문가에게 의뢰하는 것도 고려해야 한다. 본인이 더 이상 증상 개선을 위해 해 줄 치료법이 없거나 환자의 의료진에 대한 비협조는 진료거부 사유가 될 수 있다.
본 증례를 돌이켜 보면서 아쉬웠던 점은 신경학적 질환의 일종인 **Oromandibular dystonia에 대한 감별진단을 하지 않았던 것이다. Oromandibular dystonia는 구강과 악안면 부위 근육의 불수의적 수축이 발생하면서 비정상적인 턱의 움직임과 자세가 발생하는 질환으로서 본 증례의 증상들과 일부 일치되는 것들이 많았다.** 신경생리학적 검사 및 신경과 협진을 통해 진단할 수 있으며 증상을 완화시키기 위해 구강 장치, 행동요법, 보툴리눔독소 주사, 근육구심차단술(muscle afferent block) 등의 치료법들이 소개되었다. (Sakar O, et al; 2018).

Table 7. 정신적 구강안면통증

증례	나이	성별	의학적 병력	부위	증상 시작	약물	예후	치료기간(월)
1	53	여	고혈압, 고지혈증	#36-37 임플란트, 상하악 전체 치아, 양측 측두부, 좌측 턱관절 및 교근,	발치	Naxen-F, Augmentin, Sensival, Neurontin, Botulinum toxin, Ultracet, Laser, Splint 정신건강의학과, 뇌신경센터, 류마티스내과, 재활의학과 진료	P	45
2	72	여	No	#26-27	임플란트 식립	임플란트 제거	UP	12
3	61	여	No	#16-17, 우측 머리, 귀, 눈, 뺨 심장, 어깨, 목, 허리	임플란트 식립	Trileptal, Amitriptyline, Tylenol 임플란트 제거	G	1
4	56	여	신경과 질환, 심혈관질환, 골다공증	하악 임플란트, 얼굴, 머리, 목	임플란트 보철치료	Splint, 보철물 교합조정, 수직고경조절, 임플란트 재제작 및 치주소파술, Aceclofenac, Renumagel, AdMuc, Dexamethasone gargling, 신경과, 정신건강의학과 진료	UP	14

*G: good, P: poor, UP: unpredictable

CHAPTER

10

외상 후 발생한 신경병성 통증 후유장애진단서 사례

TOUGH CASES 치과진료 후 발생하는 골치 아픈 증례들

CHAPTER 10

외상 후 발생한 신경병성 통증 후유장애진단서 사례

다른 진단서들과 마찬가지로 특별한 기준이 정해져 있는 것은 아니다. 외상의 종류, 신경병성 통증의 증상, 진단, 치료법이 매우 다양하며 예후도 정확히 예측할 수 없다. 진찰 및 치료를 담당한 치과의사가 자신의 진료 개념 하에서 작성하며 다른 어떠한 사람들도 진단서 작성에 간섭할 수 없다. 그러나 진단서를 작성한다는 것은 그와 관련된 모든 법적인 책임을 감수해야 하기 때문에 최대한 객관적으로 작성해야 한다. 필자는 장애율 평가 시 맥브라이드법을 주로 사용하며 비고란에는 국가배상법이나 AMA 평가 기준을 별도로 작성하고 있다. 손상과 관련된 책임률, 배상 기준 및 배상액 등은 법률전문가들이 판단할 문제이며 진단서를 작성한 치과의사가 관여할 사항이 아니다.

Case 1 > 52세 여자의 좌측 안와하신경병변 (Fig 138).

환자정보	주ㅇㅇ, 52세, 여
병명	좌측 삼차신경병변(G509, trigeminal neuropathy)
주요 치료경과, 현증 및 기왕증, 검사소견 등	상악골골절에 대한 관혈적 정복 및 고정술, 안면부 열창 봉합술 등이 성형외과에서 시행되었음. 치과 구강악안면외과에서는 좌측 안와하신경 지배 부위의 감각이상과 신경병성 통증 등에 약물, 주사 및 물리치료를 시행하였음. 최종 관찰 시 좌측 뺨, 안면부 흉터와 눈 하방, 상순 부위의 감각둔화 및 이상 통증이 지속되고 있었으며 신경생리학적 검사 및 체열검사에서 좌측 안와하신경의 손상을 의미하는 소견들이 확인되었음.
맥브라이드식 장해평가	두부, 뇌, 척수 제5뇌신경 완전장애 18%, 좌측 삼차신경(3개 분지)의 손상: 9%, 상악신경손상 1/3 준용: 3%
비고 (장해부위 등)	국가배상법을 기준으로 할 때 "제 14급 10. 국부에 신경증상이 남은 자" 항목을 준용할 수 있으며 5%의 장애율이 추정됨.

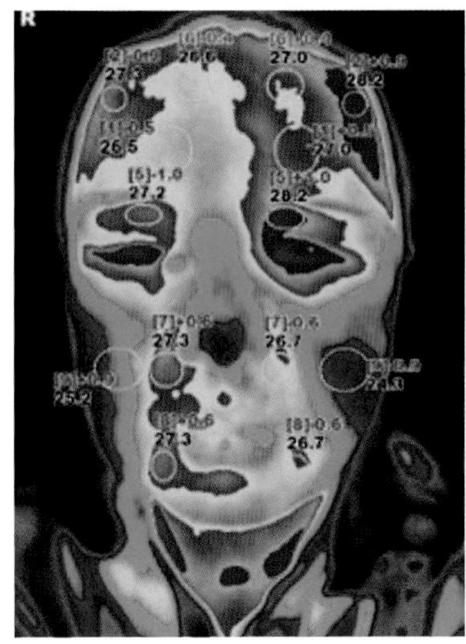

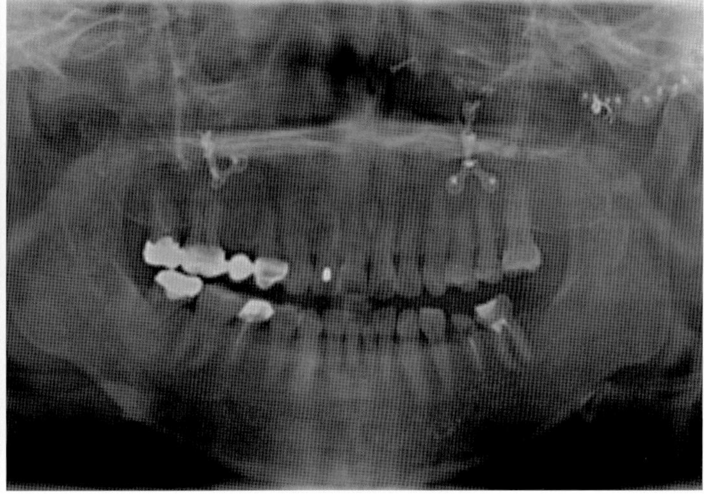

Fig 138. 체열검사 및 파노라마 방사선 사진

Case 2 > 55세 여자 환자의 좌측 하치조신경병변

환자정보	변○○, 55세, 여
병명	좌측 하치조신경병변(G509, trigeminal neuropathy) 좌측 하치조신경손상(S043, injury of trigeminal nerve)
주요 치료경과, 현증 및 기왕증, 검사소견 등	**2014년 4월 3일** 하악 좌측 구치부 임프란트 식립 수술 이후부터 증상 발생. #36 임프란트가 신경관을 침범한 소견이 관찰되어 제거하였고 **2015년 4월 13일**까지 물리치료, 약물치료, 주사 치료 등을 시행하였으나 신경병변증을 시사하는 증상이 잔존하고 있음. **2015년 5월 11일** 전류인지도역치검사 및 임상검사를 시행한 결과 초진 시점에 비해 다소 회복되는 소견이 관찰되긴 하지만 환자의 주관적 증상(좌측 턱과 하순의 감각둔화 및 저린 통증, 치아 통증, 발음 장애 등)이 잔존하고 있음.
맥브라이드식 장해평가	두부, 뇌, 척수 제5뇌신경 완전장애 18%, 좌측 삼차신경(3개분지)의 손상: 9%, 하악신경(3개분지)손상 1/3 준용: 3%, 하치조신경손상 1/3 준용: 1%
비고 (장해부위 등)	국가배상법을 기준으로 할 때 "제 14급 10. 국부에 신경증상이 남은 자" 항목을 준용할 수 있으며 5%의 노동력 상실률이 추정됨. 후유장애 진단은 수상일 기준 2년 후에 재판정하는 것이 바람직하기 때문에 추후 재평가 및 재진단이 필요할 수도 있음.

CHAPTER

11

약물 정리

CHAPTER

11 약물 정리

TOUGH CASES

치과 진료 후 발생한 이상 통증의 치료 시 사용되는 약물들은 종류가 매우 많기 때문에 모든 약물들에 대해 자세히 알 수 없다. 본 챕터에서는 필자들이 주로 사용하는 약물들을 대상으로 약명, 상품명, 용량 및 용법, 부작용, 금기증, 주의사항, 약물상호작용 등을 정리하여 치과의사들이 쉽게 찾아보고 임상에 유용하게 적용할 수 있도록 하였다.

1 항경련제(Anticonvulsants)

1) Carbamazepine (Fig 139)

Tegretol 200 mg tab, Tegretol 200 mg CR tab, Tegretol 20 mg/ml syr
Carmazepine CR 200 mg tab, Camazepine CR 300 mg tab

삼차신경통, 간질, bipolar disorder, acute manic and mixed episodes 치료 목적으로 사용된다. 간혹 외상 후 신경병증 치료를 위해 사용되기도 한다.

(1) 용법, 용량

초회량은 1일 200–400 mg이며 1일 600 mg까지 분할투여할 수 있다. 증상에 따라서 1일 800 mg까지 증량할 수 있다. Controlled-release (CR) carbamazepine이 부작용이 적으면서 음식 섭취와 무관하게 하루 2회 사용하면서 좋은 효과를 보인다. 부작용을 최소화하기 위해서 저용량으로 시작하고 서서히 증량시킨다.

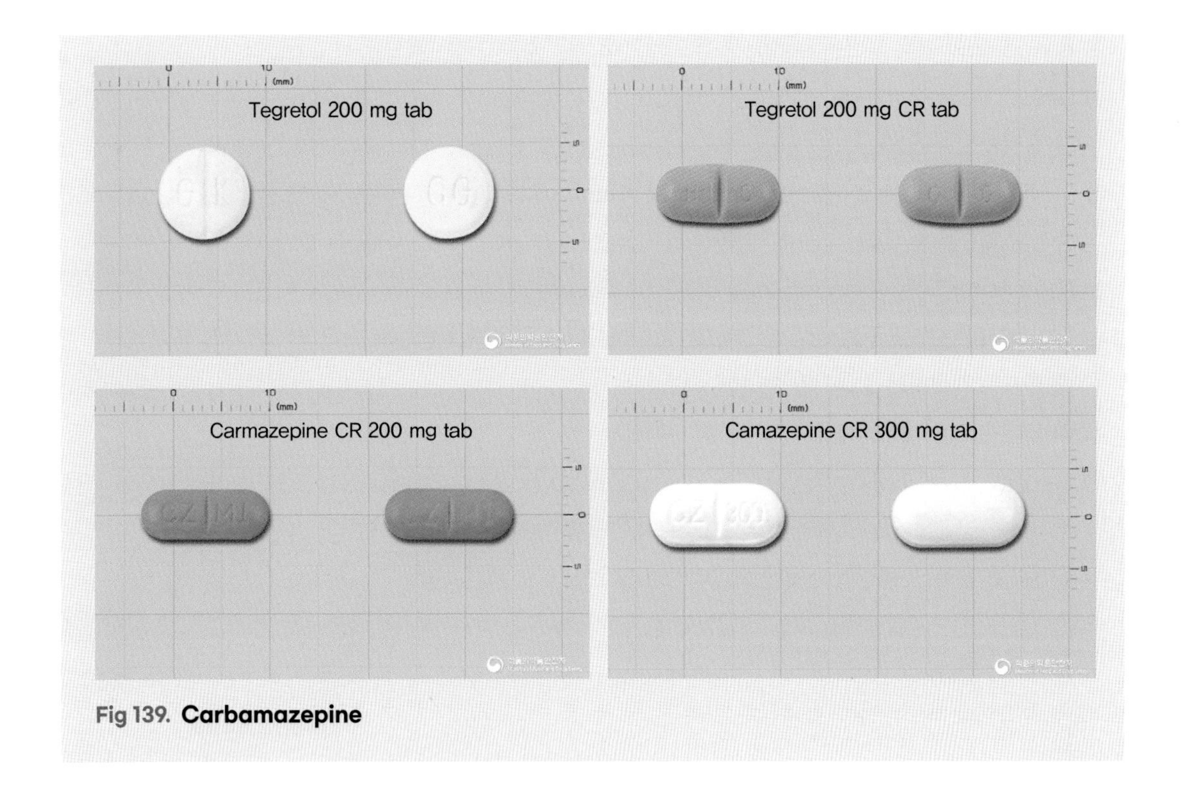

Fig 139. Carbamazepine

(2) 부작용

현기증(어지럼증, dizziness, vertigo), 졸음(drowsiness), 비틀거림(unsteadiness), 운동실조(ataxia)와 같은 신경학적 부작용이 가장 빈번히 발생한다. 백혈구 감소, 혈소판 감소, 재생불량성빈혈(aplastic anemia), 저나트륨혈증, 호산구증가, ALP와 ASP 상승, 핍뇨(oliguria), 구내염, 구역, 구토, 식욕부진(anorexia), 두통, 혈압상승, 피로감, 피부 알레르기

(3) 금기

유당불내증(lactose intolerance), 중증의 혈액장애 환자, 방실차단(auriculoventricular block) 환자, 현저한 서맥 환자(50회/분 미만), 골수억제 및 간성 포르피린증(porphyria hepatica), MAO 억제제와의 병용금기

(4) 주의

① 경구용 피임약을 복용하는 환자 또는 가임기 여성: 호르몬성 피임제의 효과를 감소시킬 수 있다.

② 신장장애 병력 환자

③ 배뇨곤란 또는 녹내장 등의 안압이 높은 환자(항콜린 작용이 있기 때문)

④ 심부전, 심근경색 등의 심질환 병력 환자

⑤ 저나트륨혈증

⑥ 갑상선 호르몬 저하

⑦ 수유부에서 안전성 미확립

⑧ Levetiracetam과 병용 투여는 Carbamazepine-유도성 독성을 증가시키는 것으로 보고되었다.

⑨ Isoniazid와의 병용 투여는 Isoniazid-유도성 간독성을 증가시키는 것으로 보고되었다.

⑩ Lithium, Metoclopramide, 신경이완제(Haloperidol, Thioridazine)와의 병용 투여는 신경학적인 이상반응을 증가시킬 수 있다.

⑪ 이 약과 몇몇 Diuretics (Hydrochlorothiazide, Furosemide)의 병용 투여는 저나트륨혈증(hyponatremia) 증상을 일으킬 수 있다.

⑫ Carbamazepine은 Pancuronium과 같은 nondepolarizing muscle relaxant의 작용을 차단할 수 있다. 근이완제의 용량을 증가시킬 필요가 있거나, 예상되는 근신경 차단에서 보다 빠르게 회복되게 하기 위해 환자는 적절하게 모니터링 되어야 한다.

⑬ 이 약은 알코올 내성을 감소시킬 수 있다. 따라서 환자에게 금주를 권장해야 한다.

⑭ Carbamazepine과 Rivaroxaban, Dabigatran, Apixaban 및 Edoxaban과 같은 경구용 항응고제를 병용 투여하면 경구용 항응고제의 혈장 농도가 감소해 혈전증의 위험이 증가한다. 병용 투여가 필요한 경우 혈전증의 징후 및 증상의 면밀한 모니터링이 필요하다.

⑮ 자살충동 또는 자살행동을 보일 위험성이 증가하기 대문에 환자 행동의 비정상적 변화에 대해 주의깊게 관찰해야 한다.

(5) 약물 상호작용

CYP 3A4는 활성 대사체 Carbamazepine-10,11-Epoxide의 형성을 촉진하는 주 효소이다. CYP 3A4의 억제제를 병용하면 이상반응을 유발할 수 있을 정도로 혈장 중 Carbamazepine 농도가 상승할 수도 있다. CYP 3A4 유도제를 병용하면 Carbamazepine의 대사를 증가시킬 수 있으므로 혈청 중 Carbamazepine의 수치 및 치료효과가 잠재적으로 감소하게 된다. 반면 CYP 3A4 유도제를 중단하면 Carbamazepine의 대사속도가 줄어들어서 혈중 농도가 증가하게 된다. 가임기 여성 환자의 경우 이 약의 투여가 호르몬성 피임제의 피임력을 감소시킬 수 있음을 알아야 한다. 이 약의 투여중에는 비-호르몬 형태의 대체 피임법이 권장된다.

① Carbamazepine 및/또는 Carbamazepine-10,11-Epoxide의 혈장 농도를 상승시킬 수 있는 약물
혈장 농도가 상승되면 어지러움, 졸음, 운동실조, 복시 등과 같은 이상반응이 유발될 수 있으므로 아래 약물들과 병용할 때에는 이 약의 용량은 혈중 농도에 따라 적절히 조절되어야 한다.

A. **진통소염제:** *Dextropropoxyphene, Ibuprofen*
B. **남성호르몬제:** *Danazol*
C. **항생제:** *Macrolide계 (Erythromycin, Troleandomycin, Josamycin, Clarithromycin), Quinolone계 (Ciprofloxacin)*
D. **항우울제:** *Dexipramine, Fluoxetine, Fluvoxamine, Nefazodone, Trazodone, Viloxazine*
E. **항간질약물(Antiepileptics):** *Stiripentol, Vigabatrin*
F. **항진균제:** *Azole계 (Itraconazole, Ketoconazole, Fluconazole, Voriconazole)*
G. **항히스타민제(Antihistamine):** *loratadine, Terfenadine*
H. **항정신병제(Antipsychotic drug):** *loxapine, Olanzapine, Quetiapine*

I. 항결핵제(Antituberculosis drug): *Isoniazid*

J. 항바이러스제(Antiviral drug): HIV 치료에 사용되는 Protease inhibitors *(Ritonavir)*

K. Carbonic anhydrase inhibitors: *Acetazolamide*

L. 순환기계약물: *Verapamil, Diltiazem*

M. 위장관계약물: *Cemetidine, Omeprazole*

N. 근이완제: *Oxybutynin, Dantrolene*

O. 혈전용해제: *Ticlopidine*

P. 기타: 자몽쥬스, *Nicotinamide* (성인, 고용량)

② Carbamazepine의 혈장 농도를 감소시킬 수 있는 약물

A. 항간질약물: *Felbamate, Oxcarbazepine, Phenobarbital, Phenytoin, Primidone*

B. 항암제: *Cisplatin, Doxorubicin*

C. 항결핵제: *Rifampicin*

D. 기관지확장제 및 항천식제: *Theophylline, Aminophylline*

E. 피부적용제: *Isotretinoin*은 *Carbamazepine*과 *Carbamazepine-10,11-Epoxide*의 청소율 및/또는 생체내 이용률을 변화시킨다고 알려져 있으므로, 혈장 중 농도는 모니터링되어야 한다.

③ 이 약에 의해 혈장 농도가 영향받는 약물

Carbamazepine은 특정 약물의 혈장 농도를 낮추거나 활성을 소실시킬 수 있다.

A. 진통소염제: *Buprenorphine, Methadone, Phenazone (Antipyrine), Tramadol*·
특히 이 약과 *Acetaminophen*의 장기간 병용은 간독성을 초래할 수 있다.

B. 항생제: *Doxycycline, Rifabutin*

C. 항응고제: 경구용 항응고제*(Warfarin, Dicumarol, Acenocoumarol, Rivaroxaban, Dabigatran, Apixaban, Edoxaban)*

D. 항우울제: *Bupropion, Citalopram, Mianserin, Trazodone,*
삼환계 항우울제*(Amitriptyline, Imipramine, Nortriptyline, Clomipramine)*

E. 항간질제: *Clobazam, Clonazepam, Ethosuximide, Felbamate, Lamotrigine, Oxcarbazepine, Primidone, Tiagabine, Topiramate, Valproic acid, Zonisamide,*
*Phenytoin*의 혈장 농도는 *Carbamazepine*에 의해 상승하기도 하고 저하되기도 한다.

F. 항진균제: *Itraconazole, Voriconazole*

G. 구충제: *Praziquantel*

H. 항암제: *Imatinib, Cyclophosphamide, Lapatinib, Temsirolimus*

I. 항정신병제: *Clozapine, Haloperidol, Bromperidol, Olanzapine, Quetiapine,*

J. 항바이러스제: HIV 치료를 위한 Protease inhibitors *(*예*: Indinavir, Ritonavir, Saquinavir)*

K. 항불안제: *Alprazolam, Midazolam*

L. 기관지확장제 및 항천식제: *Theophylline*

M. 피임제: 호르몬성(비호르몬성 피임약 사용이 권장)

N. 순환기계 약물: 칼슘채널차단제(*Dihydropyridine*계)(예: *Felodipine, Digoxin*), *Simvastatin, Atorvastatine*

O. 코르티코스테로이드제: *Prednisolone, Dexamethasone*

P. 면역억제제(Immunosuppressants): *Cyclosporine, Everolimus, Tacrolimus,*

Q. 갑상선 약물: *Levothyroxine*

S. 에스트로겐 및/또는 프로게스테론 함유 약물

T. 항구토제: *Aprepitant*

U. 발기부전에 사용되는 약물: *Tadalafil*

2) Oxcarbazepine (Fig 140)

Carbamazepine에 비해 부작용이 적고 신경병성 통증 조절 효과가 좀더 우수한 것으로 알려져 있으며 대표적인 내용들을 아래에 정리하였다. 그러나 부작용, 주의사항, 금기증, 약물 상호작용은 거의 유사하기 때문에 Carbamazepine에서 자세히 정리한 내용들을 참고하기 바란다.

Trileptal 150 mg, 300 mg, 600 mg tab
Oxazepine 150 mg, 300 mg, 600 mg tab

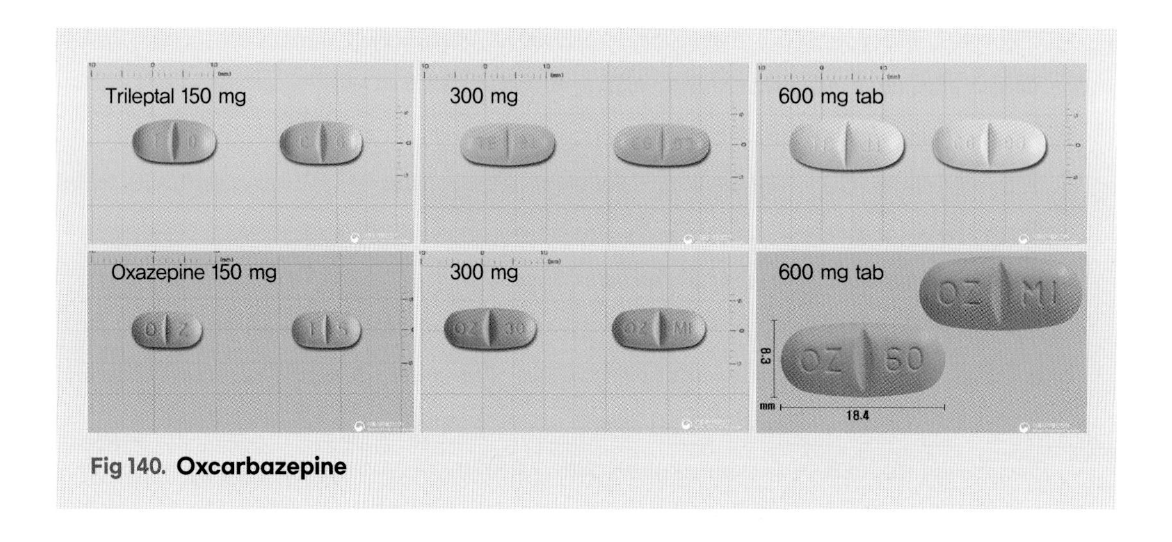

Fig 140. **Oxcarbazepine**

(1) 용법, 용량

처음 처방 시에는 100–300 mg qd~tid로 시작한다. 반응과 부작용을 평가해 가면서 서서히 증량할 수 있으며 유지 용량은 1일 600–2,400 mg이다.

(2) 부작용

Carbamazepine에 비해 신경계 부작용과 skin rash와 같은 hypersensitivity reaction도 적게 발생한다. 그러나 Carbamazepine에 비해 dose-related hyponatremia가 좀 더 잘 발생한다.

- **Very common:** 졸음(drowsiness, lethargy, somnolence) 두통, 어지러움, 복시, 구역질, 구토 등
- **Common:** 저나트륨혈증, 우울, 초조(agitation), 기억상실, 감정둔화, 정서불안정, 운동실조, 진전(tremor), 시야장애, 이명, 설사, 변비, 복통, 발진(rash), 탈모증, 여드름, 무력증 등
- **Serious:** 혈관부종, 부정맥, 스티븐스-존슨 증후군(Stevens-Johnson syndrome), 독성 표피괴사(toxic epidermal necrolysis) 등

(3) 금기

방실차단(auriculoventricular block) 환자, 골수억제(bone marrow depression) 환자, MAO 억제제 사용 중인 환자, 수유부, 임산부

(4) 주의

① 혈청나트륨치가 낮은 환자, diuretics 투여 환자, 중증의 신장 기능장애 환자, 중증의 간장애 환자, 심부전 환자, 고령자

② 자살충동 또는 자살행동을 보일 위험성이 증가하기 때문에 환자 행동의 비정상적 변화에 대해 주의 깊게 관찰해야 한다.

(5) 약물 상호작용

① MAO 억제제와 이 약의 병용은 추천되지 않는다. 이 약을 투여하기 최소한 2주 전 혹은 의학적 상황이 허용되는 경우라면 그 이전에 MAO 억제제의 투여를 중지하여야 한다.

② 이 약 고용량과 CYP2C19에 의해 대사되는 약물(예: phenytoin)을 병용 투여 시 상호작용이 있을 수 있다. Phenytoin의 혈장 농도는 이 약 1일 1,200 mg 초과 시 40%까지 증가했다. 이 약 1일 1,200 mg 초과 용량에서 부가요법 시 Phenytoin의 용량 감소가 필요하다.

③ 호르몬성 피임제의 효과를 감소시킬 수 있다. 대체 가능한 피임 방법을 고려해야 한다.

④ 이 약과 Lamotrigine을 병용 투여 시 이상반응(구역질, 졸음, 어지러움, 두통)의 위험이 증가하기도 한다. 이 약을 1종 이상의 항경련제와 병용 투여 시 주의하여 용량 조절과 혈장 농도 모니터링을 개인에 맞게 고려해야 한다.

⑤ 이 약을 복용 중에 알코올 섭취는 상가적인 진정작용을 일으킬 수 있으므로 주의해야 한다.

3) Gabapentin (Fig 141)

Carbamazepine, Phenytoin에 비해 부작용이 적으며 고령자에서도 비교적 안전하게 사용할 수 있다.

Neurontin 100 mg, 300 mg cap, 600 mg tab *Gabatin 400 mg, 800 mg*

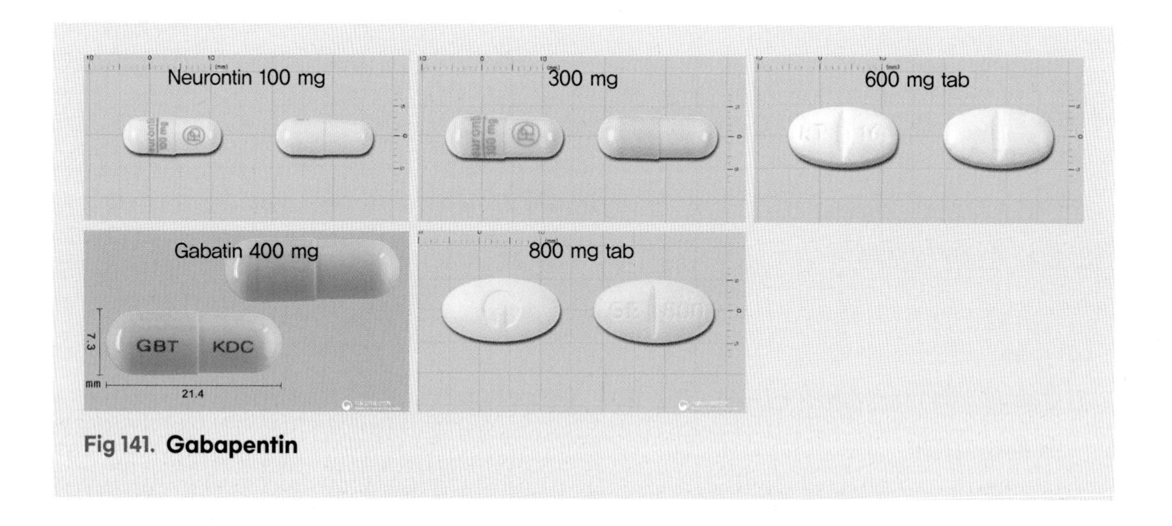

Fig 141. Gabapentin

(1) 용법, 용량

① 성인(18세 이상)의 신경병성 통증 치료 시 유지 용량을 900 mg/day로 하기 위해 첫 3일간 다음과 같이 시행한다.

- **첫째 날**: *100 mg 1 cap tid or 300 mg cap qd (300 mg/day)*
- **둘째 날**: *100 mg 2 cap tid or 300 mg cap bid (600 mg/day)*
- **셋째 날부터**: *100 mg 3 cap tid or 300 mg cap tid (900 mg/day)*

혹은 처음부터 *300 mg cap tid (900 mg/day)*를 투여할 수도 있다.

② 필요시 일주일 내에 1,800 mg/day까지 증량할 수 있다.

③ 이 약은 충분한 물과 함께 통째로 삼켜야 하며, 음식물과 병용 또는 단독 투여할 수 있다. 1일 3회 투여 시 경련 재발을 방지하기 위해 투여 간격이 12시간 이상 되지 않도록 주의하여야 한다.

④ 마그네슘 또는 알루미늄을 함유하는 제산제와 병용하는 경우 최소한 제산제 복용 2시간 후에 이 약을 복용하여야 한다.

⑤ 신경병성 통증의 치료에서 5개월 이상의 투여기간에 대한 안전성 및 유효성은 평가되지 않았다.

⑥ 졸음증, 어지러움, 피로감, 운동실조 등의 주된 부작용을 감소시키기 위해 첫날 1차 투약은 취침 전에 시행하는 것이 좋다.

TOUGH CASES

(2) 부작용

- **Common:** 말초부종, 구역질, 바이러스병, 운동실조, 어지럼증, 안구진탕, 불면증, 피로, 발열, 적대적 행동 등
- **Serious:** Stevens-Johnson syndrome, 혼수, 발작, 자살 충동, 출혈성 췌장염 등

(3) 금기

① 급성췌장염 환자

② 전신 소발작(absence seizure) 환자

③ 유당불내증 환자

이 약은 유당을 함유하고 있으므로, 갈락토오스 불내성(galactose intolerance), Lapp 유당분해효소 결핍증(Lapp lactase deficiency) 또는 포도당-갈락토오스 흡수장애(glucose-galactose malabsorption) 등의 유전적인 문제가 있는 환자에게는 투여하면 안 된다.

④ 임부 또는 임신하고 있을 가능성이 있는 여성, 임신을 원하는 여성, 수유부

(4) 주의

① 자살충동 또는 자살행동을 보일 위험성이 증가하기 때문에 환자 행동의 비정상적 변화에 대해 주의 깊게 관찰해야 한다.

② 장기간 약물을 복용하다가 갑자기 중단할 경우 발작 빈도를 증가시킬 가능성이 있기 때문에 갑작스럽게 복용을 중단해서는 안 된다.

③ 신기능 장애 환자, 고령자(65세 이상), 정신병의 병력이 있는 환자, 말초 신경병성 통증 치료 목적으로 5개월 이상 투여하는 경우에는 매우 주의해서 사용해야 한다.

(5) 약물 상호작용

① Gabapentin과 아편유사제를 함께 사용할 경우 호흡 억제 및/또는 과도 진정이 발생하였다는 보고가 있었다.

② 알루미늄 · 마그네슘 복합 제산제와 이 약의 병용 투여는 Gabapentin의 생체이용률을 약 20% 정도 감소시킨다. 이 약은 제산제 투여 후 최소 2시간 경과 후에 복용하는 것이 권장된다.

③ 알코올 또는 중추신경계 작용 약물과 병용될 경우 중추신경계 이상반응을 악화시킬 수 있다.

④ Naproxen sodium과 병용 투여 시 Gabapentin의 흡수를 12-15%까지 증가시킨다.

4) Pregabalin (Fig 142-144)

Lyrica 25, 50, 75, 150, 300 mg *Newrica 75, 150, 300 mg* *Pregabalin 25, 50 mg, Pregabalin SR 150, 300 mg*

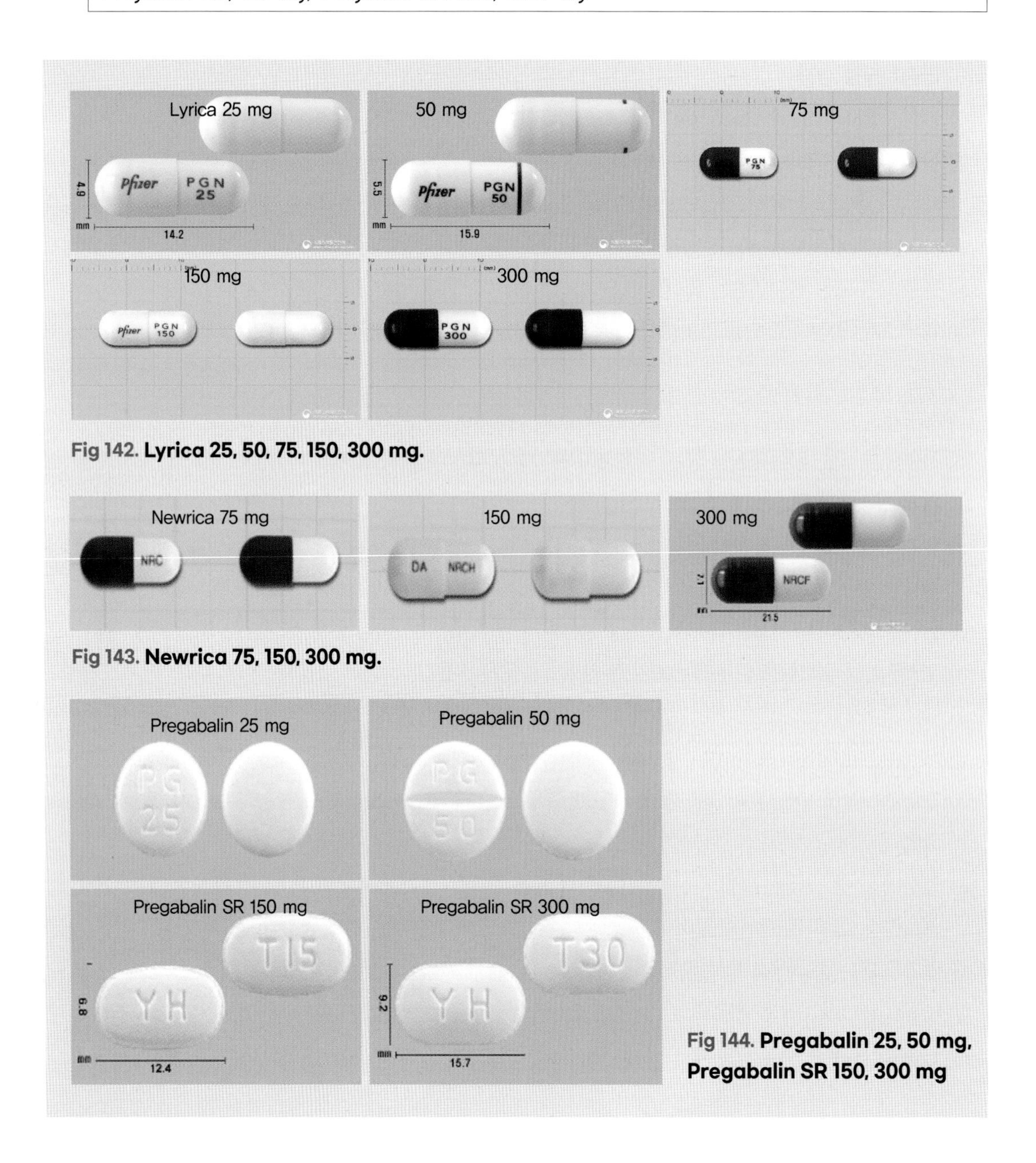

Fig 142. **Lyrica 25, 50, 75, 150, 300 mg.**

Fig 143. **Newrica 75, 150, 300 mg.**

Fig 144. **Pregabalin 25, 50 mg, Pregabalin SR 150, 300 mg**

(1) 용법, 용량

① 1일 총 투여 용량을 1일 2회로 나누어 음식물과 상관없이 경구 투여

② 신경병성 통증

하루 150 mg을 투여한다. 반응과 부작용을 평가하면서 3-7일 후 300 mg/day로 증량이 가능하다. 이후 7일 간격으로 600 mg/day까지 증량이 가능하다.

TOUGH CASES

③ 섬유근육통(fibromyalgia)

하루 300 mg-450 mg까지 투여할 수 있다. 75 mg bid로 시작하여 7일 이내에 150 mg bid까지 증량이 가능하다.

④ 이 약의 투여를 중단할 경우, 적어도 1주일 이상의 간격을 두고 점진적으로 중단하여야 한다.

(2) 부작용

- **Common:** 현기증, 졸음, 말초 부종, 체중 증가, 변비, 구강건조증, 기면증(narcolepsy), 시야 흐림 등
- **Serious:** 혈관 부종, 복시, 운동실조(ataxia), 호중구 감소증(neutropenia) 등

(3) 금기

① 임부 및 수유부

② 이 약의 성분에 과민한 환자

③ 유당불내증

(4) 주의

① 당뇨 환자, 중증 울혈성심부전 환자에 신중투여한다.

② 혈관부종을 포함한 과민반응, 시야 흐림과 시력 변화 등이 나타날 수 있으므로 주의한다.

③ 치료 중단 후 불면증, 두통, 구역, 불안, 설사, 우울, 통증, 발작, 다한증, 어지러움 등의 금단 증상이 관찰될 수 있다.

④ 어지러움 및 졸음을 유발할 수 있으므로 이 약 복용 중에는 운전이나 기계조작 등의 활동을 하지 않도록 한다.

⑤ 약 투여 기간 중에 자살충동 또는 자살행동, 우울증의 발현 또는 악화 및 기분과 행동의 비정상적 변화에 대하여 모니터링되어야 한다.

⑥ 고령의 환자에서 어지러움, 졸음, 의식 소실, 혼돈, 정신장애가 보고된 바 있기 때문에 신중히 투여해야 한다.

(5) 약물 상호작용

① Oxycodone과 함께 복용할 경우 인지력 및 운동기능이 감소될 수 있다.

② 알코올, 항불안제, 중추신경계 억제제와 함께 사용할 경우 호흡부전, 과진정, 혼수 등의 증상이 발생할 수 있다.

③ 아편유사 진통제와 같은 변비유발 성분의 약물과 병용 투여 시, 하부 소화기계 기능 감소[장폐쇄증(ileus), 무력 장폐쇄증(adynamic ileus), 변비]와 관련된 증상들이 발생할 수 있다.

5) Diphenylhydantoin: Phenytoin 100 mg tab (Fig 145)

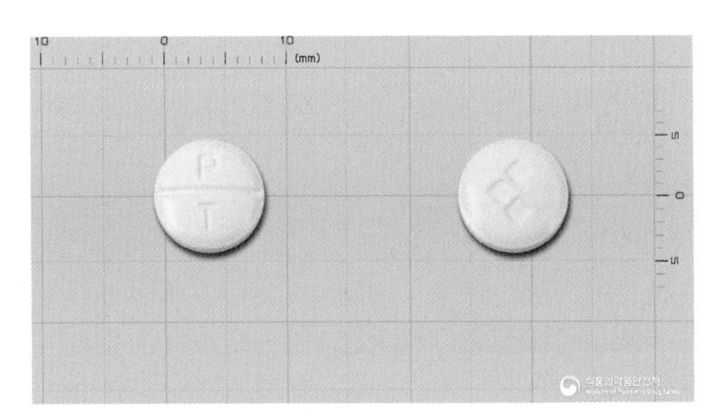

Fig 145. Phenytoin 100 mg

(1) 용법, 용량

① 이 약은 1일 1회 용법으로 투여해서는 안 되며, 반드시 분할 투여해야 한다.

② 100 mg tid (최대 600 mg/day)

(2) 부작용

- **Common:** 소양증(itch, pruritus), 발적, 변비, 치은증식, 구역질, 구토, 간독성, 골연화증(osteomalacia), 운동실조, 불수의운동[이상운동증(dyskinesia), 무도병(chorea), 고정자세 불능증(asterixis) 등], 현기증, 두통, 불면
- **Serious:** 수포성 피부병, 자색반한랭병(purpuric cryopathy), 두피 습진(scalp eczema), Stevens-Johnson syndrome, 독성표피괴사, 혈소판/백혈구/과립구감소증, 무과립구증(agranulocytosis), 범혈구감소증(pancytopenia), 대적혈구증가증(macrocythemia), 거대적아구성 빈혈(megaloblastic anemia), 간손상, 간염, Lupus erythematosus, 신독성

(3) 금기

① 이 약물에 과민반응의 병력이 있는 환자

② 중증의 혈액 및 골수장애 환자

③ 방실블록(2, 3도) 환자

④ 심근경색(3개월 이내) 환자

⑤ tadalafil을 투여 중인 환자: tadalafil의 대사가 촉진되어 혈중농도가 저하될 수 있다.

⑥ 애덤스-스토크스 증후군(Adams Stokes syndrome)(주사제에 한함)

⑦ 동서맥(sinus bradycardia), 동방 차단(sinoatrial block)(주사제에 한함)

⑧ Delavirdine과의 병용 투여(주사제에 한함)

(4) 주의

① 약 투여 기간 중에 자살충동 또는 자살행동, 우울증의 발현 또는 악화 및 기분과 행동의 비정상적 변화에 대하여 모니터링되어야 한다.

② **다음 환자들에는 신중히 투여해야 한다.**

간장애 환자, 혈액장애 환자, 갑상샘기능저하증 환자, 폐부전 환자, 서맥 환자(50 회/min 미만), 저혈압 환자(수축기압 90 mmHg 미만), 당뇨병 환자(인슐린 비의존성 당뇨병 환자에서 고혈당을 일으켰다는 보고가 있다), 방실블록(1도) 환자, 심방세동(atrial fibrillation), 심방조동(atrial flutter) 환자, 중증의 심부전 환자(심정지, 호흡정지가 일어나기 쉽다), 중증의 쇠약 환자 및 고령자(주사제에 한함)

③ 투여량을 감소시키거나 중지할 때는 천천히 한다.

④ 고령자, 중환자는 독성의 징후가 일찍 나타나므로 주의한다.

⑤ 과량 투여 시 안구진탕(nystagumus), 구음장애(dysarthria, anarthria), 운동실조, 안근마비 등이 발생할 수 있다. 따라서 이러한 증상이 나타나는 경우에는 최적 유효량까지 천천히 감량한다.

⑥ 치료중에 간 · 신기능검사, 혈액검사를 정기적으로 해야 한다.

⑦ 이 약에 의해 졸음, 주의력 · 집중력 · 반사운동능력 등의 저하가 나타날 수 있으므로 이 약을 투여 중인 환자는 자동차의 운전 등 위험을 수반하는 기계조작을 하지 않도록 주의한다.

(5) 약물 상호작용

① **다음 약물에 의해 이 약의 작용이 증강될 수 있으므로 이러한 경우에는 감량하는 등 신중히 투여한다.**

쿠마린(Coumarin)계 항응고제, Disulfiram, Phenylbutazone, Para-aminosalicylic acid, Isoniazid, Sultiam, Methylphenidate, Ethosuximide, Tegafur, Fluconazole, Miconazole, Zonisamide, 급성 알코올 섭취, Amiodarone, Chloramphenicol, Diazepam, Dicumarol, Sulfonamide, Halothane, Isoniazid, Estrogene

② **다음 약물에 의해 Phenytoin의 농도가 감소할 수 있으므로 주의한다.**

만성 알코올 남용자, Reserpine, Carbamazepine, Sucralfate, 칼슘함유 제산제

③ Acetazolamide와 병용하면 구루병(rickets), 골연화증이 나타나기 쉬우므로 병용하는 경우에는 신중히 투여한다.

④ **Phenytoin에 의해 다음 약물의 작용이 감소될 수 있으므로 주의한다.**

부신피질호르몬(Dexamethasone 등), 갑상샘호르몬, Doxycycline, 항응고제, Estrogene, Furosemide, 경구용 피임제, Quinidine, Rifampicin

⑤ Theophylline의 혈중농도를 저하시킨다는 보고가 있으므로 병용하는 경우에는 증량하는 등 신중히 투여한다.

⑥ **다음 약물과의 병용에 의해 이 약의 혈중농도가 변화(상승 또는 저하)할 수 있으므로 병용하는 경우에는 신중히 투여한다.** Sodium Valproate, Phenobarbital

⑦ Sulfamethoxazole, Trimethoprim과의 병용에 의해 이 약의 간대사가 억제되어 작용이 증가될 수 있다(경구제에 한함).

⑧ Phenytoin은 혈당치를 증가시키므로 인슐린 또는 경구용 혈당강하제의 용량조절이 필요하다.

⑨ Phenytoin과 경구용 Diazoxide를 병용하였을 경우 Diazoxide의 고혈당 작용을 감소시키므로 병용 투여하지 않는다.

6) Topiramate (Fig 146)

Topamax 100 mg tab *Topamate 25 mg tab* *Topirat 10 0mg tab*

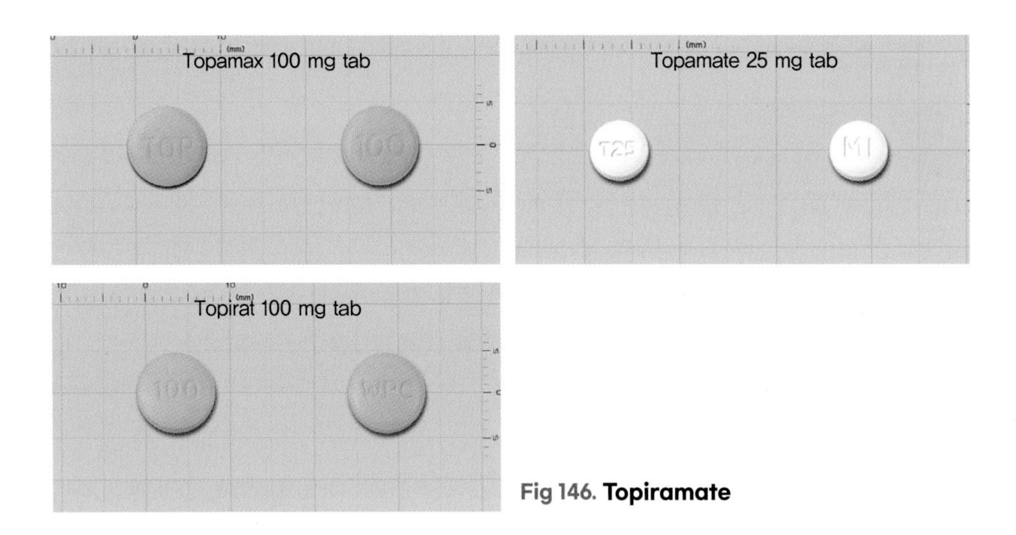

Fig 146. **Topiramate**

(1) 용법, 용량

① 낮은 용량에서 시작하여 유효용량까지 증량하는 것이 바람직하다.

② 식사와 관계없이 투여할 수 있다.

③ 간질 치료

100–200 mg/day (최대 500 mg/day) 2회로 나누어 투여. 처음 1주일은 25 mg/day 저녁에 투여, 1–2주 간격으로 1일 25 또는 50mg씩 증량한다.

④ 편두통의 예방 및 신경병성 통증의 치료: 50 mg bid (최대 200 mg/day)

처음 1주일은 25 mg/day 저녁에 투여하고 반응을 평가하면서 1주 간격으로 25 mg/day씩 증량할 수 있다.

(2) 부작용

운동실조, 집중력장애, 혼돈, 현기증, 피로, 감각이상, 격앙(thymosis), 감정불안, 우울증, 건망증(amnesia), 식욕결핍, 실어증(aphasia), 복시, 구역질, 안구진탕증, 언어장애, 체중감소, 땀 감소증(hypohidrosis), 고암모니아혈증

(3) 금기

① 이 약의 성분에 과민증이 있는 환자

② 유당불내증

(4) 주의

① 약 투여 기간 중에 자살충동 또는 자살행동, 우울증의 발현 또는 악화 및 기분과 행동의 비정상적 변화에 대하여 모니터링되어야 한다.

② 신장애, 간장애 환자들에는 신중히 투여해야 한다.

③ 투약 중단 시 발작빈도 증가 가능성을 최소화하기 위해 점진적으로 중단해야 한다.

④ 이 약 투여 도중 만약 환자의 체중이 감소하거나 체중 증가가 적절치 못하다면 식이보조제나 음식 섭취의 증가를 고려하도록 한다.

⑤ 이 약은 중추신경계에 작용하여 졸음, 현기증 또는 다른 관련 증상을 유발할 수 있다. 또한 시각장애 및/또는 시야 흐림을 유발할 수 있다. 따라서 운전, 기계 조작, 집중력을 요하는 작업을 피해야 한다.

⑥ 이 약을 투여 중에는 적절한 수분 공급을 하는 것이 중요하다. 수분 공급은 신결석 형성의 위험을 낮출 수 있다. 운동이나 높은 기온에 노출되기 전 및 중에 적절한 수분 공급을 하는 것은 열과 관련된 이상반응의 위험을 줄일 수 있다.

⑦ 알코올 또는 다른 중추신경억제제와는 병용 투여하지 않도록 한다.

(5) 약물 상호작용

① Phenytoin을 복용 중인 환자에서 Phenytoin의 혈중 농도가 증가될 수 있다.

② Phenytoin, Carbamazepine은 Topiramate의 혈장 농도를 감소시킨다.

③ 이 약과 경구용 피임제를 병용 투여하는 환자는 피임 효과가 저하되거나 돌발성 출혈이 증가될 가능성이 있다.

④ Topiramate와 Valproic acid의 병용 투여는 뇌병증을 동반 혹은 동반하지 않은 고암모니아혈증을 일으킬 수 있다.

2 항불안제(Antianxiety drug): Benzodiazepine (Fig 147)

Diazepam
Valium 2 mg, 5 mg tab
Diazepam 2 mg, 5 mg tab
Clonazepam
Rivotril 0.5 mg tab

(1) 용법, 용량

① Diazepam

A. **성인 상용량:** 1회 2–10 mg을 1일 2–4회 투여

B. **마취전 투약:** 1일 5–10 mg을 취침 전 또는 수술 전 투여

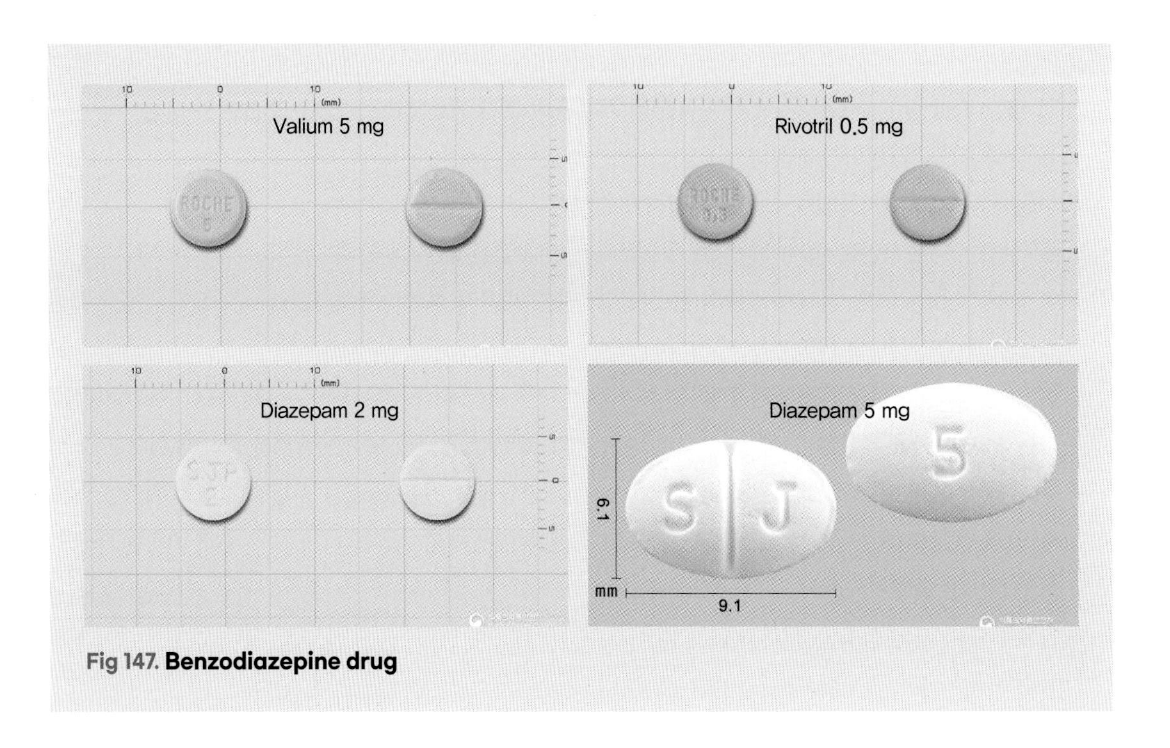

Fig 147. **Benzodiazepine drug**

② Clonazepam

A. **간질:** 초회 1.5 mg/day, 3회 분복, 유지 용량: 3–6 mg/day, 유지 용량 도달 시 1일 1회

B. **공황장애:** 초회 0.5 mg/day, 2회 분복. 3일 후 1 mg/day로 증량(최대 4 mg/day). 치료 종료 시 매 3일마다 0.25 mg씩 점진적으로 감량

C. 구강내 신경병성 통증, 구강작열감증후군의 치료 시 구강 내에서 일정 시간 동안 녹여서 적용한 후 삼키거나 뱉어내는 방식으로 사용하기도 한다.

(2) 부작용

저혈압, 진정, 졸음, 기면, 운동실조, 호흡 억제, 피로감, 어지러움 등이 빈번히 발생하는 부작용이다.

① 의존성

벤조디아제핀계 약물치료에 의해 의존성이 일어날 수 있으며 장기간 투여 환자, 고용량 투여 환자, 특히 알코올 중독력 환자, 약물 남용력 환자, 인격장애 환자, 정신병 소인이 있는 환자에서 의존성 발생 위험성이 증가되므로 주의해서 투여해야 하며, 가능한 한 단기간 동안만 투여한다. 투여용량이 많고, 치료기간이 길수록 의존성 위험이 증가한다. 장기간 투여 시에는 투여에 따른 유익성과 위험성을 면밀히 검토한 후 결정한다.

② 금단증상

금단증상 발현 시기는 투여 중지 수시간 후부터 1주일 후 또는 그 이상으로 다양하며 진전, 불안정, 불면, 불안, 두통, 설사 및 집중력 결여 등이 나타날 수 있고 드물게 발한, 근육 및 복부 경련, 지각이상, 헛소리, 경련이 나타날 수 있다. 중증의 경우에는 비현실감, 이인증(depersonalization), 청각과민(hyperechema, hyperacusis), 무감각, 사지저림(extremity tingling), 광과민성(photosensitivity), 환각(hallucination), 또는 경련이 발생할 수 있다. 금단증상이 나타나면 즉시 의사의 치료를 받도록 하며 급격한 투여 중지를 피하고 점차적으로 감량하여 투여한다.

③ 이 약의 투여가 필요한 증상들이 더욱 강화된 형태로 다시 나타날 수 있다. 이러한 증상은 기분변화, 불안, 수면장애 등의 반응을 동반할 수 있다.

④ 정신신경계

정신분열증 등의 정신장애자에 투여하면 오히려 불안, 흥분, 우울, 자극과민, 착란(confusion), 환각, 정신병, 기타 행동장애 등의 역설적 반응(paradoxical reaction)이 나타날 수 있으므로 관찰을 충분히 하고 이러한 증상이 나타나면 투여를 중지하고 적절한 처치를 한다. 때때로 졸음, 휘청거림(grogginess), 어지러움, 보행실조, 두통, 요실금(urinary incontinence), 언어장애, 드물게 진전, 다행증(euphoria), 실신이 나타날 수 있다.

⑤ 눈: 안구진탕, 시력 불선명(blurred vision) 등 시력장애가 나타날 수 있다.

⑥ 혈액: 때때로 백혈구 감소, 과립구감소 등이 나타날 수 있으므로 관찰을 충분히 하고, 혈액관련 부작용이 발생하면 즉시 투여를 중지해야 한다.

⑦ 간장: 때때로 황달, 드물게 ALT, AST, ALP의 상승 등이 나타날 수 있으므로 관찰을 충분히 하고 간장 관련 부작용이 발생하면 즉시 투여를 중지해야 한다.

⑧ 순환기계: 때때로 빈맥, 혈압저하 등이 나타날 수 있다.

⑨ 소화기계: 때때로 구역, 구토, 식욕부진, 위장장애, 변비, 구갈(hydrodipsomania), 타액분비의 변화 등이 나타날 수 있다.

⑩ 과민증: 발진 등의 증상이 나타날 수 있으므로 이러한 경우에는 투여를 중지한다.

⑪ 호흡기계: 만성 기관지염 등의 호흡기 질환에 사용하는 경우 호흡억제가 나타날 수 있으므로 관찰을 충분히 하고 호흡기 관련 부작용이 발생하면 즉시 투여를 중지해야 한다.

⑫ 기억상실증: 이 약 또는 벤조디아제핀계 약물은 전향기억상실증(anterograde amnesia)을 유발할 수 있다. 권장용량을 투여하는 경우에도 발생할 수 있으며, 고용량 투여 시 발생 위험이 증가한다.

(3) 금기

① 유당불내증

② 급성 녹내장(glaucoma) 환자: 항콜린작용에 의해 안압이 상승하여 증상이 악화될 수 있다.

③ 중증의 근무력증(myasthenia) 환자: 근이완작용에 의해 증상이 악화될 수 있다.

④ 이 약 또는 벤조디아제핀계 약물에 과민증 환자

⑤ 중증의 호흡부전 환자

⑥ 6개월 이하의 영아

⑦ 수면무호흡증후군 환자

⑧ 알코올 또는 약물의존성 환자

⑨ 중증의 간장애 환자

(4) 주의

① 알코올/중추신경억제제와의 병용 투여를 피해야 한다. 이러한 병용 투여로 인하여 중증 진정작용, 호흡기계 및/또는 심혈관계 억제 효과가 나타나면서 혼수 또는 사망에 이를 수도 있다.

② 마약류와 이 약의 성분인 Diazepam을 포함한 벤조디아제핀계 약물의 병용 투여는 깊은 진정, 호흡억제, 혼수상태 및 사망을 초래할 수 있다.

③ 다음 환자에는 신중히 투여해야 한다.

A. 심장애 환자(증상이 악화될 수 있다)

B. 간 · 신장애 환자(약배설이 지연될 수 있다)

C. 뇌의 기질적 장애 환자(작용이 강하게 나타난다)

D. 영 · 유아(작용이 강하게 나타난다)

E. 고령자 또는 쇠약 환자

F. 중등도의 호흡부전 환자(호흡부전이 악화될 수 있다)

G. 우울증 환자

H. 척추성 또는 소뇌성 운동실조 환자

I. 알코올, 수면제, 진통제, 항정신병약, 항우울약, Lithium에 의한 급성 중독 환자

④ 졸음, 주의력 · 집중력 · 반사운동능력 등의 저하가 일어날 수 있으므로 이 약을 투여 중인 환자는 자동차 운전 등 위험을 수반하는 기계조작을 하지 않도록 주의한다.

⑤ 이 약을 급격히 투여 중지할 경우 일시적으로 발작이 증가될 수 있다.

⑥ 벤조디아제핀계 약물을 우울증이나 우울성 불안에 단독으로 사용할 경우 자살경향이 증가할 수 있으므로 신중히 투여한다.

⑦ 일반적인 항불안효과를 목적으로 사용할 때에는 가능한 한 단기간 투여한다. 많은 경우 총 치료기간은 4–12주를 넘지 않도록 해야 하며 장기간 투여가 필요한 경우 정기적으로 환자의 증상을 재평가한 후 투여한다. 투여를 중지할 경우에는 점진적으로 감량한다.

⑧ 장기간 치료 시에는 혈액검사, 간기능검사 및 요검사를 정기적으로 한다.

⑨ 만성호흡부전환자에서 호흡억제 위험이 있으므로 이 약을 저용량으로 투여하는 것이 권장된다.

⑩ 벤조디아제핀계 약물 복용시 안절부절함, 초조함, 과민성, 공격성, 불안, 망상, 분노, 악몽, 환각, 정신병, 부적절한 행동과 다른 이상 행동 영향이 발생하는 것으로 알려져 있다. 이러한 증상이 발생한 경우에는 약물 복용을 중단해야 한다.

(5) 약물 상호작용

① 벤조디아제핀계 약물과 마약류의 병용 투여는 중추신경계에서 호흡을 통제하는 다른 수용체 부분에 작용하기 때문에 호흡억제의 위험성을 증가시킨다.

② 알코올을 포함하는 다른 중추작용억제제와 이 약을 병용하는 경우에는 심한 진정작용, 호흡기계 및/또는 심혈관계 억제에 대한 부작용이 증강될 수 있다. 이 약을 복용하는 환자는 알코올 섭취를 삼가야 한다.

③ Maprotiline HCl과의 병용으로 중추신경억제작용이 증강될 수 있고, 병용 중 이 약을 급속히 감량 또는 중지하면 경련발작을 일으킬 수 있다.

④ Dantrolene과 병용 투여 시 상호 근이완작용을 증강시킬 수 있다.

⑤ 위장운동 촉진제인 Cisapride와 병용에 의해 경구용 Benzodiazepine계 약물의 흡수가 촉진되어 진정효과가 증강되므로 신중히 투여한다.

⑥ Disulfiram과 병용 투여하는 경우에 이 약의 혈중농도가 증가할 수 있으므로 신중히 투여한다.

⑦ Benzodiazepine계 약물과 Digoxin을 병용 투여 시 Digoxin의 신배설이 줄어들 수 있으므로 신중히 투여한다.

⑧ Phenytoin 또는 Primidone과 병용 투여 시 이들 두 약물의 혈중농도의 상승이 관찰되었다.

⑨ Valproic acid과의 병용 투여에 의하여 때때로 결신발작(absence epilepsy), 간질지속상태(status epilepticus)를 일으킬 수 있다.

⑩ Cemetidine은 이 약의 신배설을 감소시키기 때문에 이 약의 작용이 증가되며, Rifampicin은 Benzodiazepine계 약물의 신배설을 증가시킨다.

3 항우울제(Antidepressants)

1) 삼환계 항우울제(tricyclic antidepressants) (Fig 148, 149)

Amitriptyline
Amitriptyline 10 mg tab
Etravil 10mg, 25 mg tab
Nortriptyline
Sensival 10 mg, 25 mg tab

(1) 용법, 용량

① Amitriptyline

신경병성 통증, 턱관절 장애 관련 만성 통증 치료 시에는 10-25 mg의 저용량을 사용한다. 치료효과를 얻기 위해서는 장기간이 소요된다. 즉 편두통의 예방, 신경병성 통증 치료를 위해 최소 6주 이상 사용하여야 한다.

② Nortriptyline

Amitriptyline에 비해 부작용이 덜하고 1-3주 투여해도 효과를 발휘하는 것으로 알려져 있다. 성인을 기준으로 1회 10-25 ㎎을 1일 1-3회 경구투여한다. 그 후 증상 및 부작용을 관찰하면서 필요한 경우에 점차 증량한다. 1일 최대 150 ㎎을 2-3회 분할하여 투여할 수 있다.

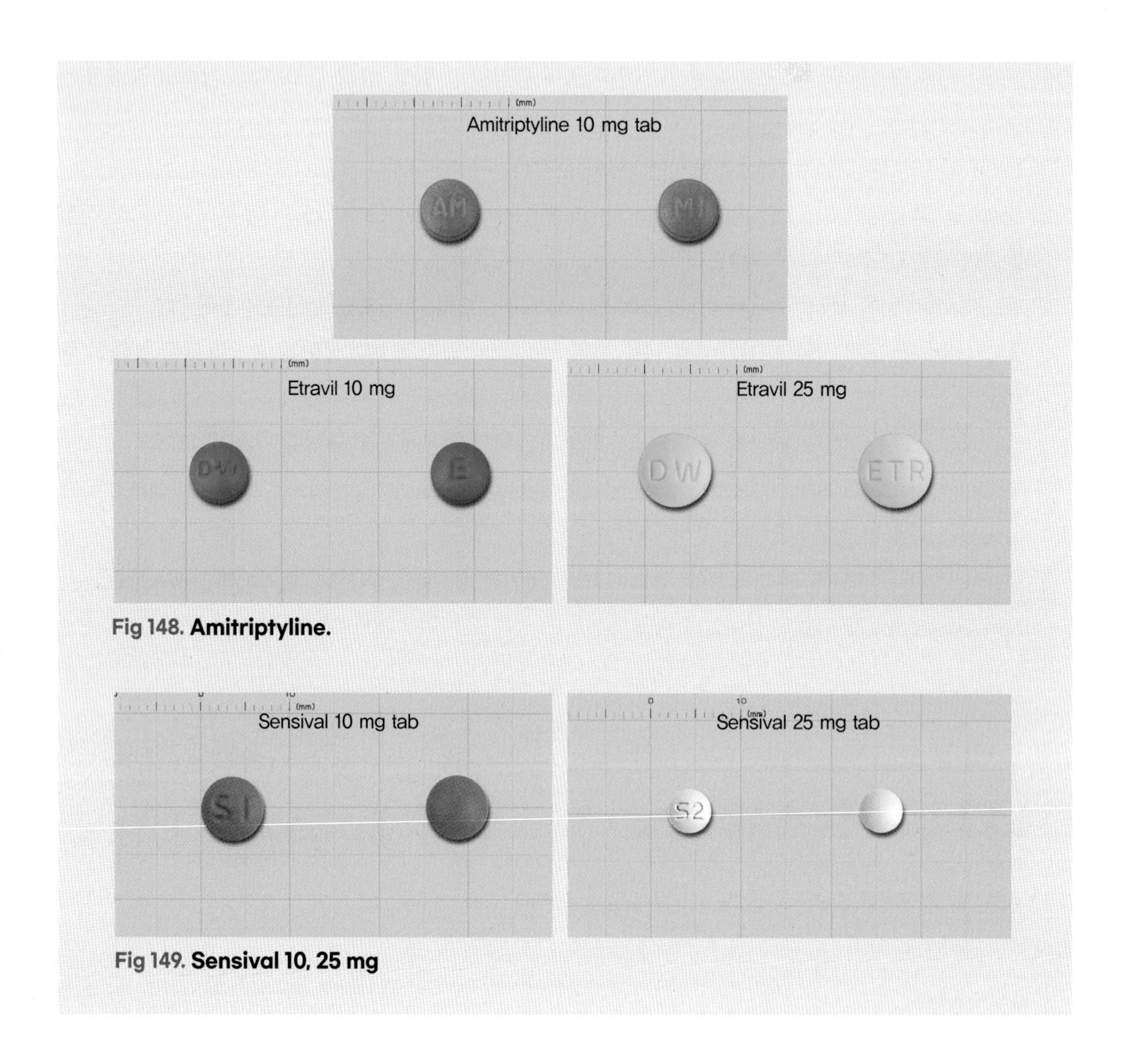

Fig 148. **Amitriptyline.**

Fig 149. **Sensival 10, 25 mg**

(2) 부작용

졸림, 변비, 목마름, 구강건조증 등의 부작용이 일반적이다. 특히 고령자에서 부작용이 많기 때문에 주의해서 처방해야 한다.

- **Common:** 체중 증가, 변비, 구강건조증, 현기증, 불면, 시야 흐림
- **Serious:** 부정맥, QT interval 증가, 무과립구증, 간부전, 황달, 신경이완제악성증후군(neuroleptic malignant syndrome), 경련, 우울감 악화, 자살충동 증가

① 신경이완제악성증후군

운동마비, 심한 근육강직(muscular stiffness), 연하곤란, 빈맥, 혈압변화, 발한 등이 나타난다. 이러한 증상들과 함께 발열이 나타나는 경우에는 투여를 중지하고 체냉각과 수분보급 등의 전신적 치료와 함께 적절한 처치를 한다. 백혈구 증가, 혈청 CPK 상승이 자주 나타나고 미오글로빈뇨증(myglobinuria)을 수반한 신기능저하가 나타날 수 있다. 또한 고열이 지속되고 의식장애, 호흡곤란, 순환허탈(circulatory collapse)과 탈수증상, 급성 신부전으로 발전해서 사망했다는 보고가 있다.

② 항이뇨호르몬분비이상증후군(syndrome of Inappropriate ADH)

드물게 저나트륨혈증, 요중 나트륨배설량 증가, 경련, 의식장애 등을 수반하는 항이뇨호르몬분비이상증후군이 나타날 수 있으므로 이러한 경우에는 투여를 중지하고 수분섭취 제한 등 적절한 처치를 한다.

③ 마비성 장폐색

드물게 장관마비[식욕부진, 구역질, 구토, 현저한 변비, 복부의 팽만 및 이완, 장내용물의 울체(stagnation) 등]가 나타나 마비성 장폐색으로 이행될 수 있으므로 장관마비가 나타나는 경우에는 투여를 중지한다.

④ 순환기계

때때로 심근경색이 나타날 수 있으므로 이러한 경우에는 투여를 중지한다. 뇌졸중, 실신, 때때로 저혈압(특히 기립성 저혈압), 고혈압, 빈맥 · 서맥, 심계항진, QT 간격 연장, 부정맥, 심블록, 심발작, ECG 이상, 알레르기성 혈관염이 나타날 수 있다.

⑤ 정신신경계

소아, 청소년 및 젊은 성인(18-24세)에서의 자살 성향의 증가, 혼수, 집중력장애, 방향감각상실, 망상(delusion), 환각, 헛소리, 정신착란(mental confusion), 흥분, 불안, 불면, 악몽, 마비, 이명, 사지의 감각이상, 말초신경병증, 운동실조, 경련발작, 진전, 지발성 운동장애(tardive dyskinesia) 등의 추체외로 증상(extrapyramidal symptoms)들과 두통, 피로, 졸음, 구음장애, EEG상의 변화, 초조 등이 나타날 수 있으므로 이러한 경우에는 감량 또는 휴약 등 적절한 처치를 한다.

⑥ 항콜린작용

구갈, 배뇨곤란, 안압 증가, 변비, 발한, 빈뇨, 산동(mydriasis), 이상 고열이 나타날 수 있다.

⑦ 과민증

발진, 두드러기, 안면과 혀부종, 광과민증 등이 나타날 수 있으므로 이러한 경우에는 투여를 중지한다.

⑧ 혈액

무과립구증, 백혈구감소, 자반증(purpura), 혈소판감소, 호산구증가 등의 골수기능억제가 나타날 수 있으므로 정기적으로 혈액검사를 실시하고 이상(전구증상으로 발열, 인두통, 독감과 유사한 증상이 나타날 수도 있다)이 인정되는 경우에는 투여를 중지한다.

⑨ 소화기계

구역질, 구토, 식욕부진, 설사, 미각이상, 상복부장애, 구내염, 이하선부종, 혀의 흑변(ochronosis)이 나타날 수 있다.

⑩ 내분비계

여성형 유방증(gynecomastia), 유즙분비(lactation), 성욕 변화, 혈당 변화, 성기능장애 등이 나타날 수 있다.

⑪ 간장

드물게 간염, 황달, ALT, AST의 상승이 나타날 수 있으므로 관찰을 충분히 하고 이상이 인정되는 경우에는 투여를 중지한다.

⑫ 근골격계

주로 50세 이상의 환자를 대상으로 한 외국 역학연구에서 선택적 세로토닌 재흡수 저해제(SSRI) 및 삼환계 항우울제(TCA)를 투여받은 환자에게서 골절 위험이 증가하였음이 보고되었고, 작용기전은 밝혀지지 않았다.

⑬ 기타

어지러움, 허약감, 체중 변화, 탈모증 등이 나타날 수 있다. 간혹 장기 투여 시 입주위 등의 불수의 운동이 나타나고 투여 중지 후에도 지속될 수 있다.

(3) 금기

① 삼환계 항우울약에 과민증 환자
② 심근경색 회복초기 환자: 순환기계에 영향을 미쳐 심근경색이 악화될 수 있다.
③ 녹내장 환자: 항콜린작용이 있어 증상이 악화될 수 있다.
④ 중추신경억제제 또는 알코올 급성 중독 환자
⑤ 급성 섬망 환자
⑥ 전립선비대 등 배뇨장애 환자
⑦ 부정맥 환자
⑧ 대뇌손상, 무과립구증 환자
⑨ MAO 저해제를 투여 중인 환자
⑩ 유당불내증
⑪ 항정신병제 Pimozide를 투여 받고 있는 환자

(4) 주의

① 신중투여

간질 등 경련성 질환 또는 기왕력자, 심질환 환자(심부전, 심근경색, 협심증 등), 갑상선기능항진증, 임부, 가임부, 소아, 고령자, 뇌의 기질적 장해 또는 정신분열증의 소인이 있는 환자, 조울증 환자, 배뇨곤란 환자, 안내압항진 환자, 간장애 환자들에서는 신중하게 투여해야 한다.

② 약의 효과는 보통 4-10일 후에 나타나며 때로는 6주 정도 후에 나타날 수도 있다.
③ 주요 우울증이나 다른 정신과적 질환을 가진 소아, 청소년 및 젊은 성인(18-24세)에 대한 단기간의 연

구에서 항우울제가 위약에 비해 자살 충동과 행동(자살 성향)의 위험도를 증가시킨다는 보고가 있다.

④ 졸음, 주의력 · 집중력 · 반사운동능력 등의 저하가 나타날 수 있으므로 이 약을 투여중인 환자는 자동차 운전 등 위험을 수반하는 기계조작을 하지 않도록 주의한다.

⑤ 전기경련요법(ECT)과 병용하는 경우에는 위험성이 증가될 수 있으므로 반드시 필요한 경우에만 실시한다.

⑥ 수술을 실시할 경우에는 수일 전에 이 약의 투여를 중지한다.

⑦ QT 간격 연장 및 부정맥의 사례가 보고되었다. 유의미한 서맥이 있는 환자, 비보상성 심부전 환자 또는 QT 연장 약물을 병용 투여하는 환자에게 주의하여 사용되어야 한다. 전해질 장애(저칼륨혈증, 고칼륨혈증, 저마그네슘혈증)가 존재할 경우 부정맥 위험이 증가한다.

(5) 약물 상호작용

① MAO 저해제와 병용 투여 시 발한, 불안, 전신경련, 이상고열, 혼수 등이 나타날 수 있으므로 병용 투여하지 않는다. 또한 MAO 저해제를 투여한 환자에게 이 약을 투여할 경우에는 적어도 2주간의 간격을 둬야 한다. 이 약에서 MAO 저해제로 대치 투여할 경우에는 2-3일간의 간격을 둔다.

② 알코올 섭취, 항콜린작용약, 에피네프린, 중추신경억제제(Barbital계 약물 등) 등은 이 약의 작용을 증강시킬 수 있다.

③ 이 약은 혈압강하제의 작용을 감소시킬 수 있다.

④ Sulfamethoxazole, Trimethoprim 등의 항균제과 병용 투여 시 이 약의 작용이 저하될 수 있다.

⑤ Disulfiram과 병용 투여 시 섬망이 나타날 위험성이 증가한다.

⑥ QT 간격을 연장시키는 다음의 약물을 삼환계 항우울제와 병용 투여 시 심실성 부정맥(ventricular arrhythmia)의 가능성을 증가시킬 수 있다.

- **항부정맥제:** *Amiodarone* (병용 투여 금기), *Quinidine, Sotalol, Disopyramide* 등
- **항정신병제:** *Pimozide* (병용 투여 금기), *Haloperidol* 등
- **항우울제:** *Fluoxetine*, 삼환계/사환계 항우울제 등
- **Macrolide계 항생제 및 유사체:** *Erythromycin, Clarithromycin, Tacrolimus* 등
- **Quinolone계 항생제:** *Ciprofloxacin* 등
- Antimalarial drugs: *Qunine, Chloroquine* 등
- Azole계 antifungal agents: *Ketoconazole* 등
- Domperidone
- **5-HT3 수용체 길항제:** *Ondansetron* 등
- **히스톤탈아세틸화효소억제제**(Histone deacetylase): *Vorinostat* 등
- **베타-2 아드레날린 수용체 작용제:** *Salmeterol* 등

⑦ Methadone과 병용 투여 시 QT 간격에 부가적인 영향을 미칠 수 있고, 심각한 심혈관 질환 위험이 증가하므로 주의한다.

⑧ 저칼륨혈증을 유발하는 Diuretics (예: Furosemide)와 병용 투여 시 주의한다.

⑨ 임부 및 수유부에 대한 투여

2) 세로토닌-노르에피네프린 재흡수 억제제
(serotonin and norepinephrine reuptake inhibitor, SNRI)

Duloxetine (Cymbalta 30 mg, 60 mg cap) (Fig 150)

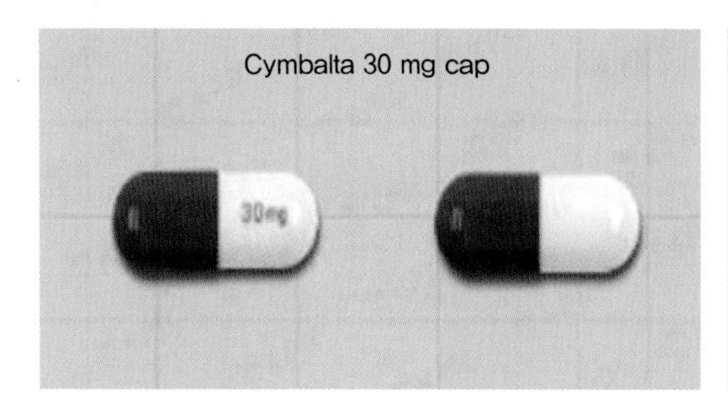

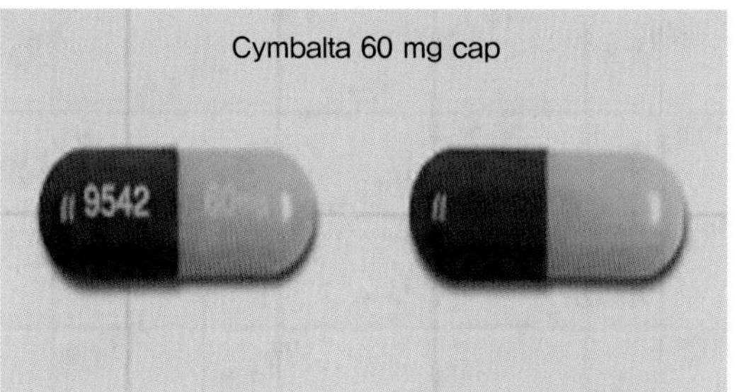

Fig 150. **Cymbalta 30 mg, 60 mg cap.**

(1) 용법, 용량

① 주요 우울장애, 범불안장애, 당뇨병성 말초 신경병성 통증, 섬유근육통의 치료에 사용되는 약물이다. 비스테로이드성 소염진통제(NSAIDs)에 반응을 잘 보이지 않는 골관절염성 통증의 치료에도 유용하게 사용될 수 있다.

② 식사와 관계없이 투여한다.

③ 성인 당뇨병성 말초신경통증의 치료
초기 투여는 1일 1회 60 mg으로 시작한다. 당뇨병의 합병증으로 신장애를 가지고 있는 환자의 경우에는 저용량으로 시작하여 점차적으로 증량할 것을 고려한다.

④ 섬유근육통, 비스테로이드성 소염진통제(NSAIDs)에 반응을 보이지 않는 골관절염 통증의 치료
환자가 약물에 적응할 수 있도록 1주일 동안 1일 1회 30 mg으로 투여를 시작하여 1일 1회 60 mg으로 증량한다.

(2) 부작용

① 일반적으로 많이 발생하는 부작용
구역질, 두통, 구강건조증, 졸음, 불면증, 설사, 식욕감소, 불안, 성욕감소, 발기부전, 현기증, 진전, 신경과민, 기면, 감각이상, 심계항진, 변비, 발한 증가, 근육 경련, 피로, 복통, 소화불량 등

② 드문 부작용
고혈당, 녹내장, 급성 간손상, 간수치 상승, 멍, 시각 이상, 빈맥, 구취, 사정 장애, 감각이상, 체중 증가, 자살성향 등

③ 혈압 및 심박수
이 약의 노르아드레날린 효과로 인하여 혈압이 상승될 수 있다. 특히, 기저질환으로 고혈압이 있는 환자

에서 고혈압 발작 사례가 보고된 바 있다. 따라서 고혈압 그리고/또는 다른 심장질환을 가진 환자들은 적절한 혈압 관찰이 필요하다. 이 약을 복용하는 동안 지속적으로 혈압이 증가하는 사람의 경우 용량을 감소하거나 점진적으로 투여를 중단할 것을 고려해야 한다.

④ 기립성 저혈압 및 실신

이 약의 치료 용량에서 기립성 저혈압과 실신이 보고되었다. 이러한 증상은 투여 첫 주에 나타나는 경향이 있으나, 투여 시기와 관계없이 용량을 증가시킨 이후에도 나타날 수 있다. 기립성 저혈압을 유발하는 약물(예: 항고혈압약)이나 강력한CYP1A2 억제제를 복용하는 환자, 이 약의 권장용량(60 mg/일)보다 초과 복용하는 환자에서 혈압감소의 위험이 더 증가할 수 있다.

⑤ 출혈

선택적 세로토닌 재흡수 억제제(selective serotonin reuptake inhibitors, SSRIs) 및 세로토닌/노르에피네프린 재흡수 억제제(serotonin and norepinephrine reuptake inhibitor, SNRI) 투여 시 반상출혈(ecchymoses)과 자반(purpura), 위장관 출혈, 혈종(hematomas), 비출혈(epistaxis), 점상출혈(petechiae)과 같은 출혈 장애가 보고되었다. 항응고제와/또는 혈소판 기능에 영향을 주는 것으로 알려진 약물을 투여 받고 있는 환자, 출혈 경향이 있는 환자에서도 주의가 요구된다. Duloxetine은 산후출혈의 위험성을 높일 수 있다. 이 약과 Warfarin 및 기타 항응고제, 비스테로이드성 항염증약(nonsteroidal anti-inflammatory drug, NSAID), Aspirin 또는 혈소판 기능이나 혈액응고에 영향을 주는 다른 약물을 병용하는 환자, 출혈 경향이 있는 환자들은 이 약 복용과 관련하여 출혈 위험을 주의해야 한다.

⑥ 중증 피부반응

이 약 투여 시 다형성홍반(erythema multiforme), 스티븐스존슨 증후군 등의 중증 피부반응이 나타날 수 있으므로 주의해야 한다. 물집, 박리성 발진, 점막의 짓무름, 기타 다른 과민반응의 증후가 나타나면 즉시 이 약의 투여를 중단해야 한다.

⑦ 저나트륨혈증

이 약을 포함한 선택적 세로토닌 재흡수 억제제(selective serotonin reuptake inhibitors, SSRI's) 및 세로토닌/노르에피네프린 재흡수 억제제(SNRI) 투여 시 저나트륨혈증이 발생할 수 있다. 저나트륨혈증은 항이뇨호르몬분비이상(SIADH)의 증상 때문인 것으로 보인다. 나트륨의 혈청농도가 110 mmol/L 이하로 떨어진 증례들이 보고되었고, 이 약의 투여를 중단하면 회복 가능한 것으로 나타났다. 노인 환자에게서 SSRIs와 SNRIs로 인해 저나트륨증의 유발 위험성이 더 높아질 수 있다. 저나트륨혈증의 위험이 증가되어있는 노인, 간경화, 탈수 환자 또는 Diuretics를 투여 중인 환자들에서는 각별한 주의가 요구된다.

⑧ 요저류(ischuria) 및 요폐(anuresis)

이 약물은 요도 저항에 영향을 미친다. 이 약 치료 도중에 요저류 증상이 나타나면 약물과의 관련 가능성을 고려해야 한다.

⑨ 좌불안석증(akathisia)/정신운동성 안절부절증(psychomotor restlessness)

주관적으로 불쾌하거나 고통스러운 안절부절증으로 특징되는 좌불안석증이 발현될 수 있다. 이 증상은 주로 약 투여 시작 후 몇 주 이내에 발생하기 쉽다.

⑩ 간염 및 간효소 증가

이 약을 투여받은 환자에서 때때로 치명적인 간부전이 보고되었다. 간 효소의 심각한 상승(정상 상한치의 >10배), 간염, 황달을 포함한 간 손상의 증례가 Duloxetine을 투여한 환자들에게서 보고되었다.

⑪ 치료의 중단

치료를 중단했을 때 특히 치료를 갑작스럽게 중단했을 때 금단증상이 흔하게 나타난다. 임상시험에서 이 약의 갑작스러운 투여 중지 시 이상반응은 위약투여군에서 23%였으나 이 약 투여군에서는 약 45%로 나타났다. 이 약의 투여를 중지할 경우 환자의 임상적 필요에 따라 2주 이상의 기간에 걸쳐서 점진적으로 감량되어야 한다.

(3) 금기

① 이 약의 주성분 또는 첨가제에 대해 과민증을 나타낼 경우

② 이 약과 MAO 저해제를 병용 투여하거나 이 약 투여 중단 후 5일 이내에 MAO저해제를 투여하는 것은 세로토닌 증후군 위험성을 증가시키기 때문에 금기이다. 정신질환 치료를 위해 MAO 저해제 투여 중단 후 14일 이내에 이 약을 투여하는 것 또한 금기이다.

③ 간질환 환자: 간기능 장애가 유발될 수 있다.

④ 투석이 필요한 말기 신질환 환자 또는 중증의 신장애 환자(GFR < 30 mL/분): 이 약의 혈장농도가 증가한다.

⑤ 조절되지 않는 녹내장 환자: 동공산대의 위험을 증가시킬 수 있다.

⑥ 조절되지 않는 고혈압 환자: 고혈압 발작의 잠재적 위험이 있다.

⑦ 이 약은 sucrose (자당)를 포함하고 있으므로 과당 불내성(fructose intolerance), 포도당-갈락토스(glucose-galactose) 흡수장애, 또는 sucrose 이소말타아제 결핍증 등의 유전적인 질환을 가진 환자는 이 약을 복용해서는 안 된다.

(4) 주의

① 주요 우울증이나 다른 정신과적 질환을 가진 소아, 청소년 및 젊은 성인(18-24세)에 대한 단기간의 연구에서 항우울제가 위약에 비해 자살 충동과 행동(자살 성향)의 위험도를 증가시킨다는 보고가 있다.

② 세로토닌 증후군

동 제제를 포함한 세로토닌-노르에피네프린재흡수억제제(SNRIs) 및 세로토닌선택적재흡수억제제(SSRIs)를 단독으로 투여하거나 다른 세로토닌 작동성 약물들[Tryptane계열 약물, 삼환계 항우울제, Fentanyl, Lithium, Tramadol, Tryptophan, Buspirone, Amphetamine류, 세인트존스워트(St. John's Wort) 포함] 및 세로토닌 대사를 저해하는 약물들(특히 둘 다 정신질환 치료를 위한 MAO저해제 및 Linezolid 및 정맥주사용 메틸렌블루 제제와 같은 다른 제제)을 병용 투여했을 때 잠재적으로 생명을 위협하는 세로

토닌증후군 발생이 보고되었다. 세로토닌 증후군 증상은 정신상태 변화(예: 초조, 환각, 섬망, 혼수), 자율신경불안증(예: 빈맥, 불안정한 혈압, 어지럼, 발한, 홍조, 고열), 신경근증상[예: 떨림, 경축, 간대성 근경련(myoclonia), 반사항진(hyperreflexia), 조화운동장애(dystaxia)], 발작 및/또는 위장관계 증상(예: 구역, 구토, 설사)을 포함할 수 있다.

③ 정신질환 치료를 위해 동 제제와 MAO저해제를 병용 투여하는 것은 금기이다.

④ 다음 환자에는 신중히 투여할 것

A. 조증(mania) 또는 양극성 장애(bipolar disorder) 환자, 간질 병력이 있는 환자

B. 안압이 증가되었거나 급성 녹내장 위험이 있는 환자

C. 경증 또는 중등증 신장애 환자

D. 고혈압 환자, 심장질환 환자

E. 출혈 경향이 있는 환자, 항응고제 또는 혈소판 기능에 영향을 주는 약물을 투여하는 환자

F. 항우울제 복용환자

G. 고령자, 탈수 환자 또는 diuretics를 투여 중인 환자: 저나트륨혈증의 위험이 있다.

⑤ 치료 중단 시 갑작스럽게 투약을 중단하면 금단 증상이 발생한다. 2주 이상에 걸쳐 점진적 감량이 추천된다.

⑥ 진정 및 어지러움이 발생할 수 있기 때문에 환자들은 차를 몰거나 위험한 기계를 조작할 때 주의가 필요하다.

(5) 약물 상호작용

① 알코올이나 수면제(Benzodiazepine류, Morphin류, 항정신병약물, Phenobarbital류, 진정작용이 있는 항히스타민제) 같은 약물과 병용 투여될 때 주의가 요구된다.

② MAO 억제제(MAOIs)와 병용해선 안 된다.

③ 세로토닌-노르에피네프린 재흡수 억제제(SNRIs) 및 세로토닌 선택적 재흡수 억제제(SSRIs)를 단독으로 투여하거나 다른 세로토닌 작동성 약물들[Tryptane계열 약물, 삼환계 항우울제, Fentanyl, Lithium, Tramadol, Tryptophan, Buspirone, Amphetamine류, 세인트존스워트(St. John's Wort) 포함] 및 세로토닌 대사를 저해하는 약물들(특히 둘 다 정신질환 치료를 위한 MAO저해제 및 linezolid 및 정맥주사용 메틸렌블루 제제와 같은 다른 제제)을 병용 투여했을 때 잠재적으로 생명을 위협하는 세로토닌증후군 발생 위험성이 증가한다.

④ Warfarin 같은 경구용 항응고제 또는 비스테로이드성 소염진통제(NSAIDs), Aspirin 같은 항혈소판제제와 병용 투여할 경우 출혈의 잠재적 위험이 증가하므로 주의가 요구된다.

⑤ Fluvoxamine, Ciprofloxacin과 병용할 경우 Duloxetine의 혈장 농도가 증가하기 때문에 주의해야 한다.

4 Tramadol 37.5 mg + Acetaminophen 325 mg (Fig 151)

Ultracet tab, Ultracet ER Semi tab, Rapicet tab, Ensitra Semi SR

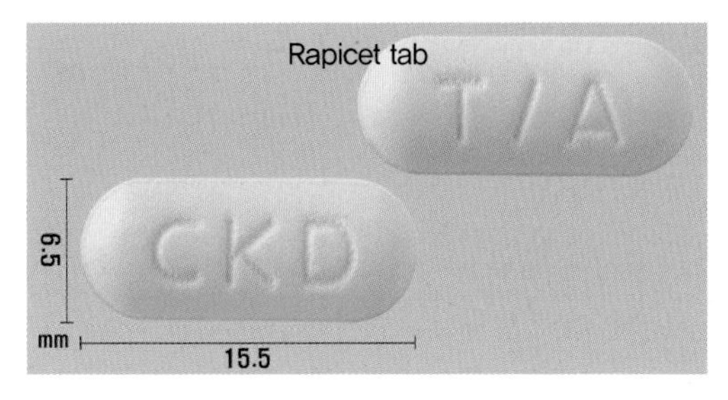

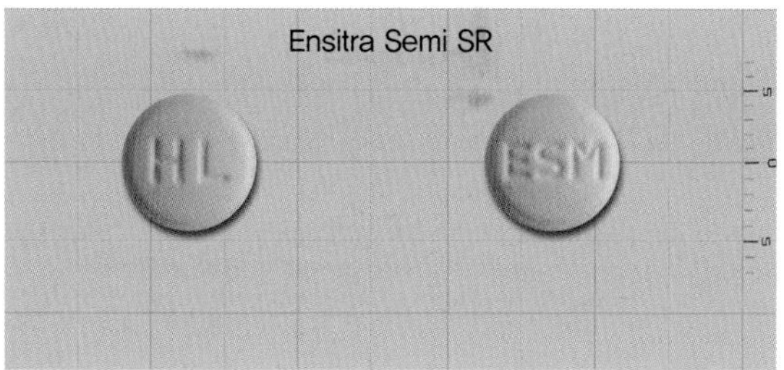

Fig 151. Tramadol 37.5 mg + Acetaminophen 325 mg

Tramadol은 Tramadol과 M1 대사체에 의하여 μ-opioid수용체에 작용하여 Norepinephrine과 Serotonin의 재흡수 억제를 통하여 진통 작용을 발휘한다. Acetaminophen은 중추에서 Prostaglandin 합성을 억제하여 진통 작용을 한다.

TOUGH CASES

(1) 용법, 용량

중등도-중증의 급, 만성 통증 치료를 위해 사용하며, 성인 상용량은 초회 2 tab 투여한 후 1 tab bid로 유지한다. 하루 최대 가능 용량은 8 tab이다.

(2) 부작용

무력증(adynamia), 피로, 발열, 흉통, 경직, 실신, 금단증상, 현기증, 두통, 진전, 운동실조, 경련, 혼미, 복통, 변비, 설사, 소화불량, 방귀(flatus), 구내건조, 구역질, 구토, 스티븐스존슨 증후군(SJS), 독성 표피 괴사용해(TEN)와 같은 중대한 피부반응

(3) 금기

① 중추신경계 작용 약물에 중독된 환자

② 심한 호흡억제 증상이 있는 환자

③ 두부손상 · 뇌의 병변 등으로 인하여 의식 혼탁의 위험이 있는 환자

④ MAO억제제 병용 혹은 최근 14일 이내에 투약한 경험이 있는 환자

⑤ 약물로 조절되지 않는 간질 환자

⑥ 소화성궤양, 심한 혈액이상, 간장애, 신장애, 심기능 부전 환자

⑦ 기관지 천식 또는 병력이 있는 환자

⑧ 임산부와 수유부

(4) 주의

① 모르핀, 아편제제, 마취제, 최면제, 진정제 등과 같은 중추신경계 억제제 복용 환자, 담도질환(biliary tract disease), 간질환, 신질환 환자, 간질 발작 위험이 있는 환자, 음주 환자에서는 신중하게 투여해야 한다.

② 장기 투여에 의한 내약성으로 인해 정신적, 육체적 의존성이 발생할 수 있다.

③ 졸음이나 현기증을 일으킬 수 있으므로 운전이나 기계조작 시 주의

(5) 약물 상호작용

① MAO억제제를 투여받고 있는 환자 또는 최근 14일 이내에 투약한 경험이 있는 환자에서의 이 약의 병용 투여는 발작 및 세로토닌 증후군의 위험을 증가시킨다.

② Tramadol과 선택적 세로토닌 재흡수억제제를 병용 시 발작 및 세로토닌 증후군을 포함한 이상반응 위험이 증가한다.

③ Carbamazepine과 병용 시 Tramadol의 혈장 농도 감소로 인하여 Tramadol 진통 효과 및 작용 시간이 유의하게 감소할 수 있다. Carbamazepine이 Tramadol 대사를 증가시키고, Tramadol의 발작 발생 위험을 증가시킬 수 있으므로 병용을 금한다.

④ 이 약과 Benzodiazepine계 약물, 다른 마약성 진통제, 전신마취제, Phenothiazine계 약물, 신경안정제, 수면제, 삼환계 항우울제, 신경근육차단제, 또는 알코올을 포함한 다른 중추신경억제제를 병용 투여하면 추가적인 중추신경억제작용이 유발되고, 호흡억제, 저혈압, 깊은 진정, 또는 혼수, 사망과 같은 중추신경 억제작용이 증가될 수 있다. 따라서 이러한 약물과 병용 투여하는 경우에는 두 가지 약물 중 하나, 또는 둘 다 용량을 감량해야 한다.

⑤ 이 약과 Warfarin 유사약물을 병용할 경우에는 INR (international normalized ratio, 국제정상화 비율) 증가 보고가 있으므로, 의학적으로 적절한 경우 프로트롬빈 시간을 정기적으로 평가하도록 한다.

5 **Corticosteroid:** Dexamethasone 5 mg inj, Dexamethasone 0.5 mg tab, Dexamethasone garg 0.05%, 0.1% (Fig 152)

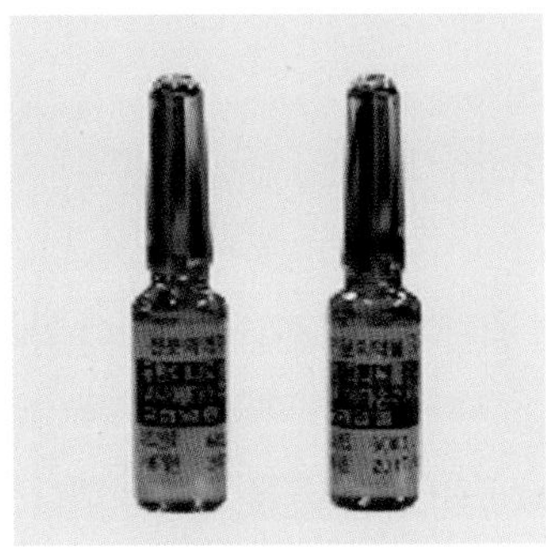

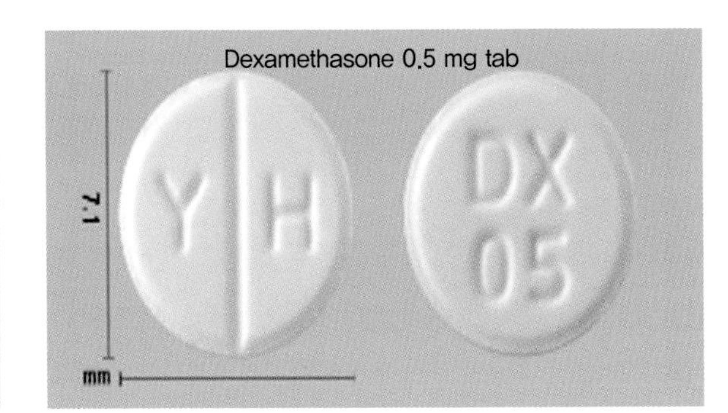

Fig 152. Dexamethasone

(1) 용법, 용량

① Dexamethasone 5 mg Inj

A. **정맥 또는 근육주사:** 1회 2–8 mg을 3–6시간마다

B. **IV infusion:** 1회 2–10 mg 1일 1–2회

C. **관절내, 점액낭내:** 1회 0.8–5 mg 투여간격 2주 이상

D. **연조직내:** 1회 2–6 mg, 투여간격 2주 이상

E. **건초내주사:** 1회 0.8–2.5 mg

F. **국소피내주사:** 1회 0.05–1 mg, 최대 1 mg, 주 1회

② Dexamethasone 0.5 mg tab

A. 0.5–8.0 mg/day 분할 복용

③ Dexamethasone gargling 0.05%, 0.1%

A. 구강내 궤양 치료

B. **0.05% 조제:** dexamethasone powder 0.05 g + distilled water 20 ml + Carboxymethyl cellulose sodium 용액 → total 100 ml

C. **0.1% 조제:** dexamethasone powder 0.1 g + distilled water 20 ml + Carboxymethyl cellulose sodium 용액 → total 100 ml

(2) 부작용

① 감염: 감염을 유발하거나 기존의 감염을 악화시킬 수 있다.

② 내분비계: 속발성 부신피질기능부전, 당뇨병, 월경이상, 부신피질자극호르몬 분비 억제, 쿠싱증후군 (Cushing's syndrome, 월상안), buffalo hump 등이 나타날 수 있다.

③ 소화기계: 소화성 궤양, 위장관 출혈, 췌장염, 설사, 구역질, 구토, 위통, 가슴쓰림, 복부 팽만감, 구갈, 식욕부진 등이 나타날 수 있다.

④ 정신 · 신경계: 정신장애, 우울증, 다행증(euphoria), 불면, 두통, 어지러움, 경련 등이 나타날 수 있다.

⑤ 근 · 골격계: 골다공증, 대퇴골 및 상완골 말단의 무균성 괴사, 근육통, 관절통, 근육실질의 손실, 근육약화, 척추압박골절, 건파열 등이 나타날 수 있다.

⑥ 지질 · 단백질 대사: 음성질소평형(negative nitrogen balance), 지방간 등이 나타날 수 있다.

⑦ 체액 · 전해질: 부종, 고혈압, 혈압상승, 저칼륨성 알칼리혈증, 나트륨저류, 체액저류 등이 나타날 수 있다.

⑧ 눈: 홍채염, 수정체 혼탁, 각막염, 시신경염, 안압증가, 녹내장, 후낭하 백내장(posterior subcapsular cataract), 곰팡이나 바이러스에 의한 눈의 2차 감염, 망막장애, 안구돌출, 빈도불명의 시야 흐림 등이 나타날 수 있다.

⑨ 혈액: 백혈구 증가, 혈전증 등이 나타날 수 있다.

⑩ 피부: 여드름, 다모(hirsutism), 탈모, 색소 침착, 피하출혈, 자반, 선조병(stripe disease), 가려움, 발한이상, 안면홍반, 창상치유 지연, 얇고 연약한 피부, 지방조직염, 두드러기, 맥관신경성 부종, 알레르기성 피부염 등이 나타날 수 있다.

⑪ 과민증: 발진, 아나필락시와 같은 반응이 나타나는 경우에는 투여를 중지한다.

⑫ 기타: 발열, 피로감, 체중 증가, 정자수 또는 그 운동성의 증감, 딸꾹질, 권태 등이 나타날 수 있다.

(3) 금기

① 이 약 또는 이 약 성분에 과민증 및 그 병력이 있는 환자

② 관절강내, 점액낭내, 건초내 또는 건주위에 감염증이 있는 환자: 면역기능 억제작용에 의해 감염증이 악화될 수 있다.

③ 관절이 불안정한 환자: 관절증상이 악화될 수 있다.

④ 생백신 투여 환자

⑤ 단순포진, 대상포진, 수두 환자

⑥ 유효한 항균제가 없는 감염증, 전신 진균 감염 환자: 면역기능억제작용에 의해 감염을 악화시킬 수 있다.

⑦ 신생아, 임산부, 수유부

(4) 주의

① 투여하지 않는 것을 원칙으로 하지만 다음 환자에는 특히 필요한 경우에 한하여 신중히 투여한다.

A. 녹내장 환자(안압이 상승하여 녹내장이 악화될 수 있다)

B. 결핵성 질환, 단순포진성 각막염 환자(면역기능 억제작용으로 증상이 악화될 수 있다)

C. 후낭하 백내장(증상이 악화될 수 있다)

D. 고혈압 환자, 전해질 이상 환자(전해질 대사작용에 의해 증상이 악화될 수 있다)

E. 혈전증 환자(혈액응고 촉진작용에 의해 혈전증이 악화될 수 있다)

F. 최근 장문합술을 받은 환자(창상치유가 방해받을 수 있다)

G. 급성 심근경색을 일으킨 적이 있는 환자(심파열을 일으켰다는 보고가 있다)

H. 소화성 궤양 환자(소화관 보호작용을 약화시키고, 조직의 수복을 방해하므로 증상이 악화될 수 있다)
I. 정신병 환자(대뇌의 신경전달물질에 영향을 주어 증상이 악화될 수 있다)
J. 중증 골다공증 환자(골형성 억제작용 등에 의해 골다공증이 악화될 수 있다)
K. 감염 환자(면역기능 억제작용에 의해 증상이 악화될 수 있다)
L. 당뇨병 환자(혈당치가 상승하여 당뇨병이 악화될 수 있다)
M. 신부전, 울혈성 심부전 환자(배설이 지연되어 부작용이 나타나기 쉽다)
N. 갑상선 기능 저하 환자(Corticoid의 혈중 반감기가 연장되었다는 보고가 있다)
O. 간경변 환자(대사 효소 활성의 저하 등에 의해 부작용이 나타나기 쉽다)
P. 지방간 환자(지질대사에 영향을 주어 증상이 악화될 수 있다)
Q. 지방색전증 환자(Corticoid 과량 투여에 의해 지방색전증이 나타났다는 보고가 있다)
R. 중증 근무력증 환자(사용초기에 일시적으로 증상이 악화될 수 있다)

② 이 약을 투여할 때 특히 적응증을 고려하여 다른 치료법으로 충분히 치료효과를 기대할 수 있으면 이 약을 사용하지 않는 것을 원칙으로 하고 국소 요법으로도 충분한 경우에는 국소 요법을 실시한다.

③ 장기 투여 시 속발성 부신피질부전이 나타날 수 있으며 투여 중지 후 수개월까지 계속될 수 있다. 장기 투여 후 갑자기 중지하면 급성부신부전(acute adrenal insufficiency), 발열, 두통, 식욕부진, 무력감, 근육통, 관절통, 쇽증상 등이 나타날 수 있으므로 점진적으로 감량해야 한다. 금단증상이 나타난 경우에는 즉시 재투여 또는 증량한다. 장기 투여 중 외상, 수술, 감염 등의 스트레스 발생 시 일시적으로 투여량을 증가해야 하며, 장기 투여 후 투여 중지상태인 경우에는 일시적으로 재투여해야 한다.

④ 면역억제제를 투여 중인 환자는 건강한 사람보다 감염되기 쉽다.

⑤ 이 약 투여 중에 수두 또는 홍역에 감염되면, 치명적인 경과에 이를 수 있으므로, 다음 주의가 필요하다.
A. 이 약 투여 전에 수두 또는 홍역의 병력과 예방접종의 유무를 확인한다.
B. 수두 또는 홍역의 병력이 없는 환자에 대해서는 수두 또는 홍역에의 감염을 최대한 방지하여 충분한 배려와 관찰을 한다. 감염이 의심스러운 경우와 감염된 경우에는 즉시 진찰을 받아 지도하고, 적절한 처치를 한다.
C. 수두 또는 홍역의 병력과 예방접종을 받은 적이 있는 환자에서도 이 약 투여 중에 수도 또는 홍역이 나타날 가능성이 있으므로 유의한다.

⑥ 전신 및 국소 코르티코스테로이드 사용으로 시력장애가 발생할 수 있다. 환자에게 시야 흐림 또는 기타 시력장애와 같은 증상이 나타날 경우, 환자를 안과의사에게 보내어 백내장, 녹내장 또는 전신 및 국소 코르티코스테로이드 사용 후 보고된 중심장액맥락망막병(central serous chorioretionpathy, CSC)과 같은 희귀질환을 포함하여 발생 가능한 원인들을 평가해야 한다.

(5) 약물 상호작용

① Barbital계 약물(Phenobarbital), Phenytoin, Rifampicin, Carbamazepine, Primidone, Rifabutin과 병용 투여에 의해 이 약의 작용이 감소될 수 있으므로 병용 투여 시 용량에 주의한다.

② 비스테로이드성 소염제와 병용 투여 시 위장관 궤양의 위험을 증가시킬 수 있으며, Aspirin과 병용 투여 시 Salicylate의 혈중 농도를 감소시키거나 이 약을 중단했을 때 Salicylate의 독성을 증가시킬 수 있으므로 용량에 주의한다. 특히 hypoprothrombinemia 환자에서 이 약과 Aspirin을 병용 투여 시 주의한다.

③ 항응고제, 경구 혈당강하제의 경우 코르티코이드와의 병용 투여에 의해 그 작용이 약화될 수 있으므로 용량조절이 필요하다.

④ 혈압강하제와 병용 투여 시 혈압강하 효과를 감소시킬 수 있다.

⑤ Cyclosporine과 병용 투여 시 Cyclosporine의 혈중농도를 상승시켜 경련이 발생했다는 보고가 있으므로 병용 투여 시 용량에 주의한다.

⑥ 이뇨제(칼륨보존성 이뇨제는 제외), Amphotericin B 등과 병용할 경우 저칼륨혈증이 나타날 수 있으므로, 자주 혈중 칼륨농도를 검사하고 용량에 주의한다.

⑦ Digitalis glycoside와 병용 투여 시 부정맥, 저칼륨혈증과 관련된 독성이 증가할 수 있으므로 혈중 칼륨농도를 검사하고 경우에 따라서는 심전도 검사를 실시한다.

⑧ 항콜린제는 안구내압을 상승시킬 수 있으므로 병용 투여 시 주의한다.

⑨ HIV protease inhibitor (Ritonavir, Saquinavir 등)와 병용에 의해 이 약의 혈중농도가 상승(ritonavir) 또는 저하(saquinavir)될 수 있다.

⑩ 심실 빈맥(ventricular tachycardia)을 일으킬 수 있는 약물(Astemizole, Erythromycin IV, halofantrine, Pentamidine, Sparfloxacin, Vincamine)과 병용 투여하지 않는다.

⑪ 심실 빈맥을 일으킬 수 있는 항부정맥제(Amiodarone, Disopyramide, Quinidine)와의 병용에 의해 서맥, QT 간격 연장, 저칼륨혈증 등이 나타나 부정맥을 일으킬 수 있으므로 신중히 투여하고 심실 빈맥이 나타나면 항부정맥제 투여를 중지한다.

⑫ Isoniazid와 병용 투여 시 Isoniazid의 혈중농도가 감소하므로 용량조절이 필요하다.

⑬ α-interferon과 병용 투여 시 Interferon의 활성을 억제할 수 있다.

6 Vitamin

1) Pharma mecobalamin 0.5 mg tab (Fig 153)

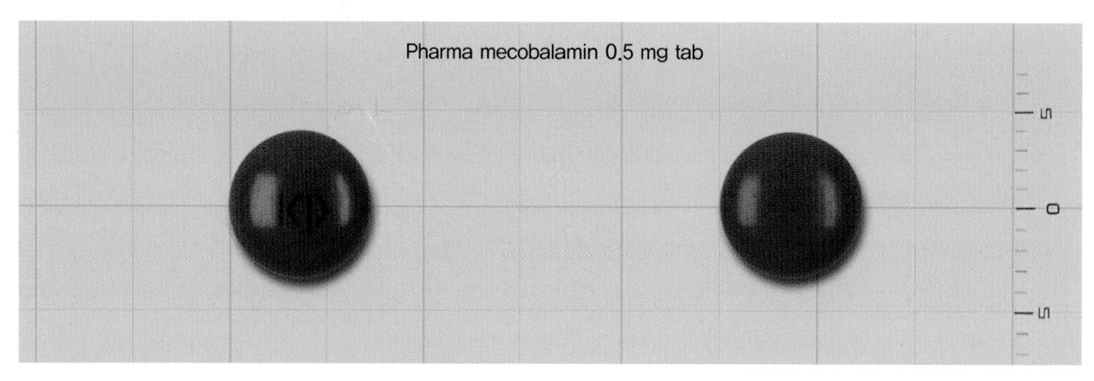

Fig 153. **Pharma mecobalamin 0.5 mg tab.**

(1) 용법, 용량

① Vitamin B12 제제로서 핵산합성의 조효소로 작용하여 합성을 촉진, 손상된 수초 및 축삭을 재생시키며, 말초성 신경장애(당뇨병성 신경 합병증 포함) 치료를 위해 사용된다.

② 0.5 mg tab bid or tid

(2) 부작용

식욕부진, 구역, 설사, 드물게 발진

(3) 금기

이 약에 과민반응을 보인 환자

(4) 주의

① 임부, 수유부에 투여 시 주의를 요한다.

② 2주 이상 과량의 알코올을 섭취한 사람에 투여 시 주의를 요한다.

(5) 약물 상호작용

① Chloramphenicol, Aminoglycoside 등을 비롯한 대부분의 항생제, Methotrexate, Pyrimethamine, Colchichine, Phenytoin, Phenobarbital, Primidone, Para-aminosalicylic acid을 복용 중인 환자들에서 바람직하지 않은 상호작용을 일으킬 수 있다.

② H2-receptor antagonist를 장기복용 하는 환자들에서 Vitamin B12의 결핍을 초래할 수 있다.

2) Beecom (Fig 154)

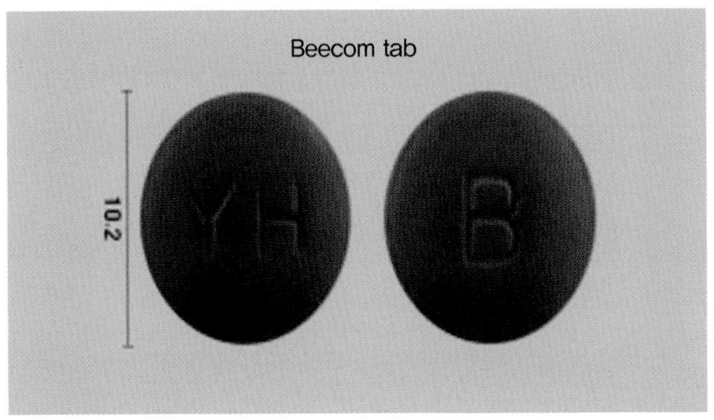

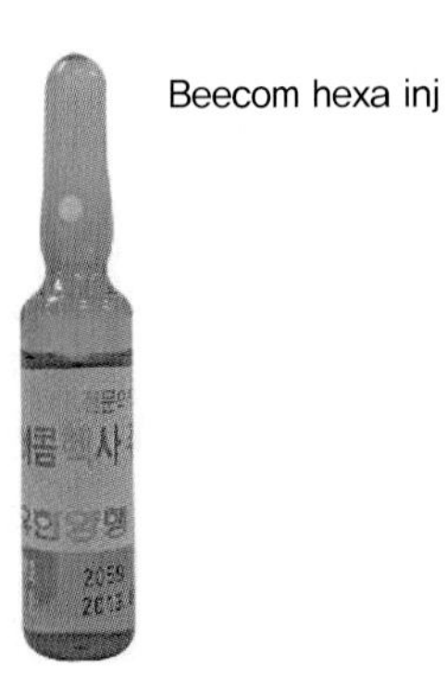

Fig 154. **Beecom**

■1 Beecom tab.

비타민 B1, B2, B6, B12, 비타민 C가 함유된 복합비타민제로서 1 tab 중 Thiamine HCl 6 mg, Riboflavin 6 mg, Pyridoxine HCl 1 mg, Cyanocobalamin 1 mcg, Ca.pantothenate 5 mg, Nicotinamide 25 mg, Ascorbic acid 50 mg

(1) 용법, 용량

① 육체피로, 임신 · 수유기, 병중 · 병후의 체력 저하 시 비타민 B1, B2, B6, C의 보급

② 1회 1–3정, 1일 1회 복용

(2) 부작용

위장관 불쾌감, 설사, 변비, 심한 두드러기, 얼굴부종, 호흡곤란, 가슴 통증

(3) 금기

3개월 미만의 영아

(4) 주의

고수산뇨증(hyperoxaluria) 환자, 임부, 수유부

■2 Beecom hexa inj.

1 amp 중 Thiamine HCl 10 mg, Riboflavin 5.47 mg, Pyridoxine HCl 5 mg, Cyanocobalamin 10 mcg, Nicotinamide 40 mg, Dexpanthenol 5.17 mg이 함유되어 있으며 병중, 병후 회복기, 영양불량, 체중감소, 위장관질환, 피부염, 신경염, 화학요법제 투여 시 비타민의 보급 및 결핍예방 목적으로 사용한다. 성인 상용량은 1 ample (2 mL)을 근육 혹은 정맥 주사한다.

7 Avocado-soya unsaponifiables: Imotun (Fig 155)

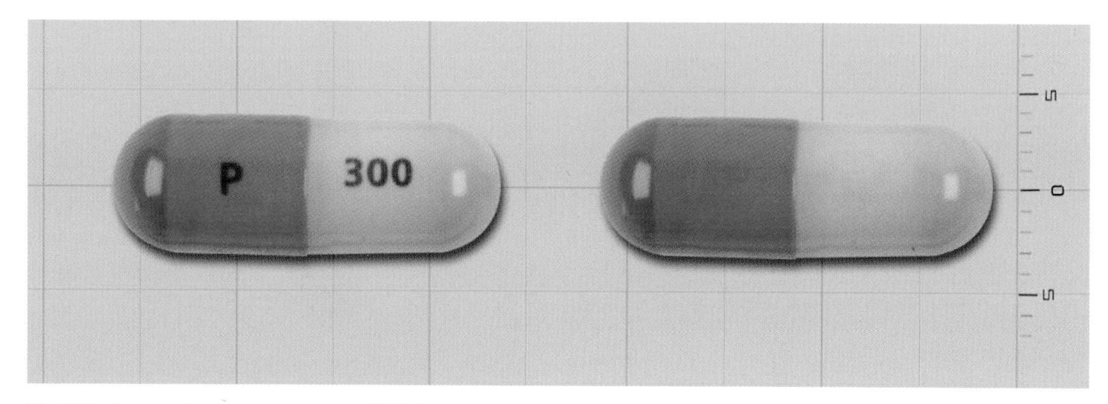

Fig 155. **Avocado-soya unsaponifiables: Imotun**

(1) 용법, 용량

골관절염(퇴행성관절염), 치주염, 치주농양 등에 의한 출혈 및 통증 치료의 보조요법으로 사용한다.

하루 1회 1 capsule을 복용한다.

(2) 주의

① 다음과 같은 사람은 이 약을 복용하지 말 것

A. **이 약 또는 이 약의 구성성분에 과민반응을 나타내는 사람**

B. **임부 또는 임신하고 있을 가능성이 있는 여성:** 이 약에 대한 동물에서의 기형발생과 관련된 자료 및 임신 중에 복용 시 태아독성 또는 기형유발의 가능성을 평가하기 위한 충분한 정보가 없으므로, 임신 중에는 이 약의 복용은 권고되지 않는다.

② 다음과 같은 경우 이 약의 복용을 즉각 중지하고 의사, 치과의사, 약사와 상의할 것

A. 드물게 과민반응이 나타나는 경우

B. 매우 드물게 aminotransferase, ALP, bilirubin 및 γ-GTP의 증가를 포함한 간질환이 나타나는 경우

C. 설사 및 상복부 통증을 포함한 위장관 질환이 나타나는 경우

③ 드물게 지질성 냄새가 역류될 수 있다. 이러한 경우에는 식사 중에 복용하면 해소된다.

8 Capsaicin: Dipental 0.025% 20 g cream (Fig 156)

Fig 156. **Dipental 0.025% 20 g cream**

(1) 용법, 용량

당뇨병성 신경병증(diabetic neuropathy), 대상포진에 의한 신경통, 류마치스성 관절염, 골관절염에 수반하는 통증의 완화 목적으로 1일 3–4회 통증 부위에 적당량을 바른다.

(2) 부작용

① 국소적용 후 일시적인 작열감이 발생할 수 있지만, 대개 며칠 후에 소실된다.

② 목욕 직전이나 직후에 이 약을 다량으로 사용하면 작열감이 증강될 수 있다.

③ 가려움, 두드러기 등이 발생할 수 있다.

(3) 금기

사용 초기 캡사이신의 약리작용과 관련된 일시적인 발적, 작열감이 나타날 수 있으므로 눈, 상처 부위, 타박상 부위, 자극을 받은 부위에는 사용하지 말아야 한다.

(4) 주의

① 환부에 바른 후 손을 씻을 것

② 대상포진의 경우 상처가 완전히 치유된 후에 피부에 도포할 것

③ 적용 7일 후에도 증상의 개선이 없고 상태가 악화된다면 사용을 중단하고 의사(치과의사)와 상의할 것

④ 소아의 손이 닿지 않는 곳에 보관할 것

⑤ 외용제로만 사용할 것

⑥ 온수욕(hot bath)으로 인해 작열감이 증강될 수 있으므로 이 약 투여 전후에는 온수욕을 피할 것

9 카미스타드-엔 겔(Kamistad-N gel) (Fig 157)

Fig 157. 카미스타드-엔 겔

(1) 유효성분: 리도카인염산염수화물, 카밀레화틴크(1:4.5)

(2) 효능, 효과

다음 질환에 의한 염증의 완화: 경증의 구내염(입안염) 및 잇몸염

(3) 용법, 용량

12세 이상 청소년 및 성인: 1일 3회, 1회 약 0.5 cm를 염증이 있는 부위에 바르고 부드럽게 문지른다.

(4) 주의

① 다음과 같은 사람은 이 약을 사용하지 말 것

A. 이 약, 이 약에 포함된 성분 또는 기타의 아미드계 국소마취제에 과민반응이 있는 사람

B. 12세 미만 소아

C. 임부, 임신하고 있을 가능성이 있는 여성 및 수유부

② 다음과 같은 경우 이 약의 사용을 즉각 중지하고 의사, 치과의사, 약사와 상의할 것

A. 피부 및 피하조직계

B. 때때로 일시적인 가벼운 통증이 일어날 수 있다.

10 에드먹 연고(Ad-muc ointment) (Fig 158)

Fig 158. 에드먹 연고

(1) 유효성분: 몰약틴크, 카모밀레유동엑스

(2) 효능, 효과

치은염, 구내염 및 구강의 염증(욕창성 궤양)시 잇몸과 구강점막의 치료

(3) 용법, 용량

① 다른 처방내용이 없는 한, 에드먹을 아침과 저녁 양치 후 또는 식사 후 1일 2회 적용한다.

② 에드먹은 증상이 소실된 후에도, 얼마간 1일 1회 계속해서 적용할 것을 추천한다.

③ 잇몸의 에드먹 적용은 마른 손가락 끝(잇몸의 바깥쪽은 집게손가락으로, 안쪽은 엄지손가락)으로 하고 점막을 문지른다. 이의 윗부분을 향해 부드럽게 돌려가면서 문질러 준다.

④ 침이 많으면, 문지르기 전에 잇몸을 건조시킨다.

(4) 주의

금기: alky-4hydroxybenzoates (parabendes)에 과민성이 있는 환자에게는 투여되어서는 안 된다.

11 뉴도탑패치(Newdotop patch): 뉴도탑 카타플라스마 700 mg (Fig 159)

(1) 유효성분: 리도카인

Fig 159. **뉴도탑카타플라스마 700 mg**

(2) 효능, 효과

대상포진 후 신경통증 완화

(3) 용법, 용량

① **성인:** 이 약은 1일 1회 1–3매 최대 12시간 동안 상처나 손상이 없는 피부에서 가장 통증이 심한 부위에 부착한다.

② **부착 방법:** 이 약은 밀봉한 파우치에서 꺼낸 후 즉시 부착하도록 한다. 가위로 작은 크기로 자른 후 박리(벗겨내기) 필름을 제거하여 사용할 수 있다.

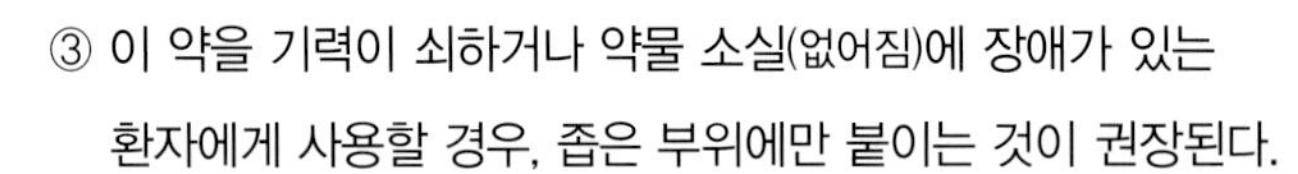

③ 이 약을 기력이 쇠하거나 약물 소실(없어짐)에 장애가 있는 환자에게 사용할 경우, 좁은 부위에만 붙이는 것이 권장된다.

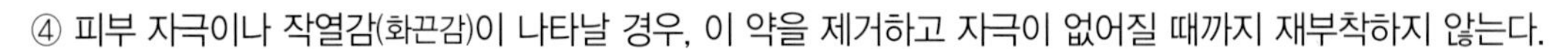

④ 피부 자극이나 작열감(화끈감)이 나타날 경우, 이 약을 제거하고 자극이 없어질 때까지 재부착하지 않는다.

⑤ 이 약을 국소마취제를 함유하고 있는 다른 약제와 함께 사용할 경우, 모든 약제로부터 흡수되는 국소마취제의 총량을 고려해서 사용하여야 한다.

(4) 주의

다음 환자에게는 투여하지 말 것

- 이 약 또는 아미드계 국소마취제에 과민증이 있는 환자
- 이 약은 프로필렌글리콜을 함유하고 있으므로 이 성분에 과민하거나 알레르기 병력이 있는 환자에는 신중히 투여한다.

12 리도카인비스코스 2%액 (Fig 160)

(1) 유효성분: 리도카인염산염수화물

(2) 효능, 효과 (액제: 2% 점성)

① **이비인후과 영역:** 구강 · 인두 점막의 자극, 염증시 국소마취

② **치과 영역:** X–선 촬영 또는 치과 인상(dental impressions) 시의 구역 억제

(3) 용법, 용량

성인: 건강한 성인에 대한 추천 1회 최대용량은 리도카인염산염으로서 체중 ㎏당 4.5 ㎎을 초과하지 않으며 어떠한 경우에도 총 투여량은 리도카인염산염으로서 300 ㎎(이 약으로서 15 ㎖)을 초과하지 않는다. 구강 · 인두 점막의 자극, 염증시의 대증요법으로는 리도카인염산염으로서 300 ㎎(이 약으로서 15 ㎖)을 투여한다. 구강 사용 시에는 이 약을 머금은 후 뱉으며 인후 사용시에는 이 약을 머금은 후 연하시킬 수 있다. 3시간 이내에 재사용하지 않으며 24시간 이내에 8회 이상 사용하지 않는다. 연령, 마취영역, 부위, 조직, 증상, 체질, 전신상태에 따라 적절히 증감한다.

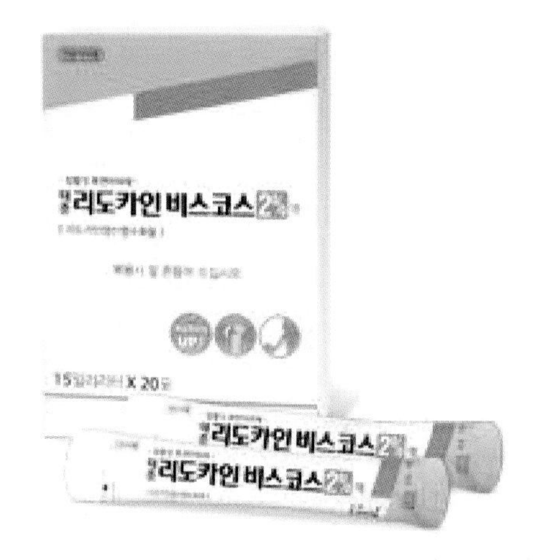

Fig 160. **리도카인비스코스 2%액**

(4) 주의

① **다음 환자에는 투여하지 말 것**

이 약 또는 기타의 아미드계 국소마취제에 과민증 환자

② **다음 환자에는 신중히 투여할 것**

적용 부위에 점막의 외상 환자

13 제로바액(Xerova) (Fig 161)

(1) 유효성분

D-소르비톨, 염화나트륨, 염화마그네슘, 염화칼륨, 염화칼슘수화물, 인산일수소칼륨, 카르복시메틸셀룰로오스나트륨

(2) 효능, 효과(분무제)

다음 원인으로 인한 타액분비 감소

약물치료, 구강 또는 인후 부근의 방사선 치료, 타액선 감염, 구강 또는 인후감염, 치아 또는 구강수술, 발열, 정서적 요인

(3) 용법, 용량(분무제)

구강내 습기를 유지하는 데 필요한 만큼 또는 의사의 지시에 따라 이 약을 구강이나 인후에 1-2회 동안 직접 분무한다.

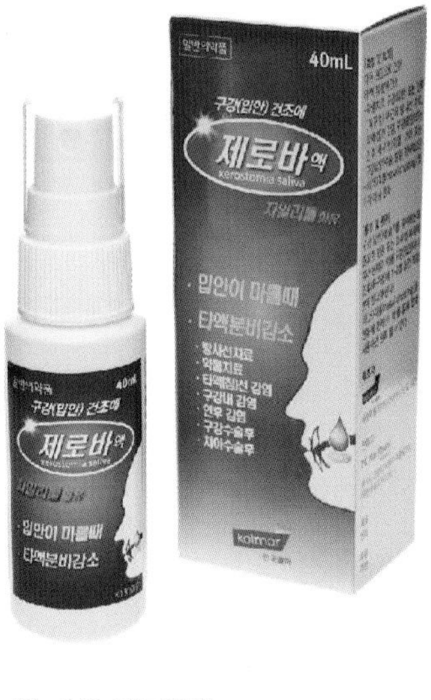

Fig 161. **제로바액**

(4) 주의

① **다음과 같은 사람은 이 약을 복용하지 말 것**

이 약 및 이 약의 구성성분에 대해 과민한 사람

② **기타 이 약의 복용 시 주의할 사항**

눈에 분무하지 말 것

14 피디알엔주(PDRN: Placentex)

(1) 유효성분: 폴리데옥시리보뉴클레오티드나트륨

(2) 효능, 효과: 피부이식으로 인한 상처의 치료 및 조직 수복

(3) 용법, 용량: 1일 1바이알을 근육 또는 피하주사로 투여한다.

(4) 주의

① **다음 환자에는 투여하지 말 것**

이 약의 주성분 및 이 약에 함유된 성분에 과민증이 있는 환자

② **일반적 주의**

이 약의 투여로 과민반응이 나타날 경우 투여를 중단하고 적절한 처치를 한다.

(5) 국내 시판 후 조사 결과

국내에서 재심사를 위하여 6년 동안 609명을 대상으로 실시한 시판 후 조사 결과, 유해사례의 발현율은 인과관계와 상관없이 0.99%(6/609명, 총 7건)로 보고되었으며, 가려운 발진, 구강인두통, 구토, 백혈구감소증, 복통, 설사, 오심 각 1건씩 보고되었다. 중대한 유해사례 및 예상하지 못한 유해사례는 없었다.

15 액상하이랙스주(Hirax) (Fig 162)

Fig 162. **액상하이랙스주**

(1) 유효성분: 히알루로니다제

(2) 효능, 효과

① 피하주사나 근육주사, 국소마취제 및 피하주입 시 침투력 증가

② 조직 내에 과다하게 존재하는 체액 및 혈액의 재흡수 촉진

(3) 용법, 용량

성인, 소아 및 고령자

① 피하주입 시(대량피하주사)

히알루로니다제로서 1,500 I.U.(1 mL)를 피하주입을 시작하기 전에 해당 부위에 주사하거나, 주입을 시작할 때에 주입용 바늘에서 2 cm 가량 위쪽의 튜브에 주사한다. 수액 500–1,000 mL 투여 시 이 약 1,500 I.U.가 적당하다. 소아와 고령자에서는 수액제 투여 시의 속도와 총 투여량을 주의깊게 조절해야 하며 특히, 신장애가 있는 경우에는 수분과잉이 되지 않도록 주의한다.

② 피하주사나 근육주사 시

이 약 1,500 I.U.를 투여할 주사액에 직접 섞어서 사용한다.

③ 국소마취제

이 약 1,500 I.U.를 투여할 국소마취제 주사액에 섞어서 사용한다. 안과에서 사용할 때에는 mL당 15 I.U.의 농도가 권장된다.

④ 혈관외유출

국소적인 경우보다는 확산이 나타나는 경우에, 혈관외유출이 나타난 후 가능한 빨리 이 약 1,500 I.U.(1 mL)를 병변 부위에 침윤시킨다.

⑤ 혈종

이 약 1,500 I.U.(1 mL)를 해당 부위에 침윤시킨다. 피하주사 주사액은 체내의 세포외액과 등장이어야 한다. 이 약은 일반적으로 사용되는 수액제들과 배합이 가능하다. 대량 피하주사에 생리식염주사액, 0.18% 염화나트륨 4% 포도당, 0.45% 염화나트륨 2.5% 포도당, 5% 포도당주사액과 함께 사용된 예가 보고되었다. 칼륨은 등장포도당이나 생리식염주사액에 34 mmol/L로 투여한다. 전해질을 함유하는 수액제가 전해질을 함유하지 않는 수액제보다 더 적합하며, 지나치게 빠르게 주입해서는 안 된다. 이 약은 모르핀, 디아모르핀, 히드로모르핀, 클로르프로마진, 메토클로프라미드, 프로마진, 덱사메타손, 국소마취제 및 에피네프린과 혼합하여 사용된다.

CHAPTER

12

김영균 통증 관련 논문

TOUGH CASES 치과진료 후 발생하는 골치 아픈 증례들

Volume 37 Issue 2 Serial No. 357 / Pages.126-130 / 1999 / 0376-4672(pISSN) / 2713-7961(eISSN)

The Korean Dental Association (대한치과의사협회)

하악매복지치의 외과적 발치술과 환자의 주관적 통증에 관한 임상적 연구

Kim, Young-Kyun ; Kim, Hyoun-Tae ; Ju, Mee-Hee
김영균 (대진의료재단 분당제생치과병원 구강악안면외과) ;
김현태 (대진의료재단 분당제생치과병원 구강악안면외과) ; 주미희 (주미희 치과의원)

Published : 1999.02.01

PDF

Abstract

Forty healty patients (15 males and 25 females) between 19 and 45 years of age with mandibular impacted third molar were selected for this tudy. A visual analog scale from 0 to 100 was used on the day of the procedure and on the first postoperative day for patient pain assessment. 1. In comparative study according to anesthesia, preoperative medication, depth of impacted teeth and gender, there were a variable range of pain and no significant differences statistically. 2. Intraoperative pain was the highest in the 2nd decade and first postoperative pain was the highest in the 3rd decade (P=0.0398) 3. Intraoperative and postoperative pain of operative duration below 10 minutes were the lower than that between 11 to 20 minutes (P=0.0398)

Keywords

mandibular impacted third molar;

TOUGH CASES

Comparative Study > Int J Oral Maxillofac Surg. 2007 May;36(5):391-4.
doi: 10.1016/j.ijom.2006.12.004. Epub 2007 Mar 27.

Association between estrogen receptor polymorphism and pain susceptibility in female temporomandibular joint osteoarthritis patients

S-C Kang [1], D-G Lee, J-H Choi, S T Kim, Y-K Kim, H-J Ahn

Affiliations + expand
PMID: 17391927 DOI: 10.1016/j.ijom.2006.12.004

Abstract

The purpose of this study was to investigate the possible association between estrogen receptor alpha (ERalpha) polymorphism and pain susceptibility in female symptomatic temporomandibular joint (TMJ) osteoarthritis (OA) patients. A patient group of 100 women, diagnosed as TMJ OA according to the research diagnostic criteria for temporomandibular disorders, were selected, and 74 women with no signs and symptoms of temporomandibular disorder were assigned to a control group. Pvu II and Xba I restriction fragment length polymorphisms were analyzed by direct haplotyping. The patient group was divided into three subgroups according to a visual analog scale (VAS): mild pain (0<or=VAS<4); moderate pain (4<or=VAS<7); severe pain (7<or=VAS<or=10). Frequencies of genotypes and haplotypes in the patient and control groups were compared, and the association between pain intensity and copy numbers of PX haplotype were evaluated using the chi-square test. No significant differences in genotype and haplotype frequencies were observed between the patient and control groups (p>.05). TMJ OA patients carrying the PX haplotype were found to have a significantly higher risk of moderate or severe pain compared to those without the PX haplotype, suggesting that ERalpha polymorphism may be associated with pain susceptibility in female TMJ OA patients.

Kim et al. Maxillofacial Plastic and Reconstructive Surgery (2018) 40:21
https://doi.org/10.1186/s40902-018-0159-z

Maxillofacial Plastic and
Reconstructive Surgery

REVIEW Open Access

Treatment of non-odontogenic orofacial pain using botulinum toxin-A: a retrospective case series study

Sang-Yun Kim[1], Young-Kyun Kim[1,2], Pil-Young Yun[1] and Ji-Hyun Bae[3*]

Abstract

Background: The purpose of this study was to evaluate the clinical outcomes of treatment of non-odontogenic atypical orofacial pain using botulinum toxin-A.

Methods: This study involved seven patients (seven females, mean age 65.1 years) who had non-odontogenic orofacial pain (neuropathic pain and atypical orofacial pain) and visited the Seoul National University Bundang Hospital between 2015 and 2017. All medication therapies were preceded by botulinum toxin-A injections, followed by injections in the insignificant effects of medication therapies. Five of the seven patients received intraoral injections in the gingival vestibule or mucosa, while the remaining two received extraoral injections in the masseter and temporal muscle areas.

Results: In five of the seven patients, pain after botulinum toxin-A injection was significantly reduced. Most of the patients who underwent surgery for dental implantation or facial nerve reconstruction recovered after injections. However, the pain did not disappear in two patients who reported experiencing persistent pain without any cause.

Conclusions: The use of botulinum toxin-A for the treatment of non-odontogenic neuropathic orofacial pain is clinically useful. It is more effective to administer botulinum toxin-A in combination with other medications and physical therapy to improve pain.

Keywords: Orofacial pain, Botulinum toxin, BTX-A

Oral Biology Research, 2018; June 30, 42(2):67-72

DOI: 10.21851/obr.42.02.201806.67

Original Article

ORAL BIOLOGY RESEARCH

Evaluation of the treatment and prognosis of the patients with orofacial pain of unknown cause

Dong-Woo Kang and Young-Kyun Kim*

Department of Oral and Maxillofacial Surgery, Section of Dentistry, Seoul National University Bundang Hospital, Seongnam 13620, Republic of Korea

(Received Feb 12, 2018; Revised version received [1] Mar 3, 2018 [2] Apr 16, 2018; Accepted Apr 17, 2018)

ABSTRACT

The aim of this study was to evaluate the symptoms, diagnoses, clinical treatment and prognoses of patients with orofacial pain of unknown origin. The study included 61 patients (13 males, 48 females, mean age 60.8 years) who experienced orofacial pain of unknown etiology, except for those with definite causes including dental pain, infection, osteomyelitis, and temporomandibular joint disease. Clinical examinations included patients' clinical signs, radiological examinations (radiographs, CT, MRI, bone scan), blood tests, thermography, electric pulp tests, electrophysiological examinations, and anesthesia for diagnostic purposes. The treatment methods included medication, physiotherapy, dental treatment, periodontal treatment, surgical operation, and consultation, taking into consideration the precise diagnosis and symptoms for each patient. We retrospectively reviewed the medical records and evaluated the treatment duration and prognosis for each diagnosis. There were more female patients than male patients (78.7% female) and the mean age for all participants was 60.8 years. The mean duration of treatment for orofacial pain was 32 months; the traumatic neuropathy group had the shortest duration, 29.1 months, and the trigeminal neuralgia group had the longest duration, 52.9 months. Atypical odontalgia was the most favorable prognosis, followed by psychological pain, trigeminal neuralgia, traumatic neuropathy, and atypical facial pain. In all cases of oral facial pain, a significant relief of symptoms was observed after treatment. The outcome of current medications and physical therapies for patients with unexplained orofacial pain is generally good.

KEY WORDS: Clinical treatment, Orofacial pain, Prognosis

Journal of Korean TMJ
Vol. 10 No. 1, 2019
비정형 치통: 후향적 증례연구
Journal of Korean TMJ

비정형 치통: 후향적 증례연구

이종곤[1], 윤필영[1], 김영균[1,2]
[1]분당서울대학교병원 치과 구강악안면외과
[2]서울대학교 치의학대학원 치의학과

교신저자 : 김영균

경기도 성남시 분당구 구미로 173번길
분당서울대학교병원 치과 구강악안면외과

*Corresponding Author : Young-Kyun Kim, DDS, PhD
Professor, Department of Oral and Maxillofacial Surgery, Section of Dentistry, Seoul National University Bundang Hospital,
82 Gumi-ro 173beon-gil, Bundang-gu, Seongnam 13620, Korea
Tel: +82-31-787-7541
Fax: +82-31-787-4068
E-mail: kyk0505@snubh.org

TOUGH CASES

Journal of Korean TMJ
Vol. 10 No. 1, 2019

Atypical odontalgia: retrospective case series study

Jung-Gon Lee,[1] D.D.S., Pil-Young Yun, D.D.S.,[1] Young-Kyun Kim, D.D.S., Ph.D.[1,2]
[1]Department of Oral and Maxillofacial Surgery, Section of Dentistry, Seoul National University Bundang Hospital, Seongnam, Korea
[2]Department of Dentistry & Dental Research Institute, School of Dentistry, Seoul National University, Seoul, Korea

Abstract

Purpose: The purpose of this study is to analyze cases of patients who were diagnosed with persistent idiopathic pain in teeth and facial areas and to evaluate types of pain, treatments, and their outcomes. Materials and Methods: Among patients who visited the Bundang Seoul National University Hospital from 2011 to 2017, seven patients (male: 1 patient, female: 6 patients, mean age: 61 years) who were diagnosed with atypical odontalgia and/or persistent idiopathic facial pain were studied. The diagnosis was made based on clinical and radiologic findings and Classification criteria of the International Association for the Study of Pain. Some patients were taken bone scans, CT scans, and had blood tests. The various clinical symptoms that each patient appealed, the duration of their symptoms, and the location of pain were investigated. Medical records were examined to assess treatment period and outcome retrospectively. The prognosis was classified as poor, static and favorable. Considering clinical symptoms. duration, we performed counseling, medication, physical therapy, periodontal treatment, and surgical procedures

Results: Female patients were larger than male patients (female: 85.7%) and the average duration of the symptoms was 4.2 years. No specific findings were observed in the radiographic examination, blood test and bone scan. The average treatment periods for facial pain was 23.6 months. All patients were diagnosed with atypical toothache or persistent idiopathic facial pain. In 5 patients, implants were suspected to have been caused, and the rest were unknown. Two of the seven patients were treated with medication and physiotherapy. Five patients performed medication and physical therapy, periodontal and surgical treatment, and four of them showed favorable.

Conclusion: Medication and surgical procedures may be used in patients with idiopathic orofacial pain. The most basic principle was using drugs with no side effects, and the application of them in combination with other treatments is effective.

Keywords: Phantom toothache, Persistent idiopathic facial pain, Atypical odontalgia, Idiopathic toothache.

참고문헌

- 강기호 등. 노인치과학. 지성출판사. 2001; 101-12.
- 고명연. 신경병성 동통의 치료. 대한치과의사협회지. 2002; 40:131-136.
- 고홍섭. 진료실에서 직접 활용할 수 있는 구강내과 지식과 약물. 지성출판사. 2015; 179-180.
- 구윤성. 턱관절 장애 환자 치료를 위한 통증에 대한 이해. 대한턱관절협회 대한스포츠치의학회지. 2012; 3:1-20.
- 권태동. 급 · 만성 통증의 관리. Korean J Med. 2011; 81: 93-96.
- 김성택. 비치성치통의 진단 및 치료-이가 아픈데 치아가 원인이 아닌 10가지 경우. 치의신보 임상강좌 2004년 5월 20일 목요일 제1268호; 34-36.
- 김신영. Cracked tooth(금이 간 치아)의 조기 진단 및 적절한 치료. 대한치과의사협회지. 2019; 57:403-411.
- 김영균, 김수관, 윤필영, 이남기. 턱관절장애와 수술교정. 대한나래출판사. 2018.
- 김영균, 김현태, 주미희. 하악매복지치의 외과적 발치술과 환자의 주관적 통증에 관한 임상적 연구. 대한치과의사협회지. 1999; 37: 126-130
- 김영균, 윤필영, 이효정. 턱관절 장애 환자의 진단 시 체열 검사의 유용성 분석. 대한턱관절협회지. 2007; 3:28-35.
- 김용서. 레진치료와 관련되어 나타나는 Hypersensitivity의 원인과 대책. 덴포라인 2003년 5호; 56.
- 김인숙, 최동주, 국승걸 등. Eagle's syndrome의 치험 1례. 대한치과의사협회지 1996; 34:877-880.
- 김진, 유재하, 유정훈 등. 전신질환자 치과진료의 임상길잡이. 군자출판사. 2005; 64-66.
- 대한안면통증 구강내과학회. 구강내과학 제4편. 구강안면통증과 측두하악장애. 예낭아이앤씨. 2012.
- 문지연. 구강안면 신경병성 통증의 치료. 2021년 대한안면통증구강내과학회 온라인 춘계학술대회. 2021년 3월 15일 ~ 21일.
- 민병일, 김종원, 남일우 등. 삼차신경통에 관한 임상적 연구. 대한구강악안면외과학회지. 1993; 19:373-378.
- 박성욱, 이두익, 김동옥 등. 신경병증성 통증 환자에서 지속적 진통을 위한 5% 리도카인의 사용. 대한치과마취과학회지. 2003; 3:6.
- 서봉직. 스트레스와 구강안면동통. 대한치과의사협회지. 1998; 36:751-754.
- 신영민 역. 어렵지만 쉽게 접근하는 치과심신의학. 대한나래출판사. 2017; 28-34.
- 안종모. 구강안면 신경병선 통증의 진단 및 분류. 대한치과의사협회지. 2011; 49:316-320.
- 이두형. (2019). "구원 환상(rescue fantasy), 사랑하는 이의 삶을 구원하고 싶다면-우리는, 서로에게 해답이 될 수 있을까" 정신의학신문. http://www.psychiatricnews.net/news/articleView.html?idxno=16064. (2020-11-23 방문)
- 이양균. 통증의 정의와 분류. Clin Pain. 2002; 1: 1-4.
- 이정교. 안면통증의 진단과 치료 II. 치과임상. 2006년 2월호; 142-145.
- 이정열 · 박진홍 · 심지석. Occlusal dysesthesia(교합감각이상) 치과임상. 2019; 39: 791-794.
- 이종호, 김명진 편역: 칼라그래픽스. 하치조신경마비. 나래출판사. 2006.

- 임현대. 일반적인 신경병성 통증의 원인 및 기전. 대한치과의사협회지. 2011; 49:321-326.
- 전양현. 전반적인 신경병성 통증의 조절 및 치료. 대한치과의사협회지. 2011; 49:327-333.
- 정성창. 신경병변성 동통의 분류 및 특징. 대한치과의사협회지. 2002; 40:120-124.
- 정성희. 구강작열감 증후군. 대한치과의사협회지. 2017; 55:626-633.
- 정연태 기자. 치과 통증에 민감한 환자 대응 솔루션.(강지인 교수 강의) 치의신보. 2016년 10월 24일 제2457호; 17.
- 정재면. 안면통증의 감별진단. J Pain Auton Disord. 2014; 3:43-51.
- 조상훈. 턱관절장애 임상검사-측두하악장애 분석검사의 시작. 월간치과계. 2020; 21:104-111.
- 조웅래, 김대곤, 박찬진, 조리라. 균열치 증후군에 대한 문헌고찰. 구강회복응용과학지. 2011; 27:305-316.
- 조상훈. 턱관절장애 임상검사-측두하악장애 분석검사의 시작. 월간치과계. 2020; 21:104-111.
- 최재갑, 정재광, 변진석, 최윤정 역. 치과의 통증 50문 50답. 대한나래출판사. 2019; 128-138.
- 최재갑. 의료분쟁교실. 신경병변성 동통과 관련된 의료분쟁 사례. 치의신보. 제1119호 2002년 1월 12일 B5
- 최재영, 이광수, 김영인. 흰쥐 해마에서 Kainic acid 신경독성에 대한 1,25(OH)2-vitamin D3의 보호작용. J Korean Neurol Assoc. 2006; 24:245-251.
- 한경수. 비치성 치통. 대한치과의사협회지. 2002; 40:446-453.
- 한금동, 최진 역. 상아질지각과민증. 누구나 알 수 있는 완벽한 치료 가이드. 대한나래출판사. 2019.
- 허규형. Somatic symptom disorder: 신체증상장애의 이해와 접근. The 61st Congress of Korean Association of Oral & Maxillofacial Surgeons. 2020, 8, 27~9,4.
- 허윤경, 정재광, 최재갑. 구강작열감질환에 관한 고찰 및 의료분쟁 증례보고. 대한치과의사협회지. 2010; 48:688-693.
- Alling CC, van Alstine RS. Avulsion of peripheral nerves for trigeminal neuralgia: report of case. J Oral Surg. 1955; 13:252-253.
- Arduino PG, Cafaro A, Garrone M, Gambino A, Cabras M, Romagnoli E, Broccoletti R. A randomized pilot study to assess the safety and the value of low-level laser therapy versus clonazepam in patients with burning mouth syndrome. Lasers Med Sci. 2016; 31:811-816.
- Baad-Hansen L. Atypical odontalgia – pathophysiology and clinical management. J Oral Rehabil. 2008; 35:1-11.
- Badhey A, Jategaonkar A, Kovacs AJA, et al. Eagle syndrome: A comprehensive review. Clin Neurol Neurosurg. 2017; 159:34-38.
- Bae JH, Kim YK, Myung SK. Desensitizing toothpaste versus placebo for dentin hypersensitivity: a systematic review and meta-analysis. J Clin Periodontol. 2015; 42:131-141.
- Bates RE Jr, Stewart CM. Atypical odontalgia: phantom tooth pain. Oral Surg Oral Med Oral Pathol. 1991; 72:479-83.
- Benoliel R, Birenboim R, Revev E, Eliav E. Neurosensory changes in the infraorbital nerve following zygomatic fractures. Oral Surg Oral Med Oral Pathol Oral Radiol Endod. 2005; 99:657-65.
- Benoliel R, Birenboim R, Revev E, Eliav E. Neurosensory changes in the infraorbital nerve following

zygomatic fractures. Oral Surg Oral Med Oral Pathol Oral Radiol Endod. 2005; 99:657–65.

- Benoliel R, Eliav E, Elishoov H, Sharav Y. Diagnosis and treatment of persistent pain after trauma to the head and neck. J Oral Maxillofac Surg. 1994; 52:1138–1147.
- Benoliel R, Zadik Y, Eliav E, Sharav Y. Peripheral painful traumatic trigeminal neuropathy: Clinical features in 91 cases and proposal of novel diagnostic criteria. J Orofac Pain. 2012; 26:49–58.
- Bigman G. Age-related smell and taste impairments and vitamin D associations in the U.S, Adults National Health and Nutrition Examination Survery. Nutrients. 2020; 12:984.
- Bittar GI, Graff-Radford SB. The effects of streptomycin/lidocaine block on trigeminal neuralgia: a double blind crossover placebo controlled study. Headahe. 1993; 33:155–160.
- Bitto A, Polito F, Altavilla D, Minutoli L, Migliorato A, Squadrito F. Polydeoxyribonucleotide (PDRN) restores blood flow in an experimental model of peripheral artery occlusive disease. J Vasc Surg. 2008; 48:1292–300.
- Block F. Gabapentin therapy for pain. Nervenarzt. 2001; 72:69–77.
- Bouhassira D, Attal N, Alchaar H, Boureau F, Brochet B, Bruxelle J, Cunin G, Fermanian J, Ginies P, Grun-Overdyking A, Jafari-Schluep H, Lantéri-Minet M, Laurent B, Mick G, Serrie A, Valade D, Vicaut E. Comparison of pain syndromes associated with nervous or somatic lesions and development of a new neuropathic pain diagnostic questionnaire (DN4). Pain. 2005; 114:29–36.
- Boychuk DG, Goddard G, Mauro G, Orellana MF. The effectiveness of cannabinoids in the management of chronic nonmalignant neuropathic pain: A systematic review. J Oral Facial Pain Headache. 2015; 29:7–14.
- Brailo V, Firic M, Vucicevic Boras V, Andabak Rogulj A, Krstevskiu I, Alajbeg I. Impact of reassurance on pain perception in patients with primary burning mouth syndrome. Oral Dis. 2016; 22:512–6.
- Brandt T, Grond-Ginsbach C. Spontaneous cervical artery dissection: From risk factors toward pathogenesis. Stroke. 2002;33:657–658.
- Burri A, Hilpert P, Williams F. Pain catastrophizing, fear of pain, and depression and their association with female sexual pain. J Sex Med 2020; 17:279–288.
- Campbell RL, Parks KW, Dodds RN. Chronic facial pain associated with endodontic therapy. Oral Surg Oral Med Oral Pathol. 1990; 69:287–290.
- Cheung LK, Lo J. The long-term clinical morbidity of mandibular step osteotomy. Int J Adult Orthodon Orthognath Surg. 2002; 17:283–290.
- Chole R, Patil R, Degwekar SS, Bhowate RR. Drug treatment of trigeminal neuralgia: A systematic review of the literature. J Oral Maxillofac Surg. 2007; 65:40–45.
- Clark G, Simmons M. Occlusal dysesthesia and temporomandibular disorders: is there a link? Alpha Omegan. 2003; 96:33–9.
- Clark G. Evidence-Based Pharmacologic Approaches for Chronic Orofacial Pain. J Calif Dent Assoc. 2015; 43:643–54.

- Classification of chronic pain. Descriptions of chronic pain syndromes and definitions of pain terms. Prepared by the International Association for the Study of Pain, Subcommittee on Taxonomy. Pain Suppl. 1986; 3:S1–226.
- Cruccu G, Gronseth G, Alksne J, Argoff C, Brainin M, Burchiel K, et al. American Academy of Neurology Society; European Federation of Neurological Society. AAN–EFNS guidelines on trigeminal neuralgia management. Eur J Neurol. 2008; 15:1013–28.
- Cui Y, Xu H, Chen FM, et al. Efficacy evaluation of clonazepam for symptom remission in burning mouth syndrome: a meta–analysis. Oral Dis. 2016;22:503–511.
- Culic V, Miric D, Eterovic D. Correlation between symptomatology and site of acute myocardial infarction. Int J Cardiol. 2001;77:163–168.
- Danesh–Sani SH, Danesh–Sani SA, Zia R, et al. Incidence of craniofacial pain of cardiac origin: Results from a prospective multicenter study. Aust Dent J. 2012 ;57:355–8.
- Danzig WN, Van Dyke AR. Physical therapy as an adjunct to temporomandibular joint therapy. J Prosthet Dent. 1983; 49:96–9.
- Daview M, Paice EM, Jones SB, et al. Efficacy of desensitizing dentifrices to occlude dentinal tubules. Eur J Oral Sci. 2011; 119:497–503.
- De Leeuw R, Klasser GD. Orofacial pain: guidelines for assessment, diagnosis, and management. Quintessence Publishing Co, Inc., Chicago. 2008; 158–76.
- deMorales M, do Amaral Bezerra BA, da Rocha Neto PC, et al. Randomized trials for the treatment of burning mouth syndrome: an evidence–based review of the literature. J Oral Pathol Med 2012;41:281–287.
- Derry S, Rice AS, Cole P, Tan T, Moore RA. Topical capsaicin (high concentration) for chronic neuropathic pain in adults. Cochrane Database Syst Rev. 2017; 1:CD007393.
- Devulder J. Transforaminal nerve root sleeve injection with corticosteroids, hyaluronidase, and local anesthetic in the failed back surgery sundrome. J Spinal Disord. 1998; 11:151–154.
- Durham J, Exley C, John MT, et al. Persistent dentoalveolar pain: The patient's experience. J Orofac Pain. 2013; 27:6–13
- Durse BC, Israel MS,, Janini ME, Cardoso AS. Orofacial pain of cardiac origin: a case report. Cranio. 2003; 21:152–153.
- Eliav E, Gracely RH. Sensory changes in the territory of the lingual and inferior alveolar nerves following lower third molar extraction. Pain. 1998; 77:191–199.
- Eliav E. The connection between endodontic treatment, dental implants, and neuropathy. Quintessence Int. 2011; 42:815.
- Elsenberg E. Trigeminal neuralgia induced by sour and spicy foods: What is the underlying mechanism? A case report. J Oral Facial Pain Headache. 2016; 30:267–270.
- Engel GL. The clinical application of the biopsychosocial model. Am J Psychiatry. 1980; 137:535–544.

- Erdem E, Alkan A. Peripheral glycerol injections in the treatment of idiopathic trigeminal neuralgia: Retrospective analysis of 157 cases. J Oral Maxillofac Surg. 2001; 59:1176–1179.
- Eslick GD. Usefulness of chest pain character and location as diagnostic indicators of an acute coronary syndrome. Am J Cardiol. 2005; 95:1228–1231.
- Falace DA, Cailleteau JG. The diagnosis of dental and orofacial pain. Emergency dental care: diagnosis and management of urgent dental problems. 1995:1–24.
- Fardy MJ, Patton DW. Complications associated with peripheral alcohol injections in the management of trigeminal neuralgia. Br J Oral Maxillofac Surg. 1994; 32:387–391.
- Fardy MJ, Zakrzewska JM, Patton DW. Peripheral surgical techniques for the management of trigeminal neuralgia–alcohol and glycerol injections. Acta Neurochir. 1994; 129:181–185.
- Feinmann C. The medical management of facial pain. Ann Acad Med Singapore. 1986; 15:409–413.
- Forssell H, Jääskeläinen S, Tenovuo O, Hinkka S. Sensory dysfunction in burning mouth syndrome. Pain. 2002; 99:41–7.
- Forssell H, Teerijoki–Oksa T, Kotiranta U, et al; Pain and pain behavior in burning mouth syndrome: A pain diary study. J Orofac Pain. 2012; 26:117–25.
- Fromm GH, Terrence CF, Chattha AS. Baclofen in the treatment of trigeminal neuralgia: double–blind study and long–term follow–up. Ann Neurol. 1984; 15:240–4.
- Fukuda K. 진통제의 효과적 투여법. 치과치료 후 진통제의 효과적인 투여 방법은? In; 최재갑, 정재광, 변진석, 최윤정 역. 치과의 통증 50문 50답. 대한나래출판사. 2019; 139–141.
- Gangarosa LP, LP G, PE M. Pharmacologic management of TMJ–MPDS. Ear Nose Throat J. 1982; 61:670–678.
- Geurts JW, Kallewaard JW, Richardson J, Groen GJ. Targeted methylprednisolone acetate/hyaluronidase/clonidine injection after diagnostic epiduroscopy for chronic sciatica: a prospective, 1–year follow–up study. Reg Anesth Pain Med. 2002; 27:343–352.
- Ghurye S, McMillan R. Orofacial pain – an update on diagnosis and management. Br Dent J. 2017; 223:639–647.
- Gilron I, Bailey JM, Tu D, et al. Nortriptyline and gabapentin, alone and in combination for neuropathic pain: A double–blind, randomized controlled crossover trial. Lancet. 2009; 374:1252–1261.
- Graff–Radford SB, Evans RW. Lingual nerve injury. Headache. 2003; 43:975–983.
- Granot M, Goldstein–Ferber S, Azzam ZS. Gender differences in the perception of chest pain. J Pain Symptom Manage. 2004; 27:149–155.
- Gratt BM, Sickles EA, Shetty V. Thermography for the clinical assessment of inferior alveolar nerve deficit: a pilot study. J Orofac Pain. 1994; 8:369–74.
- Greeg JM. Neuropathic complications of mandibular implant surgery: review and case presentations. Ann R Australas Coll Dent Surg. 2000; 15:176–180.
- Grémeau–Richard C, Dubray C, Aublet–Cuvelier B, Ughetto S, Woda A. Effect of lingual nerve block

on burning mouth syndrome (stomatodynia): a randomized crossover trial. Pain. 2010; 149:27–32.

- Gronseth G, Cruccu G, Alksne J, Argoff C, Brainin M, Burchiel K, Nurmikko T, Zakrzewska JM. Practice parameter: the diagnostic evaluation and treatment of trigeminal neuralgia (an evidence-based review): report of the Quality Standards Subcommittee of the American Academy of Neurology and the European Federation of Neurological Societies. Neurology. 2008; 71:1183–90.
- Gross SG. Diagnostic anesthesia. Guidelines for the practitioner. Dent Clin North Am. 1991; 35:141–53.
- Grotz KA, Al-Nawas B, de Aguiar EG, Schulz A, Wagner W. Treatment of injuries to the inferior alveolar nerve after endodontic procedures. Clin Oral Investig. 1998; 2:73–76.
- Grushka M, Epstein JB, Gorsky M. Burning mouth syndrome: differential diagnosis. Dermatol Therapy. 2002; 15:287–291.
- Guerrero-Figueroa R, Escobar-Juyo A, Caballero-Garcia G, Blanco-Castillo IP. The effect of gabapentin in bucco-facial allodynia. Experimental correlation of the trigeminal nerve. Rev Neurol. 1999; 29:1147–1153.
- Gutierrez-Morlote J, Pascual J. Cardiac cephalgia is not necessarily an exertional headache: Case report. Cephalalgia. 2002; 22:765–766.
- Halasz I, Zappe L. Local use of streptomycin in the treatment of pain syndromes. Ideggyogy. Sz. 1963; 16:145.
- Hara ES, Matsuka Y, Minakuchi H, Clark GT, Kuboki T. Occlusal dysesthesia: a qualitative systematic review of the epidemiology, aetiology and management. J Oral Rehabil. 2012; 39:630–8.
- Haviv Y, Zadik Y, Sharav Y, Benoliel R. Painful traumatic trigeminal neuropathy: An open study on the pharmacotherapeutic response to stepped treatment. J Oral Facial Pain Headache. 2014; 28:52–60.
- Heckmann SM, Kirchner E, Grushka M, et al. A double-blind study on clonazepam in patients with burning mouth syndrome. Laryngoscope. 2012; 122:813–816.
- Heifetz-Li JJ, Abdelsamie S, Campbell CB, Roth S, Fielding AF, Mulligan JP. Systematic review of the use of pentoxifylline and tocopherol for the treatment of medication-related osteonecrosis of the jaw. Oral Surg Oral Med Oral Pathol Oral Radiol. 2019; 128:491–497.e2.
- Henkin RI, Gouliouk V, Fordyce A. Distinguishing patients with glossopyrosis from those with oropyrosis based upon clinical differences and differences in saliva and erythrocyte magnesium. Arch Oral Biol. 2012; 57:205–10.
- Hens MJ, Alonso-Ferreira V, Villaverde-Hueso A, et al. Cost-effectiveness analysis of burning mouth syndrome therapy. Community Dent Oral Epidemiol. 2012; 40:185–92.
- Hollins M, Walters S. Experimental hypervigilance changes the intensity/unpleasantness ratio of pressure sensations: Evidence for the generalized hypervigilance hypothesis. Exp Brain Res 2016;234:1377–1384.
- Hu YS. Peripheral Adriamycin injection for therapy of idiopathic trigeminal neuralgia: 42 cases report. XZhonghua Kou Qiang Yi Xue Za Zhi. 1993; 28:281–283, 319.

- Huang D, Wun D, Stern A. Current treatments and advances in pain and anxiety management. Dent Clin N Am. 2011; 55:609–18.
- Hughes J. ACP Journal Club. Gabapentin and nortriptyline combined was better than either drug alone for relief of neuropathic pain. Ann Intern Med. 2010; 152:3–6.
- Hummig W, Kopruszinski CM, Chichorro JG. Pregabalin reduces acute inflammatory and persistent pain associated with nerve injury and cancer in rat models of orofacial pain. Oral Facial Pain Headache. 2014; 28:350–359.
- International Classification of Orofacial Pain, 1st edition (ICOP). Cephalalgia. 2020; 40:129–221.
- Israel HA, Ward JD, Horrell B, Scrivani SJ. Oral and maxillofacial surgery in patients with chronic orofacial pain. J Oral Maxillofac Surg. 2003; 61:662.
- Jaaskelainen SK, Teerijoki-Oksa T, Virtanen A, et al. Sensory regeneration following intraoperatively verified trigeminal nerve injury. Neurology. 2004; 62:1951–1957.
- Jagger RG, Korszun A. Phantom bite revisited. Br Dent J. 2004; 197:241–243.
- Jaeger B, Singer E, Kroening R. Reflex sympathetic dystrophy of the face. Arch Meurol. 1986; 43:693–695.
- Jeon Y. Therapeutic potential of stellate ganglion block in orofacial pain: a mini review. J Dent Anesth Pain Med. 2016; 16:159–163.
- Juškys R, Šustickas G. Effectiveness of treatment of occipital neuralgia using the nerve block technique: a prospective analysis of 44 patients. Acta Med Litu. 2018; 25:53–60.
- Kang SC, Lee DG, Choi JH, Kim ST, Kim YK, Ahn HJ. Association between estrogen receptor polymorphism and pain susceptibility in female temporomandibular joint osteoarthritis patients. Int J Oral Maxillofac Surg. 2007; 36:391–394
- Kang DW, Kim YK. Evaluation of the treatment and prognosis of the patients with orofacial pain of unknown cause. Oral Biol Res. 2018; 42:67–72.
- Kang JK, Ryu JW. Nonodontogenic toothache. Oral Biol Res. 2018; 42:241–7.
- Kato IT, Pellegrini VD, Prates RA, et al. Low-level laser therapy in burning mouth syndrome patients: a pilot study. Photomed Laser Surg. 2010; 28:835–9.
- Kelly DJ, Ahmad M, Brull SJ. Preemptive analgesia I: physiological pathways and pharmacological modalities. Can J Anesth. 2001; 48:1000–1010.
- Kelly DJ, Ahmad M, Brull SJ. Preemptive analgesia II: recent advances and current trends. Can J Anesth. 2001; 48:1091–1101.
- Kim SY, Kim YK, Yun PY, et al. Treatment of non-odontogenic orofacial pain using botulinum toxin-A: a retrospective case series study. Maxillofac Plast Reconstr Surg. 2018; 40:21.
- Kim YK, Yun PY, Kim JH, Lee JY, Lee W. The quantitative sensory testing is an efficient objective method for assessment of nerve injury. Maxillofac Plast Reconstr Surg. 2015; 37:13
- Klasser GD, Epstein JB, Villines D. The enigma of an oral burning sensation. J Can Dent Assoc. 2011;

77:b146.

- Klasser GD, Kugelmann AM, Villines D, Bradford JR. The prevalence of persistent pain after nonsurgical root canal. Quintessence Int. 2011; 42:259–269.
- Kniffin TC, Danaher RJ, Westlund KN, et al. Persistent neuropathic pain influences persistence behavior in rats. J Oral Facial Pain. 2015; 29:183–192.
- Kohjitani A, Miyawaki T, Kasuya K, Shimada M. Sympathetic activity–mediated neuropathic facial pain following simple tooth extraction: a case report. Cranio. 2002; 20:135–8.
- Kosuge M, Kimura K, Ishikawa T, et al. Differences between men and women in terms of clinical features of ST–segment elevation acute myocardial infarction. Circ J. 2006; 70:222–226.
- Kraut RA, Chahal O. Management of patients with trigeminal nerve injuries after mandibular implant placement. J Am Dent Assoc. 2002; 133:1351–1354.
- Kreiner M, Falace D, Michelis V, Okeson JP, Isberg A. Quality difference in craniofacial pain of cardiac vs. dental origin. J Dent Res. 2010; 89:965–9.
- Kreiner M. Use of streptomycin–lidocaine injections in the treatment of the cluster–tic syndrome. Clinical perspectives and a case report. J Craniomaxillofac Surg. 1996; 24:289–292.
- Kushnerev E, Yates JM. Evidence–based outcomes following inferior alveolar and lingual nerve injury and repair: a systematic review. J Oral Rehabil. 2015; 42:786–802.
- Kuten–Shorrer M, Treister NS, Stock S, et al. Topical clonazepam solution fot the management of burning mouth syndrome: A retrospective study. J Oral Facial Pain Headache. 2017; 31:257–263.
- Labat JJ, Riant T, Lassaux A, Rioult B, Rabischong B, Khalfallah M, Volteau C, Leroi AM, Ploteau S. Adding corticosteroids to the pudendal nerve block for pudendal neuralgia: a randomised, double–blind, controlled trial. BJOG. 2017; 124:251–260.
- Lazar ML. Current treatment of tic douloureux. Oral Surg Oral Med Oral Pathol. 1980; 50:504–508.
- Leckel M, Kress B, Schmitter M. Neuropathic pain resulting from implant placement: case report and diagnostic conclusions. J Oral Rehabil. 2009; 36:543–546.
- Lipton JA, Ship JA, Larach–Robinson D. Estimated prevalence and distribution of reported orofacial pain in the United States. J Am Dent Assoc. 1993; 124:115–121.
- List T, Leijon G, Helkimo M, et al. Clinical findings and psychosocial factors in patients with atypical odontalgia: A case–control study. J Orofac Pain. 2007; 21:89–98
- Litter BO. Alcohol blockade of the inferior dental nerve under radiographic control in the management of trigeminal neuralgia. Oral Surg Oral Med Oral Pathol. 1984; 57:132–135.
- Liu Y, Wu L, Meng FQ, Hou XS, Zhao J. [Effect of calcium sodium phosphosilicate and potassium nitrate on dentin hypersensitivity: a systematic review and Meta–analysis]. Hua Xi Kou Qiang Yi Xue Za Zhi. 2018; 36:301–307.
- Lobb WK, Zakariasen KL, McGrath PJ. Endodontic treatment outcomes: do patients perceive problems? J Am Dent Assoc. 1996; 127:597–600.

- López-Jornet P, Camacho-Alonso F, Andujar-Mateos P, et al. Burning mouth syndrome : An update. Med Oral Patol Oral Cir Bucal. 2010; 15:e562-8.
- Maheu E, Mazières B, Valat JP, Loyau G, Le Loët X, Bourgeois P, Grouin JM, Rozenberg S. Symptomatic efficacy of avocado/soybean unsaponifiables in the treatment of osteoarthritis of the knee and hip: a prospective, randomized, double-blind, placebo-controlled, multicenter clinical trial with a six-month treatment period and a two-month followup demonstrating a persistent effect. Arthritis Rheum. 1998; 41:81-91.
- Marbach JJ. Is phantom tooth pain a deafferentation (neuropathic) syndrome? Part II: Psychosocial considerations. Oral Surg Oral Med Oral Pathol. 1993; 75:225-32.
- Marbach JJ. Orofacial phantom pain: theory and phenomenology. J Am Dent Assoc. 1996; 127:221-9.
- Masatoshi Chiba 파국적 사고와 만성 통증. 통증에 대한 파국적 사고란 무엇인가?. In; 최재갑, 정재광, 변진석, 최윤정 역. 치과의 통증 50문 50답. 대한나래출판사. 2019; 136-138.
- Mason DA. Peripheral neurectomy in the treatment of trigeminal neuralgia of the second and third divisions. J Oral Surg. 1972; 30:113-120
- Matsuka Y. Basic mechanisms of botulinum toxin for orofacial pain management. 대한측두하악장애학회 2013 추계학술대회 초록집 14-16.
- Matsuura M, Matsuura M, Ando F, Sahashi K, Torii Y, Hirose H. [The effect of stellate ganglion block on prolonged post-operative ocular pain]. Nippon Ganka Gakkai Zasshi. 2003; 107:607-12.
- McCleane G. Topical application of doxepin hydrochloride, capsaicin and a combination of both produces analgesia in chronic human neuropathic pain: a randomized, double-blind, placebo-controlled study. Br J Clin Pharmacol. 2000; 49:574-9.
- Meacham K, Shepherd A, Mohapatra DP, Haroutounian S. Neuropathic Pain: Central vs. Peripheral Mechanisms. Curr Pain Headache Rep. 2017; 21:28.
- Melis M, Lobo SL, Ceneviz C, et al. Atypical odontalgia: A review of the literature. Headache. 2003; 43:1060-1074.
- Melzack R. Prolonged relief of pain by brief, intense transcutaneous somatic stimulation. Pain. 1975; 1:357-373.
- Michelotti A, Iodice G. The role of orthodontics in temporomandibular disorders. J Oral Rehabil. 2010; 37:411-429.
- Miranda HF, Noriega V, Zanetta P, et al. Isobolographic analysis in mice of the interaction of gabapentin and nortriptyline in relieving orofacial pain. J Orofac Pain. 2013; 27:361-366,
- Miura A, Tu TTH, Shinohara Y, Mikuzuki L, Kawasaki K, Sugawara S, et al. Psychiatric comorbidities in patients with Atypical Odontalgia. J Psychosom Res. 2018; 104:35-40.
- Miziara ID, Filho BC, Oliveira R, Rodrigues dos Santos RM. Group psychotherapy: an additional approach to burning mouth syndrome. J Psychosom Res. 2009; 67:443-8.
- Mol FMU, Jansen CH, Boelens OB, Stronks DL, Eerten PV, Huygen FJPM, Scheltinga MR, Roumen

RM. Adding steroids to lidocaine in a therapeutic injection regimen for patients with abdominal pain due to anterior cutaneous nerve entrapment syndrome (ACNES): a single blinded randomized clinical trial. Scand J Pain. 2018; 18:505–512.

- Moore RA, Chi CC, Wiffen PJ, Derry S, Rice AS. Oral nonsteroidal anti-inflammatory drugs for neuropathic pain. Cochrane Database Syst Rev. 2015; 2015:CD010902.
- Moreau N, Dieb W, Descroix V, et al. Topical review: Potential use of botulinum toxin in the management of painful posttraumatic trigeminal neuropathy. J Oral Facial Pain Headache. 2017; 31:7–18.
- Mruthyunjaya B, Raju CG. Trigeminal neuralgia: A comparative evaluation of four treatment procedures. Oral Surg Oral Med Oral Pathol. 1981; 52:126–132.
- Nagashima W, Kimura H, Ito M, Tokura T, Arao M, Aleksic B, Yoshida K, Kurita K, Ozaki N. Effectiveness of duloxetine for the treatment of chronic nonorganic orofacial pain. Clin Neuropharmacol. 2012; 35:273–7.
- Nakazawa K. The management to the difficult TMD cases. Importance of psychiatry. The Quintessence (Korea). 2005; 10:81–93.
- Niall MH, Patton DW. Peripheral alcohol injections in the management of trigeminal neuralgia. Oral Surg Oral Med Oral Pathol Oral Radiol Endod. 2007; 104:12–17.
- Nijs J, Torres-Cueco R, van Wilgen CP, Girbes EL, Struyf F, Roussel N, van Oosterwijck J, Daenen L, Kuppens K, Vanwerweeen L, Hermans L, Beckwee D, Voogt L, Clark J, Moloney N, Meeus M. Applying modern pain neuroscience in clinical practice: criteria for the classification of central sensitization pain. Pain Physician. 2014; 17:447–57.
- Nixdorf DR, Moana-Filho EJ, Law AS, et al. Frequency of persistent tooth pain after root canal therapy: A systematic review and meta-analysis. J Endod. 2010; 36:224–230.
- Nixdorf DR, Monna-Filho EJ, Law AS, et al. Frequency of nonodontogenic pain after endodontic therapy: A systematic review and meta-analysis. J Endod. 2010; 36:1494–8.
- Okeson JP. General considerations in managing oral and facial pain. In: Okeson JP, editor. Bell's oral and facial pain. 7th edition. Hanover Park (IL): Quintessence Publishing Co; 2014.
- Okeson JP. Bell's orofacial pains. Quintessence Publishing Co, Inc., Chicago. 2005; 141–96
- Oliveira GJ, Paula LG, Souza JA, Spin-Neto R, Stavropoulos A, Marcantonio RA. Effect of avocado/soybean unsaponifiables on ligature-induced bone loss and bone repair after ligature removal in rats. J Periodontal Res. 2016; 51:332–41.
- Owosho AA, Estilo CL, Huryn JM, Yom SK. Pentoxifylline and tocopherol in the management of cancer patients with medication-related osteonecrosis of the jaw: an observational retrospective study of initial case series. Oral Surg Oral Med Oral Pathol Oral Radiol. 2016; 122:455–9.
- Park HJ, Ahn JM. Clinical manifestations and management of burning mouth syndrome. Oral Bio Res. 2016; 40:30–35.

- Park JW, Kim MS, Kim SK, Lee KC, Lee JW. Regenerative effect of the polydeoxyribonucleotide after sciatic nerve transection in mouse. J Tissue Eng Regen Med. 2015; 12:457–63.
- Pigg M, Svensson P, Drangsholt M, List T. Seven-year follow-up of patients diagnosed with atypical odontalgia: A prospective study. J Orofac Pain. 2013; 27:151–164.
- Polycarpou N, Ng YL, Canavan D, et al. Prevalence of persistent pain after endodontic treatment and factors affecting its occurrence in cases with complete radiographic healing. Int Endod J. 2005; 38:169–78.
- Porporatti AL, Bonjardim LR, Stuginski-Barbosa J, et al. Pain from dental implant placement, inflammatory pulpitis pain, and neuropathic pain present different somatosensory profiles. J Oral Facial Pain Headache. 2017; 31:19–29.
- Porporatti AL, Costa YM, Réus JC, Stuginski-Barbosa J, Conti PCR, Velly AM, De Luca Canto G. Placebo and nocebo response magnitude on temporomandibular disorder-related pain: A systematic review and meta-analysis. J Oral Rehabil. 2019; 46:862–882.
- Queral-Godoy E, Vazquez-Delgado E, Okeson JP, Gay-Escoda C. Persistent idiopathic facial pain following dental implant placement: A case report. Int J Oral Maxillofac Implants. 2006; 21:136–140.
- Raja SN, Carr DB, Cohen M, Finnerup NB, Flor H, Gibson S, et al. The revised International Association for the Study of Pain definition of pain: concepts, challenges, and compromises. Pain. 2020; 161:1976–1982.
- Ratner EJ, Person P, Kleinman DJ, et al. Jawbone cavities and trigeminal and atypical facial neuralgias. Oral Surg Oral Med Oral Pathol. 1979; 48:3–19.
- Reeves JL 2nd, Merrill RL. Diagnostic and treatment challenges in occlusal dysesthesia. J Calif Dent Assoc. 2007; 35:198–207.
- Renton T. Prevention of iatrogenic inferior alveolar nerve injuries in relation to dental procedures. Dent Update. 2010; 37:350–360.
- Russell Vickers E, Cousins MJ, Walker S, et al. Analysis of 50 patients with atypical odontalgia. Oral Surg Oral Med Oral Pathol Oral Radiol Endod. 1998; 85:24–32.
- Sakar O. Matur Z, Mumcu Z, et al. Multidisciplinary management of a partially edentulous patient with oromandibular dystonia: A clinical report. J Prosthet Dent. 2018; 120:173–176.
- Saiki M, Kondo A, Kinuta Y, et al. Treatment of intractable postherpetic neuralgia and blepharospasm: intraneural injection of Adriamycin. No Shinkei Geka. 1995; 23:125–130.
- Salah S, Thomas L, Ram S, et al. Systematic review and meta-analysis of the efficacy of oral medications compared with placebo treatment in the management of postherpetic neuralgia. J Oral Facial Pain Headache. 2016; 30:255–266.
- Saler G. Combined thermocoagulation of the 5th and 9th cranial nerves for oral pain of neoplastic aetiology. J Maxillofac Surg. 1986; 14:1.
- Salvaggio I, Adducci E, Dell'Aquila L, Rinaldi S, Marini M, Zappia L, Mascaro A. Facial pain: a possible

therapy with stellate ganglion block. Pain Med. 2008; 9:958–62.

- Sardella A, Lodi G, Dermarosi F, et al. Burning mouth syndrome: a retrospective study investigating spontaneous remission and response to treatments. Oral Dis. 2006; 12:152–5.
- Sarlani E, Balciunas BA, Grace EG. Orofacial Pain—Part II: Assessment and management of vascular, neurovascular, idiopathic, secondary, and psychogenic causes. AACN Clin Issues. 2005; 16:347–58.
- Sato H. 항경련제로 분류되는 carbamazepine과 pregabalin은 어떻게 통증을 멎게 하는가? In:최재갑, 정재광, 변진석, 최윤정 역. 치과의 통증 50문 50답. 대한나래출판사. 2019; 189–192
- Scala A, Checchi L, Montevecchi M, et al. Update on burning mouth syndrome: overview and patients management. Crit Rev Oral Biol Med. 2003; 14:275–91.
- Scardina GA, Ruggieri A, Provenzano F, et al. Burning mouth syndrome: Is acupuncture a therapeutic possibility? Br Dent J. 2010; 209:E2.
- Shivpuri A, Sharma S, Trehan M, Gupta N. Burning mouth syndrome: A comprehensive review of literature. Asian J Oral Maxillofac Surg. 2011; 23:161–166.
- Schutzer SF, Gossling HR. The treatment of reflex sympathetic dystrophy syndrome. J Bone Joint Surg. 1984; 66A:625–629.
- Scolozzi P, Lombardi T, Jaques B. Successful inferior alveolar nerve decompression for dysesthesia following endodontic treatment: report of 4 cases treated by mandibular sagittal osteotomy. Oral Surg Oral Med Oral Pathol Oral Radiol Endod. 2004; 97:625–631.
- Shanthanna H, Busse J, Wang L, Kaushal A, Harsha P, Suzumura EA, Bhardwaj V, Zhou E, Couban R, Paul J, Bhandari M, Thabane L. Addition of corticosteroids to local anaesthetics for chronic non-cancer pain injections: a systematic review and meta-analysis of randomised controlled trials. Br J Anaesth. 2020; 125:779–801.
- Sharav Y, Benoliel R. Orfoacial Pain & Headache. Mosby. 2008; 277–294.
- Sharav Y, Benoliel R. Orofacial pain and headache. 2nd edition. Quintessence Publishing Co. 2015; 407–622.
- Shivpuri A, Sharma S, Trehan M, Gupta N. Burning mouth syndrome: A comprehensive review of literature. Asian J Oral Maxillofac Surg. 2011; 23:161–6.
- Smirne S. Clonazepam in cranial neuralgias. Med J Aust. 1977; 1:93–94.
- Sokolovic M, Todorovic L, Stajcic Z, Petrovic V. Peripheral streptomycin/lidocaine injections in the treatment of idiopathic trigeminal neuralgia. A preliminary report. J Maxillofac Surg. 1986; 14:8–9.
- Solaro C, Messmer Uccelli M, Uccelli A, et al. Low-dose gabapentin with either lamotrigine or carbamazepine can be useful therapies for trigeminal neuralgia in multiple sclerosis. Eur Neurol. 2000; 44:45–48.
- Song JM, Kim YD, Lee JY. Surgical treatment for dysesthesia after overfilling of endodontic material into the mandibular canal. J Korean Assoc Oral Maxillofac Surg. 2016; 54:874–879.
- Song PC, Schwartz J, Blitzer A. The emerging role of botulinum toxin in the treatment of

temporomandibular disorders. Oral Dis. 2007; 13:253-60.

- Stajcic Z, Juniper RP, Todorovic L. Peripheral streptomycin/lidocaine injections versus lidocaine alone in the treatment of idiopathic trigeminal neuralgia. A double blind controlled trial. J Craniomaxillofac Surg. 1990; 18:243-246.
- Stajcic Z, Saulacic N, Dozic S. Effects of streptomycin on the rat infraorbital nerve. J Craniomaxillofac Surg. 2002; 30:304-307.
- Swift JQ, Roszkowski MT. The use of opioid drugs in management of chronic orofacial pain. J Oral Maxillofac Surg. 1998; 56:1081-1085.
- Tamaki K, Ishigaki S, Ogawa T, Oguchi H, Kato T, Suganuma T, et al. Japan Prosthodontic Society position paper on "occlusal discomfort syndrome". J Prosthodont Res. 2016; 60:156-66.
- Tamaki K, Wake H, Shimada A, Shibura T. What in the world is occlusal dysesthesia? Its present state and general idea. The Quintessence (Korea). 2011; 16:73-78.
- Tan SN, Song E, Dong XD, et al. Peripheral GABAA receptor activation modulates rat tongue afferent mechanical sensitivity. Arch Oral Biol. 2014; 59:251-257.
- The scope of TMD/orofacial pain (head and neck pain management) in contemporary dental practice. Dental Practice Act Committee of the American Academy of Orofacial Pain. J Orofac Pain. 1997; 11:78-83.
- Theroux P. Anginal pectoris. In: Goldman L, Ausellio D (eds). Cecil Textbook of Medicine, ed 22. Philadelphia: Saunders, 2004; 389-400.
- Thoppay JR, DeRossi SS, Ciarrocca KN. Burning mouth syndrome. Dent Clin North Am. 2013; 57:497-512.
- Tinastepe N, Oral K. Neuropathic pain after dental treatment. Agri. 2013; 25:1-6.
- Tomoyasu Y, Higuchi H, Mori M, Takaya K, Honda Y, Yamane A, Yabuki A, Hayashi T, Ishii-Maruyama M, Jinzenji A, Maeda S, Kohjitani A, Shimada M, Miyawaki T. Chronic orofacial pain in dental patients: retrospective investigation over 12 years. Acta Med Okayama. 2014; 68:269-75.
- Tsurumaki JDN, Paula LGF, Aquino SG, Marcantonio E Jr, Oliveira GJPL, Marcantonio RAC. Effect of avocado/soybean unsaponifiables on periodontal repair in rats with arthritis and induced periodontitis. J Appl Oral Sci. 2019; 27:e20180602.
- Turk U, Ilhan S, Alp R, Sur H. Botulinum toxin and intractable trigeminal neuralgia. Clin Neuropharmacol 2005; 28:161-162.
- Uchida A, Wakano Y, Fukuyama O, Miki T, Iwayama Y, Okada H. Controlled clinical evaluation of a 10% strontium chloride dentifrice in treatment of dentin hypersensitivity following periodontal surgery. J Periodontol. 1980; 51:578-81.
- Verma V, Singh N, Singh Jaggi A. Pregabalin in neuropathic pain: evidences and possible mechanisms. Curr Neuropharmacol. 2014; 12:44-56.
- Vigneri S, Sindaco G, La Grua M, et al. Electrocatheter-mediated high-voltage pulsed radiofrequency

of the dorsal root ganglion in the treatment of chronic lumbosacral neuropathic pain: A randomized controlled study. Clin J Pain. 2020; 36:25–33.

- Waghray S, Asif SM, Duddu MK, Arakeri G. Streptomycin-lidocaine injections for the treatment of postherpetic neuralgia: Report of three cases with literature review. Eur J Dent. 2013; 7(Suppl 1:S105–S110.
- Walega DR, Smith C, Epstein JB. Bilateral stellate ganglion blockade for recalcitrant oral pain from burning mouth syndrome: A case report. J Orofacial Pain. 2014; 28:171–175.
- Wajima K. 통증에는 기본적으로 어떤 종류가 있는가? In:최재갑, 정재광, 변진석, 최윤정 역. 치과의 통증 50문 50답. 대한나래출판사. 2019; 193–199.
- Wake H. Current status of psychosomatic dentistry, and the appropriate medical care and collaboration for "dental psycosomatic disorders". Jpn J Psychosom Med. 2009; 49:1003–9.
- Walton JN. Altered sensation associated with implants in the anterior mandible: a prospective study. J Prosthet Dent. 2000; 83:443–449.
- Yang KY, Kim MJ, Ju JS, et al. Antinociceptive effects of botulinum toxin type A on trigeminal neuropathic pain. J Dent Res. 2016; 95:1183–1190.
- Yang XD, Fang PF, Xiang DX, Yang YY. Topical treatments for diabetic neuropathic pain. Exp Ther Med. 2019; 17:1963–1976.
- Yilmaz Z, Egbuniwe O, Renton T. The detection of small-fiber neuropathies in burning mouth syndrome and iatrogenic lingual nerve injuries: Use of quantitative sensory testing. J Oral Facial Pain Headache. 2016; 30:87–98.
- Yoo HS, Jin SH, Lee YJ, et al. The role of psychological factors in the development of burning mouth syndrome. Int J Oral Maxillofac Surg. 2018; 47:374–378.
- Zakrzewska JM. Cryotherapy in the management of paroxysmal trigeminal neuralgia. Four year followup of 39 patients. J Maxillofac Surg. 1986; 14:5.
- Zakrzewska JM. Medical management of trigeminal neuropathic pains. Expert Opin Pharmacother. 2010; 11:1239–54.
- Zhang Z, Xiao W, Jia J, Chen Y, Zong C, Zhao L, Tian L. The effect of combined application of pentoxifylline and vitamin E for the treatment of osteoradionecrosis of the jaws: a meta-analysis. Oral Surg Oral Med Oral Pathol Oral Radiol. 2020; 129:207–214.
- Zuniga JR. The use of nonopioid drugs in management of chronic orofacial pain. J Oral Maxillofac Surg. 1998; 56:1075–1080.

의학용어

| A |

Absence epilepsy 결신발작

Absence seizure 전신소발작

Acute pain 급성 통증

Adams Stokes syndrome 애덤스-스토크스증후군

Adynamia 무력증

Adynamic ileus 무력 장폐쇄증

Agitation 초조

Agranulocytosis 무과립구증

Akathisia 좌불안석증

Algometer 통각계

Allodynia 이질통, 무해자극통증

Altered sensation 변화된 감각

Alveolar distraction 치조골신장술

Amnesia 건망증

Anarthria 구음장애

Anastomosis 문합

Anesthesia dolorosa 무감각부위 통증

Anesthesia 마비, 무감각(=numbness)

Anginal pectoris 협심증

Anorexia 식욕부진

Antagonist 길항제

Anterograde amnesia 전향기억상실증

Anticonvulsant 항경련제

Antidepressant 항우울제

Antiepileptics 항간질약

Antipsychotic drug 항정신병제

Anuresis 요폐

Aphasia 실어증

Asterixis 고정자세 불능증

Ataxia 운동실조, 조화운동불능

Atrial fibrillation 심방세동

Atrial flutter 심방조동

Atypical facial pain 비정형 안면통

Atypical toothache 비정형 치통

Auriculoventricular block 방실차단

Axon 축삭

Axonotmesis 축삭절단

| B |

Biliary tract 담도

Biopsychosocial model 생물심리사회모델

Bipolar disorder 양극성 장애

Blister 물집

Blurred vision 시력 불선명, 시력 혼탁

Botulinum toxin 보툴리눔독소

Bridge 가공의치

Burning mouth syndrome 구강작열감증후군

Burning sensation 작열감

| C |

Cantilever 외팔보, 캔틸레버

Cataract 백내장

Causalgia 작열통

Central sensitization 중추감작, 중추민감화

Cephalalgia 두통

Chorda tympani nerve 고실끈신경

Chorea 무도병

Chromatolysis 염색질융해

Chronic pain 만성 통증

Circulatory collapse 순환허탈

Collagenolysis 아교질증, 콜라겐증

Collateral nerve 곁신경

Collateral 곁

Complex regional pain syndrome 복합부위통증증후군

Confusion 착란

Contracture 구축

CR-CO disprepancy 중심위-중심교합 불일치

Cryotherapy 냉동요법

Current perception threshold 전류인지도역치

| D |

Deafferentation pain 구심로차단통증

Debridement 괴사조직제거

Delusion 망상

Dentoalveolar 치아치조

Depersonalization 이인증

Diagnostic anesthesia 진단용 마취

Digital Infrared Thermographic Imaging (DITI) 적외선체열검사

Displacement 전위

Dizziness 어지럼증, 현기증

Drowsiness 졸음, 기면

Dynamic tactile test 동적촉각검사

Dysarthria 구음장애

Dysesthesia 불쾌감각

Dysgeusia 미각이상

Dyskinesia 이상운동증

Dyspnea 호흡곤란

| E |

Ecchymosis 반상출혈

Eczema 습진

Electric pulp test (EPT) 전기치수검사

Electrical acupuncture stimulation therapy (EAST) 전기침자극요법

Electrogustometry (EGM) 전기미각검사

Electromyography (EMG) 근전도검사

Electrophysiologic 전기생리학

Emergence profile 출현윤곽

Endoneurium 신경내막

Epineurium 신경외막

Erythema migrans 이동홍반

Erythema multiforme 다형성홍반

Etching 에칭, 부식

Euphoria 다행증, 도취감, 황홀

Exploratory operation 탐색수술

External decompression 외부 감압법

Extrapyramidal 추체외로

| F |

Fenestration procedure 개창술, 창냄술

Fibrillation 섬유성 연축

Fibromyalgia 섬유근육통

Filter paper disk (FPD) test 여지디스크법

Flap 피판

Flatus 방귀

Fungiform papillae 버섯유두

| G |

Glaucoma 녹내장

Glossopharyngeal neuralgia 설인신경통

Glossopharyngeal neuropathic pain 설인신경의 신경병성 통증

Glossopyrosis 혀작열감, 혀화끈감

Greater auricular nerve 대이개신경

Grogginess 휘청거림, 비틀거림

Gynecomastia 여성형 유방증

| H |

Hallucination 환각

Helplessness 무력감

Hepatic porphyria 간성포르피린증

Heterotopic pain 이소성 통증

Hirsutism 다모

Hollow organ 속이 빈 장기

Hydrodipsomania 구갈

Hyperacusis 청각과민

Hyperalgesia, Hyperpathia 통각과민증

Hyperechema 청각과민

Hyperesthesia 감각과민

Hyperoxaluria 고수산뇨증

Hyperreflexia 반사항진

Hypertrichosis 털과다증

Hypoalgesia, Hypopathia 통각저하증

Hypoesthesia 감각저하

Hypohidrosis 땀감소증, 땀저하증

Hyponatremia 저나트륨혈증

Hypoprothrombinemia 저프로트롬빈혈증

| I |

Idiopathic facial pain 특발성 안면통증

Idiopathic 특발성

Ileus 장폐쇄증

Immunosuppressants 면역억제제

Induration 경결감, 경화

Infraorbital foramen 안와하공

Infraorbital nerve 안와하신경

Intentional partial odontectomy (IPO) 의도적치관절제술

Internal decompression 내부 감압법

Interpositional bone graft 삽입성골이식술

Ischemia 허혈

Ischemic heart disease 허혈성심장질환

Ischuria 요저류

Itching 가려움, 소양증

| K |

Kinase 인산화효소, 활성효소

| L |

Lacrimation 눈물분비, 눈물흘림

Lactation 유즙분비

Lactose intolerance 유당불내증

Lethargy 졸음증, 기면

Leukopenia 백혈구감소증

Leutrophil 호중구

Lichen planus 편평태선

Lingula 소설, 혀돌기

Low level laser therapy (LLLT) 저수준레이저치료

Lupus erythematosus 홍반성낭창

| M |

Macrocythemia 대적혈구증가증

Malaise 권태감

Mandible body 하악체

Mandible ramus 하악지

Mania 조증

Manipulation 도수조작, 도수교정

Megaloblastic anemia 거대적아구성 빈혈

Mental foramen 이공

Mental nerve neuropathy 이신경병변증(=Numb chin syndrome)

Mental nerve 이신경

Mentum 이부

Multiple neuritis 다발성 신경염

Multiple sclerosis 다발경화증

Muscle afferent block 근육구심차단술

Muscular stiffness 근육강직, 근육경직

Myasthenia 근무력증

Mydriasis 산동, 동공산대

Myelin 수초

Mylohyoid 악설골

Myocardial infarction 심근경색증

Myoclonia 간대성 근경련

Myoglobinuria 미오글로빈뇨증

| N |

Narcolepsy 기면증, 발작수면

Nausea 구역질, 오심

Negative nitrogen balance 음성질소평형

Nerve anastomosis 신경문합술

Nerve graft 신경이식술

Nerve sheath 신경초

Nerve sprouting 신경발아

Neurapraxia 생리적신경차단

Neurectomy 신경절제술

Neuroleptic malignant syndrome 신경이완제악성증후군

Neurolysis 신경박리술

Neuroma 신경종

Neuropathic disorder 신경병성 장애

Neuropathic pain 신경병성 통증, 신경병변성 통증, 신경병증성 통증

Neurotmesis 신경절단

Neurotoxicity 신경독성

Neurotrophic 신경영양

Neutropenia 호중구감소증

Nissl body 니슬소체

Nociceptive 통각수용성, 침해수용성, 침해성

Nondepolarizing muscle relaxant 비탈분극성 근이완제

Non-nociceptive pain 비통각수용성 통증

Numbness 무감각, 마비

Nystagumus 안구진탕

| O |

Ochronosis 흑변

Oliguria 핍뇨

Orbicularis oculi m. 안륜근

Orbicularis oris m. 구륜근

Orofacial pain 구강안면통증

Osteomalacia 골연화증

Osteoradionecrosis 방사선골괴사

| P |

Pancytopenia 범혈구감소증

Paresthesia 감각이상

Paradoxical reaction 역설적 반응

Perineurium 신경주위막

Petechiae 점상출혈

Phantom pain syndrome 환상통증 증후군

Photophobia 광선공포증

Photosensitivity 광과민성

Pin pressure nociceptive discrimination test 통각유해감각 구별법

Polymerization 중합반응

Pore 구멍

Porphyria hepatica 간성포르피린증

Posterior subcapsular cataract 후낭하백내장

Postherpetic neuralgia 포진후 신경통

Pricking 따끔거림

Primary pain 원발성 통증

Primary stability 일차 안정도

Priming 시동, 초회

Provocation test 유발검사

Pruritus 소양증

Psychogenic pain 심인성 통증

Psychomotor restlessness 안절부절증

Purpura 자반증

Purpuric cryopathy 자색반한랭병

Purulent exudate 화농성 삼출물

| Q |

Qualitative Sensory Test (QST) 정량적 감각 기능 검사

| R |

Rash 발진

"Red flap" symptom 치성 원인이 없는 감각이상 증상

Referred pain 연관통

Reflex sympathetic dystrophy syndrome 반사 교감신경성 위축 증후군

Reinnervation 신경재분포

Retraction 견인

Retractor 견인기

Retrograde degeneration 퇴행성변성

Rickets 구루병

Root apex 치근단

Rumination 반추

| S |

Saucerization 배상형성술

Scab 딱지

Scar 흉터

Schwann's sheath 슈반신경초

Secondary stability 이차 안정도

Sensitization 감작, 민감화

Sensory Nerve Conduction Velocity (SCV) 말초 감각신경전도속도 검사

Shingles 대상포진(=herpes zoster)

Sinoatrial block 동방차단

Sinus bradycardia 동서맥

Somatic pain 몸통증

Somatization disorder 신체화장애(=Somatoform disorder)

Somatization 신체화

Somatosensory evoked potential 체성감각유발전위

Somatosensory evoked potentials (SEP) 체성감각유발전위검사

Somnolence 졸음증, 기면

Space occupying lesion 공간점유병소

Spasm 연축

Splint 스플린트

Sprain 염좌

Stagnation 울체, 정체

Stainless steel 스테인리스스틸

Static tactile test, Static light touch detection 정적촉각검사

Status epilepticus 간질지속상태

Stellate ganglion block (SGB) 성상신경절차단

Stripe disease 선조병

Stylohyoid process 경상설골돌기

Styloid process 경상돌기

Stylomastoid foramen 경유돌공

Superior laryngeal neuralgia 상후두신경통

Supraorbital 안와상

Sural nerve 비복신경

Sweat 발한

Sympathectomy 교감신경절제(술)

Sympathetically maintained pain (SMP) 교감신경성 지속 통증

| T |

Tardive dyskinesia 지발성 운동장애

Thermocoagulation 열응고

Thermography 체열검사

Throbbing 박동성

Thymosis 격앙

Tinel's sign 티넬 징후

Tingling 저림증

Toxic epidermal necrolysis 독성표피괴사

Transcutaneous electrical nerve stimulation 경피전기신경자극

Traumatic neuroma 외상성 신경종

Tremor 떨림, 진전

Tricyclic antidepressant 삼환계항우울제

Trigeminal neuralgia 삼차신경통

Trigeminal neuropathic pain 삼차신경의 신경병성 통증

Trophic 영양

Two-point discrimination test 이점 식별능 검사

| U |

Undermining 잠식성

Uptake 섭취, 섭취율

Urinary incontinence 요실금

Urticaria 두드러기

| V |

Ventricular arrhythmia 심실성 부정맥

Ventricular tachycardia 심실빈맥

Vertigo 현기증, 어지럼증

Visceral pain 내장 통증

Vomiting 구토

| W |

Wallerian degeneration 왈러변성

Weakness 쇠약, 허약

약품, 재료, 기구 및 장비

상품명	성분	제조사
Licaneuro Cap.	Pregabalin 75 mg	대원제약
Lyrica Cap.	Pregabalin 75 mg	한국화이자제약
MBCP, MBCP+	Micro-macro Biphasic Calcium Phosphate, Biomatlante	Vigneux-de-Bretagne (France)
Megaderm		L&C Bio Corp.
Melocox Cap.	Meloxicam 7.5 mg	동아에스티
Mesexin	Methylol cephalexin lysinate 500 mg	한림제약
Methycobal	Mecobalamin 0.5 mg	대웅제약
Methylon Tab.	Methylprednisolone 4 mg	알보젠코리아
Microprime		Danville Material Inc. (USA)
Minocure Dental Ointment	Minocycline 20 mg/g	나이벡
Minocline Dental Ointment	Minocycline 20 mg/g	동국제약
MS-COAT		Sun Medical (Japan)
Mu-Terasil	Pure water, Polyvinylpyrrolidone K-90, Calcium chlroride, Potassium sorbate, Propylene glycol, 12ml/btl	한국푸앤코
Naxen-F Tab.	Naproxen 500 mg	종근당
Neurometer		Neurotron Inc. (Baltimore, MD, USA)
Neurontin	Gabapentin 100 mg	한국화이자제약
Newdotop patch, Newdotop Cataplasma		SK Chemicals
Newrica Cap.	Pregabalin 75 mg	동아에스티
Nisolone	Prednisolone 5 mg	국제약품공업
Nitroglycerin Sublingual Tab.	Nitroglycerin 0.6 mg	명문제약
NOVOSIS BMP-2		CG bio
Oneplant		Warantec
Oramedy ointment	Triamcinolone 10 g	동국제약
Oropherol soft cap.	Tocopherol 100 mg	신일제약
Orthoblast II		SeaSpine (San Diego, CA, USA)
Ossix Plus		Purgo Dental Biologics, Datum Biotech Ltd. (Israel)
Osstell ISQ		Osstell (Gothenburg, Sweden)
OSTEON		GENOSS
Parox Tab.	Paroxetine 20 mg.	명인제약
Pedi-Stick		HANS Biomed
Peniramin Tab.	Chlorpheniramine 2 mg	유한양행
Pharma mecobalamin	Mecobalamin 500 ug	한국파마
Phenytoin Tab.	Phynytoin 100 mg	명인제약
Placentex Injection	Polydeoxyribonuceotide	파마리서치프로덕트
Prozac Dispersible Tab.	Fluoxetine 20 mg	한국릴리

상품명	성분	제조사
Prebalin Cap.	Pregabalin 75 mg	한미약품
Rapi-Plug		Dalim Tissen
Regenaform		Exactech, Inc. (Gainesville, FL, USA)
Remaix membrane		Metricel GmbH (Herzogenrath, Germany)
Reumel Cap.	Meloxicam 7.5 mg	한림제약
Rheuma Gel	Ketoprogen 30 mg/g 30g	한미약품
Rivotril Tab.	Clonazepam 0.5 mg	한국로슈
Ropiva Inj.	Ropivacaine 7.5 mg/mL	한림제약
Seal & Protect		Dentsply (USA)
Sensival Tab.	Nortriltyline 10 mg	일성신약
Soleton Tab.	Zaltoprofen 80 mg	에이치케이이노엔
Somalgen Tab.	Talniflumate 370 mg	알보젠코리아
Superline		Dentium
Super Seal		Phoenix Dental Inc. (USA)
Suprax Cap.	Cefixime 100 mg	동아에스티
Surgicel		Ethicon Inc. (Somerville, NJ, USA)
Synthyroid Tab.	Levothyroxine 100 μg	부광약품
Tantum Solution	Benzydamine 1.5 mg/mL	삼아제약
Tegretol	Carbamazepine 100 mg	한국노바티스
Terramycin eye oint.	Tetracycline 5 mg/g 3.5 g	한국화이자제약
Therabite		Atos Medical AB (H□rby, Sweden)
Tisseel		Baxter Healthcare (Deerfield, IL, USA)
Topamax Tab.	Topiramate 100 mg	한국얀센
Tramadol HCl Cap.	Tramadol 50 mg	대우제약
Tranexamic Acid Inj.	Tranexamic acid 500 mg	대한약품공업
Transamin Cap.	Tranexamic acid 250 mg	제일약품
Trental SR Tab.	Pentoxifylline 400 mg	한독
Triam Injection	Triamcinolone 40 mg/mL	신풍제약
Trileptal Film Coated Tab. 150 mg	Oxcarbazepine 150 mg	한국노바티스
Trileptal Film Coated Tab. 300 mg	Oxcarbazepine 300 mg	한국노바티스
Trolac Injection	Ketorolac 30 mg	환인제약
Ultracet Tab.	Tramadol 37.5 mg/Acetaminophen 325 mg	한국얀센
Vitamin D3 BON Injection	Cholecalciferol 5 mg/mL	광동제약
Xerova Solution	Carboxymethylcellulose Sodium 10 mg, D-Sorbitol 30 mg, Calcium Chloride Hydrate 0.15mg, Dibasic Potassium Phosphate 0.34 mg, Magnesium Chloride 0.05 mg, Potassium Chloride 1.2 mg, Sodium Chloride 0.84 mg/ml, 40 ml/btl	한국콜마
Yucla Tab. 625 mg	Amoxicillin/clavulanate 625 mg	유한양행

INDEX

국문

| ㅇ |

| ㅈ |

| ㅊ |

| ㅋ |

| ㅌ |

| ㅍ |

| ㅎ |

영문

| A |

| B |

TOUGH CASES

| T |

| U |

| V |

| W |

| X |